2025-26年 合格目標

大卒程度 公務員試験

本気で
合格!

過去問
解きまくり!

⑤ 人文科学Ⅰ
（日本史・世界史）

はしがき

1 「最新の過去問」を掲載

2024年に実施された公務員の本試験問題をいち早く掲載しています。公務員試験は年々変化しています。今年の過去問で最新の試験傾向を把握しましょう。

2 段階的な学習ができる

公務員試験を攻略するには，さまざまな科目を勉強することが必要です。したがって，勉強の効率性は非常に重要です。『公務員試験 本気で合格！過去問解きまくり！』では，それぞれの科目で勉強すべき項目をセクションとして示し，必ずマスターすべき必修問題を掲載しています。このため，何を勉強するのかをしっかり意識し，必修問題から実践問題（基本レベル→応用レベル）とステップアップすることができます。問題ごとに試験種ごとの頻出度がついているので，自分にあった効率的な勉強が可能です。

3 満足のボリューム（充実の問題数）

本試験問題が解けるようになるには良質の過去問を繰り返し解くことが必要です。『公務員試験 本気で合格！過去問解きまくり！』は，なかなか入手できない地方上級の再現問題を収録しています。類似の過去問を繰り返し解くことで知識の定着と解法パターンの習得を図れます。

4 メリハリをつけた効果的な学習

公務員試験の攻略は過去問に始まり過去問に終わるといわれていますが，実際に過去問の学習を進めてみると戸惑うことも多いはずです。『公務員試験 本気で合格！過去問解きまくり！』では，最重要の知識を絞り込んで学習ができるインプット（講義ページ），効率的な学習の指針となる出題傾向分析，受験のツボをマスターする10の秘訣など，メリハリをつけて必要事項をマスターするための工夫が満載です。

※本書は，2024年9月時点の情報に基づいて作成しています。

みなさんが本書を徹底的に活用し，合格を勝ち取っていただけたら，わたくしたちにとってもそれに勝る喜びはありません。

2024年10月吉日

株式会社　東京リーガルマインド
LEC総合研究所　公務員試験部

巻頭特集① チャンスが広がる！ 国家公務員 一般職試験（大卒程度試験）に 「教養区分」が新設されます！

2025年度の春試験から，一般職試験（大卒程度試験）に「教養区分」が新設されます。この区分は，民間就職志望の学生にも目を向けてもらえるよう，法律学や化学などの専門試験が実施されないなど，より受験しやすい設計になっています。

ポイント1 文系・理系の「専門試験」対策が不要！

ポイント2 大学3年生の春から受験のチャンス！

ポイント3 最終合格発表後6年間は採用試験免除

＜教養区分の試験科目＞

第1次試験

■ **基礎能力試験**

公務員として必要な基礎的な能力（知能及び知識）についての，多肢選択式（5択）マークシート試験。

■ **課題対応能力試験**

速く正確に課題を解く能力についての，多肢選択式（5択）マークシート試験。

■ **一般教養論文試験**

一般的な教養を土台とした判断力，思考力についての論文試験。

第2次試験

■ **人物試験**

人柄，対人的能力などについての個別面接。

基礎能力試験・人物試験は，従来の国家一般職の各区分で課されるものと同一になります。課題対応能力試験と一般教養論文試験は教養区分のために設けられた新しい試験です。

※ 巻頭特集の作成段階（2024年9月20日時点）では，課題対応能力試験と一般教養論文試験の試験問題例は未発表です。

試験の詳細は人事院より「受験案内」にて発表されます。最新情報は国家公務員試験採用情報NAVIをご確認ください。

国家公務員試験の基礎能力試験が大幅に変更！

巻頭特集❷

人事院が実施する国家公務員試験では，2024（令和6）年度より基礎能力試験が大きく変更されました。変更は出題数・試験時間・出題内容と多岐にわたっています。

1. 基礎能力試験の問題数・時間・出題内容の変更

2023（令和5）年度以前		2024（令和6）年度から
〈総合職・大卒程度試験〉		
40題／ 3時間 ［知能分野27題］ 　文章理解⑪ 　判断・数的推理（資料解釈を含む）⑯ ［知識分野13題］ 　自然・人文・社会（時事を含む）⑬	⇒	30題／ 2時間20分 ［知能分野24題］ 　文章理解⑩ 　判断・数的推理（資料解釈を含む）⑭ ［知識分野6題］ 　**自然・人文・社会に関する時事，情報⑥**
〈一般職/専門職・大卒程度試験〉		
40題／ 2時間20分 ［知能分野27題］ 　文章理解⑪ 　判断推理⑧ 　数的推理⑤ 　資料解釈③ ［知識分野13題］ 　自然・人文・社会（時事を含む）⑬	⇒	30題／ 1時間50分 ［知能分野24題］ 　文章理解⑩ 　判断推理⑦ 　数的推理④ 　資料解釈③ ［知識分野6題］ 　**自然・人文・社会に関する時事，情報⑥**

　特に注目したいのは，知識分野の出題内容変更です。それまでの「自然・人文・社会（時事を含む）⑬」とされていた出題内容が，「**自然・人文・社会に関する時事，情報⑥**」**に変更されました**。6題のうち1題は「情報」からの出題なので，「自然・人文・社会に関する時事」は5題と，変更前の13題から大幅に減りました。

　そして，単に問題数だけではなく，出題のされ方も大きく変わっています。

　これまでは，「自然科学」「人文科学」「社会科学」は，それぞれ独立の分野の問題として出題されており，時事問題は社会科学の一部として扱われていました。日本史なら日本史，化学なら化学の知識のみで1問が構成されるという，オーソドックスな形式でした。

　これが，「単に知識を問うような出題を避けて時事問題を中心とする出題」に見直す，という趣旨のもと，知識分野の問題は，「自然・人文・社会に関する時事」となり，情報を除き**すべて時事問題**になりました。自然・人文・社会科学の知識は，時事問題の中の要素という扱いになったのです。

　そのため，1問のなかに時事だけでなく，自然・人文・社会科学の知識が要素として散りばめられる，いわば融合形式の出題に変化しています。

2. 時事問題を中心とした知識

　では，「単に知識を問うような出題を避けて時事問題を中心とする出題」とはどんな問題なのでしょうか。実際に出題された問題を見てみましょう。

<table>
<tr><td style="background:#ccc">　　　　</td><td>：自然・人文・社会科学の知識で判断できる誤り箇所</td></tr>
<tr><td>～～～～</td><td>：時事知識で判断できる誤り箇所</td></tr>
</table>

〈2024年度　国家総合職　基礎能力試験　新しい日本銀行券〉

[No. 27]　新しい日本銀行券（新紙幣）は，偽造抵抗力強化等の観点から様式を新たにして令和6（2024）年7月に発行される。これに関する記述として最も妥当なのはどれか。

✘ 新一万円券（1万円札）の表の肖像は渋沢栄一，裏は東京駅の「赤レンガ駅舎」の図柄が採用されることとなっている。渋沢栄一は，明治政府で税制改革に当たるとともに郵便事業を創始し，退官後は実業界で活躍する中で，富岡製糸場，八幡製鉄所，日本郵船会社などを設立した。また，「赤レンガ駅舎」は，ビザンツ様式の歴史的建造物で，21世紀に入り，五稜郭，旧鹿鳴館，旧八幡製鉄所（旧本事務所）と共に国宝に指定された。

✘ 新五千円券（5千円札）の表の肖像は津田梅子，裏はフジ（藤）の図柄が採用されることとなっている。津田梅子は，不平等条約改正のため，明治時代に欧米に派遣され領事裁判権の廃止を実現させた岩倉使節団に通訳として同行し，帰国後は女子英学塾の創立など近代的な女子高等教育に尽力した。また，フジは，裸子植物に属する日本固有種であり，飛鳥時代に編纂された『古事記』や平安時代に編集された『万葉集』にも登場し，我が国では古くから親しまれている。

③ 新千円券（千円札）の表の肖像は北里柴三郎，裏は「富嶽三十六景」の図柄が採用されることとなっている。北里柴三郎は，明治時代，世界で初めて破傷風菌の純粋培養に成功して破傷風血清療法を確立し，伝染病研究所などを創立した。また，浮世絵版画の「富嶽三十六景」は，江戸時代後期の浮世絵師の葛飾北斎の代表作であり，これらの浮世絵は，海外に紹介され，ヨーロッパの印象派の画家たちに大きな影響を与えた。

✘ 新紙幣には，偽造防止とともに，外国人旅行者の利用に特別に配慮するユニバーサルデザインの観点から，新たに3Dホログラムを導入し，紙幣を傾けると，算用数字やアルファベットが拡大して浮き出るようになっている。ホログラムはホログラフィーを利用した画像であり，ホログラフィーの原理は，物体に光を当て，そこから得られる光と元の光との共鳴を利用して物体の立体像を再現するものである。

✘ 新紙幣を広く普及させるためには，ATMや自動販売機などが紙幣を正しく認識する必要があり，機器による新紙幣の読み取り専用の「高精細すき入れ」を導入することとなっている。一方，我が国は，キャッシュレス決済が推進されているが，民間最終消費支出に対するキャッシュレス決済の比率は令和4（2022）年で1割程度と低く，その推進のための一方策として，新紙幣以前の紙幣は3年間の猶予期間を経て使用不可となる。

側注

[人文科学知識]
・郵便事業を創始したのは，前島密。
・富岡製糸場は，渋沢が官僚時代に設立。
・八幡製鉄所設立には直接かかわっていない。
・「赤レンガ駅舎」は「辰野式」と呼ばれる様式の建築物。
・「赤レンガ駅舎」は国宝ではなく重要文化財。五稜郭跡は特別史跡，八幡製鉄所は世界遺産，鹿鳴館は現存していない。

[人文科学知識]
・岩倉使節団は領事裁判権の廃止を実現できていない。
・津田梅子は，日本で最初の女子留学生の一人。通訳ではない。
・『古事記』『万葉集』はいずれも奈良時代に編纂。
[自然科学知識]
・フジは，被子植物。

[時事知識]
・3Dホログラムは偽造防止の観点から導入。ユニバーサルデザインの観点からの導入としては，額面数字のアラビア数字化・大型化，識別マークの配置変更など。
・3Dホログラムは，紙幣を傾けると3Dで表現された肖像が回転する。
[自然科学知識]
・ホログラフィーは，光の回折，干渉現象を利用して光を記録・再生する技術。

[時事知識]
・高精細すき入れは，機器読み取り専用ではなく偽造防止のための技術。
・新紙幣が発行された後も，旧紙幣は引き続き使用可能。
[社会科学知識]
・民間最終消費支出に対するキャッシュレス決済比率は，令和4（2022）年で36.0%。

出題例からもわかる通り，新形式の時事問題はテーマに沿って時事的トピックスを問うと同時に，**周辺知識として自然・人文・社会科学の分野からも問う**，という構成をとっています。一つの文章の中に誤り箇所が複数散りばめられているのも特徴的です。

誤りを1箇所でも見つけられればよいのですから，できるだけ情報を広く押さえておくほうが有利になります。

日々のニュースに出てくる用語が，自然・人文・社会科学のテキストではどのように説明されていたかを連想していくことが大事です。

実際の出題では，意外な角度から周辺知識を問うものも多くあります。2024年の主だった試験での，自然・人文・社会科学の知識の出題状況をまとめたものが以下の表です。

職種	No.	肢	テーマ	知識分野 自然科学	知識分野 人文科学	知識分野 社会科学	キーワード
国家総合職	25	1	経済安全保障推進法	化学			ドローン，デュアルユース技術，ハーバーボッシュ法
		2	自動運転	物理			自動運転レベル，LiDAR，ドップラー効果
		3	パーソナルデータ	生物			生体情報，Emotet，瞳孔
		4	量子暗号通信	物理			光子，暗号鍵，量子力学
		5	衛星コンステレーション	地学			スターリンク，静止衛星
	26	1	スーダン情勢		地理		邦人救出，スーダンの地誌
		2	ロシアのウクライナ侵攻		世界史		ダム破壊・決壊，クリミアの歴史，オスマン帝国
		3	通貨交換（スワップ）協定			経済	日韓スワップ協定，アジア通貨危機
		4	米ユネスコ脱退			政治	ユネスコ脱退，ユネスコの役割，UN Tourism（世界観光機関）
		5	サッカー女子ワールドカップ開催		地理		女子サッカーワールドカップ，ニュージーランド，トンガの地誌
	27	1	新紙幣（一万円札）		日本史		渋沢栄一，赤レンガ駅舎，渋沢栄一の業績，辰野金吾
		2	新紙幣（五千円札）	生物	日本史		津田梅子，フジ，岩倉使節団，領事裁判権，被子植物
		3	新紙幣（千円札）		日本史		北里柴三郎，破傷風菌，富嶽三十六景
		4	新紙幣	物理			ユニバーサルデザイン，ホログラムの原理
		5	新紙幣			経済	高細密すき入れ，キャッシュレス決済，民間消費支出
	28	1	絶滅危惧種		日本史		絶滅危惧種，IUCN，日中国交正常化，田中角栄，
		2	特別天然記念物	生物			オオサンショウウオ，ウシガエル，扇状地，三角州，
		3	世界の食料需要	生物			人口増加，昆虫食，タンパク質，ATP
		4	感染症		地理		豚熱，マラリア，南アフリカ，熱帯雨林気候，照葉樹林
		5	新型コロナウイルス	生物			医薬品の供給不足，ウイルスの構造

職種	No.	肢	テーマ	知識分野			キーワード
				自然科学	人文科学	社会科学	
国家総合職	29	1	生物多様性の確保	生物			自然公園法改正, ニッチ（生態的地位）
		2	遺伝子組換え農産物	生物			食品表示基準の改正, DNA, PCR法
		3	火山調査研究推進本部	地学			活動火山対策特別措置法, 火山地帯, 地熱発電, マグマの粘性
		4	霊感商法の規制		法学		不当勧誘防止法, 消費者契約法, 特定商取引法
		5	インボイス制度		経済		インボイス制度, 消費税, 間接税, 直接税
国家専門職	25	1	アルテミス計画		地理		アルテミス計画, 日本人の月面着陸, プレーリー, フロリダ
		2	中国の宇宙開発		地理		宇宙ステーション, 中国の発射場, タクラマカン砂漠
		3	スペースデブリ	地学・物理			スペースデブリ, 成層圏, 空力加熱
		4	H3ロケット		日本史		種子島宇宙センター, 鉄砲伝来
		5	ロシアの宇宙開発		世界史・地理		ロシアの発射場, シルクロード, カザフスタン
	26	1	GDP		日本史		独・印の名目GDP, 高度成長期, 第1次石油危機
		2	経済安全保障推進法			社会	重要物資安定供給, 特許出願非公開制度
		3	予算			社会	社会保障関係費, 国債費の規模, 年金保険制度
		4	消費者物価		地理		食料品のインフレ, 食料自給率（日仏独）
		5	ふるさと納税			社会	返礼品調達費用, 三位一体改革
	27	1	仏教		地理		ダライ＝ラマ14世, 上座部仏教, 大乗仏教, チベット仏教
		2	キリスト教		地理		キリル総主教声明, 新約聖書の成立
		3	イスラム教		地理		米アフガニスタン撤退, イスラム教の教義
		4	ヒンドゥー教		地理		インド人民党の宗教政策, インドの宗教
		5	日本の宗教		地理		文化庁の移転, 宗教に関する行政事務
	28	1	レアメタル	化学			中国の輸出規制, 超電導, 超電導磁石
		2	リチウム	化学			リチウム価格, リチウムの精製, リチウムの性質
		3	金	化学	日本史		金価格, 金の展性, 金閣寺
		4	ガソリン	化学			ガソリン価格, トリガー条項, ガソリンの精製方法
		5	バイオエタノール		地理		バイオエタノール, 小麦の生産国, 輸入国
	29	1	難民条約		地理	社会	紛争避難民・補完的保護対象者, 難民条約
		2	訪日外客数			社会	訪日外客数, エコツーリズム
		3	モロッコ地震		地理		地震被害規模, モロッコ地誌
		4	パレスチナ問題		世界史		イスラエル, パレスチナ暫定自治区バルフォア宣言
		5	技能実習生		世界史		受入停止, カンボジア地誌

職種	No.	肢	テーマ	知識分野 自然科学	知識分野 人文科学	知識分野 社会科学	キーワード
国家一般職	25	1	猛暑	地学			熱中症警戒アラート，オホーツク海高気圧，偏西風
		2	世界の平均気温	地学			地球沸騰化，地球温暖化の影響，氷河融解，海面上昇
		3	大雨の対策	地学			顕著な大雨に関する気象情報，線状降水帯，シベリア高気圧
		4	トルコ大地震	地学			耐震基準，マグニチュード
		5	マウイ島の山火事	生物・地学	地理		固有種，焼畑農業，植生遷移
	26	1	改正労働基準法		日本史		時間外労働時間規制，工場法，富岡製糸場
		2	改正医療法		日本史		医師の労働時間，蘭学，解体新書
		3	女性の就業		日本史		M字・L字カーブ，日本の女性運動，平塚らいてう，青鞜
		4	改正障害者雇用促進法		日本史		障害者の法定雇用率算定，障害者福祉，リージョナリズム
		5	世界の児童労働		世界史		児童の労働者数，アナーキズム，年少者労働時間制限
	27	1	G7広島サミット		日本史		ゼレンスキー，厳島神社，蒙古襲来，北条政子
		2	クールジャパン		日本史		コミケ，ジャパンエキスポ，鳥獣人物戯画
		3	沖縄県		日本史		50周年記念式典，沖縄県の施政の変遷
		4	関東大震災100年	地学	日本史		100年記念イベント，関東大震災，プレート，大逆事件
		5	大阪・関西万博		日本史		空飛ぶクルマ，1970年代の万博
	28	1	核融合発電	物理			中国，核融合発電
		2	北朝鮮情勢		日本史		原子力潜水艦，朝鮮戦争
		3	チョルノービリ原発		世界史		ウクライナ戦争，チョルノービリ原発事故，フルシチョフ
		4	バイデン大統領		世界史		原爆資料館，ポツダム宣言の受諾
		5	ALPS処理水放水	物理			IAEA，福島第一原発，同位体，トリチウム
	29	1	公金受取口座			社会	別人口座誤登録，マイナンバー法
		2	最低賃金			社会	令和5年度最低賃金，最低賃金の根拠法，諸外国との比較
		3	物価動向		日本史		食料品の物価高，バブル経済，ブレトンウッズ協定
		4	藤井聡太棋士		日本史		将棋八大タイトル，総理大臣顕彰，船成金
		5	国枝慎吾選手			社会	国民栄誉賞，障害者スポーツ，ナショナルミニマム

3. 知識問題の効果的な学習方法

① 社会科学

　社会科学は多くの専門科目（法律学・経済学・政治学・行政学・国際関係・社会学等）の基礎として位置づけられる守備範囲の広い科目です。もともと「社会事情」として社会科学の知識と最新トピックが融合した出題はよく見られました。そのため，基本的な勉強方法や範囲に変更はなく，今回の試験内容の見直しの影響は少ないといえるでしょう。時事の学習の際は，前提となる社会科学の知識にいったん戻ることで深い理解が得られるでしょう。

② 人文科学

　ある出来事について出題される場合，その場所や経緯について人文科学の知識が必要となります。出来事が起こった国や地域の地理的条件，その国を代表する歴史的なトピック，周辺地域との関係や摩擦，ニュースとなった経緯といった知識を次々とつなげて学習していくと効率的です。例えば，女性の就業に関する時事問題では，女性の就業→女性運動の歴史→平塚らいてう→雑誌『青鞜』というように，さながら連想ゲームのように周辺知識が問われています。

③ 自然科学

　自然科学は身の回りの科学的なニュースと融合しやすいため，出題分野が偏りやすくなります。例えば，近年の頻出テーマである環境問題，自然災害，DXや，宇宙開発，産業上の新技術，新素材といった題材では，化学や生物，地学と融合しやすいでしょう。自然科学の知識が身の回りや生活とどう関わっているのか，また，科学的なニュースに触れたときには，自分の持つ自然科学の知識を使って説明できるかを意識しながら学習することを心がけていきましょう。

さらにわかる！ **国家公務員の試験問題を見てみよう！**

～要チェック！自然・人文・社会の科目複合問題とは！？～

2024年度国家公務員・大卒程度（総合職／一般職／専門職）では，「自然・人文・社会に関する時事」として，自然・人文・社会のうちの1分野の知識で解ける科目別問題ではなく3科目が複合的に，時事問題と関連付けて出題されています。

本書を利用の皆様へ

「自然・人文・社会に関する時事」全15問の問題・解説が**閲覧できます！**

こちらからアクセス！ ⇒

二次元コードを読み込めない方はこちら↓
lec.jp/koumuin/member/kakomon25_26/
公開期間：2024年12月～2026年6月

※ご利用の際の通信料はお客様負担となります。

本書の効果的活用法

STEP1 出題傾向をみてみよう

各編の冒頭には，章で取り扱うセクションテーマについて，過去9年間の出題傾向を示す一覧表と，各採用試験でどのように出題されたかを分析したコメントを掲載しました。志望先ではどのテーマを優先して勉強すべきかがわかります。

❶ 出題傾向一覧

章で取り扱うセクションテーマについて，過去9年間の出題実績を数字や★で一覧表にしています。出題実績も9年間を3年ごとに区切り，出題頻度の流れが見えるようにしています。志望先に★が多い場合は重点的に学習しましょう。

❷ 各採用試験での出題傾向分析

出題傾向一覧表をもとにした各採用試験での出題傾向分析と，分析に応じた学習方法をアドバイスします。

❸ 学習と対策

セクションテーマの出題傾向などから，どのような対策をする必要があるのかを紹介しています。

● 公務員試験の名称表記について

本書では公務員試験の職種について，下記のとおり表記しています。

地上	地方公務員上級（※1）
東京都	東京都職員
特別区	東京都特別区職員
国税	国税専門官
財務	財務専門官
労基	労働基準監督官
裁判所職員	裁判所職員（事務官）／家庭裁判所調査官補（※2）
裁事	裁判所事務官（※2）
家裁	家庭裁判所調査官補（※2）
国家総合職	国家公務員総合職
国家総合職教養区分	国家公務員総合職（教養区分）
国Ⅰ	国家公務員Ⅰ種（※3）
国家一般職	国家公務員一般職
国Ⅱ	国家公務員Ⅱ種（※3）
国立大学法人	国立大学法人等職員

（※1）道府県，政令指定都市，政令指定都市以外の市役所などの職員
（※2）2012年度以降，裁判所事務官（2012～2015年度は裁判所職員）・家庭裁判所調査官補は，教養科目に共通の問題を使用
（※3）2011年度まで実施されていた試験区分

　「必修」問題はセクションテーマを代表する問題です。まずはこの問題に取り組み，そのセクションで学ぶ内容のイメージをつかみましょう。問題文の周辺には，そのテーマで学ぶべき内容や覚えるべき要点を簡潔にまとめていますので参考にしてください。

　本書の問題文と解答・解説は見開きになっています。効率よく学習できます。

❶ ガイダンス，ステップ

　「ガイダンス」は必修問題を解くヒント，ひいてはテーマ全体のヒントです。
　「ステップ」は必修問題において，そのテーマを理解するために必要な知識を整理したものです。

❷ 直前復習

　必修問題と，後述の実践問題のうち，ＬＥＣ専任講師が特に重要な問題を厳選しました。試験の直前に改めて復習しておきたい問題を表しています。

❸ 頻出度

　各採用試験において，この問題がどのくらい出題頻度が高いか＝重要度が高いかを★の数で表しています。志望先に応じて学習の優先度を付ける目安となります。

❹ チェック欄

　繰り返し学習するのに役立つ，書き込み式のチェックボックスです。学習日時を書き込んで復習の期間を計る，正解したかを○×で書き込んで自身の弱点分野をわかりやすくするなどの使い方ができます。

❺ 解答・解説

　問題の解答と解説が掲載されています。選択肢を判断する問題では，肢１つずつに正誤と詳しく丁寧な解説を載せてあります。また，重要な語句や記述は太字や色文字などで強調していますので注目してください。

👣 STEP3 テーマの知識を整理しよう

　必修問題の直後に，セクションテーマの重要な知識や要点をまとめた「インプット」を設けています。この「インプット」で，自身の知識を確認し，解法のテクニックを習得してください。

❶「インプット」本文

　セクションテーマの重要な知識や要点を，文章や図解などで整理しています。重要な語句や記述は太字や色文字などで強調していますので，逃さず押さえておきましょう。

❷サポートアイコン

　「インプット」本文の内容を補強し，要点を学習しやすくする手助けになります。以下のようなアイコンがありますので学習に役立ててください。

● サポートアイコンの種類

アイコン	説明	アイコン	説明
補足	「インプット」に登場した用語を理解するための追加説明です。	○○○	「インプット」に出てくる専門用語など，語句の意味の紹介です。
ポイント	「インプット」の内容を理解するうえでの考え方などを示しています。	注目	実際に出題された試験種以外の受験生にも注目してほしい問題です。
具体例	「インプット」に出てくることがらの具体例を示しています。	判例チェック	「インプット」の記載の根拠となる判例と，その内容を示しています。
ミニ知識	「インプット」を学習するうえで，付随的な知識を盛り込んでいます。	判例	「インプット」に出てくる重要な判例を紹介しています。
注意！	受験生たちが間違えやすい部分について，注意を促しています。		科目によって，サポートアイコンが一部使われていない場合もあります。

STEP4 「実践」問題を解いて実力アップ!

「インプット」で知識の整理を済ませたら,本格的に過去問に取り組みましょう。「実践」問題ではセクションで過去に出題されたさまざまな問題を,基本レベルから応用レベルまで収録しています。

❶ 難易度

収録された問題について,その難易度を「基本レベル」「応用レベル」で表しています。
1周目は「基本レベル」を中心に取り組んでください。2周目からは,志望先の採用試験について頻出度が高い「応用レベル」の問題にもチャレンジしてみましょう。

❷ 直前復習, ❸ 頻出度, ❹ チェック欄, ❺ 解答・解説
※各項目の内容は,STEP 2をご参照ください。

STEP5 「章末CHECK」で確認しよう

章末には,この章で学んだ内容を一問一答形式の問題で用意しました。
知識を一気に確認・復習しましょう。

LEC専任講師が,『過去問解きまくり!』を使った
「オススメ学習法」をアドバイス!⇒

講師のオススメ学習法

❓ どこから手をつければいいのか?

　まず本書の流れを確認してください。各セクションは,①最初に必修問題に挑戦し,そのセクションで学ぶ内容のイメージをつけてください。②続いて必修問題の次ページから始まる知識確認をしてください。人文科学の場合は①と②の順序を逆にして②の知識確認を先にしてから①の必修問題を解いてもかまいません。①と②が終わったら,③実践問題を解いてみましょう。

　次に,各編の最初にある「出題傾向の分析と対策」を見て,章の中で出題数が多いセクションを確認してください。出題数の多いセクションは得点源ですから必ず取り組むようにしてください。

🕐 演習のすすめかた

　本試験で人文科学の解答に割くことができる時間の目安は,他科目も考慮すると1問あたり1分程度が目標となります。問題文を読み終わった時点で,答えが出ているという状況が理想です。この場合,知っているか知らないかということで,正答できるか否かが決まり,特別の解き方等が特にあるわけではありませんから,キーワードだけでなく,その周辺を説明する文章にも慣れていくことが必要です。

❶1周目 (何が問われているのかを確認する)

　人文科学の場合は一連の知識がどのように問題で問われるのかを確認し,どの知識を覚えておけば選択肢の正誤を判断できるのかを確認していきましょう。また,その場合,問題文や解説文は時間をかけてしっかり読みましょう。1つの知識について,単にキーワードではなく,周辺の知識を合わせて理解することを意識してください。

❷2周目 (知識が定着しているかを確認する)

　問題集をひととおり終えて2周目に入ったときは,知識が定着しているかどうかを確認しながら解いてください。この段階では1周目で学習したことが理解できているかをチェックするとともに,インプットも確認してください。

❸3周目以降や直前期 (基本問題を確実に正答できるかを確認する。)

　必ず正答したい分野について,正確な知識が確実に身についているか,基本問題を中心に演習しましょう。

一般的な学習のすすめかた（目標正答率60〜80%）

　過去問はあくまで過去問なので，まったく同じ問題が出題されるわけではありませんが，繰り返し出題されている明治時代や日中戦争から太平洋戦争，日本の戦後史，大航海時代や宗教改革，アメリカ史，第1次世界大戦後，戦後のアジア，冷戦などのテーマについては，どのような問題が出題されても正答できるように，応用問題の解説にもきちんと目を通し，覚えていきましょう。

　問題によっては社会科学と重複する部分や地理と重複する部分などもありますから，そうした部分を総合的に理解できるよう，知識を整理しておきましょう。

　また，上記以外の分野からの出題も当然に見られるので，基本問題は確実に正答できるようにしておきたいところです。人文科学の場合は，これが典型問題だというような決まりきった問題は近年出題されていないので，問題を解きつつインプット部分を再度確認していく作業がとても大事になります。

短期間で学習する場合のすすめかた（目標正答率50〜60%）

　試験までの日数が少なく，短期間で最低限必要な学習をする場合の取り組み方です。学習効果が特に高い問題に絞って演習をすることにより，最短で合格に必要な得点をとることを目指してください。学習のすすめかたは，必修問題と下表の「講師が選ぶ『直前復習』50問」に掲載されている問題を解いてください。これらの問題には問題ページの左側に「直前復習」のマークがつけられています。

講師が選ぶ「直前復習」50問

直前復習

必修問題18問 +

実践10	実践44	実践77	実践132	実践158
実践12	実践49	実践79	実践134	実践163
実践14	実践52	実践81	実践138	実践167
実践17	実践55	実践84	実践139	実践169
実践18	実践56	実践96	実践146	実践172
実践22	実践57	実践106	実践148	実践175
実践23	実践59	実践108	実践149	実践178
実践35	実践60	実践109	実践152	実践179
実践39	実践71	実践118	実践153	実践180
実践40	実践75	実践124	実践155	実践182

CONTENTS

目次

- はしがき
- 本書の効果的活用法
- 講師のオススメ学習法
- 人文科学をマスターする10の秘訣

人文科学をマスターする
10 の秘訣

① 頻出の時代を押さえよ！

② 得意な時代・分野をつくろう

③ 誤肢を切るポイントを確認せよ！

④ 重要問題は繰り返せ

⑤ 解説はきちんと読むべし

⑥ テーマ史を侮るなかれ！

⑦ 正解肢の９割は基本事項

⑧ 歴史はロマン！興味を持てば記憶も定着

⑨ 人名よりも時代や経済の特徴が大事

⑩ 他の科目と重なるところに要注意！

人文科学

第1編

日本史

第1編　日本史

出題傾向の分析と対策

試験名	地上			国家一般職			東京都			特別区			国税・財務・労基			国家総合職			国家総合職（教養区分）		
年度	16-18	19-21	22-24	16-18	19-21	22-24	16-18	19-21	22-24	16-18	19-21	22-24	16-18	19-21	22-24	16-18	19-21	22-24	15-17	18-20	21-23
出題数（セクション）	16	13	8	3	3	3	3	3	3	3	3	3	3	3	3	3	3	3	6	6	6
第1章　古代から律令国家		★★						★										★			★★★
第1章　武家社会の変遷	★	★★	★		★								★	★	★				★	★	★★★
第2章　戦国時代から幕藩体制の確立	★	★★		★	★	★					★		★	★	★			★	★★★	★★	★★★
第2章　幕藩体制の動揺と崩壊						★								★							★★★
第3章　明治時代	★★	★								★★		★	★			★★	★	★	★	★	★★★
第3章　大正時代から昭和初期	★★	★		★	★	★★				★★								★	★	★★★	★★★
第3章　第2次世界大戦と戦後	★×6	★×4	★★		★						★				★					★	
第4章　通史・制度・政策	★	★			★									★	★						★
第4章　外交史	★				★											★★			★		
第4章　テーマ史						★			★★	★★	★		★			★	★		★	★	★★

（注）　1つの問題において複数の分野が出題されることがあるため，星の数の合計と出題数とが一致しないことがあります。当表は，2024年7月31日現在の情報に基づいて作成しております。

2024（令和6）年度より公務員試験が大きく変わり，2024（令和6）年9月現在，裁判所職員の採用試験では，日本史も世界史も出題されません。

地方上級

地方上級での出題数は，おおむね2題となっています。年度や自治体によって若干異なりますので，1題ということもあります。他の試験と大きく異なるのは，人名を中心に一般に歴史の勉強の際にみなさんが覚える固有名詞が選択肢にほと

んど入ってこないことです。

　つまり，固有名詞を覚えて選択肢を誤りと判断するのではなく，歴史的な事件が起こった背景やその結果，その時代の経済状況，社会状況などの歴史理解がポイントになる問題がほとんどです。

　また，古代からの出題は，土地制度史や各時代の特徴など，通史的な問題からの出題がほとんどで，鎌倉時代以降の出題が多くなっています。

　特に近年は以前よりも問題の難易度が大きく下がっているので，基本を重視して得点源にしていきましょう。

東京都

　Ⅰ類A，Ⅰ類Bとも1題の出題になっています。難易度はそれほど高くはありませんが，地方上級の問題と異なり，固有名詞はたくさん出題されます。固有名詞を覚えておいて選択肢を誤りと判断するものと，時代の流れなどを理解して切る選択肢とが1題の中で半々くらいの問題であることが多いです。時代の流れを理解して切る選択肢も，選択肢の中には固有名詞が多く含まれるため，難しい印象を与えますが，問題の内容自体はそれほど難しいものではありません。

特別区

　毎年，1題の出題がありますが，日本史は特別区の場合，選択問題なので，他の試験種に比べて難易度が高いです。ほぼすべての問題が固有名詞で選択肢の誤りを判断させているので，細かい人名等を覚えていないと，まったく正誤の判断がつかないケースが多いです。ただし，その難易度も『詳説　日本史』（山川出版社）が出典となっているので，大学受験で日本史を選択した人にとっては，教科書の範囲内ということになります。教科書を超えるものは出題されません。

国家公務員

　2024（令和6）年度から試験が大きく変わり，日本史そのものとしての出題はなくなりました。もともと試験内容の変更が発表された際に，「人文科学に関する時事」を出題するという触れ込みでしたが，実際には時事と関連する歴史知識をやや無理やり選択肢に挿入しているような問題となっています。国家総合職では5題（選択肢25）のうち，日本史の知識が選択肢に登場しているのは4，国家専門職では2，国家一般職では9となっています。いずれの選択肢も，時事の内容はたいへん細かく，触れ込みどおり，日本史の知識があれば簡単に選択肢が誤りと判断できるものでした。したがって，日本史そのものでの出題はありませんが，

基本事項を学ぶことで得点確率は相当に上がると考えてください。

　毎年，秋に実施される教養区分では日本史が２題出題されています。教養区分が創設された際には，教科書の内容を超える内容の出題も見られましたが，ここ３年は，かつて国家一般職で出題されてきた問題と同等のレベルになっています。したがって，『詳説　日本史』（山川出版社）のレベルを超えることはないので，きちんと学習すれば確実に得点ができます。2022年には他の試験種では出題されない「日本の通貨や貨幣の歴史」なども出題されましたが，本問の正解肢は明治時代の新貨条例と国立銀行条例であったので，マニアックとまではいえないものでした。

Advice アドバイス　学習と対策

　近年,日本史や世界史を捨ててしまう人が多いですが,文章理解や数的処理,時事などが難しかった際に，たかが１問されど１問，勉強しておいてよかったと思った人も多いでしょう。特に，国家公務員で出題される時事と関連した知識は，小学校で学ぶような知識も多いので，完全に捨ててしまうのではなく，過去に出題された部分を中心に学習を進めてください。過去に出題がなかった分野が出題された場合，正答率は非常に低いので，他の受験生がやっていることと同じような勉強はしておくべきでしょう。

第1章

古代・中世

SECTION

① 古代から律令国家
② 武家社会の変遷

NOTE

必修問題 **セクションテーマを代表する問題に挑戦！**

桓武天皇による律令体制の再建から，藤原氏の摂関政治，武士の台頭までの基本事項を学びます。

問 平安時代に関する記述として，妥当なのはどれか。 （東京都2003）

1：桓武天皇は，寺院勢力の強い平城京から平安京に遷都し，律令政治の再建事業に着手し，国司の交替事務を監督して不正を取り締まるために検非違使を，警察や裁判の業務をつかさどるために勘解由使を設置した。

2：嵯峨天皇は，東北地方の支配に力を入れ，坂上田村麻呂を征夷大将軍に任命し，蝦夷の反乱を鎮定させ，鎮守府を胆沢城から多賀城へ移した。

3：宇多天皇は，菅原道真を重用し，藤原氏をおさえようとしたが，菅原道真は，続く醍醐天皇の時代に，藤原時平の策謀によって，大宰府に左遷された。

4：摂政は天皇が幼少の期間その政務を代行し，関白は天皇が成人後にその後見役を務めるもので，このような摂政，関白をだす家柄を摂関家といい，摂関家の勢力は，藤原冬嗣とその子良房のときに全盛期を迎えた。

5：承平・天慶の乱とは，藤原純友が下総国の豪族を率いて起こした反乱と，平将門が瀬戸内海の海賊を率いて起こした反乱とをいうが，この乱を通じて，朝廷の軍事力の低下が明らかになり，地方武士の組織が一層強化された。

Guidance ガイダンス

必修問題の解説

〈平安時代の政治〉

1✕ 桓武天皇は当初平城京から長岡京に遷都し，10年後に平安京に遷都した。勘解由使は桓武天皇が，検非違使は嵯峨天皇が設置した令外官である。

勘解由使	桓武天皇	国司の交替事務を監督して不正を取り締まる
検非違使	嵯峨天皇	警察や裁判を司る

＊令外官とは唐の律令にない日本で作られた官職である。

2✕ 坂上田村麻呂を征夷大将軍に任じて蝦夷討伐をさせ，鎮守府（蝦夷地防衛の官庁）を多賀城から胆沢城に移したのは桓武天皇である。多賀城は奈良時代に鎮守府として現在の宮城県に置かれた。胆沢城は蝦夷討伐後，北進して現在の岩手県に築かれ，鎮守府がここに移された。

3〇 宇多天皇は政界で勢力を持つ藤原氏を抑えるため菅原道真を起用した。藤原氏は道真を政界から引き離すため，道真を遣唐使に任命したが，事情を察した道真は天皇に建議し，遣唐使を廃止させた。醍醐天皇の時代に藤原時平が策略し，道真を九州の大宰府に左遷した。

4✕ 摂政と関白の意味は正しいが，全盛期は11世紀の藤原道長と頼通父子の時代である。冬嗣は蔵人頭にはなったが，摂政・関白にはなっていない。その子良房は臣下で初めて摂政になったが，関白にはなっていない。蔵人頭は天皇の秘書官を務める令外官である。

藤原冬嗣	蔵人頭
藤原良房	臣下で初めて摂政となる
藤原基経	関白
宇多天皇	摂政・関白を置かずに菅原道真を起用
醍醐天皇・村上天皇	延喜・天暦の治
藤原道長・頼通	摂関政治の全盛期

5✕ 935（承平5）年から平将門が下総国（現在の千葉と茨城の一部）で反乱を起こし，939（天慶2）年に藤原純友が瀬戸内海で反乱を起こした。これを合わせて承平・天慶の乱といい，10世紀に起きた武士の台頭を象徴する戦乱であった。これを契機に地方武士団の組織が強化された。

正答 **3**

S 第1章 1 古代・中世 古代から律令国家

1 日本のあけぼの

縄文時代 （前8000年～前3C）	狩猟・採集経済。磨製石器と低温で焼かれた厚手で黒褐色の縄文土器，骨角器の使用。身分や貧富の差はほとんどなく，竪穴住居に住む。
弥生時代 （前3C～紀元3C）	稲作の開始。青銅などの金属器の使用。高温で焼かれた薄くて固い赤褐色の弥生土器。収穫物は高床倉庫に収められ，環濠集落も登場。

2 大和政権から律令国家の形成

(1) 大和政権（4世紀頃の国土の統一）

　3世紀後半から4世紀初頭には大規模な前方後円墳が西日本の各地に出現します。この時期の大和を中心とする政権を大和政権といいます。

聖徳太子の政治	推古天皇の摂政。冠位十二階の制，憲法十七条，遣隋使四天王寺や斑鳩寺（法隆寺）を建立
大化の改新	中大兄皇子・中臣鎌足が蘇我蝦夷・入鹿親子を滅ぼして新政権を樹立。班田収授法により公地公民制へ
天智天皇	近江令（最初の令），庚午年籍
天武天皇	飛鳥浄御原宮に遷都。八色の姓

3 奈良時代（平城京）

(1) 聖武天皇

　聖武天皇は鎮護国家思想により社会の不安を鎮めようと，全国に国分寺・国分尼寺を建立し，東大寺大仏を造立します。

■天平文化
平城京を中心として栄えた貴族文化で，唐の影響を受けた国際色豊かな文化。
『古事記』：稗田阿礼の暗誦内容を太安万侶が記述
『日本書紀』：舎人親王の編纂
『万葉集』：大伴家持編集の和歌集

(2) 律令の動揺

三世一身法（723年）	新たに開墾した者は3代にわたって土地を私有
墾田永年私財法（743年）	開墾地の永久私有を認める　→　墾田地系荘園

INPUT

④ 平安時代

桓武天皇	794年，平安京を造営して遷都し，勘解由使（かげゆし）を置いて国司交代時に前任者の不正を監査させるとともに，坂上田村麻呂を征夷大将軍に任じて蝦夷（えみし）を討伐させた。
嵯峨天皇	嵯峨天皇は天皇の秘書官として蔵人頭（くろうどのとう）を，京内の警察や裁判の業務を司る検非違使などを設置した。

(1) 藤原氏による摂関政治の確立

① 藤原良房と基経

藤原良房（よしふさ）は，866年に応天門の変で伴善男（とものよしお）を失脚させると正式に摂政に任命されました。さらに藤原基経は初めて関白となります。

② 菅原道真

887年に即位した宇多天皇は，基経の死後，摂政・関白を置かずに菅原道真（みちざね）を登用しましたが，醍醐天皇の時に道真は藤原氏によって大宰府（だざいふ）に左遷されました。

③ 藤原氏の全盛期（11世紀）

藤原道長と頼通（よりみち）の時代に，摂政や関白の地位を独占した藤原氏の勢力が全盛期を迎えます。頼通（よりみち）は平等院鳳凰堂を建立します。

(2) 院政と平氏の台頭

① 後三条天皇の親政

延久（えんきゅう）の荘園整理令を発布し，藤原氏など有力者の荘園を整理して，その力を抑えました。10世紀以降，特に院政期に寄進地系荘園（後期荘園）が急増しました。

② 院政

白河上皇が1086年に院政を開始し，鳥羽上皇，後白河上皇と約100年続きました。

③ 武士の台頭

平将門の乱	下総を根拠地とした平将門が反乱を起こし，東国を支配
藤原純友の乱	伊予の国司であった藤原純友が瀬戸内海で反乱

④ 保元・平治の乱

保元の乱	後白河天皇（のちの上皇）と崇徳（すとく）上皇の対立を背景に起こる → 後白河天皇の勝利
平治の乱	後白河上皇の近臣の対立 → 平清盛が源義朝を滅ぼす → 平清盛が太政大臣に

実践 問題 **1** 〈 **基本レベル** 〉

頻出度	地上★	国家一般職	東京都★	特別区
	国税・財務・労基	国家総合職		国家総合職（教養区分）★★★

問 飛鳥・奈良時代の出来事に関する記述として最も妥当なものはどれか。

（裁判所職員2021）

1：710年に遷都した平城京は，唐の洛陽にならい碁盤の目状に区画された条坊制を持つ都城である。

2：律令体制下の中央組織の一つであり，行政全般をつかさどる神祇官のもと，八省が政務を分担するようになった。

3：6世紀末から7世紀はじめにかけて，厩戸王（皇子）は持統天皇の摂政となり，冠位十二階の制や憲法十七条などを制定した。

4：天平文化の特徴は，かな文字で編纂された日本書紀や正倉院の宝物など，大陸の文化を日本の風土や考え方に合わせて昇華させたことである。

5：743年に制定された墾田永年私財法を契機に，中央の貴族や大寺社などが大規模な開墾を行ったことにより，初期荘園が誕生した。

OUTPUT

実践 問題 **1** の解説

〈飛鳥・奈良時代〉

1 × 平城京は唐の都である長安にならった条坊制の都である。

2 × 神祇官は行政ではなく神祇祭祀を司っていた。行政全般を司ったのは太政官である。

3 × 厩戸王は持統天皇ではなく推古天皇の摂政として政治を行った。

4 × かな文字や日本の風土にあわせた文化の昇華は平安時代の国風文化の特徴である。天平文化の特徴は唐の文化の影響が強いことと，仏教的色彩が強いことである。また，日本書紀や正倉院の宝物は天平文化の例であるが，日本書紀にはかな文字は用いられていない。

5 ○ 初期荘園の発生についての記述として妥当である。

> **■墾田永年私財法**
>
> 743年に723年の三世一身法に代わって公布され，墾田の永久私有を認めた法令である。従来，ほとんど規定のなかった墾田についての規定を明確にして，未墾地も口分田などの既存の開墾地と同様に，国家が掌握しようとする積極的な土地政策の一面を持つが，一方で貴族や寺院，地方豪族たちの私有地拡大を進めることになった。東大寺などの大寺院は広大な原野を独占し，国司や郡司の協力のもと，農民や浮浪人などを使用して灌漑設備をつくり，大規模な原野の開墾を実施した。こうして成立したものを初期荘園とよぶ。

正答 5

実践 問題 2 応用レベル

頻出度	地上★	国家一般職★	東京都★	特別区
	国税・財務・労基★	国家総合職		国家総合職(教養区分)★★★

問 奈良時代に関する記述として最も妥当なのはどれか。　　　　(国Ⅱ2010)

1：朝廷は，中国を統一した唐に対しては遣唐使を派遣し対等の関係を築こうとしたが，中国東北部に勃興した渤海に対しては従属国として扱おうとし，同国との間で緊張が生じた。このため，朝廷は，朝鮮半島を統一した新羅との友好関係を深めて，渤海に対抗した。

2：孝謙天皇の時代，仏教を信仰する天皇が僧侶の道鏡を寵愛し，仏教勢力が政界で勢力を伸ばした。これに危機感をつのらせた太政大臣の藤原仲麻呂は，武力で道鏡を政界から追放し，これ以後，政界で藤原氏が権力を握ることとなった。

3：朝廷は，蝦夷と交わる東北地方において支配地域を広げる政策を進め，日本海側に秋田城，太平洋側に多賀城を築いて蝦夷対策の拠点とした。

4：家父長制的な家族制度は普及しておらず，女性は結婚しても別姓のままで，自分の財産を持っていた。このため，律令制では，租・調・庸と呼ばれる税の負担は男女均等に課せられ，公民としての地位も同じであった。

5：仏教による鎮護国家思想に基づき，朝廷は民衆への仏教の布教を奨励し，各地にその拠点となる国分寺が建立された。また，用水施設や救済施設を造る社会事業を行って民衆の支持を得ていた空也の進言により，大仏造立の大事業が進められた。

実践 問題 **2** の解説 ——————————

〈奈良時代〉

1 ✕ 遣唐使は唐との間に対等の関係を築くことを目的として派遣されたわけではない。日本にとって当時の唐は最先端を行く大国であったため，唐の優れた制度や文化を導入するために遣唐使を派遣した。渤海国は8世紀初頭に中国東北部に建国され，相互に緊密に使節が往来するなど，友好関係が続いた。一方，日本は新羅とも交流をしていたが，新羅を従属国として扱おうとしていたので，時に緊張が生じた。

2 ✕ 孝謙天皇の在位期間中は，藤原氏出身の光明皇太后の後ろ盾を受けた藤原仲麻呂（恵美押勝）の権力が絶大であった。その後，上皇となった孝謙天皇は，自らの病を癒した道鏡を寵愛するようになった。一方，光明皇太后が亡くなったことにより，後ろ盾を失って孤立した仲麻呂は焦燥にかられ，道鏡を排除しようと恵美押勝の乱（764）を起こしたが，敗死した。その後，上皇は淳仁天皇を廃し，重祚して称徳天皇となり，道鏡と組んで権力を握った。

3 ○ 蝦夷対策として，大化の改新直後には現在の新潟県に淳足柵（ぬたり）や磐舟柵（いわふね）などが築かれていた。奈良時代に入ると，日本海側に出羽国が置かれ，秋田城（秋田県）が築かれた。一方，太平洋側には多賀城（宮城県）が築かれ，蝦夷対策の拠点となった。

4 ✕ 租については男女均等ではなく，良民女子には良民男子の3分の2の口分田を耕作させ，収穫の約3％を稲で納めさせた。また，調と庸は男子のみに課された。

5 ✕ 聖武天皇（しょうむ）が，仏教の力で国を治めるという鎮護国家思想に基づき，741年に国分寺建立の詔を出し，全国に国分寺と国分尼寺の建立を進めたことは正しい。しかし，用水施設などの社会事業を行い民衆の支持を得た後，東大寺大仏建立に尽力したのは空也ではなく，行基である。空也は平安時代の僧侶で「市聖」とよばれ，浄土教の布教に尽力した。

正答 **3**

実践 問題 **3** 応用レベル

頻出度	地上	国家一般職	東京都★	特別区
	国税·財務·労基	国家総合職		国家総合職(教養区分)★★★

問 奈良時代の文化に関する記述として，妥当なのはどれか。

(東京都Ⅰ類B2019)

1：712年に完成した「古事記」は，天武天皇が太安万侶に「帝紀」と「旧辞」をよみならわせ，これを稗田阿礼に筆録させたものである。

2：751年に編集された「懐風藻」は，日本に現存する最古の漢詩集として知られている。

3：官吏の養成機関として中央に国学，地方に大学がおかれ，中央の貴族や地方の豪族である郡司の子弟を教育した。

4：仏像では，奈良の興福寺仏頭（旧山田寺本尊）や薬師寺金堂薬師三尊像に代表される，粘土で作った塑像や原型の上に麻布を漆で塗り固めた乾漆像が造られた。

5：正倉院宝庫には，白河天皇が生前愛用した品々や，螺鈿紫檀五絃琵琶などシルクロードを伝わってきた美術工芸品が数多く保存されている。

実践 問題 **3** の解説

〈奈良時代の文化〉

1 × 『古事記』は，よみならったのが稗田阿礼であり，筆録したのが太安万侶である。それ以外は正しい。

2 ○ 奈良時代に編集された『懐風藻』は日本に現存する最古の漢詩集である。

3 × 中央に置かれたのが大学，各地方に置かれたのが国学である。それ以外は正しい。

4 × 興福寺仏頭や薬師寺金堂薬師三尊像は白鳳文化の代表作品である。天平文化の代表作品としては，乾漆像である鑑真像などが挙げられる。塑像や乾漆像についての説明は正しい。

5 × 正倉院に収められていた遺品は，白河天皇ではなく聖武天皇のものである。それ以外は正しい。白河天皇は平安時代の天皇である。

■聖武天皇

　聖武天皇は，仏教の持つ鎮護国家の思想によって国家の安定を図ろうとし，741年に国分寺建立の詔を出して，諸国に国分寺・国分尼寺をつくらせ，743年には大仏造立の詔を出した。

■奈良時代の文化

古事記	天武天皇が稗田阿礼によみならわせた内容を，太安万侶が筆録。神話・伝承から推古天皇まで。
日本書紀	舎人親王が中心となって編纂。編年体で書かれている。
風土記	諸国の地誌として『風土記』が編纂された。
懐風藻	現存最古の漢詩集。
万葉集	東歌，防人の歌を含む。
正倉院宝物	聖武天皇が生前に愛用した品々や，螺鈿紫檀五絃琵琶などシルクロードを伝わってきた美術工芸品を多く所蔵。
仏像	塑像や乾漆像の技法が発達。

正答 **2**

第1章 古代・中世
SECTION ① 古代から律令国家

実践 問題 **4** 基本レベル

頻出度	地上★	国家一般職★	東京都★	特別区★
	国税・財務・労基★	国家総合職★	国家総合職(教養区分)★★★	

問 藤原氏に関する記述として，妥当なのはどれか。　　　　　（特別区2003）

1：中臣鎌足は，中大兄皇子と謀り，蘇我馬子・蝦夷父子を倒して政治の改革に着手し，内臣として政策の立案に当たり，のちに天智天皇から藤原の姓を与えられた。

2：藤原不比等は，律令制度の確立に大きな役割を果たすとともに，天皇家に接近して，藤原氏発展の基礎を固め，不比等の死後，その4人の子が皇族出身の橘諸兄を策謀により自殺させ権力を握った。

3：藤原冬嗣は，聖武天皇の信任を得た玄昉や吉備真備の追放を求めて，九州で反乱を起こしたが，平定された。

4：藤原良房は，清和天皇が幼少で即位すると，臣下で初めて摂政の任をつとめたのち，初めての関白となって政治を主導した。

5：藤原頼通は，3代の天皇の摂政・関白をつとめるとともに，宇治の平等院鳳凰堂を建てた。

実践 問題 **4** の解説

〈藤原氏の政治〉

1× 中臣鎌足(なかとみのかまたり)が中大兄皇子(なかのおおえのみこ)とともに滅したのは,蘇我蝦夷(そがのえみし)・入鹿(いるか)父子である(645年)。蘇我馬子は6世紀末に仏教受容をめぐって物部守屋と争い,これを滅ぼした。中臣鎌足は中大兄皇子とともに蘇我氏を滅ぼし,大化の改新を推進した。鎌足は居住地の大和国高市郡藤原にちなんで藤原姓を賜った。これが藤原氏の始祖である。

2× 橘(たちばな)諸兄(もろえ)ではなく,長屋王である。鎌足の子藤原不比等(ふひと)は娘の光明子(こうみょうし)を聖武天皇に嫁がせ,4人の男子も政界に進出した。不比等の死後,藤原4兄弟は策略によって皇族の長屋王を自殺に追い込んだ。これを長屋王の変という。しかし,藤原4兄弟が相次いで亡くなると,皇族出身の橘諸兄が政界のトップとなり,唐から帰国した吉備真備(きびのまきび)らが聖武天皇の信任を得て活躍するようになった。

3× 橘諸兄が政権を握り,吉備真備らが聖武天皇の信任を得るようになると,藤原広嗣が吉備真備らの排除を求めて九州で反乱を起こした。これを藤原広嗣の乱という。藤原冬嗣は,嵯峨天皇の信任を得て蔵人頭になり,政権を握った。聖武天皇は奈良時代,藤原冬嗣が嵯峨天皇に蔵人頭に任命されたのは平安時代である。

4× 藤原良房は関白にはなっていない。冬嗣の子良房が承和の変で橘氏などを排斥すると,清和天皇が即位し,良房は臣下で初めての摂政となった。摂政は天皇が幼少であったり,女性の場合に天皇を補佐する役職である。なお,関白は天皇が成人後に補佐する役職で,良房の子藤原基経が臣下として初めて就任した。

5○ 藤原頼通(992〜1074年)は摂関政治の全盛期の摂政・関白で,藤原道長の子である。頼通は50年間,摂政・関白を務め,その権勢から「宇治関白」とよばれた。彼は最大の阿弥陀堂である宇治の平等院鳳凰堂を建立した。

正答 5

第1章 SECTION ① 古代・中世 古代から律令国家

実践　問題 5　基本レベル

頻出度	地上★	国家一般職★	東京都★★	特別区★★
	国税・財務・労基★	国家総合職★	国家総合職(教養区分)★★★	

問 院政と平氏政権に関する次の記述のうち，妥当なのはどれか。　（地上1997）

1：鳥羽天皇は幼い白河天皇が皇位につくと，国政の重要問題を自ら決裁するようになり，天皇に代わって上皇が政治の実権を握る院政が始まった。

2：平清盛は，平治の乱のあと，保元の乱において後白河天皇の近臣である藤原信頼を破り，その後，平氏は武士の世界で主導権を握るようになった。

3：平清盛は官位を高め，武士として初めて太政大臣となり，娘の徳子が生んだ子が安徳天皇となると，外祖父として政治の実権を握るようになった。

4：平氏は，摂津の大輪田泊を修築し，瀬戸内海航路の安全を図ることにより，唐との貿易を推進し，その利潤を政権の重要な経済的基盤とした。

5：平氏は，平清盛の死後，源義仲によって京都から西国に追い落とされ一の谷の戦い，壇の浦の戦いのあと，源義経に屋島で滅ぼされた。

実践 問題 **5** の解説

〈院政と平氏政権〉

1× 院政を開始したのは白河上皇である。鳥羽天皇は白河上皇の孫である。白河天皇が堀河天皇に位を譲り、上皇となった。堀河天皇が早く死んだので、孫の鳥羽を天皇に就けた。

院政	白河上皇，鳥羽上皇，後白河上皇

2× 保元の乱のほうが平治の乱より先に起こっている。

保元の乱	1156年	崇徳上皇と後白河天皇の争いに藤原摂関家の争いが加わったもの。これに源平両氏がつき，武家の台頭のきっかけとなった。後白河天皇の勝利。
平治の乱	1159年	藤原信頼が源義朝と結び，後白河上皇を拉致した事件。しかし，平清盛の反撃を受け，信頼と義朝は敗死した。平氏政権が成立。

3○ 平氏政権は，武家でありながら皇室に対しては外戚政策をとるなど，藤原政権と非常に似た貴族的なものであった。平清盛の娘徳子（建礼門院）は高倉天皇の中宮となって安徳天皇を産み，清盛は外戚（天皇の母方の親族）として権勢を振るい朝廷の高位を一族で独占した。

4× 貿易の相手国は唐ではなく，宋である。平氏は日宋貿易に力を入れ，宋商人の畿内への招来にも努めて貿易を推進した。

5× 源義仲（木曽義仲）は1183年，北陸の倶利伽羅峠で平氏を破って，京に攻め上り，平氏を都から追放した。しかし，義仲は政治力に乏しく，後白河法皇（上皇は出家して法皇となった）の反感をかい，翌年，源義経らの軍に攻められ戦死した。その後，一の谷，屋島で源氏は連勝し，ついに1185年壇の浦の戦いで平氏を滅ぼした。

正答 **3**

実践 問題 **6** 〈 基本レベル 〉

| 頻出度 | 地上★ 国家一般職★ 東京都★ 特別区★
国税・財務・労基★ 国家総合職★ 国家総合職(教養区分)★★★ |

問 次のA～Dのうち，平安時代の出来事に関する記述として妥当なもののみを全て挙げているものはどれか。 **(裁判所職員2020)**

A：坂上田村麻呂が東北で蝦夷の征討を行い，蝦夷の族長阿弖流為を降伏させた。

B：道鏡が孝謙太上天皇の寵愛を受けて権力を握り，政治が混乱した。

C：学問が重んじられ，有力貴族らも子弟教育のための大学別曹を設けた。

D：農地開拓のために健児制度が設けられ，各地で健児による開墾が行われた。

1：A，B
2：A，C
3：B，C
4：B，D
5：C，D

実践 問題 **6** の解説

〈平安時代の出来事〉

A○ 妥当である。坂上田村麻呂は802年，胆沢城を築き，蝦夷の族長阿弖流為を帰順させて，多賀城から鎮守府を移した。

B✕ 道鏡が孝謙太上天皇の寵愛を受けて権力を握り，政治が混乱したのは，奈良時代である。

C○ 奈良時代には，官吏養成のための教育機関として中央に大学が，地方に国学が設けられた。平安時代には，文芸を中心として国家の隆盛を目指す文章経国の思想が広まり，宮廷では漢文学が発展し，仏教では密教が盛んになった。また，大学での学問も重んじられ，貴族は一族子弟の教育のために，寄宿舎にあたる大学別曹を設けた。

D✕ 健児制度が設けられたのは平安時代であるが，この制度は，一般民衆から徴発する兵士の質が低下したことを受けて，軍団と兵士を廃止し，代わりに郡司の子弟や有力農民の志願による少数精鋭の健児を採用したものである。

　以上から，AとCが妥当であるので，肢2が正解となる。

正答 **2**

SECTION ① 古代・中世 古代から律令国家

実践 問題 **7** 〈基本レベル〉

頻出度	地上★★	国家一般職★	東京都★★	特別区★
	国税・財務・労基★	国家総合職★	国家総合職(教養区分)★★★	

問 A〜Eは平安時代の出来事に関する記述であるが，これらのうち，下線部について古いものから順に並べたものとして最も妥当なのはどれか。

(国Ⅱ2006)

A：平将門は，常陸・上野・下野の国府を襲い，関東一円を占領して新皇と称し，一時は関東の大半を征服したが，一族の平貞盛と下野の豪族藤原秀郷の軍によって討伐された。

B：藤原良房は，応天門の火災を当時勢力をのばしていた大納言伴善男の仕業として失脚させ，権力を確立して最初の人臣摂政となった。

C：鳥羽院政下において，天皇家では兄の崇徳上皇が皇位継承をめぐり弟の後白河天皇と対立し，摂関家では兄の関白藤原忠通と弟の左大臣頼長の対立が生じていたが，鳥羽法皇が没した後，後白河天皇方が平清盛や源義朝らと結び，崇徳上皇方を破った。

D：桓武天皇により派遣された征夷大将軍の坂上田村麻呂は，胆沢城を築き，やがて鎮守府を多賀城からこの地に移した。

E：他氏の排斥に成功した藤原氏は，次に一族内部で摂政・関白の地位をめぐり激しい争いを繰り返したが，道長・頼通の頃に全盛期を迎え，道長は3天皇の外戚として勢力をふるった。

1：B→D→C→A→E

2：B→D→E→A→C

3：D→A→B→E→C

4：D→B→A→C→E

5：D→B→A→E→C

OUTPUT

実践　問題 **7** の解説

〈平安時代の出来事〉

D　802年　奈良時代に蝦夷討伐のための役所である鎮守府として多賀城が設けられた。平安時代に入り、桓武天皇により派遣された征夷大将軍の坂上田村麻呂は802年、胆沢城を築き、多賀城から鎮守府をこちらに移した。

B　866年　藤原良房は842年の承和の変で、橘 逸勢と伴健岑を排斥し、自分の娘と文徳天皇との間に生まれた皇太子を9歳で清和天皇として即位させた。良房は実質的な摂政として権力を握っていく。866年、応天門の変で、大納言の伴善男を失脚させ、同年、正式に摂政に任命された。人臣摂政とは臣下という身分で摂政に就任することで、皇族以外の者で摂政になったのは良房が最初である。

A　939年　平将門が乱を起こしたのは939年である。下野・上野の国府を攻め、関東地方のほとんどを制覇した。自ら新皇と称したが、翌940年、平貞盛と下野の豪族である藤原秀郷によって討伐された。

E　11世紀前半　11世紀前半、藤原道長と頼通父子の時代が摂関政治の全盛期である。道長は4人の娘を天皇に嫁がせ、後一条天皇・後朱雀天皇・後冷泉天皇の外戚として絶大な権力を握った。一方、頼通は前述した3人の天皇の摂政・関白として権勢を振るった。

C　1156年　1156年、後白河天皇と崇徳上皇の対立から保元の乱が起こった。天皇は近臣の藤原通憲を参謀とし、平清盛や源義朝らに命じて上皇軍を打ち破った。この結果、上皇は流罪となり、上皇軍の藤原頼長と源為義は殺された。

　よって、D→B→A→E→Cとなり、肢5が正解となる。

正答 **5**

武家社会の変遷

セクションテーマを代表する問題に挑戦！

公武の二元的支配の展開を理解し，経済や文化については鎌倉時代と室町時代の区別をしましょう。

問 鎌倉時代に起った出来事について，正しいものを選べ。

(地上2011)

1：執権の北条氏は評定衆を中心とした合議制をとっていたが，北条一族の嫡男である得宗の力がますます強くなり，元寇以降に得宗体制が完成した。

2：幕府は，朝廷の権力を制限するため西国の支配権を固めようとしたが，後鳥羽上皇が承久の乱を起こしたため，西国の支配権を緩和し朝廷に返還した。

3：鎌倉時代になると市や取引所が定期的に開かれ，常設店舗が発生した。それに伴い貨幣の使用量が増加した。通貨は，輸入に頼っていたが，国産の通貨も出現した。

4：鎌倉時代には，全国の荘園に地頭が配置されたが，荘園と問題を起こし次第に地頭の力は弱まっていった。

5：鎌倉時代には，法然が浄土宗を，親鸞が浄土真宗を開くなど，仏教が庶民など広い階層を対象とするものとなり，厳しい座禅を行う禅宗は衰えた。

Guidance ガイダンス

鎌倉幕府の成立

朝廷 VS 幕府 ➡ 承久の乱 後鳥羽上皇 ➡

公武二元支配

勝利した幕府は，京都に六波羅探題を置いて，朝廷の監視，西国の統括にあたらせ，幕府が優位に立って皇位の継承や朝廷の政治にも干渉するようになった。

左側：直前復習

必修問題の解説

〈鎌倉時代〉

1 ○ 北条時政以来，幕府は合議制を採り，有力御家人の協力を得て政治をしていたが，元寇を契機に幕府の支配権が全国的に強化される中，得宗（北条氏の嫡男）の北条時宗の勢力も強大となり，御内人（得宗家の家臣）平頼綱の力も台頭した。北条貞時が執権になると，平頼綱は有力御家人の安達泰盛を滅ぼした（霜月騒動）。こうして得宗とその家臣である御内人による得宗専制政治が確立した。

2 × 承久の乱後，幕府は西国の支配権を強めるため，京都に六波羅探題を設置し，朝廷や公家の監視を強化した。よって，幕府は西国の支配権を朝廷に返還してはいない。

3 × 月3回の定期市や見世棚という常設店も発生するなど，鎌倉時代から貨幣経済が本格化した。しかし，貨幣はすべて宋銭などの輸入銭を使用した。よって，鎌倉時代には国内で通貨は鋳造していない。

4 × 地頭と荘園領主の間でのトラブルに対し，幕府は地頭請や下地中分などで調停を図ったが，この結果，地頭の土地支配がますます拡大した。

> **■地頭の台頭**
> 　地頭は荘園内の農民から年貢を徴収し，荘園領主に納入することが仕事であった。しかし，農民を奴隷のように使ったり，荘園領主に年貢を納めなかったりする地頭が増え，地頭と荘園領主の間でトラブルが多くなった。そこで幕府は地頭請や下地中分などで調停を図った。
>
> | 下地中分 | 地頭と領主が荘園を折半する |
> |---|---|
> | 地頭請 | 荘園領主が地頭に年貢の納入を請け負わせる代わりに，荘園の管理を任せる |

5 × 法然が浄土宗を，親鸞が浄土真宗を開いたことは正しい。しかし，この時代には禅宗である臨済宗と曹洞宗が生まれ，武士などを中心に信仰され，鎌倉幕府は臨済宗を保護した。

正答 1

SECTION ② 第1章 古代・中世
武家社会の変遷

1 鎌倉時代

(1) 鎌倉幕府成立

平氏を打倒した源頼朝は朝廷から東国の支配権を認められ、さらに全国に守護、地頭を設置するなどその支配権は広く全国に及ぶこととなり、1192年、朝廷から征夷大将軍に任じられました。頼朝の死後、頼朝の妻政子の父・北条時政が執権となり、以後、北条氏一族が実権を握り、執権政治を展開していきます。

(2) 執権政治

北条義時	後鳥羽上皇は朝廷の勢力を挽回しようと倒幕を企てたが、幕府側の勝利に終わる（承久の乱）。承久の乱後、幕府は朝廷の監視や京都の警備などにあたる六波羅探題を設置。
北条泰時	執権を補佐する連署を設置するとともに有力御家人など11人を評定衆に選び、合議制に基づいて政治を行った。また、武家社会最初の成文法である御成敗式目を制定（1232年）。
北条時頼	評定衆を補佐する引付衆を設置し、御家人の所領争いを迅速に解決するため訴訟を専門に扱わせた。
北条時宗	元を建国したフビライ＝ハンは、日本に朝貢を求めてきたが、時宗がこれを拒否したことから元の軍勢が2度にわたり北九州に攻めてきた。元軍は2度とも台風によって敗退したが、幕府は元軍の再来に備えて、九州の博多に北条氏一門を鎮西探題として送り込み、御家人の指揮にあたらせた。
北条貞時	北条氏による専制が強化され、得宗と御内人によって幕政が独占され、その結果、本来の御家人との対立が激化し、有力御家人の安達泰盛を滅亡させた霜月騒動が生じた。以後、貞時時代に得宗専制支配が確立。

 文永の役の後、異国警固番役を整備しました。
弘安の役の後、鎮西探題を設置します。

(3) 幕府と朝廷の二重支配

朝廷は国司を任命し、貴族や大寺院が国司や荘園領主として年貢や夫役を農民に課しました。一方、幕府は守護・地頭を置きましたが、やがて、守護や地頭の土地支配が進み、国司や荘園領主との間で争いが起こるようになります。その解決策として地頭請や下地中分が行われるようになりました。

(4) 御家人の窮乏と永仁の徳政令

　この時代には所領の分割相続が繰り返されることで，所領が細分化されて御家人の窮乏が激しく，これを救うため幕府は永仁の徳政令を発しましたが，効果は上がりませんでした。

永仁の 徳政令	御家人が売却した土地を無償で返還させたり，御家人が関係する金銭の訴訟を受け付けないとするものでした。

(5) 幕府の滅亡

　後醍醐天皇は，2度にわたり倒幕を試みましたが，いずれも失敗に終わります。後醍醐天皇は流罪となりましたが，北条氏に不平を持つ武士らも倒幕に立ち上がり，後醍醐天皇をはじめ，楠木正成と護良親王が再度挙兵，さらに，足利尊氏と新田義貞も幕府にそむき，北条氏一族を滅ぼしました。これにより1333年，幕府は滅亡します。

２ 建武の新政から南北朝時代

(1) 建武の新政

　後醍醐天皇は院政・摂関政治・幕府を否定し，天皇自らが政治を執ることを目指しました。後醍醐天皇による建武の新政は，恩賞の公家偏重が目立ち，武士の不満が増大します。そして，ついに足利尊氏が新政権に反旗を翻し，湊川の戦いで朝廷軍を破ります。これにより，新政はわずか3年で崩壊しました（1336年）。

(2) 南北朝の動乱

北朝	足利尊氏が建武式目を発表し，光明天皇（持明院統）を擁立
南朝	後醍醐天皇が吉野へ逃れ，正統を主張 南朝側の中心となったのは北畠親房

　南北朝の対立は約60年間にわたって続きましたが，3代将軍足利義満が1392年に南北朝の合体を実現しました。

(3) 室町幕府

　室町幕府では，鎌倉幕府の組織をほぼ踏襲し，御成敗式目も建武以来追加を発して踏襲します。

　また，地方武士を組織化するために守護の権限を拡大させました。やがて，守護は一国全体に及ぶ地域的支配権を確立し，守護大名となります。

実践 問題 **8** 基本レベル

頻出度	地上★★	国家一般職★	東京都★★	特別区★★
	国税・財務・労基★	国家総合職★	国家総合職(教養区分)★★★	

問 鎌倉幕府に関する記述として，妥当なのはどれか。 (特別区2009)

1：北条泰時は，新たに公文所を設置し，合議制により政治を行うとともに，武家の最初の体系的法典である建武式目を制定し，源頼朝以来の先例や道理に基づいて，御家人間の紛争を公平に裁く基準を明らかにした。

2：後鳥羽上皇は，新たに北面の武士を置き，軍事力を強化するとともに，幕府と対決する動きを強め，北条高時追討の兵を挙げたが，源頼朝以来の恩顧に応えた東国の武士達は結束して戦ったため，幕府の圧倒的な勝利に終わった。

3：北条時頼は，有力御家人の三浦泰村一族を滅ぼし，北条氏の地位を一層確実なものとする一方，評定衆のもとに引付衆を設置し，御家人達の所領に関する訴訟を専門に担当させ，敏速で公正な裁判の確立に努めた。

4：幕府は，承久の乱に際して十分な恩賞を与えられなかったことから御家人達の信頼を失ったが，永仁の徳政令を発布することで，貨幣経済の発展に巻き込まれて窮乏する御家人の救済と社会の混乱の抑制に成功した。

5：幕府は，2度目の元の襲来に備えて九州地方の御家人による九州探題を整備し，博多湾沿岸に石築地を築いて，防備に就かせるとともに，公家や武士の多数の所領を没収して，新たに新補地頭と呼ばれる地頭を任命した。

実践 問題 **8** の解説 ─────────────

〈鎌倉幕府〉

1 × 公文所を設置したのは鎌倉幕府初代将軍源頼朝であり，合議制による政治は，頼朝の死後に北条時政（のちの初代執権）を中心とする13人の御家人によって行われたものである。また，3代執権である北条泰時が制定したのは御成敗式目（貞永式目）であり，建武式目は足利尊氏が室町幕府を開くに際して発表した政治方針である。

2 × 北面の武士とは，平安時代に白河上皇が院の北面に置いた警護の武士たちのことである。後鳥羽上皇が新たに院に置いた警護の武士は西面の武士とよばれている。後鳥羽上皇は幕府を打倒するために執権北条義時追討の兵を挙げた（承久の乱）が，幕府軍に敗れ，流刑に処せられた。なお，北条高時は幕府滅亡時の執権である。

3 ○ 北条時頼は，有力御家人の三浦一族を滅ぼした（宝治合戦）ほか，評定衆の下部組織として引付衆を設置し，御家人たちの所領に関する訴訟を専門に担当させた。

4 × 鎌倉幕府が御家人に十分な恩賞を与えることができなかったために，御家人の信頼を失ったのは，承久の乱ではなく，元寇に際してである。当時の御家人は従前からの原則である分割相続の繰り返しにより所領が細分化されていたことに加えて，貨幣経済の進展の影響を受けて窮乏していたが，元寇の後に十分な恩賞を得られなかったことで，その窮乏は一層深刻化した。このため幕府は永仁の徳政令を発して御家人救済に努めたが，大きな効果は上がらなかった。

5 × 2度目の元寇に備えて整備されたのは異国警固番役である。九州探題は室町幕府が設置したものである。また，「公家や武士の多数の所領を没収」したのは承久の乱に際して上皇方についた貴族や武士の所領を幕府が没収したことを指し，この承久の乱以降に新たに任命された地頭を新補地頭とよぶ。元寇の後ではない。

正答 **3**

実践 問題 **9** 基本レベル

頻出度	地上★★	国家一般職★	東京都★★	特別区★★
	国税·財務·労基★	国家総合職★	国家総合職(教養区分)★★★	

問 鎌倉時代に関する記述として，妥当なのはどれか。 （東京都Ⅰ類A 2020）

1：1192年に征夷大将軍に任ぜられた源頼朝は，将軍と執権の主従関係を支配の根本においた。

2：京都では，後醍醐天皇が北条義時を追討する命令を発したが，北条泰時率いる幕府軍に追討される平治の乱が起きた。

3：北条早雲は，最初の武家法である武家諸法度を制定し，北条泰時は幕府の裁判制度を完成させた。

4：鎌倉時代を代表する文学作品として，藤原定家らが「金槐和歌集」を編纂し，随筆では鴨長明が「徒然草」を著した。

5：北条時宗を執権とする幕府は，元による二度にわたる襲来を受けたが，いずれも撃退した。

実践 問題 **9** の解説

〈鎌倉時代〉

1 × 鎌倉時代に幕府支配の根本となったのは，将軍と御家人との主従関係である。頼朝は主人として御家人に対し，主に地頭に任命することによって先祖伝来の所領の支配を保障したり（本領安堵），新たな所領を与えたりした（新恩給与）。この御恩に対して御家人は，戦時には軍役を，平時には京都大番役や幕府を警護する鎌倉番役などを務めて，従者として奉公した。

2 × 第2代執権である北条義時を追討する命令を出したのは，後鳥羽上皇である。しかし，東国の武士は頼朝の妻であった北条政子の呼びかけに応じて結集し，後鳥羽上皇は泰時らの率いた幕府軍に敗れ，配流された。これは承久の乱である。平治の乱は，後白河上皇の近臣の争いから起こったものである。

3 × 鎌倉時代に制定された最初の武家法は，御成敗式目である。また，制定したのは北条泰時である。これは頼朝以来の先例や，道理とよばれた武士社会での慣習・道徳に基づいて，守護や地頭の任務と権限を定め，御家人同士や御家人と荘園領主との間の紛争を公平に裁く基準を明らかにしたもので，武家の最初の整った法典となった。この後，時頼の時代に引付衆を任命し，御家人たちに所領に関する訴訟を専門に担当させて，敏速で公正な裁判の確立に努めた。

4 × 藤原定家が編者となったのは『新古今和歌集』である。『金槐和歌集』は将軍源実朝が残した歌集である。また，『徒然草』は兼好法師の作品であり，鴨長明の作品は『方丈記』である。

5 ○ 妥当である。2度にわたる元軍の襲来を退けた後も，幕府は警戒態勢を緩めず，御家人以外に，全国の荘園・公領の武士をも動員する権利を朝廷から獲得するとともに，蒙古襲来を機会に西国一帯に幕府勢力を強めていった。

正答 5

実践 問題 **10** 基本レベル

頻出度	地上★★	国家一般職★	東京都★★	特別区★★
	国税・財務・労基★	国家総合職★	国家総合職(教養区分)★★★	

問 鎌倉時代に関する次のア〜オの記述には妥当なものが二つある。それらはどれか。 (地上2021)

ア：鎌倉時代の初期には執権が大きな権力を持っていたが，執権の力は次第に衰え，後期には将軍の権力が強大になった。

イ：守護が荘園や公領におかれ，年貢の徴収・納入と土地の管理を行い，地頭は諸国におかれ，国内の武士を統率し，謀反人の処分や警察権を行使した。

ウ：武士は一族の血縁的統制のもとに，その長である惣領のもとに団結し，戦いのときには惣領が指揮官となって幕府への軍役を果たした。

エ：前の時代までに用いられてきた宋銭が用いられなくなり，幕府が鋳造した金貨や銀貨が用いられるようになった。

オ：鎌倉時代には，浄土真宗や臨済宗などの新しい仏教が生まれ，特に臨済宗は幕府の厚い保護を受けて，各地に寺院が建てられた。

1：ア，イ
2：ア，オ
3：イ，エ
4：ウ，エ
5：ウ，オ

直前復習

実践 問題 **10** の解説

〈鎌倉時代〉

ア✕ 鎌倉幕府の成立当初は，優れた指導者である源頼朝が将軍独裁の体制で運営していたが，頼朝の死後，源頼家と実朝の時代になると，御家人の間で政治の主導権をめぐる争いが起こり，その中で勢力を伸ばした北条氏が執権政治を行った。源家将軍が3代で滅びると，以後，摂家（藤原家）将軍2代，皇族（親王）将軍4代を京都から迎えたが，いずれも実権はなく，名目的な将軍にすぎなかった。

イ✕ 荘園や公領に置かれ，年貢の徴収・納入と土地の管理，治安維持を任務としたのが地頭であり，諸国に置かれ，武士を統率し，謀反人の処刑や警察権を行使したのが守護である。

ウ○ 惣領制の説明として妥当である。鎌倉幕府の政治・軍事体制はこの惣領制に基づいていた。

エ✕ 鎌倉時代にも宋銭が利用されている。幕府が鋳造した金貨や銀貨が用いられるようになるのは，江戸時代である。

オ○ 鎌倉時代に生まれた新仏教の説明として妥当である。

　以上から，ウとオが妥当であるので，肢5が正解となる。

正答 **5**

実践 問題 11 基本レベル

頻出度	地上★★	国家一般職★	東京都★★	特別区★★
	国税・財務・労基★	国家総合職★		国家総合職(教養区分)★★★

問 室町幕府に関する記述として，妥当なのはどれか。 (特別区2022)

1：足利尊氏は，建武の新政を行っていた後醍醐天皇を廃して持明院統の光明天皇を立て，17か条からなる幕府の施政方針である建武式目を定めて幕府再興の方針を明らかにし，自らは征西将軍となって室町幕府を開いた。

2：室町幕府の守護は，荘園の年貢の半分を兵粮（ひょうろう）として徴収することができる守護段銭の賦課が認められるなど，任国全域を自分の所領のようにみなし，領主化した守護は国人と呼ばれた。

3：室町幕府では，裁判や行政など広範な権限を足利尊氏が握り，守護の人事などの軍事面は弟の足利直義が担当していたが，やがて政治方針をめぐって対立し，観応の擾乱が起こった。

4：室町幕府の地方組織として関東に置かれた鎌倉府には，長官である管領として足利尊氏の子の足利義詮が派遣され，その職は，義詮の子孫によって世襲された。

5：足利義満は，京都の室町に花の御所と呼ばれる邸宅を建設して政治を行い，山名氏清など強大な守護を倒して権力の集中を図り，1392年には南北朝合一を果たした。

実践 問題 **11** の解説 ────────────────

〈室町幕府〉

1✕ 足利尊氏は征夷大将軍に任ぜられ幕府を開いた。征西将軍も征東将軍（征夷大将軍のもと）も，古代に天皇から節刀（天皇の最高軍事指揮権を象徴する刀）を賜与されて任務にあたった。転じて，幕府を開く際には天皇から征夷大将軍に任ぜられるようになった。

2✕ 「荘園の年貢の半分を兵糧として徴収することができる」のは「半済令」である。守護の中には半済令により大きな権限を与えられた結果，国内の荘園や公領を侵略し，一国全体に及ぶ地域的支配権を確立する者も登場した。これらを守護大名とよぶ。国人とは，地頭などの領主で地方在住の武士を指す。国人らは自立の気質が強く，守護が国人を家臣化していくのには大きな困難があった。守護段銭は，守護が一国支配をするようになった後，守護が田地に課した独自の税のことである。

3✕ 初期の室町幕府では，守護の人事などの軍事面は足利尊氏が担当する一方，裁判や行政などの権限を足利直義が担当していたが，やがて尊氏・直義両派の対立から観応の擾乱が起こった。

4✕ 室町時代に設置された管領は，将軍を補佐する中心的な職で，侍所・政所などの中央諸機関を統轄した。管領は足利氏一門の細川・斯波・畠山の3氏が交代で任命された。地方組織としての鎌倉府について，尊氏は鎌倉幕府の基盤があったところとして重視し，子の足利基氏を鎌倉公方として東国支配を任せた。以後，鎌倉公方は基氏の子孫により世襲された。

5◯ 義満の南北朝合一の説明として妥当である。なお，義満が山名氏清を滅ぼしたのは明徳の乱である。

将軍
- 中央
  - 管領（三管領） ― 評定衆 / 政所 / 侍所(四職)
- 地方
  - 鎌倉府(鎌倉公方) ― 関東管領
  - 九州探題
  - 奥州探題
  - 羽州探題
  - 守護 ― 地頭

正答 **5**

実践 問題 **12** 〈 基本レベル 〉

頻出度	地上★★★	国家一般職★	東京都★★	特別区★★
	国税・財務・労基★	国家総合職★	国家総合職(教養区分)★★★	

問 室町時代に関する次の記述のうち，妥当なものはどれか。　　　(地上2010)

1：侍所や管領など，幕府中央の要職は足利一門である細川氏により独占された。地方には守護が置かれたが，守護の権限は鎌倉時代に比べて著しく縮小された。

2：幕府の財源は，御料所と呼ばれる幕府直轄地からの収入と，守護の分担金によりそのほとんどが賄われていたが，日明貿易による利益も財源となっていた。そのため幕府は，それまで商人に対して課していた税を廃止した。

3：惣村が各地にみられた。惣村は村落の自衛や年貢の徴収請負などを行い，年貢の減免や荘官の免職などを求めて強訴や逃散を行った。惣村同士が連合して土一揆を起こしたこともあった。

4：貨幣経済が急速に発達し，幕府は金座や銀座を設け，金貨や銀貨が鋳造された。中国からの輸入銭は鎌倉時代には広く流通していたが，室町時代には急速に使われなくなっていった。

5：室町時代には能や狂言が大成し，和歌や連歌と対等の地位を築いたが，上流社会で愛好されたにとどまり，民衆には広まらなかった。

実践 問題 **12** の解説

〈室町時代〉

1 × 管領（将軍の補佐役）・侍所（京都の警備・刑事裁判を行う）は，いずれも室町幕府の要職である。管領には有力守護である細川・斯波・畠山の3氏（三管領）から交代で，侍所の長官は赤松・山名・一色・京極の4氏（四職）から交代で任命されるのが慣例であった。また，鎌倉幕府同様，守護が全国に置かれたとする点は正しいが，室町幕府は，地方武士の組織化のため，守護の権限を鎌倉時代より拡大させている。

2 × 室町幕府の財源は，御料所収入，有力守護に支払わせる分担金，日明貿易（勘合貿易）で得た利益だけでなく，京都で高利貸しを営む土倉や酒屋に対して土倉役（倉役）・酒屋役とよばれる税を課して主要な財源としたり，交通の要所に関所を設けて関銭・津料を徴収したりしていることから，本肢は妥当ではない。なお，鎌倉幕府に比べ，室町幕府の御料所収入は少ないことに留意したい。

3 ○ 鎌倉時代から室町時代にかけて，集落を基礎に地縁的な結びつきを強めた農民たちは，自立的・自治的な惣村（惣）を形成するようになった。惣村は，寄合という名の合議体の決定に従って，おとな・沙汰人などとよばれる村の指導者によって運営されていた。惣村では，村内の秩序を守るために村民自らが警察権を行使したり（地下検断），年貢の徴収を一括して請け負ったりしていた（地下請）。また，強訴とは年貢の減免や不正を働いた荘官の免職を求めて領主のもとに大勢で押しかけたりすること，逃散とは要求が認められなかったときに全員で田畑の耕作を放棄して山林などに逃げ込んだりすることなどを指す。さらに惣村同士が連携して行った土一揆は，1428年の正長の土一揆をはじめ，各地で頻発した。

4 × 室町時代には貨幣経済が発達し，広く民衆にも浸透していったが，貨幣自体は従来の宋銭とともに永楽通宝などの明銭が使用されていた。また，全国的に通用する同規格の金銀貨幣を大量に鋳造するために金座・銀座を開設させたのは，徳川家康である。

5 × 3代将軍足利義満の保護を受けた観阿弥・世阿弥親子は能楽を大成させている。また，風刺性の強い喜劇である狂言が能の合間に演じられるようになったのも室町時代のことである。室町時代には民衆の地位の向上に伴って，民衆が参加して楽しむ文化が生まれてきており，能および狂言は，庶民の間で広く楽しまれていた。上流社会でのみ愛好されていたわけではない。

正答 3

第1章 SECTION ② 古代・中世 武家社会の変遷

実践 問題 **13** 基本レベル

頻出度	地上★★★	国家一般職★	東京都★★	特別区★★
	国税・財務・労基★	国家総合職★	国家総合職(教養区分)★★★	

問 室町幕府に関する記述として，妥当なのはどれか。　　　　　　　（特別区2015）

1：足利尊氏は，大覚寺統の光明天皇を立てて征夷大将軍に任ぜられ，弟の足利直義と政務を分担して政治を行ったが，執事の高師直を中心とする新興勢力と対立し，観応の擾乱がおこった。

2：足利義満は，将軍を補佐する中心的な職である管領を設け，侍所や政所などの中央機関を統括し，管領には足利氏一門の一色，山名，京極の3氏が交代で任命された。

3：足利義持は，徳政令を出して守護に荘園や公領の年貢の半分を兵粮米として徴収する権限を与えると，守護はさらに，年貢の納入を請け負う守護請の制度を利用して荘園を侵略し，やがて守護大名とよばれて任国を支配した。

4：足利義教は，将軍権力の強化をねらって専制政治をおこない，幕府に反抗的な鎌倉公方足利持氏を滅ぼしたが，有力守護の赤松満祐に暗殺され，これ以降将軍の権威は揺らいだ。

5：足利義政の弟の義尚を推す日野富子と，義政の子の義視のあいだに家督争いがおこり，幕府の実権を握ろうと争っていた細川勝元と山名持豊がこの家督争いに介入し，応仁の乱が始まった。

実践 問題 **13** の解説 ─────────────────

〈室町幕府〉

1 ✕ 観応の擾乱は，鎌倉幕府以来の法秩序を重んじる足利直義と，尊氏の執事高師直を中心とする，武力による所領拡大を願う新興勢力とが衝突し，師直が敗死した争乱である。したがって，足利尊氏が「執事の高師直を中心とする新興勢力と対立し」たわけではない。また，光明天皇は大覚寺統ではなく，持明院統で，後醍醐天皇が大覚寺統である。

2 ✕ 管領には足利氏一門の細川・斯波・畠山の3氏が交代で任命された。なお，一色・山名・京極および赤松の4氏は侍所の長官（所司）に任じられる四職とよばれた。

3 ✕ 「守護に荘園や公領の年貢の半分を兵粮米として徴収する権限を与え」たのは半済令である。最初の半済令は初代将軍の足利尊氏が在職した1352年に発布されている。徳政令は，徳政すなわち債権・債務の破棄を命ずる法令で，1441年の嘉吉の徳政一揆以降，幕府が頻繁に発令した。

4 ◯ そのとおり。足利義教は将軍権力の強化をねらって専制的な政治を行い，有力守護を弾圧したため，有力守護の赤松満祐が義教を殺害した。これ以降，将軍の権威は大きく揺らぎ，有力守護家や将軍家に相次いで内紛が起こり，応仁の乱へとつながっていく。

5 ✕ 応仁の乱の契機となった家督争いは，8代将軍の足利義政の弟義視と，子の足利義尚を推す義政の妻日野富子の間で起こったものである。この家督争いに細川勝元と山名持豊が介入し応仁の乱となった。

弟・義視	VS	子・義尚（日野富子）

正答 **4**

? Question

- **Q1** 大和政権は氏姓制度を導入し，公地公民による支配を行った。
- **Q2** 仏教を受け入れた蘇我氏は，仏教を排斥した大伴氏を滅ぼした。
- **Q3** 大化の改新では氏姓制度を改め，強力な中央集権体制を樹立するために八色の姓が制定された。
- **Q4** 班田収授法では6歳以上の男子のみに口分田が与えられた。
- **Q5** 日本は7世紀に白村江で唐と高句麗の連合軍と戦って敗れた。
- **Q6** 中大兄皇子は天智天皇になると，近江令を定め，庚午年籍をつくった。
- **Q7** 平城京に遷都したのは聖武天皇である。
- **Q8** 三世一身法によって公地公民が確立した。
- **Q9** 桓武天皇は検非違使と蔵人頭を設置した。
- **Q10** 藤原基経が臣下で初めて摂政となり，藤原良房が初めて関白となった。
- **Q11** 藤原道長・頼通父子の時代が摂関政治の全盛期である。
- **Q12** 後白河天皇は延久の荘園整理令を出した。
- **Q13** 最初に院政を行ったのは白河上皇である。
- **Q14** 平将門は瀬戸内海で，藤原純友は関東で乱を起こした。
- **Q15** 後白河天皇が平清盛や源義朝らと結び，崇徳上皇方を破ったのは保元の乱である。
- **Q16** 承久の乱後，京都守護に代わって鎮西探題が置かれた。
- **Q17** 北条泰時は引付衆を置き，御成敗式目を制定した。
- **Q18** 北条時頼は文永の役後，異国警固番役を整備した。
- **Q19** 鎌倉時代には荘園領主と地頭とのトラブルを解決するため，地頭請や半済令が行われた。
- **Q20** 後醍醐天皇は公家中心の政治を復活させて摂政・関白の下に諸機関を置いた。
- **Q21** 後醍醐天皇は持明院統，光明天皇が大覚寺統に属している。
- **Q22** 南北朝を合一したのは8代将軍足利義政である。
- **Q23** 室町時代に足利義満が建立した金閣（鹿苑寺金閣）には金箔が貼られている。
- **Q24** 室町時代には守護の力が強くなり，守護大名が各地を支配するようになった。
- **Q25** 室町時代の守護の権限には守護請と下地中分などがある。
- **Q26** 室町幕府は明と国交を結び，対等な関係で貿易をした。
- **Q27** 正長の徳政一揆でようやく徳政令が発布された。

Answer

A 1 × 氏姓制度を導入したことは正しいが，公地公民ではなく，私地私民制であった。

A 2 × 蘇我氏が滅ぼしたのは大伴氏ではなく，物部氏である。

A 3 × 八色の姓を制定したのは天武天皇であり，大化の改新の後である。

A 4 × 口分田は女子にも与えられた。ただし，男子よりも少なかった。

A 5 × 白村江の戦いは，日本が唐と新羅の連合軍に敗れたものである。

A 6 ○ 近江令は日本初の令で，庚午年籍は戸籍である。

A 7 × 平城京に遷都したのは元明天皇である。710年のこと。

A 8 × 三世一身法により公地公民の原則が崩れた。

A 9 × 検非違使と蔵人頭を設置したのは嵯峨天皇である。桓武天皇は勘解由使と征夷大将軍を設置した。いずれも令外官である。

A 10 × 良房が臣下で初めて摂政となり，基経が初めて関白となった。

A 11 ○ 藤原氏の全盛期は11世紀前半である。

A 12 × 延久の荘園整理令を出したのは後三条天皇である。

A 13 ○ その後，鳥羽上皇，後白河上皇と約100年間院政が続いた。

A 14 × 平将門が関東，藤原純友が瀬戸内海で乱を起こした。

A 15 ○ 保元の乱（1156年）の後，後白河上皇の近臣の争いから平治の乱が起こり，争いに勝利した平清盛の地位と権力が高まった。

A 16 ○ 承久の乱後，六波羅探題が置かれた。

A 17 × 引付衆は北条時頼が置いた。泰時は評定衆を置いた。

A 18 × 異国警固番役を整備したのは北条時宗の時である。

A 19 × 半済令ではなく，下地中分である。半済令は室町時代に出された。

A 20 × 後醍醐天皇は自ら政治の中心となり，幕府や院政を否定するとともに，摂政・関白などの職務を廃止した。

A 21 × 後醍醐天皇が大覚寺統，光明天皇が持明院統である。

A 22 × 南北朝の合一を実現したのは3代将軍足利義満である（1392年）。

A 23 ○ そのとおり。資源・エネルギーに関する時事問題の中で金の小売価格に関連して出題された。

A 24 ○ 室町時代に守護は地域一帯の支配権を確立し，守護大名とよばれるようになった（守護領国制）。

A 25 × 室町時代には守護に荘園の年貢の半分を徴発する権限を認める半済令や，守護請が行われた。下地中分は鎌倉時代。

A 26 × 明と国交は結んだが，その立場は対等ではなく，日本が明の皇帝に従属する形式の朝貢貿易である。

A 27 × 正長の徳政一揆は最初の徳政一揆で，徳政令は出されなかった。

memo

第2章

近世

SECTION

① 戦国時代から幕藩体制の確立
② 幕藩体制の動揺と崩壊

第2章 SECTION 1

近世
戦国時代から幕藩体制の確立

必修問題 **セクションテーマを代表する問題に挑戦！**

織田信長から豊臣秀吉，徳川幕府と続く天下統一への歩みについて，政策を中心に学びます。

問 江戸幕府による国内支配体制について妥当なものを選びなさい。

(地上2015)

1：幕府は，大名について江戸初期は領地没収や国替は行っていなかったが，大名の権力増大を防ぐため，江戸中期から幕末期は，領地没収や国替を数多く断行した。

2：幕府は，天皇や公家については，禁中並公家諸法度により，生活や行動を規制したが，経済的には厚遇し，畿内一円を天皇領としたため，石高は幕府直轄領に次ぐ規模となった。

3：幕府は，宗教については，キリスト教の伸張を恐れてその信仰を禁じた。また，特定の寺院と檀家との関係を固定化してきた寺請制度を廃止した。

4：農民については，名主などを中心とする有力者に村の運営をさせ，村単位で年貢を納入させた。また，年貢の徴収を確実に行うため，自由な土地の売買を禁じた。

5：商人や職人については，商工業の発展のため，工商身分内での職業の変更を許可した。しかし，大商人が営業の独占権を持つことは，江戸時代を通じて禁じた。

直前復習

Guidance ガイダンス **■幕府の朝廷政策**

禁中並公家諸法度	朝廷と公家の統制法。
京都所司代	朝廷の監察や西国大名の監視などにあたる。幕府と朝廷をつなぐ窓口として武家伝奏が置かれた。

必修問題 の解説

〈江戸幕府の国内支配体制〉

1 ✕ 領地没収や国替などは，大名統制のために江戸初期に多く行われている。具体的には，2代将軍秀忠が福島正則を武家諸法度違反で改易（領地を没収）し，3代将軍家光が肥後の外様大名の加藤忠広を処分している。

2 ✕ 天皇や公家について，禁中並公家諸法度により生活や行動を規制するとともに，天皇・朝廷が自ら権力を振るうことのないように，禁裏御料（天皇領）や公家領は必要最低限しか認めなかった。したがって，経済的に厚遇したとあるのは誤り。幕府の直轄領が元禄年間に約400万石となったのに対し，天皇領は綱吉の時代までに約3万石となったにすぎない。

3 ✕ 江戸幕府がキリスト教の伸張を恐れて，その信仰を禁じたことは正しいが，寺請制度を廃止したとあるのは誤り。幕府は，禁教令を出し，信者に改宗を強制するとともに，宣教師やキリスト教信者に対して処刑や国外追放などの厳しい迫害を加えるとともに，寺院に一般民衆を檀家として所属させ，キリシタンでないことを証明させる寺請制度を実施している。禁教の徹底を図るために家族ごとに宗旨と檀那寺を記載した宗門改帳が作成された。

4 ○ 江戸時代には名主や組頭，百姓代からなる村役人（村方三役）を中心に村が運営され，年貢も村を単位に割り当て・収納した（村請制）。また，幕府は年貢の徴収を確実にするために，1643年に田畑永代売買の禁令を，また，たばこ・木綿・菜種などの商品作物を自由に栽培することを禁じる田畑勝手作りの禁令を出している。

5 ✕ 江戸時代には，商人や職人らはそれぞれの職種ごとに仲間，組合などとよばれる集団をつくり，営業上の取り決めや相互扶助を行った。享保の改革では，株仲間の公認が行われ，問屋商人に株仲間の結成を願い出させ，独占的な営業を認めた。また，田沼意次は，株仲間を積極的に公認し，運上や冥加などの営業税の増収が目指された。したがって，大商人が営業の独占権を持つことが禁じられたのではない。

正答 4

Step ステップ ■幕府の大名統制

一国一城令	1615年に発布。諸大名の居城を残してすべて破却させ，軍事拠点と戦力の削減を図った。
武家諸法度	元和令（1615）：家康が秀忠の名で発布。最初の武家諸法度。
	寛永令（1635）：家光によって参勤交代が制度化された。

1 応仁の乱から戦国時代へ

(1) 応仁の乱（1467～77年）

　8代将軍足利義政の時代に京都で起きた大乱で，将軍家の家督争いなどをきっかけに細川勝元と山名持豊（宗全）が対立し，開戦となりました。

(2) 戦国大名

　戦国大名は国人や地侍を家臣団として編成し，収入を銭に換算した貫高（かんだか）に応じて軍役を負担させました。また，分国法を制定し，指出検地（さしだし）を実施しました。

> 指出検地は土地の面積や収入額などを自己申告させるもので，秀吉の検地とは異なります。

2 織豊政権

(1) 織田信長による統一

① 統一の経過

　桶狭間（おけはざま）の戦いで今川義元（駿河）を破ったのち，1568年に足利義昭（よしあき）を擁して入京し，15代将軍としましたが，1573年には義昭を追放し，室町幕府を滅ぼします。

② 政策

　信長は自治都市堺を征服するとともに，安土の城下町に楽市・楽座令を出しました。キリスト教を保護する一方，一向宗や延暦寺を弾圧します。

(2) 豊臣秀吉による統一

　明智光秀や柴田勝家を破った秀吉は，天下統一を完成し，朝廷から関白に任命されると惣無事令（そうぶじ）を発して戦国大名に停戦を命じました。

① 太閤検地（天正の石直し・1582～98年）

　石盛（こくもり）による石高制（こくだか）を確立しました。農民の田畑は石高で登録され一地一作人の原則が確立され，これによって荘園制が完全に崩壊します。また，大名は領地の石高にみあった軍役を負担することになりました。

② 刀狩令と人掃令（身分統制令）

　刀狩令によって農民から武器を取り上げ，人掃令によって武士が農民や町人になることや農民が商売に従事することを禁じました。

③ キリスト教の禁止

　バテレン追放令（1587年）を出し，宣教師を国外追放としました。しかし，交易は認めたので，禁教令は不徹底に終わります。

3 幕藩体制の確立

(1) 江戸幕府の成立

① 関ヶ原の戦い（1600年）から天下統一

五大老の徳川家康と五奉行の石田三成が対立し，関ヶ原の戦いで家康が勝利しました。1603年，家康は征夷大将軍となって江戸幕府を開きます。家康は大坂の役により豊臣氏を滅ぼしました。

② 武家諸法度

徳川家康が2代将軍秀忠の名で発し，3代将軍家光によって参勤交代が制度化されるなど大名に対する根本法典として整備されました。

(2) 初期の外交・貿易と鎖国

① ヨーロッパ諸国との交易など

家康はスペインとの貿易にも積極的で，田中勝介を派遣しました。秀吉時代に引き続いて朱印船貿易が行われ，南方各地に日本人町が形成され，シャムのアユタヤでは山田長政が活躍しました。仙台藩主の伊達政宗は支倉常長をスペインに派遣してメキシコと直接貿易を開こうとしました（慶長遣欧使節）。

② 鎖国体制

1612年：直轄領に**禁教令** → 翌年，全国へ。
1616年：ヨーロッパ船の来航を平戸と長崎に制限。
1624年：スペイン船の来航を禁止。
1633年：奉書船以外の海外渡航を禁止。
1635年：日本船の海外渡航および帰国を全面禁止。
1637年：**島原の乱**（天草四郎時貞）
1639年：**ポルトガル船の来航を禁止** → 鎖国の完成
1641年：オランダ人を出島（長崎）へ移す。

> **補足**
>
> 鎖国により日本に来航する貿易船はオランダ船と中国船だけになり，貿易港は長崎一港に限られましたが，朝鮮や琉球との交流はありました。

(3) 幕藩体制の確立

徳川綱吉	第5代将軍。武断政治から**文治政治**へ。湯島聖堂を設立して学問を奨励。生類憐みの令。
新井白石	正徳の治。正徳小判の鋳造。海舶互市新例で長崎貿易を縮小。

実践 問題 **14** 〈 **基本レベル** 〉

頻出度 地上★★　国家一般職★　　東京都★　　特別区★
　　　国税・財務・労基★　国家総合職★　国家総合職(教養区分)★★★

問 織豊政権の時代についての下文の下線部分ア～オに関する記述のうち妥当なのはどれか。
(地上2003)

　1世紀にわたる戦国の世が平定されると，ア土地制度の整備や，イ兵農・商農分離などの新たな政策によって近世社会の骨格ができあがり，ウ都市の繁栄，エ国際交流の進展がみられた。また，国内統一と太平の招来は生活文化にも大きな影響をもたらし，オ武将や豪商に支えられた文化も花開いた。

1：ア ── 全国的に検地が行われ，石高制が成立して，農民が年貢納入の責任を負うことになった。しかし，農民の土地所持は認められず，また，荘園は検地の対象とされなかったため，その複雑な土地関係は整理されずに残った。

2：イ ── 太閤検地，刀狩が実施され，さらに身分統制令が出されて兵農・商農分離が確立し，身分制の骨格ができあがった。この後，朝鮮出兵の動員に備えるため全国的に戸口調査が行われた。

3：ウ ── 商人の経済力を政治に利用するため都市の繁栄が図られ，大坂や博多などの重要都市には自治都市の特権が，城下町には楽市・楽座の特権が与えられた。また，主な街道には関所が設けられて関銭が課された。

4：エ ── この時代にはヨーロッパとの交渉が始まった。日本の朱印船が東南アジアに赴いて南蛮船と出会貿易を行い，日本からヨーロッパに生糸が輸出され，銀が輸入された。東南アジアに移住する日本人も増え，各地に日本町ができた。

5：オ ── 安土城，伏見城など豪壮・華麗な城郭が建築される一方，桂離宮や修学院離宮のような簡素な美を求めるものが造られた。絵画では雪舟が出て水墨山水画を大成した。

直前復習

OUTPUT

実践 問題 **14** の解説

〈織豊政権〉

第2章 近世

1 × 太閤検地は検地奉行を派遣し，測量して当該土地からの収穫量を石高として記し，それまでの貫高制から石高制に変えた。加えて，1つの土地に1人の権利者という一地一作人の原則を導入し，荘園制を廃止した。織田信長は自己申告制の指出検地を実施している。

■**秀吉の太閤検地**
①実際に耕作している農民に田畑の所有権を認め，年貢負担を義務付けた。
②荘園を除外することなく，支配した大名の領地を次々に調べた。
③従来の荘園のような1つの土地に耕作・管理・徴収などの権利が複雑にからみ合う体制を一掃した。

2 ○ 太閤検地，刀狩を実施した豊臣秀吉は，1591年に武士が農民・町人になることや農民の転業を禁止した人掃令（身分統制令ともいう）を発布している。さらに翌年，関白豊臣秀次により人掃令が発布され，全国的な戸口調査を実施し，村ごとに家数・人数・老若男女を記させるなど，朝鮮出兵の動員準備を図っている。検地，刀狩，そして，こうした2度にわたる人掃令（身分統制令）によって身分を確定させたことから，兵農分離・農商分離の基礎が完成した。

3 × 信長も秀吉も，交通の障害となる関所を撤廃し経済の活性化を図り，さらに，楽市・楽座令を出して商工業者に自由な営業権を認めた。その一方で，信長は全国一の経済力を持つとされた自治都市の堺を直轄にし，秀吉も京都や堺などの重要都市を直轄にするなど，ともに自治都市に特権を与えてはおらず，豪商を統制下において，政治や軍事などにその経済力を利用した。

4 × 秀吉が始めたとされる朱印船貿易は，主な輸入品が中国産生糸であり，主な輸出品が銀である。朱印船とは，幕府の朱印を押した渡航許可状を持つ公式貿易船であり，1635年の鎖国令で日本人の海外渡航と海外居住者の帰国を全面禁止するまで活躍した。東南アジアで明との出会貿易を行い，当地に日本町とよばれる日本人居住区も生まれている。

5 × 桂離宮や修学院離宮は江戸時代初期の建造物であり，また，水墨画を大成した雪舟は室町時代（東山文化の頃）の人物であり，いずれも織豊政権の時代とは関係がなく，妥当でない。

正答 **2**

戦国時代から幕藩体制の確立

実践 問題 **15** 〈 基本レベル 〉

頻出度	地上★★	国家一般職★	東京都★	特別区★★
	国税・財務・労基	国家総合職★		国家総合職(教養区分)★★★

問 織豊政権に関する記述として，妥当なのはどれか。　　　　（特別区2017）

1：織田信長は，1560年に姉川の戦いで駿河の今川義元を破り，1567年には美濃の斎藤竜興を倒して，居城を清洲城から稲葉山城に移し，天下布武の印判を使用して，武力による天下統一への意思を示した。

2：織田信長は，1570年に浅井長政と朝倉義景の連合軍を桶狭間の戦いで破り，翌年，宗教的権威であった比叡山延暦寺を焼き打ちにし，1573年には足利義昭を京都から追放して室町幕府を滅ぼした。

3：織田信長は，1575年に長篠の戦いで鉄砲を活用して武田勝頼の騎馬隊を打ち破り，1580年には石山本願寺を屈服させたが，1582年に京都の本能寺で家臣の明智光秀の反乱にあい，統一事業半ばにして倒れた。

4：羽柴秀吉は，1582年に明智光秀を山崎の戦いで破り，翌年には織田信長の重臣であった柴田勝家を賤ヶ岳の戦いで破って，信長の後継者としての地位を固め，石山本願寺の跡地に安土城を築いた。

5：羽柴秀吉は，1584年に小牧・長久手の戦いで徳川家康と戦い和睦し，1585年には伊達政宗をはじめとする東北諸大名を屈服させ，全国統一を完成させると，1586年に太政大臣に就任して後陽成天皇から豊臣の姓を授けられた。

OUTPUT

実践 ▶ 問題 **15** ▶ **の解説** ─────

〈織豊政権〉

1× 織田信長が今川義元を破ったのは，桶狭間の戦いである。他の記述については正しい。

2× 肢1の解説にもあるように，桶狭間の戦いは織田信長が今川義元を破った戦いである。一方，織田信長が浅井長政と朝倉義景の連合軍を破ったのは姉川の戦いである。他の記述については正しい。

3○ 妥当である。織田信長と徳川家康の連合軍が，武田勝頼を破った長篠（ながしの）の戦いは，鉄砲が初めて効果的に用いられた戦いであり，以後の戦術や戦法に大きな影響を与えた。

4× 羽柴（のちの豊臣）秀吉が明智光秀を山崎の戦いで破り，柴田勝家を賤ヶ岳の戦いで破ったことは正しいが，石山本願寺の旧地に秀吉が築いたのは大坂城である。安土城は信長が近江に築いた城郭である。

5× 小牧・長久手の戦いで徳川家康と戦い和睦したことは正しいが，秀吉はこの頃から軍事力のみならず伝統的な権威を利用しながら全国統一を目指すようになった。具体的には1585年に朝廷によって関白に，翌年，太政大臣に任じられ，豊臣姓を与えられると，天皇から日本全国の支配権を委ねられたと称して全国の戦国大名に停戦を命じ，その領国の確定を秀吉に任せることを強制した（惣無事令）。そして，これに違反したことを理由に九州の島津義久を，1590年には小田原の北条氏政を滅ぼし，伊達政宗ら東北地方の諸大名を服属させて全国を統一した。全国統一　→　太政大臣就任・豊臣姓　ではない。

正答 **3**

| 実践 | 問題 **16** | 基本レベル |

| 頻出度 | 地上★★ 　国家一般職★ 　　東京都★ 　　特別区★
国税・財務・労基★ 　国家総合職★ 　国家総合職(教養区分)★★★ |

問 次のA～Dのうち，安土・桃山時代に関する記述として妥当なもののみを全
て挙げているものはどれか。　　　　　　　　　　　　　（裁判所職員2022）

A：海賊取締令（海賊停止令）が出され，倭寇などの海賊行為が禁止された。

B：遣明船で明に渡った雪舟が，日本的な水墨画様式を創造した。

C：幕府の歴史を編年体で記した史書『吾妻鏡』が編まれた。

D：堺の千利休が茶の湯の儀礼を定め，侘茶を大成した。

1：A，C
2：A，D
3：B，C
4：B，D
5：C，D

実践 問題 16 の解説

〈安土・桃山時代〉

A○ 海賊取締令を出して、倭寇などの海賊行為を禁止したのは豊臣秀吉である。

B× 雪舟が日本的な水墨画様式を創造したのは、室町時代の後期、東山文化の時代である。

C× 『吾妻鏡』が編まれたのは鎌倉時代である。『吾妻鏡』には、承久の乱に際し、北条政子が頼朝の御恩を説いて御家人を鼓舞した話が収録されている。

D○ 千利休が茶の湯の儀礼を定め、侘茶を大成したのは、安土・桃山時代である。茶の湯は豊臣秀吉や諸大名の保護を受けて大いに流行した。

以上から、AとDが安土・桃山時代の記述であるので、肢2が正解となる。

【室町時代】

北山文化	金閣（伝統的な寝殿造風と禅宗様の折衷が特徴） 観阿弥・世阿弥が能楽を大成　世阿弥『風姿花伝』
東山文化	銀閣（書院造・近代和風建築の原型となる） 雪舟が日本の水墨山水画を完成　侘茶　生け花

【安土桃山時代】

桃山文化	千利休　茶の湯の儀礼を定め、茶道を確立した。 狩野永徳「唐獅子図屛風」

正答 2

実践 問題 **17** 〈 基本レベル 〉

頻出度	地上★★	国家一般職★	東京都★	特別区★
	国税・財務・労基★	国家総合職★		国家総合職（教養区分）★★★

問 江戸時代初期の幕府の統治に関する記述として，妥当なのはどれか。

（東京都Ⅰ類B2017）

1：3代将軍徳川家光の頃には，将軍と諸大名との主従関係が揺らぎ始め，強力な領主権を持つ将軍と大名とが土地と人民を統治する惣領制が弱体化した。

2：キリシタン大名の有馬晴信と小西行長は，幕府がキリスト教徒を弾圧したことに反発し，1637年に島原の乱を起こしたが，翌年鎮圧され，有馬と小西の藩は領地を没収された。

3：島原の乱の鎮圧後，幕府はポルトガル船の来航を禁止し，平戸のオランダ商館を長崎の出島に移し，外国貿易の相手をオランダや中国などに制限した。

4：徳川家光は，寛永の御成敗式目を発布し，大名に国元と江戸とを3年交代で往復する参勤交代を義務付け，大名の妻子は江戸に住むことを強制された。

5：幕府の職制は，徳川家康が将軍となると直ちに整備され，五大老と呼ばれる重臣が政務を統轄し，勘定奉行等の五奉行が幕府の財政や裁判等の実務を執り行い，これらの役職には，原則として有力な外様大名が就いた。

直前復習

OUTPUT

実践 ▶ 問題 **17** ▶ の解説 ──────────

〈江戸幕府の初期の統治〉

1✕ 3代将軍徳川家光の時代には，武家諸法度を発布して諸大名に法度の遵守を厳命するとともに，大名に参勤交代を義務付け，将軍と諸大名との主従関係が確立し，強力な領主権を持つ将軍と大名（幕府と藩）が，土地と人民を統治する幕藩体制が確立した。家光の頃に，将軍と諸大名との主従関係が揺らぎ始めたとあるのは妥当でない。なお，惣領制は本家の嫡子で一族の統率者である惣領が庶子を統制し，一族と所領を支配・代表する形態で，鎌倉幕府の御家人支配の基盤となったものである。鎌倉時代の中期以降，所領の細分化を防ぐために惣領の単独相続が進展するにつれて惣領制は崩れていった。

2✕ 島原の乱は，有馬晴信と小西行長が起こしたものではない。島原半島と天草島はかつてキリシタン大名の有馬晴信と小西行長の領地であったが，新たな領主となった松倉氏と寺沢氏は禁教と重税，厳罰をもって領民を支配したため，天草四郎時貞を首領に農民が蜂起したものである。一揆勢の中には有馬・小西氏の牢人やキリスト教徒も多かった。

3◯ 幕府は島原の乱を鎮圧すると，キリスト教徒を根絶するために絵踏を強化するとともに，寺請制度を設けて宗門改めを実施したほか，ポルトガル船の来航を禁止して，長崎の出島にオランダ商館を移して鎖国を完成させた。

4✕ 徳川家光が発布したのは寛永の武家諸法度である。御成敗式目は鎌倉時代に発布されたものである。また，参勤交代は大名に国元と江戸とを1年交代で往復させるものである。

5✕ 五大老・五奉行が置かれていたのは豊臣政権の時である。幕府の職制は徳川家康や秀忠時代に側近が担ってきたのを改めて，家光の頃までに整備された。老中が政務を統括し，老中を補佐し旗本を監督する若年寄，大名を観察する大目付のほか，寺社奉行，町奉行，勘定奉行の三奉行が置かれた。また，役職には，外様大名ではなく譜代大名が就いた。

第2章 近世

正答 3

SECTION ① 近世
戦国時代から幕藩体制の確立

実践 問題 **18** 〈 基本レベル 〉

頻出度	地上★★	国家一般職★	東京都★	特別区★
	国税·財務·労基★	国家総合職★		国家総合職(教養区分)★★★

問 江戸時代に関する次の記述のうち，最も妥当なのはどれか。

（市役所B日程2017）

1：大名は国元で藩政に専念することを義務付けられていたが，江戸時代末期から各藩の勢力拡大を抑えるために参勤交代制度が導入された。

2：幕府はオランダ・清に対して長崎の出島のみでの交易を許可した。その他ヨーロッパ諸国や琉球・朝鮮・蝦夷地との交流は禁止した。

3：幕府や藩の財政は農民からの年貢に大きく依存していた。年貢は貨幣のみとして米や現物で納めることは禁じた。

4：陸上交通では，幕府のある江戸を起点とした五街道が整備され宿駅が置かれた。海上交通では江戸と大坂を結ぶ航路が整備された。

5：幕府は町民などの人数を厳しく制限し，農民が都市に出稼ぎにくることを禁止したため，江戸の人口は最大でも10万人を超えることはなかった。

OUTPUT

実践 ▶問題 **18** ▶ **の解説**

〈江戸時代〉

1× 参勤交代制度が導入されたのは，3代将軍徳川家光が発布した武家諸法度（寛永令）による。参勤交代は，大名に国元（在国）と江戸（在府）とを1年交代で往復させ，妻子は江戸に住むことを強制するもので，大名にとっては多額の出費を伴う重い役務であった。

2× 幕府は島原の乱を鎮圧した後，ポルトガル船の来航を禁止し，オランダの商館を平戸から長崎の出島に移して鎖国体制を完成させたが，琉球や朝鮮，蝦夷地との交易は禁止されていない。長崎にはオランダ船のほか，中国の民間商船が寄港するとともに，江戸時代を通じて朝鮮や琉球からは使節が派遣された。

通信使	朝鮮から江戸幕府に派遣された。
謝恩使	琉球王国の国王の代替わりごとにその就任を感謝して派遣された。
慶賀使	将軍の代替わりごとにそれを奉祝して琉球から派遣された。

3× 農民に課せられた年貢は，検地帳に登録された田畑・屋敷地に対し，石高の40％から50％を米や貨幣で領主に納めるものであったが，原則は米納である（四公六民・五公五民）。したがって，年貢は貨幣のみとして米や現物で納めることは禁じたとあるのは妥当でない。

4○ 江戸時代には幕府により江戸，大坂，京都を中心に，各地の城下町をつなぐ全国的な街道網が形成された。その中心となったのは，江戸を拠点とする五街道である。街道には多くの宿駅が置かれるとともに，一里塚や橋・渡船場・関所などの施設が整えられた。また，17世紀前半には菱垣廻船が，18世紀前半には樽廻船が大坂・江戸間を運行し，大坂から木綿や油，酒などを大量に江戸に運んだ。

5× 徳川家康が江戸に幕府を開いた後，徳川の家臣団や諸大名，商工業者等が移り住み，城下町が形成された結果，江戸の人口は急速に増加した。その後も参勤交代が諸大名に義務付けられたことや，農業や諸産業の発達が商品流通を活発にし，流通の要である江戸には全国から人が流れ込み，享保年間の町人人口は約50万人と記録されている。江戸の人口は10万人を超えることはなかったとあるのは妥当でない。なお，天保の改革の際には農村の建て直しのため，農民の出稼ぎを禁止して江戸に流入した貧民に帰郷を強制する人返しの法を発している。

正答 **4**

実践 問題 **19** 〈 基本レベル 〉

頻出度	地上★★	国家一般職★	東京都★	特別区★
	国税・財務・労基★	国家総合職★		国家総合職(教養区分)★★★

問 江戸幕府の支配体制に関する記述として最も妥当なのはどれか。

(国家総合職2017)

1：幕府の常設の統治機構として，政務全体を統轄する大老，大老を補佐する老中，大名を監督する大目付，旗本や政務全般を監察する目付，寺社を管轄する寺社奉行，江戸市街を支配する町奉行などの役職が置かれ，大老及び老中には親藩大名が，その他の役職には譜代大名が就任した。

2：幕府の地方機関として，主に西国大名の監督に当たる京都守護職が置かれた。また，幕府の直轄領は天領と呼ばれて勘定奉行が支配し，現地に郡代・代官が置かれた。天領の石高は幕府成立当初には全国の石高の半分近くあったが，その後の度重なる災害や凶作により収量が大幅に減少し，幕府の財政基盤弱体化の原因となった。

3：幕府は，天皇に禁裏御料，公家に公家領を認め，一部の朝廷儀式や神事の再興を認めるなど，伝統的な権威を維持させて保護した。その一方で，独自に政治的な行動をしたり大名に利用されたりしないよう，禁中並公家諸法度を発布して朝廷内部の秩序を定めるとともに天皇・公家の生活や行動を規制し，京都所司代を置いて監視させた。

4：石高10万石以上の領地を与えられた武家は大名と呼ばれ，徳川氏との関係で親藩，譜代，外様に区別された。大名は将軍により転封（国替），減封（領地削減），改易（領地没収）の処分を受けることがあったが，江戸時代初期は幕藩体制の安定化のため改易はほとんど行われず，第8代将軍徳川吉宗による将軍権力の強化とともに頻繁に行われるようになった。

5：第5代将軍徳川綱吉の時代に参勤交代の制度が定められ，大名は親藩，譜代，外様の別，江戸からの距離にかかわらず3年おきに国元と江戸を往復し，江戸に藩邸を構えて人質として妻子を住まわせることが義務付けられた。また，大名は，江戸城などの修築や河川工事の手伝いを命じられることがあり，多額の支出を強いられた。

OUTPUT

実践 問題 **19** の解説

〈江戸幕府の支配体制〉

1✕ 大老は江戸幕府の最高職であるが，常設の役職ではなく非常時に老中の上位に置くものである。また，大老は酒井・土井・井伊・堀田の10万石以上の譜代大名により選任され，老中や若年寄，大目付といった役職も原則として譜代大名や旗本が就いた。

2✕ 主に西国大名の監督にあたったのは，京都守護職ではなく京都所司代である。京都守護職は京都の治安維持のために幕末に京都所司代の上に新設された役職である。なお，幕府の直轄領である天領に郡代や代官が派遣されてそれを勘定奉行が統括したことは正しいが，天領400万石と旗本知行国地約300万石を加えた700万石は，当時の全国の石高約3000万石の4分の1にあたる。「半分近く」との肢の記述は誤りであるが，幕府の所領は他の大名よりも圧倒的に大きい。

3◯ 妥当である。禁裏御料（天皇領），公家領は必要最小限度にとどめられ，京都所司代に朝廷を監視させた。公家から選んだ武家伝奏が幕府側の指示を朝廷に伝えるなど，朝廷と幕府をつなぐ役割を担った。なお，5代将軍綱吉の時代には，朝廷儀式である大嘗会（天皇即位後に最初に挙行する大規模な新嘗祭）が再興された。

4✕ 大名の転封（国替）や減封（領地削減），改易（領地没収）の処分が多く行われたのは，江戸時代初期である。特に3代将軍家光の時代には，外様大名29名，一門（親藩）・譜代20名を改易して，力による大名統制を進めた。なお，大名は石高1万石以上の領地を与えられたものを指す。

5✕ 参勤交代の制度が定められたのは，3代将軍家光が発した武家諸法度による。また，参勤交代は，1年ごとに国元と江戸とを往復する。なお，大名は石高に応じて一定数の兵馬を常備し，戦時には将軍の命令により出陣する一方，平時には江戸城の修築や河川工事の手伝い（普請役）を命じられることもあったので，肢後半の記述は正しい。

第2章 近世

正答 **3**

実践 問題 **20** 〈 基本レベル 〉

頻出度	地上★★	国家一般職★	東京都★	特別区★
	国税・財務・労基	国家総合職		国家総合職（教養区分）★★★

問 江戸時代の産業に関する記述として最も妥当なのはどれか。

(国家一般職2022)

1：店舗を持たずに行商を行う問屋が商業の中心を占めるようになった。問屋仲間の連合組織として江戸や京都に惣が結成され，江戸・京都間の船による荷物輸送を効率化し，さらに流通する商品の独占が図られた。

2：幕府は，貨幣鋳造権を独占し，金座・銀座・銭座で，それぞれ金貨・銀貨・銭貨の三貨を鋳造した。三貨の交換比率は幕府によって定められ，変動することはなかった。主に東日本では銀貨が，西日本では金貨が用いられたため，両替商が重要な役割を果たした。

3：幕府や諸藩は，年貢米の収入を増やすために村の耕地の拡大に努め，海岸地域や湖沼を干拓し，灌漑用水を整備するなどして新田開発を進めた。農具では，より深く耕せる備中鍬や脱穀用の千歯扱などが発明され，作業の効率化をもたらした。

4：網を使用する上方漁法が全国に広まり，各地に漁場が開かれた。網元は多くの漁民を組織し，西廻り航路を運航する菱垣廻船によって海産物を運送した。日本海沿岸では，潮の干満を利用して砂浜に海水を導入する揚浜式塩田による製塩が盛んになった。

5：幕府の直轄地である伊予の別子，下野の足尾，出羽の尾去沢の銅山などにおける銅の採掘量は17世紀半ばから減少し，代わって豪商が所有する佐渡・生野の金山，石見・伊豆の銀山などで金銀の採掘が盛んになった。

実践 問題 **20** の解説

〈江戸時代の産業〉

1 × 問屋が商業の中心を占めるようになったのは正しいが，店舗を持たずに行商を行うのは振売である。そして，問屋仲間の連合組織としては，江戸の十組問屋，大坂の二十四組問屋がある。惣は鎌倉から戦国時代に形成された農民の自治組織である。

2 × 全国に通用する貨幣を安定して供給することは幕府の重要な役割であり，同じ規格・品質の金・銀貨幣は，徳川家康が1600年頃から金座・銀座で大量につくらせた慶長金銀が，日本で初めとされる。しかし，幕府は貨幣鋳造権を独占してはおらず，17世紀後半から，各藩では藩札を発行し，城下町を中心とする領内で流通させた。また，東日本では金貨，西日本では銀貨がそれぞれ取引や貨幣計算の中心とされ，三貨の交換比率は変動していたため，両替商が存在した。

3 ○ 妥当である。この時代には，耕地の開発が進む中，刈敷が不足する中で都市周辺部では下肥が使われ，綿などの商品作物生産が発達したところでは遠隔地からの干鰯・油粕などの金肥が普及した。

4 × 網を使う上方漁法が各地に広まったことは正しい。網を使う漁法には地引網や船曳網のように，鰯や鰊の魚群をまとめてさらう漁法であり，こうした鰯や鰊は干鰯や〆粕などに加工され，肥料として上方に出荷された。南海路では江戸・大坂間を菱垣廻船と樽廻船が定期的に運航していたが，菱垣廻船は堺商人が創始したとされ，江戸の十組問屋と提携して，大坂から江戸に木綿や油，酒，醤油などの日用品を運ぶために運航したので，網元が「海産物を運送した」との記述は妥当でない。また，製塩業では，もともと日本海側などで揚浜式塩田による製塩が行われていたが，江戸時代には瀬戸内海沿岸で入浜塩田が発達した。

5 × 17世紀後半以降，採掘量が減少したのは，金山と銀山である。代わって産出量が増加したのは銅である。金山は佐渡と伊豆金山，銀山は石見と生野と院内銀山，銅山は足尾と別子と阿仁銅山が主な鉱山である。また，一部，鉱山は私営されていたものもあるが，佐渡や石見銀山など，幕府直轄となったものが多い。

正答 **3**

幕藩体制の動揺と崩壊

必修
問題

セクションテーマを代表する問題に挑戦！

三大改革の内容を区別するとともに，開国から幕末の状況を順序
立てて学びます。

問 寛政の改革（1787）からペリー来航（1853）までの日本の状況と
して妥当なものはどれか。 （地上2011）

1：幕府は寛政期に入ると，財政再建のため，町人から大名にいたるまで倹
約令を出したが，天保の改革では，民間の経済活動を活性化させ，その
財源を取り込もうと，これを撤回，株仲間の公認や，長崎貿易の振興を行っ
た。

2：薩摩藩，佐賀藩は，特産品の専売により藩財政を再建し，洋式武器を導
入した。この藩政改革の成功により，これらの藩は，幕末の政局で大き
な発言力を持つ，雄藩の礎を築いた。

3：欧米より外国船が頻繁に来航したため，外国船員と住民との衝突などを
回避するため，幕府は異国船打払令を出して，それらを武力で追い払う
政策をとり続けた。

4：各地で新田開発が進み，耕地面積が拡大した。これにより小百姓が土地
を手に入れ，小百姓と豪農との対立が緩和された。

5：化政文化は江戸を中心に町人文化として発展し，各地に波及した。文学
では，井原西鶴の浮世草子，松尾芭蕉の蕉風俳諧などが生まれた。

必修問題の解説

〈江戸後期の社会〉

1 ✕ 老中水野忠邦は天保の改革を行い，流通を独占していた株仲間を解散し，厳しい倹約令や風俗統制令を出した。

2 ◯ 中・下級武士の有能な人材を登用して財政の再建と強化を目指す藩政改革に成功した薩摩藩，佐賀藩，長州藩，土佐藩などの雄藩が幕末の政局に強い発言力を持つようになった。

3 ✕ 幕府は1825年に異国船打払令を出し，外国船を撃退するように命じたが，1840年にアヘン戦争が起きると，幕府は清国の二の舞になることを恐れ，1842年に薪水給与令を出し，武力を行使せず，来航船に薪水や食料を与えて退去させる方針に転換した。

1787～93年	**寛政の改革**
1808年	フェートン号事件：イギリス軍艦フェートン号の長崎侵入
1825年	**異国船打払令**
1837年	モリソン号事件 → 蛮社の獄（渡辺崋山・高野長英らの処罰）
1840～42年	アヘン戦争
1842年	**薪水給与令**
1853年	ペリー来航

4 ✕ 農村では裕福な本百姓と貧しい小百姓の格差が広がり，小百姓たちの中には田畑を手放して小作人になる者や年季奉公に出る者もいる一方で，裕福な本百姓は豪農として名主や組頭などの村役人となっていた。そうした中で小百姓が村役人の不正を追及し，民主的で公正な運営を求める運動（村方騒動）が頻発した。

5 ✕ 井原西鶴や松尾芭蕉が活躍したのは，上方を中心とした元禄文化の時代である。化政文化では読本作家の滝沢馬琴や浮世絵師の喜多川歌麿などが活躍した。

元禄文化	井原西鶴，松尾芭蕉，近松門左衛門
化政文化	式亭三馬，十返舎一九，上田秋成，与謝蕪村，小林一茶

正答 **2**

第2章 近世

幕藩体制の動揺と崩壊

1 幕藩体制の動揺

(1) 幕政の改革

享保の改革 （将軍徳川吉宗） 1716〜45年	**上米の制** （あげまい）	大名に石高1万石につき100石上納させ，代わりに参勤交代の負担を緩める。
	公事方御定書 （くじかたおさだめがき）	裁判の基準を示した判例集。大岡忠相（ただすけ）の起用。目安箱の設置。
	足高の制 （たしだか） （人材登用制度）	有能な人材に不足分の禄高を与えて条件を満たし，その役職に就かせる制度。
	相対済し令 （あいたいすまし）	金銭トラブルに関する訴訟は一切受理せず，当事者同士で解決させる法令。
	定免法の導入 （じょうめん）	その年の米の収穫高によって年貢率を定める検見法（けみ）に代えて，年貢率を一律にする定免法を採用。
田沼意次の時代 （おきつぐ）	行き詰まった幕府財政を再建するために，民間の経済活動を活発にさせ，その富の一部を財源に取り込もうと，株仲間を広く公認し，運上や冥加（みょうが）など営業税の増収を目指した。	
寛政の改革 （かんせい） （老中松平定信） 1787〜93年	**囲米と旧里帰農令** （かこいまい）	飢饉に備えて米穀を蓄えさせるとともに（囲米），旧里帰農令では困窮して江戸に流れてきた農民などに金銭を与えて農村に帰ることを奨励。
	七分積金と棄捐令 （きえん）	町入用の節減額の7割を積立て，困窮した貧民を救う体制を整えたり，困窮する旗本や御家人を救済するために棄捐令を発し，札差に貸金を放棄させた。
	寛政異学の禁	湯島聖堂の学問所で朱子学以外の講義を禁止。
天保の改革 （てんぽう） （老中水野忠邦） 1841〜43年	**人返しの法**	農民が村を離れて江戸に住むことを禁止し，江戸に流入した貧民の帰郷を強制した。
	株仲間の解散	自由な取引による物価引下げを期待。
	倹約令	享保・寛政の改革にならう。
	上知令	江戸・大坂周辺の地を直轄地としようとしたが，反対されて実施できず。

INPUT

2 開国と幕末の動乱

(1) 開国と不平等条約

日米和親条約	ペリーの来航を契機に締結。下田・箱館の開港。
日米修好通商条約	大老井伊直弼が孝明天皇の勅許を得られないまま調印。神奈川・長崎などの開港。治外法権・関税自主権の欠如。

① 安政の大獄と桜田門外の変

井伊直弼が勅許を得ずに日米修好通商条約を締結したため，朝廷と幕府が衝突し，井伊直弼は反対派の公家や大名らを多数処罰しました（安政の大獄）。その後，井伊直弼は桜田門外の変により暗殺されます。

(2) 公武合体と尊王攘夷運動

① 公武合体

老中安藤信正は，朝廷との融和により尊王攘夷運動を抑えて幕府の権威回復を図るために，孝明天皇の妹和宮を将軍家茂の夫人に迎えました。

② 攘夷から討幕へ

長州藩は，攘夷の報復として，イギリスなど4カ国から下関砲撃を受け，一方，薩摩藩は生麦事件の報復として起こった薩英戦争で敗れており，攘夷の不可能なことが次第に明らかになりました。

③ 薩長同盟

土佐藩出身の坂本竜馬や中岡慎太郎の仲介で，薩摩藩と長州藩は軍事同盟の密約を結び（薩長連合），反幕府の態度を固めました。

(3) 大政奉還と王政復古の大号令

前土佐藩主山内豊信（容堂）は15代将軍徳川慶喜に政権の返還を勧めます。慶喜はこれを受け入れ，大政奉還を行いました。一方，武力討幕を決意していた薩長両藩は王政復古の大号令を発し，天皇を中心とする新政府を樹立しました。その後，鳥羽・伏見の戦いから戊辰戦争が起こり，最後箱館の五稜郭で幕府側は敗れ，国内は新政府により統一されます。

3 江戸時代後期の学問

国学	本居宣長の『古事記伝』	復古神道	平田篤胤
洋学	杉田玄白・前野良沢の『解体新書』		

実践 問題 **21** 基本レベル

頻出度	地上★★★ 国家一般職★ 東京都★★ 特別区★★
	国税・財務・労基★ 国家総合職★ 国家総合職(教養区分)★★★

問 享保の改革に関する記述として,妥当なのはどれか。 （東京都Ⅰ類B 2012）

1：徳川吉宗は，武家諸法度を改定して，大名に1年おきに国元と江戸とを往復させる参勤交代を義務づけることにより，将軍の権威強化を図った。

2：徳川吉宗は，困窮する旗本や御家人を救済するため棄捐令を出し，各地に米や雑穀を蓄える社倉・義倉を設けさせた。

3：徳川吉宗は，農村の振興を図るため，定職をもたないものが農村に帰ることを奨励する旧里帰農令及び人返しの法を出した。

4：徳川吉宗は，法令や裁判の判例を集大成し，公事方御定書を編纂して裁判や刑罰の基準を定めた。

5：徳川吉宗は，朱子学を正学として湯島聖堂の学問所で朱子学以外の講義を禁止し，漢訳洋書の輸入制限を強化した。

実践 問題 **21** の解説

〈享保の改革〉

1× 大名に，1年おきに国元と江戸とを往復させる**参勤交代**を義務付ける武家諸法度を発布したのは**徳川家光**である。3代将軍の徳川家光は，1635年に新たに武家諸法度（寛永令）を発布して，参勤交代を大名に義務付け，大名の妻子は江戸に住むことが強制された。

2× 困窮する旗本や御家人を救済するために**棄捐令**を出し，各地に米や雑穀を蓄える社倉・義倉を設けた（囲米）のは，松平定信が実施した寛政の改革である。棄捐令は，旗本や御家人が札差から借りたお金の返済を免除，または低利の年賦返済とするもので，事実上の借金の踏み倒しであったため，札差は御家人らに新たな融資を行わなくなり，かえって御家人の窮乏に拍車をかけた面もあった。

3× 定職を持たないものに対し農村に帰ることを奨励する**旧里帰農令**は，松平定信の寛政の改革において行われたものであり，人返しの法は水野忠邦の**天保の改革**で実施された。幕府の財政を支えている年貢米が，18世紀の後半には減少を始め，寛政の改革や天保の改革では，農村復興政策の一環として旧里帰農令や人返しの法が実施された。その背景には，小作農が都市に流入して江戸の人口が増加していたことがある。

4○ **公事方御定書**は，徳川吉宗の享保の改革において制定されたものである。享保の改革では，このほかに足高の制や上げ米，相対済し令などが実施された。

5× 朱子学を正学として湯島聖堂の学問所で朱子学以外の講義を禁止した（寛政異学の禁）のは，松平定信の寛政の改革である。享保の改革ではキリスト教に関係するもの以外の輸入を許可するなど，漢訳洋書の輸入制限を緩めるなどして，実学を重視した。

【江戸時代の三大改革】

享保の改革	公事方御定書，足高の制，上げ米，相対済し令
寛政の改革	棄捐令，囲米，旧里帰農令，寛政異学の禁
天保の改革	人返しの法，上知令

正答 **4**

実践 問題 **22** 基本レベル

頻出度	地上★★★　国家一般職★　　　東京都★★　　特別区★★
	国税·財務·労基★　　国家総合職★　　国家総合職(教養区分)★★★

問 江戸幕府が行った政策に関する記述 A～E を古いものから年代順に並べ替えたとき，2 番目と 4 番目に来るものの組合せとして最も妥当なのはどれか。

(国家一般職2016)

A：旧里帰農令を出して都市に流人した農村出身者の帰村を奨励するとともに，村からの出稼ぎを制限して農村人口の確保に努めた。また，飢饉対策として各地に社倉や義倉を設置し，囲米を行った。

B：一国一城令を出して，大名の居城を一つに限り，それ以外の領内の城を破壊させた。さらに武家諸法度を制定し，大名の心構えを示すとともに，城の新築や無断修理を禁じ，大名間の婚姻には許可が必要であるとした。

C：都市や農村の商人・手工業者の仲間組織を株仲間として広く公認し，引換えに運上・冥加金などを納めさせた。また，銅座・人参座などの座を設けて専売制を実施した。金貨の単位で表された計数銀貨である南鐐二朱銀を大量に鋳造し，金銀相場の安定に努めた。

D：町人の出資による新田開発を奨励し，年貢を増徴するため，その年の作柄から年貢率を定める検見法を改めて，一定の税率で徴収する定免法を採用した。また，財政難の下で人材を登用するため足高の制を定めた。

E：武道のみならず忠孝の道徳と礼儀を守るよう大名らに求めた。また，武家に対して忌引を定めた服忌令を，民衆に対して犬や鳥獣の保護を命じた生類憐みの令を出した。江戸湯島に聖堂を建て，儒学を奨励した。

　　　2番目　　4番目
1：　B　　　 A
2：　B　　　 C
3：　D　　　 A
4：　D　　　 E
5：　E　　　 C

直前復習

OUTPUT

実践 問題 **22** の解説

第2章 近世

〈江戸の三大改革〉

B 　徳川家康の時代　一国一城令を出すとともに，城の新築や無断修理を禁じ，大名間の婚姻には許可が必要であるとする武家諸法度を制定した（1615年）のは，徳川家康・秀忠の時代である。最初の武家諸法度は，家康が秀忠の名で発布した。

E 　徳川綱吉の時代　生類憐みの令を出し湯島に聖堂を建てて儒学を奨励したのは5代将軍徳川綱吉の時代である。徳川綱吉の時代は，政治の安定と経済の発展を背景に，文治主義への転換が図られた時代である。綱吉の時代に出された武家諸法度は「第1条　文武弓馬の道」が「文武忠孝を励し，礼儀を正すべき事」に改められている。

D 　享保の改革（1716〜1745年）　新田開発の奨励，定免法の採用，足高の制から，徳川吉宗が実施した享保の改革である。徳川吉宗は，大岡忠相をはじめ，優秀な人材を多く登用し，金銀貸借についての争いを幕府に訴えさせずに当事者間で解決させるために相対済し令を出した。また，倹約令により支出を抑える一方，大名から米を臨時に上納させる上げ米を実施した。

C 　田沼意次の時代（1772〜1784年）　都市や農村の商人・手工業者の仲間組織を株仲間として広く公認し，引き換えに運上・冥加金などを納めさせていたのは，田沼意次の時代である。田沼意次は幕府財政を再建するために，年貢の増徴だけに頼らず，民間の経済活動を活発にして，そこで得られた利益を幕府の財源に取り込むことを考えた。

A 　寛政の改革（1787〜1793年）　旧里帰農令を出して農村出身者の帰村を奨励したり，飢饉対策として囲米などを実施したのは，寛政の改革の時である。寛政の改革は江戸時代の三大改革の1つであり，都市の打ちこわしによって田沼意次が失脚したのを受けて，松平定信が中心となって実施したものである。札差に貸金を放棄させる棄捐令や朱子学を官学として湯島聖堂の学問所で朱子学以外の講義を禁じるなどした。

　以上から，2番目がE，4番目がCとなり，肢5が正解となる。

正答 **5**

実践 問題 **23** 基本レベル

頻出度	地上★★★	国家一般職★	東京都★★	特別区★★
	国税・財務・労基★	国家総合職★		国家総合職(教養区分)★★★

問 江戸幕府が行った政策に関する記述として最も妥当なのはどれか。

(国税・財務・労基2015)

1：新井白石は，正徳の治において，大名から石高1万石について100石を臨時に幕府に献上させる上げ米を実施し，その代わりに参勤交代の江戸在住期間を半減させる政策を行おうとしたが，大名らに反対されて実施できなかった。

2：徳川吉宗は，享保の改革において，繰り返し大火に見舞われた江戸の消火制度を強化するために，町方独自の町火消を組織させるなど，積極的に江戸の都市政策を行った。また，改革の末期には，それまでの幕府法令を集大成した武家諸法度を初めて制定した。

3：田沼意次は，印旛沼・手賀沼の大規模な干拓工事を始めるなど，新田開発を積極的に試みた。また，最上徳内らを蝦夷地に派遣して，その開発やロシア人との交易の可能性を調査させた。その後，徳川家治が死去すると老中を罷免され，失脚した。

4：松平定信は，寛政の改革において，困窮する旗本・御家人を救済するために，米の売却などを扱う札差に貸金を放棄させる相対済し令を出した。また，蘭学を正学とし，湯島聖堂の学問所で蘭学以外の講義や研究を禁じた。

5：水野忠邦は，天保の改革において，幕府財政の行き詰まりを打開するために，年貢増徴だけに頼らず，民間の商業資本を積極的に利用しようとした。そして，都市や農村の商人・職人の仲間を株仲間として広く公認し，運上や冥加など営業税の増収を目指した。

直前復習

OUTPUT

実践 問題 **23** の解説

第2章 近世

〈江戸幕府の政策〉

1× 上げ米は 8 代将軍徳川吉宗の享保の改革により実施された。

2× 最初の武家諸法度は初代将軍徳川家康が 2 代将軍徳川秀忠の名で発布した元和令である。

3○ そのとおり。

4× 旗本・御家人を救済するために，札差に貸金を放棄させたのは，棄捐令である。また，正学とされたのは朱子学である。

5× 本肢の説明は田沼意次の政策である。水野忠邦は，江戸市中の物価高騰を抑えるために，1841年に十組問屋などの株仲間の解散を命じた。しかし，株仲間の解散はかえって江戸への商品輸送量を減少させることになり，逆効果となった。

新井白石	正徳小判などの良貨の発行 海舶互市新例で長崎貿易を制限
享保の改革	大名から石高 1 万石について100石を臨時に幕府に献上させる上げ米を実施した。 金銀の貸借についての争いを，幕府に訴えさせず，当事者間で解決させる相対済し令を出す。 公事方御定書を制定して，判例に基づく合理的な司法判断を進めた。
田沼意次	貿易振興・蝦夷地開発・専売制拡大などの商業振興策を採用し，商人・職人の仲間を株仲間として広く公認し，運上や冥加など営業税を課す。
寛政の改革	棄捐令で困窮する旗本・御家人を救済するため，札差に貸金を放棄させた。朱子学を正学とし，それ以外の学派を異学として湯島聖堂の学問所で朱子学以外の講義や研究を禁じる（寛政異学の禁）。
天保の改革	江戸市中の物価高騰を抑えるために，1841年に十組問屋などの株仲間を解散した。

正答 3

実践 問題 **24** 〈 基本レベル 〉

頻出度	地上★★	国家一般職★	東京都★	特別区★★
	国税・財務・労基★	国家総合職★		国家総合職(教養区分)★★★

問 江戸幕府の政策に関する記述として，妥当なのはどれか。

(東京都Ⅰ類B 2023)

1：徳川家康は，武家諸法度を発布し，大名に3年おきに国元と江戸とを往復させる参勤交代を義務づける制度を定めることにより，将軍の権威強化を図った。

2：徳川綱吉は，百姓の江戸出稼ぎを禁じ，江戸に流入した居住者を強制的に農村へ帰らせる人返しの法を出した。

3：徳川吉宗は，評定所（ひょうじょうしょ）に目安箱を設けて庶民の意見を聞くとともに，公事方御定書（くじかたおさだめがき）を制定して裁判や刑罰の基準を定めた。

4：田沼意次は，困窮する武士を救済するため棄捐令（きえんれい）を出し，各地に米や雑穀を蓄える社倉・義倉を設けさせた。

5：松平定信は，陽明学を正学としてそれ以外の学問を禁じ，小石川の学問所に中江藤樹らを儒官として迎えて陽明学の講義をさせた。

実践 問題 **24** の解説

〈江戸幕府の政策〉

第2章 近世

1 ✕ 参勤交代を制度化したのは徳川家康ではなく，徳川家光である。

■参勤交代

　大名は国元（在国）と江戸（在府）とを1年交代で往復することが義務付けられ，大名の妻子は人質として江戸に住むことを強制された。大名にとっては華美な大名行列や江戸の藩邸（大名屋敷）の経費は大きな負担で，大名の財政窮乏の原因となるが，江戸や宿場町の繁栄をもたらした。

2 ✕ 人返しの法を出したのは徳川綱吉ではなく，水野忠邦である。

3 ◯ 享保の改革の内容として妥当である。

4 ✕ 棄捐令を出したのは田沼意次ではなく，松平定信である。

5 ✕ 松平定信は陽明学ではなく，朱子学を正学とした。

■朱子学

　12世紀に中国・南宋の朱熹が大成した儒学の一派である。朱子学は君臣・父子の別をわきまえ，上下の秩序を重んじる学問であったため，幕府や藩に受け入れられた。林羅山は，家康・秀忠・家光・家綱と4代の将軍の侍講となり，羅山の子孫（林家）は代々儒者として幕府に仕えた。

正答 **3**

実践 問題 **25** 〈 基本レベル 〉

頻出度	地上★★★　国家一般職★　　東京都★★　　特別区★★
	国税・財務・労基★　　国家総合職★　　国家総合職(教養区分)★★★

問 江戸時代の出来事に関する記述として最も妥当なのはどれか。

(国家総合職教養区分2021)

1：徳川家康は，大坂の役で残存勢力であった石田家を滅ぼすと，一国一城令や武家諸法度（元和令）を制定し，全国的支配を確立させた。この元和令では，参勤交代が義務付けられ，旗本や御家人などの親藩・譜代の大名は半年交代で，伊達家や毛利家などの外様の大名は１年交代で国元と江戸を往復することとなった。この参勤交代は，天保の改革で水野忠邦が大名に厳しい倹約令を敷くまで200年余り続いた。

2：17世紀初頭，幕府は，慶長遣欧使節や建長寺船・天龍寺船の派遣などによって，海外との貿易交渉を活発化させた。特に，海外渡航許可証の糸割符を与えられた朱印船による貿易（朱印船貿易）が盛んになり，商人らは世界各地に日本人町を形成した。しかし，次第にキリスト教に対する警戒心を深めた幕府は，出島にあったオランダ商館を長崎の平戸に移し，オランダを除くヨーロッパ諸国との自由な交流を禁じ，長崎奉行の厳しい監視の下に置いた。

3：幕府は，年貢・諸役の徴収を確実に行うため，名主・組頭・百姓代から成る村方三役を組織し，彼らに田地に課される税である小物成の徴収や江戸での労役負担である本途物成の遂行を請け負わせた。また，17世紀中頃には，幕府は，豊臣秀吉によって制定された田畑永代売買の禁止令を廃止するなどの土地制度改革に着手し，百姓に土地の所在や地種などを記載した地券を交付することなどによって土地の所有者を明確化した。

4：18世紀後半，白河藩主の松平定信が老中に就任し，寛政の改革を進めた。定信は，出稼ぎを制限し，旧里帰農令を出して江戸で定職をもたない者を故郷に帰し，農業人口の確保に努めた。また，江戸の町々に町費節約を命じ，節約分の７割を積み立てさせ，災害や飢饉に備えさせた。さらに，寛政異学の禁を出し，湯島聖堂の学問所で朱子学以外の学問を講ずることを禁じ，学術試験による人材登用制度をつくった。

5：19世紀中頃，薩英戦争に敗れた薩摩藩は，尊王攘夷運動を一層先鋭化させ，長州藩と共に四国艦隊下関砲撃事件を起こした。これに対し，英国軍艦が再び鹿児島湾に侵入し薩摩藩に圧力をかけると，薩摩藩は改税約書への調印を余儀なくされ，これによって貿易上の不平等が拡大することとなった。一方で，幕府は，攘夷を取り締まるため長州征討を行ったが，大坂や江戸で打ちこわしが頻発すると，この対応に追われ，征討を中止した。

OUTPUT

実践 問題 **25** の解説

〈江戸時代の出来事〉

1 × 大坂の役で滅ぼされたのは豊臣氏である。また，参勤交代が義務付けられたのは3代将軍徳川家光による，武家諸法度（寛永令）においてである。譜代や外様によって在府期間が異なるのではなく，原則1年交代であったが，関東の大名は半年交代であった。さらに，参勤交代は天保の改革で廃止にはなっていない。享保の改革では在府期間を一時半減したものの，幕末の1862（文久2）年まで継続された。

2 × 建長寺船は鎌倉時代に，天龍寺船は室町時代に元に派遣した貿易船である。朱印船貿易における海外渡航許可証は朱印状である。糸割符制度は特定の商人に輸入生糸を一括購入させて，ポルトガル商人の利益独占を排除するというものである。江戸幕府はキリスト教に対する警戒心を次第に深めた。オランダ商館を長崎の平戸から出島に移し，オランダ人と日本人との自由な交流を制限した。

3 × 田畑永代売買の禁令は3代将軍徳川家光の時代の1643年に出された。田畑永代売買の禁令が廃止されたのは明治時代の1872年のことで，同時に地券を発行して土地の所有権を認めた。なお，田地に課された税は本途物成（年貢）である。労役負担は国役である。小物成は山野河海の利用や農業以外の副業に課された。

4 ○ 寛政の改革の説明として妥当である。

5 × 薩英戦争に敗れたことにより，薩摩藩は攘夷が不可能であると考えた。尊王攘夷運動を一層先鋭化させたのではない。また，四国艦隊下関砲撃事件は，長州藩に対してイギリス，フランス，アメリカ，オランダ連合艦隊が下関の砲台を攻撃したものである。四国艦隊下関砲撃事件や長州征討により外国と幕府から攻められた長州藩は，攘夷派が実権を失い幕府に従うことになった。また，改税約書への調印をしたのは幕府である。

第2章 近世

正答 **4**

実践 問題 26 基本レベル

頻出度	地上★★★ 国家一般職★ 東京都★★★ 特別区★★
	国税・財務・労基★ 国家総合職★ 国家総合職(教養区分)★★★

問 江戸時代末期の情勢に関する記述として，妥当なのはどれか。

（東京都Ⅰ類A 2019）

1：江戸幕府は，1854年に日米修好通商条約の締結に踏み切り，下田と箱館の開港，燃料・食料・水の提供，日本の一方的な最恵国待遇が定められた。

2：堀田正睦は，1858年，日米和親条約に調印し，自由貿易の開始，神奈川・長崎・新潟・兵庫の開港などが定められたが，同条約は日本に関税自主権がなく，領事裁判権も認める不平等条約であった。

3：開港により1859年に貿易が始まると，最大の貿易相手国であるアメリカとは，日本から生糸や絹糸を輸出し，毛織物や茶を輸入していた。

4：1863年，会津・薩摩両藩が中心となり，長州藩勢力と尊皇攘夷派の公家三条実美らを京都から追放する八月十八日の政変が起きた。

5：1864年，山内豊信は禁門の変で会津・薩摩両藩に敗れたため，1867年に公議政体論の立場から徳川慶喜に朝廷への大政奉還をすすめ，慶喜は翌年，奉還を申し出た。

実践 ▶ **問題 26** ◆ の解説 ─────────────

〈江戸時代末期の情勢〉

1✕ 本肢の記述は日米修好通商条約ではなく，日米和親条約の説明である。また，この条約で一方的な最恵国待遇を得たのはアメリカである。最恵国待遇とは，日本が他の国と締結した条約において，日本がアメリカに与えた条件よりも有利な条件を定めたときには，自動的にアメリカにもその条件が適用されるというものである。

2✕ 本肢の記述は日米和親条約ではなく，日米修好通商条約の説明である。また，堀田正睦は日米修好通商条約の締結にあたって，勅許を得ようとして失敗した人物で，この条約は大老の井伊直弼が勅許を得ずに結んだ。条約には通商は自由貿易とすること，との規定があったが，日本に関税自主権がなかったために，経済的に不利な立場となった。

3✕ 開港時，アメリカは南北戦争中だったので，最大の貿易相手国はイギリスであり，日本は生糸や茶や海産物などを輸出し，毛織物や綿織物などの製品や軍需品を輸入した。開港により，輸出品の約8割を占めていた生糸の生産が拡大したが，一方で安価な綿織物の大量輸入は，農村で発達していた綿作や綿織物業を圧迫した。綿糸が輸入品から輸出品へと転換するのが日清戦争前夜である。1913年になると生糸や綿糸に加えて，綿織物や絹織物が輸出品の1割を占めるようになる。

4◯ 妥当である。長州藩を中心とする尊攘派の動きに対して，薩摩・会津両藩は朝廷内の公武合体派の公家とともに朝廷の実権を奪って，長州藩勢力と急進派の公家三条実美らを京都から追放した。

5✕ 禁門の変は，八月十八日の政変の後，長州藩が池田屋事件を契機に京都に攻め入ったものの，薩摩・会津の両藩によって退けられた事件である。山内豊信は土佐藩主であり，禁門の変とは関係がない。1866年には薩長同盟が成立し，翌年，両藩が武力倒幕を決意すると，土佐藩はあくまで公武合体の立場をとり，坂本竜馬や後藤象二郎は前藩主の山内豊信を通して将軍慶喜に倒幕派の機先を制して政権の返還を勧めた。

第2章 近世

正答 4

Q1 戦国大名は石高制で家臣に軍役を課した。

Q2 種子島は戦国時代にポルトガル人から鉄砲が伝来した地である。

Q3 織田信長は惣無事令によって惣村を解散させた。

Q4 信長は桶狭間の戦いで武田勝頼を破った。

Q5 豊臣秀吉は刀狩や身分統制令を実施し，兵農分離を完成させた。

Q6 豊臣秀吉による太閤検地によって従来の荘園は消滅した。

Q7 徳川家康は関ヶ原の戦いで豊臣氏を滅ぼした後，幕府を開いた。

Q8 織田信長は石山本願寺などの仏教勢力と同盟して勢力を拡大した。

Q9 豊臣秀吉は，将軍足利義昭を京都から追放して室町幕府を滅ぼした。

Q10 豊臣秀吉は朝鮮に出兵したが，明が朝鮮に援軍を派兵すると，撤退を決断した。

Q11 島原の乱は，バテレン追放令に反対して起こったもので，豊臣秀吉が九州の大名を動因して鎮圧した。

Q12 江戸幕府は，当初，西国大名や豪商に勘合を与えて，東南アジアの国々と出会い貿易を行わせた。

Q13 江戸幕府の鎖国政策により，日本の貿易相手国はオランダ，ポルトガル，清の3カ国に限られ，朝鮮との交流は禁止された。

Q14 徳川家康が秀忠の名で出した武家諸法度で，参勤交代が定められた。

Q15 江戸幕府は，禁中並公家諸法度により天皇や公家の生活等を規制したが，経済的には厚遇し，天皇領の石高は幕府直轄領に次ぐ規模となった。

Q16 江戸幕府は，キリスト教の信仰を禁じるとともに，寺請制度を廃止した。

Q17 江戸時代は，年貢を確実に徴収するため自由な土地の売買が禁じられた。

Q18 江戸時代には，大商人が営業の独占権を持つことは禁じられていた。

Q19 薩摩藩は朝鮮，対馬藩は琉球王国の外交窓口となった。

Q20 島原の乱を鎮圧した後，幕府はスペインやイギリスの来航を禁止した。

Q21 5代将軍綱吉は，武断政治を推し進めるとともに勘定吟味役の荻原重秀の意見により貨幣改鋳を行った。

Q22 新井白石は海舶互市新例によって長崎貿易を振興した。

Q23 8代将軍吉宗は，大名に石高1万石につき100石を献上させる足高の制を実施した。

A1 × 戦国大名が採用したのは貫高制である。その後，秀吉の検地により石高制に改められた。

A2 ○ H3ロケットの試験機2号機の打ち上げに関連して出題された。

A3 × 惣無事令は秀吉が大名に対して出した内戦停止命令である。

A4 × 信長が武田勝頼を破ったのは長篠の合戦である。桶狭間の戦いは，信長が今川義元を破ったもの。

A5 ○ 秀吉は，太閤検地，刀狩，身分統制令，バテレン追放令などを実施。

A6 ○ 一地一作人の原則により，所有者のあいまいな荘園は消滅した。

A7 × 徳川家康は関ヶ原の戦いで石田三成を破って幕府を開いた後に，大坂冬の陣と夏の陣で秀吉の子秀頼を滅ぼした。

A8 × 織田信長は，石山本願寺を中心とする一向一揆を滅ぼした。

A9 × 将軍足利義昭を京都から追放したのは，織田信長である。

A10 × 朝鮮出兵から撤兵したのは，秀吉の死が契機となっている。

A11 × バテレン追放令は豊臣秀吉が出したものだが，島原の乱が起こったのは，江戸時代の3代将軍家光の時である。

A12 × 室町時代に，明から与えられた勘合を持参して勘合貿易が行われていた。江戸幕府初期には，幕府が発行した朱印状を携えた貿易船が東南アジアの国々で明と出会い貿易を行った。

A13 × 鎖国期の日本の貿易相手国はオランダ，清，朝鮮の3カ国である。

A14 × 参勤交代を定めた武家諸法度は，徳川家光が出したものである。

A15 × 幕府は天皇領は必要最小限にとどめられた。

A16 × キリスト教徒を根絶するため寺請制度を設け，宗門改めを実施した。

A17 ○ 田畑永代売買の禁止令が出された。

A18 × 株仲間の公認などが行われている。

A19 × 薩摩藩は琉球王国を支配し，幕府と琉球とのパイプラインとなり，対馬藩が朝鮮との外交窓口となった。

A20 × 島原の乱後，ポルトガル船の来航が全国的に禁止された。

A21 × 綱吉は武家諸法度を改定して儒教に裏づけられた文治主義を採用した。荻原重秀の意見により貨幣を改鋳したことは正しい。

A22 × 新井白石は海舶互市新例により長崎貿易を縮小させた。

A23 × 石高1万石につき100石を献上させるのは上げ米。これにより参勤交代の負担を軽減した。足高の制は人材登用制度。

第2章 近世

Q24	享保の改革では上げ米の実施や公事方御定書が定められた。
Q25	田沼意次は株仲間を解散させた。
Q26	徳川綱吉は，従来の元禄小判を改鋳して質の悪いものにした。
Q27	徳川吉宗は，幕府法令を集大成し武家諸法度を初めて制定した。幕府は参勤交代を義務付ける棄捐令を発し，諸大名に遵守を厳命した。
Q28	寛政の改革では，蘭学を正学とし，蘭学以外の講義や研究を禁じた。
Q29	天保の改革では，株仲間を広く公認し，運上や冥加など営業税を課した。
Q30	水野忠邦は，江戸や大坂周辺の土地を直轄地とする上知令を出したが，大名の反対にあい，実施できなかった。
Q31	大塩平八郎の乱は，享保の大飢饉の際に，蜂起したものである。
Q32	寛政の改革で実施された棄捐令は農民を都市に移住させる政策である。
Q33	水野忠邦は天保の改革において人返しの法を実施した。
Q34	日米修好通商条約では領事裁判権が認められた。
Q35	井伊直弼は，勅許を得て日米修好通商条約に調印した。
Q36	欧米より外航船が頻繁に来航したため，幕府は異国船打払令を出して武力で追い払う政策をとり続けた。
Q37	薩摩藩や佐賀藩は，特産品の専売や洋式武器を導入するなど藩政改革に成功し，雄藩として幕末の政局で大きな発言力を持った。
Q38	アヘン戦争で清がイギリスに敗れると，幕府は異国船打払令を出した。
Q39	幕府はペリーに迫られ，日米修好通商条約を締結した。
Q40	欧米との通商条約により，横浜などが開港され，貿易が始まると，直後は綿織物を中心とする輸出額が輸入額を上回った。
Q41	戊辰戦争最後の戦いとなった鳥羽・伏見の戦いで幕府が敗れると，徳川慶喜は大政奉還を行った。
Q42	桃山文化は，新興の大名や豪商の気風を反映した豪壮で華麗な文化で，城郭には天守閣や書院造の居館などが建てられた。
Q43	桃山文化では，『徒然草』『平家物語』などの作品が書かれた。
Q44	林羅山は，知と行を一体とし実践を重んじる朱子学を官学と位置づけた。
Q45	荻生徂徠は，実践的な農村指導者として農村の復興に活躍した。
Q46	元禄文化は，葛飾北斎や歌川広重らにより浮世絵が盛んに作成された。
Q47	化政文化は，上方を中心に発達し，松尾芭蕉などの俳諧が生まれた。
Q48	江戸時代には，封建的秩序を支えるための思想として儒学が採用された。

A24	○	徳川吉宗が行った。
A25	×	田沼意次は株仲間を奨励，天保の改革で水野忠邦が株仲間を解散。
A26	×	徳川綱吉は，従来の小判を改鋳して質の悪い元禄小判を鋳造した。
A27	×	武家諸法度を初めて制定したのは徳川家康である。また，棄捐令は旗本や御家人の窮乏を救うために，札差への借金を帳消しにしたもので，寛政の改革で実施された。
A28	×	寛政の改革で正学とされたのは，儒学（朱子学）である（寛政異学の禁）。
A29	×	株仲間を広く公認し，運上や冥加など営業税を課したのは田沼意次である。
A30	○	改革の失敗は，幕府権力の衰退を示した。
A31	×	大塩平八郎の乱は，天保期の飢饉に際し起こったものである。
A32	×	棄捐令は旗本や御家人の借金を帳消しにするものである。
A33	○	人返しの法は，江戸に流入した農民を強制的に帰農させるものである。
A34	○	その他，関税自主権がないなどの不平等な条約であった。
A35	×	勅許を得ないで日米修好通商条約を締結した。これに反対する者を多数処罰した事件は，安政の大獄とよばれる。
A36	×	異国船打払令はアヘン戦争を機に，薪水給与令に改めている。
A37	○	そのとおり。
A38	×	アヘン戦争で清がイギリスに敗れると，幕府は薪水給与令を出した。
A39	×	ペリーに迫られて締結したのは，日米和親条約である。
A40	×	開港直後は，日本から生糸が輸出され，綿織物が輸入された。
A41	×	大政奉還の後，戊辰戦争が起こる。最後の戦いは五稜郭の戦いである。
A42	○	そのとおり。
A43	×	『徒然草』『平家物語』等の作品が書かれたのは，平安時代である。
A44	×	知と行を一体とし実践を重んじるのは陽明学である。
A45	×	農村指導者として農村の復興に活躍したのは二宮尊徳である。
A46	×	葛飾北斎や歌川広重らにより浮世絵が盛んに作成されたのは化政文化の時代である。
A47	×	上方を中心に，松尾芭蕉などの俳諧が生まれたのは元禄文化である。
A48	○	そのとおり。儒学は君臣や父子の別をわきまえ，上下の秩序が重んじられたため，幕府の統治に利用された。

第2章 近世

memo

第3章

近代から現代

SECTION

① 明治時代
② 大正時代から昭和初期
③ 第2次世界大戦と戦後

直前復習

必修問題 **セクションテーマを代表する問題に挑戦!**

明治政府の近代化政策に始まる政策と,日清・日露戦争へ至る外交を学びます。そのうえで政治史をプラスαしていくとよいでしょう。

問 明治の新政府の近代化政策に関する記述として,最も妥当なのはどれか。　　　　　　　　　　　　　　　　　　　　　　　　　　(地上2014)

1：廃藩置県が行われ,藩がすべて廃止され,府・県が設置された。府知事・県令がおかれ,当初は旧藩主がそのまま就いていたが,間もなく住民の投票によって決定されるようになった。

2：地券が発行され,土地の耕作者に公式に所有権を認め,地租改正が行われた。課税は土地の収穫高に応じて,租税は土地の所有者に金銭によって納付させた。

3：西洋の法典を範として法の制定が行われた。フランスの法律をモデルとして刑法・民法が制定された。また,憲法に関してもフランスのものが参考になるとの結論を得て,大日本帝国憲法が発布された。

4：旧幕府が制定した不平等条約の改正が行われた。岩倉具視を大使とする使節団を欧米に派遣し,諸外国と交渉した。この交渉の結果,新政府の近代化政策は海外から評価されて,不平等条約は改正された。

5：近代的な軍隊の創設をめざす政府により,徴兵令が定められた。これによって,国民皆兵を原則とし,士族・平民の別なく,満20歳に達した男性は選抜されて3年間の兵役に服する義務を負うこととなった。

Guidance
ガイダンス　■明治の近代化政策

官吏や官公立学校生と,
代人料上納者など,
広範な除外規定があった

地租改正
地価の3%を金納
→2.5%に

徴兵令
国民皆兵の原則

殖産興業
官営模範工場(富岡製糸場)
北海道開拓使

必修問題 の解説 ─────────────

〈明治の近代化政策〉

1× 旧藩主がそのまま就いていたのは，版籍奉還後の知藩事である。明治政府は版籍奉還によって領地と領民を天皇に返還させたが，旧大名には石高に代わる家禄を与え，旧領地の知藩事に任命した。次いで廃藩置県により，すべての藩を廃止して府県が置かれ，中央政府が府知事と県令を派遣した。この府知事と県令は住民投票により決定されたのではなく，雄藩の下級武士が政府により任命された。

2× 地租改正は，地主や自作農など，原則として従来の年貢負担者に地券を発行し，地価の３％を金納させるものである。地租改正において課税額の基準を不安定な収穫高から，土地の面積や収穫高，平均米価などをもとに決定した土地の価格（地価）に改め，豊凶にかかわらず一定の固定額を徴収した。

3× フランスの法律をモデルとして刑法・民法が制定されたことは正しいが，憲法は天皇と政府に強い権限を与えるものが目指され，ドイツの憲法を模範に草案がつくられ，1889（明治22）年に大日本帝国憲法（明治憲法）が発布された。

4× 不平等条約の改正は明治政府の大きな課題であったが，岩倉具視の欧米使節団は条約改正の目的を達成することはできなかった。陸奥宗光外相が日清戦争の直前の1894（明治27）年に領事裁判権の撤廃と関税自主権の一部回復に成功，1911（明治44）年に小村寿太郎が関税自主権の完全回復を実現している。

5○ 徴兵令は国民皆兵を原則とし，士族・平民の区別なく満20歳に達した男子から選抜して３年間の兵役に就かせるものである。国民皆兵制に基づく近代的軍隊の創設は，山県有朋によって実現した。しかし，徴兵令では戸主とその後継ぎや官吏，学生のほか，代人料を納めたものには兵役免除を認めていたため，実際に兵役に就いたのは貧しい農村の二男以下であった。

正答 **5**

第3章 SECTION ① 近代から現代
明治時代

1 明治維新から立憲国家の形成

(1) 中央集権体制の確立

版籍奉還 (1869年)	版（領地）と籍（領民）を藩主が国家に返上し，藩主が知藩事となって旧領地を統治。
廃藩置県 (1871年)	藩を廃止して府県を設置。知藩事は罷免され，中央政府から府知事・県令が赴任。
徴兵令	満20歳の男子に３年間の兵役義務。国民皆兵制の基礎が形成。
地租改正	地券を発行して課税対象者である土地所有者を確定し，課税基準を従来の収穫高から法定地価に改める。
殖産産業	官営模範工場として富岡製糸場を設立。また，渋沢栄一らが中心となって国立銀行条例を定め，第一国立銀行など，紙幣発行権を持つ民間銀行が設立された。

(2) 士族の不満

① 身分制度の廃止

公家・大名は華族，武士は士族，農工商は平民としました。

② 秩禄処分と廃刀令（1876年）

政府は秩禄の代償として金禄公債証書を交付しますが（秩禄処分），このため武士は困窮し，さらに廃刀令が政府への不満を高め，西南戦争などの反乱が起きます。

(3) 自由民権運動と憲法の制定

① 民撰議院設立の建白書

士族の不満を背景に，板垣退助らは民撰議院設立の建白書を提出し，国会の設立を求めました。これが自由民権運動の口火となります。民権派の政府攻撃に対して政府は讒謗律・新聞条例などを制定して言論統制・弾圧を行いました。

② 国会開設の勅諭

開拓使官有物払下げ事件で世論の政府攻撃が激しくなると，政府は大隈重信をこの世論の動きに関係ありとして罷免する一方で，国会開設の勅諭により10年後の国会開設を公約しました。この時，伊藤博文を中心とする政権が確立します。国会開設の時期が決まると，急進的な自由主義を唱える板垣を中心とする自由党に対し，大隈重信を中心にイギリス風の議会主義を主張する立憲改進党が結成されました。

INPUT

③ 松方財政

西南戦争後のインフレに対し，松方正義は増税による歳入増加と厳しい緊縮政策をとったため，農民の生活は窮乏，社会不安の増大から民権運動も激化しました。

④ 憲法の制定（1889年）

伊藤博文が憲法制定の中心となります。大日本帝国憲法は欽定憲法であり，天皇と行政府の権限がきわめて強いものでした。

⑤ 初期議会

第1回衆議院議員総選挙では，旧民権派が大勝し，第1回帝国議会は立憲自由党や立憲改進党などの民党が衆議院の過半数を占めます。選挙権は直接国税を15円以上納入した満25歳以上の成年男子のみに与えられていました（全人口の1％強）。

(4) 条約改正

井上　馨	鹿鳴館を建設。欧化政策を採用したが内外の反発を受けて失敗
陸奥宗光	領事裁判権の撤廃と関税自主権の一部回復（日英通商航海条約）
小村寿太郎	関税自主権の完全回復

(5) 日清・日露戦争

① 日清戦争と三国干渉

日清戦争で日本が勝利し，下関条約（1895年）が締結され，日本に台湾と遼東半島が割譲されると，ロシアがフランスとドイツとともに三国干渉を行い，日本に遼東半島の返還を求めました。

② 近代産業の発展

日清戦争で得た賠償金により，軍備拡張と産業の振興が図られます。1897年には貨幣法を制定して金本位制を確立し，また，官営の八幡製鉄所が建設され，鉄鋼の生産が開始されました。

③ 隈板内閣の成立

自由党と進歩党が合同して憲政党を結成すると，伊藤内閣に代わってわが国で初めての政党内閣である隈板内閣が成立しました。

④ 日露戦争

北清事変後に満州を占領したロシアとの対立が深まり，1902年に日英同盟を締結，国内には反戦論を唱える人もいましたが，1904年に日露戦争が起こりました。日本の勝利でポーツマス条約が締結されましたが，賠償金が得られず，国民の不満が高まり日比谷焼打ち事件が起こりました。なお，日本は樺太の南半分を獲得しました。

実践 問題 **27** 〈基本レベル〉

頻出度	地上★★　　国家一般職★　　　東京都★★★　特別区★★
	国税·財務·労基★　　　国家総合職★　　国家総合職(教養区分)★★★

問 明治政府の初期の政策に関する記述として，妥当なのはどれか。

(東京都Ⅰ類B 2014)

1：政府は，殖産興業を進めるため，先に設置した内務省に軍需工場や鉱山の経営，鉄道・通信・造船業などの育成にあたらせ，続いて設置した工部省に軽工業の振興，内国勧業博覧会の開催を行わせた。

2：政府は，新貨条例を定めて円・銭・厘を単位とする新硬貨を発行するとともに国立銀行条例を定めて全国に官営の国立銀行を設立し，そのうちの第一国立銀行を日本初の中央銀行に指定して唯一の紙幣発行銀行とした。

3：政府は，西欧にならった近代的な軍隊の創設を目指して徴兵令を公布したが，平民は徴兵の対象には含まれず，武士の身分を失い生活に困窮していた士族のうち，満20歳以上の男子のみが徴兵の対象とされた。

4：政府は，土地の売買を認め，土地所有者に地券を発行するとともに，課税の基準を収穫高から地価に改め，地価の一定割合を地租として土地所有者に金納させることにより，安定的な財源の確保を図った。

5：政府は，民間による鉄道の敷設を奨励したため，日本鉄道会社により新橋・横浜間に日本で初めての鉄道が敷設されたほか，東海道線をはじめとする幹線鉄道の多くが民営鉄道として敷設された。

OUTPUT

実践 問題 **27** **の解説**

〈明治政府の初期の政策〉

1× 政府が殖産興業を進めるために1870（明治3）年に設置したのは工部省であり，鉄道の敷設，鉱山の経営，軍需工場の設立・運営等にあたったが，官営事業が民間に払い下げられると1885（明治18）年に廃止され，逓信省と農商務省に分割された。一方，内務省は1873（明治6）年に設置され，地方行政や警察，土木などを所管した。肢にある，軽工業の振興，内国勧業博覧会の開催も内務省の所管であった。

2× 国立銀行条例は1872（明治5）年に制定されたが，ここでいう国立銀行とは官営ではなく，国法によって設立された民間の銀行である。日本初の中央銀行は，1882（明治15）年に設立された日本銀行で，その後，1883（明治16）年に国立銀行条例が改正されると，第一国立銀行を含めたこれまでの国立銀行は普通銀行に移行するとともに，紙幣発行権を日本銀行に集中し，1885（明治18）年から日本銀行兌換券が発行された。

3× 1873（明治6）年1月に公布された徴兵令は，士族・平民の身分にかかわりなく，満20歳に達した男子を兵役に服させるという新しい軍制である。

4○ そのとおり。なお，当初の地租率は3％であったが，地租改正反対の大規模な農民一揆等を受けて，1877（明治10）年に2.5％に引き下げられた。

5× 新橋・横浜間に敷設された日本で初めての鉄道や，東海道線は民営鉄道として敷設されたのではなく官営である。幹線鉄道の多くが民営鉄道として敷設されたことは正しい。1881（明治14）年に設立された日本鉄道会社が政府の保護を受けて成功したことから，会社設立ブームが起こり，日本鉄道会社が上野・青森間を全通させたのをはじめ，山陽鉄道や九州鉄道などの民営鉄道も幹線の建設を進めた。なお，その後，軍事的な配慮もあり，1906（明治39）年に鉄道国有法が公布され，主要幹線の民営鉄道を買収して国有化した。

【ポイント】

　本問が基本レベルであるのは，正解肢が基本事項だからです。地租改正の内容を，迷わず選べるように復習しましょう。

第3章 近代から現代

正答 **4**

実践 問題 **28** 〈 基本レベル 〉

頻出度	地上★★★	国家一般職★	東京都★★	特別区★★
	国税・財務・労基★	国家総合職★	国家総合職（教養区分）★★★	

問 明治新政府が実施した改革に関する記述のうち，妥当なものはどれか。

(地上2021)

1 ：学制が施行され，すべての男子に小学校に就学する義務が課された。女子の学校教育については原則として認められていなかったが，高額納税者等のみが入学が認められた。

2 ：税を安定的に確保するために土地の所有者に税を課す地券制度が開始された。地券は売買に制限が課されていたため，これが日本の産業経済の発展が遅れる一因となった。

3 ：士族に対しては金禄公債証書を発行して，秩禄処分を実施したが，これに反発した士族が反乱を起こしたため，秩禄制度を復活した。

4 ：北海道における開拓とロシアなどに対する警備を図るため，屯田兵制度を設けて，全国から士族，後に平民も組織的かつ計画的に移住・配置されるようになった。

5 ：新政府は神仏習合を否定して神仏分離を推進した。その上で，神道と仏教の両方を同数に定め，間接的に保護した。

OUTPUT

実践 問題 **28** の解説

〈明治政府の施策〉

1× 学制は国民皆学を理念としており，男子のみならず，当初から納税額にかかわらず女子も義務教育の対象であった。

2× 地券を発行するにあたり，田畑永代売買の禁止令を解いて，土地の所有権をはっきりと認めたので，売買に制限が課せられていたのではない。地租改正は全国同一の基準で豊凶にかかわらず一律に貨幣で徴収される近代的な税制を整えたが，従来の年貢による収入を減らさない方針で進められたため，農民は負担の軽減を求めて各地で一揆を起こした。

3× 秩禄処分や廃刀令により士族はその特権を奪われたことが契機となって不平士族の反乱が起こったが，これに対して秩禄制度を復活してはいない。

4○ 屯田兵の説明として，妥当である。

5× 明治政府は，当初，王政復古による祭政一致の立場から，古代以来の神仏習合を禁じて，神道を国教とする方針を打ち出し（神仏分離令），そのため全国で一時，廃仏毀釈の嵐が吹き荒れた。

第3章 近代から現代

正答 **4**

実践 問題 **29** 〈 基本レベル 〉

頻出度	地上★★★	国家一般職★	東京都★★	特別区★★
	国税・財務・労基★	国家総合職★	国家総合職(教養区分)★★★	

問 1880年代〜1890年代の政治機構や憲法についての記述として妥当なものが2つある。それはどれか。 (地上2022)

ア：大日本帝国憲法が公布され，帝国議会が開設されたが，内閣制度については，藩閥内の権力争いが激化するとして，1880年代〜1890年代は設立が見送られた。

イ：大日本帝国憲法は天皇が臣民に与えるという形の欽定憲法であり，天皇が統帥権を総攬して陸海軍を総べるなど，強い権力を有した。

ウ：第1回衆議院議員総選挙では，民権運動の流れをくむ民党と呼ばれる諸政党はほとんど議席を確保できなかった。政府を支持する吏党と呼ばれる会派が議席の大部分を占めた。

エ：西洋を範とする刑法や民法が公布された。しかし，民法は日本の家族制度に合わないと批判され，新しい民法が公布されると戸主である家長の権限が強化された。

1：ア，イ
2：ア，ウ
3：イ，ウ
4：イ，エ
5：ウ，エ

実践 ▶ 問題 **29** の解説

〈明治初期の政治機構〉

ア × 明治政府は1885年に太政官制を廃して内閣制度を制定したが，これは大日本帝国憲法が1889年に発布されるよりも前のことである。

イ ○ 大日本帝国憲法の説明として妥当である。大日本帝国憲法のもとでは，天皇は大きな権限を持っており，陸海軍の統帥権は内閣からも独立して天皇に直属していた。

> **■大日本帝国憲法**
> 第11条　天皇ハ陸海軍ヲ統帥ス
> 第12条　天皇ハ陸海軍ノ編制及常備兵額ヲ定ム
> 第13条　天皇ハ戦ヲ宣シ和ヲ講シ及諸般ノ条約ヲ締結ス

ウ × 第1回衆議院議員総選挙では，民権運動の流れをくむ立憲自由党や立憲改進党などの民党が衆議院の過半数を占めた。

エ ○ 刑法や民法の説明として妥当である。民法は1890年にその大部分がいったん公布されたものの，家族道徳などの伝統的な倫理が破壊されると批判が起こり，商法とともに施行が延期となり，大幅に修正されて新たに公布された。この新民法で，戸主の家族員に対する支配権である戸主権や家督相続制度など，家父長制的な家の制度が存続されることとなった。

以上から，イとエが妥当であるので，肢4が正解となる。

第3章 近代から現代

正答 **4**

実践 問題 **30** 〈 基本レベル 〉

頻出度	地上★★★　国家一般職★　　東京都★★　　特別区★
	国税·財務·労基★　　国家総合職★　　国家総合職(教養区分)★★★

問 明治時代の政治に関する記述として最も妥当なのはどれか。

(国税・財務・労基2018)

1：政府は，版籍奉還により旧藩主を旧領地の知藩事に任命し藩政に当たらせた。その後，政府は薩摩・長州・土佐の３藩の兵から成る御親兵によって軍事力を固めた上で廃藩置県を行った。これにより藩は廃止され府県となり，知藩事に代わって中央政府が派遣する府知事や県令が地方行政に当たることとなった。

2：西郷隆盛を中心とした鹿児島士族らによる反乱である西南戦争が起こると，これに続き，佐賀の乱や萩の乱などの士族の反乱が全国各地で頻発した。政府はこれらの反乱を長期間にわたる攻防の末に鎮圧したが，その後，兵力不足を痛感した政府は国民皆兵を目指す徴兵令を公布した。

3：大隈重信は，開拓使官有物払下げ事件が起こると，これをきっかけにして明治十四年の政変を主導して伊藤博文らを中心とする藩閥勢力に大きな打撃を与えた。大隈重信は，その後，下野し，国会開設に備え，フランスのような一院制の導入と主権在民を求める立憲改進党を設立した。

4：第１回衆議院議員総選挙においては，立憲自由党や立憲改進党などの民党は大敗し，その勢力は衆議院の過半数にはるかに及ばない結果となり，民党は政府と激しく対立していった。また，この選挙結果に不満を持った民党の支持者らは，福島事件や秩父事件を起こした。

5：日露戦争で我が国が勝利すると，山県有朋内閣は軍事力の更なる拡大を目指し軍部大臣現役武官制を定めるとともに，治安警察法を公布して政治・労働運動の規制を強化した。その後，ジーメンス事件と呼ばれる汚職事件の責任をとって退陣した山県有朋は立憲政友会を結成し，伊藤博文が率いる軍部・官僚・貴族院勢力と対立した。

OUTPUT

実践 問題 **30** の解説 —————————————

〈明治時代の政治〉

1 ○ 廃藩置県の説明として妥当である。

2 × 西郷隆盛を中心とした鹿児島士族らによる反乱である西南戦争は，士族の反乱の最後のものである。1874年に江藤新平が中心となった佐賀の乱が起こり，1876年に廃刀令が出され，秩禄処分が断行されると秋月の乱や萩の乱が起こった。こうした士族の反乱が鎮圧される中，1877年に西南戦争が起こり，政府は鎮圧に約半年を費やしたが，不平士族による反乱は収まった。また，こうした士族の反乱は，1873年に発布された徴兵令によって徴発された兵力により鎮圧されたのであり，西南戦争の後に徴兵令が公布されたのではない。

3 × 自由民権運動の国会開設運動が高まる中，開拓使官有物払下げ事件が起こって世論の政府攻撃が激しくなると，政府は大隈重信をこの世論に関係ありと罷免し，国会の開設を公約した。この明治十四年の政変により伊藤博文を中心とする薩長藩閥の政権が確立した。また，大隈重信はイギリス流の議会政治を主張する立憲改進党を結成した。フランス流の急進的な自由主義を唱えたのは板垣退助であり，板垣は自由党を結成した。

4 × 大日本帝国憲法公布後の1890年に行われた第1回衆議院議員総選挙では，立憲自由党や立憲改進党などの民党が大勝し，衆議院の過半数を占めた。福島事件や秩父事件などは大日本帝国憲法の公布前に，民権運動が変質していく中で1882年から84年に起こっている。福島事件や秩父事件が起こった背景は，松方財政下で農村が窮迫し，運動から手を引くものが続出したこと，政府の弾圧，板垣退助の懐柔による統一的指導者の欠如などである。

5 × 山県有朋が軍部大臣現役武官制を定めたのは1900年のことであり，これは日清戦争後の1898年に初の政党内閣である隈板内閣が成立したことを背景とし，政党の力が軍部に及ぶのを阻むという意図による。また，シーメンス事件（1914年）によって退陣したのは山本権兵衛内閣である。なお，山本内閣は文官任用令や軍部大臣現役武官制を改め，官僚・軍部に対する政党の影響力の拡大に務めた。立憲政友会を結成したのは伊藤博文である。

第3章 近代から現代

正答 **1**

実践 問題 **31** 〈 **基本レベル** 〉

頻出度			
地上★	国家一般職★	東京都★★	特別区★
国税・財務・労基★	国家総合職★	国家総合職(教養区分)★★★	

問 明治時代の教育・文化に関する記述として，妥当なのはどれか。

(東京都Ⅰ類B 2021)

1：政府は，1872（明治5）年に教育令を公布し，同年，小学校令によって6年間の義務教育が定められた。

2：文学の分野において，坪内逍遙が「小説神髄」で自然主義をとなえ，夏目漱石ら「文学界」の人々を中心に，ロマン主義の作品が次々と発表された。

3：芸術の分野において，岡倉天心やフェノロサが日本の伝統的美術の復興のために努力し，1887（明治20）年には，官立の東京美術学校が設立された。

4：1890（明治23）年，教育に関する勅語が発布され，教育の基本として，国家主義的な教育方針を排除し，民主主義教育の導入が行われた。

5：絵画の分野において，洋画ではフランスに留学した横山大観らが印象派の画風を日本に伝え，日本画では黒田清輝らの作品が西洋の美術に影響を与えた。

OUTPUT

実践 問題 **31** **の解説**

〈明治時代の教育・文化〉

1× 1872（明治5）年に公布されたのは学制であり，教育令は1879（明治12）年に公布されたものである。また，小学校令は1886（明治19）年に公布され，義務教育の期間を4年とした。その後，1907（明治40）年には義務教育は6年間に延長された。学制や教育令，小学校令が発布された年号を覚えるのではなく，これらが順番に公布され，日本の近代教育の基礎が形成されたことを理解しておくことが大切である。本肢は，教育令と小学校令は同年ではない，と切る。

2× 「文学界」はロマン主義文学の母体となった文芸雑誌で，島崎藤村や樋口一葉らが寄稿しているが，夏目漱石が「文学界」でロマン主義の作品を発表していたわけではない。なお，坪内逍遥は，戯作文学の勧善懲悪や政治小説の政治至上主義に対し，西洋の文学理論をもとに人間の内面や世相を客観的・写実的に描くことを提唱し，国木田独歩や田山花袋，島崎藤村らの自然主義とは区別されるのが一般的である。

3○ 東京美術学校の設立についての記述として妥当である。

4× 教育に関する勅語（教育勅語）には忠君愛国に基づく国家主義的な教育方針が示されている。教育令は，アメリカの教育制度を参考にして学制を改正したものであり，中央集権的画一主義を改め，自由主義的なものであったが，翌年には全面的に改正され，中央集権的傾向が強められて，その後，小学校令を含む学校令の公布，教育勅語の公布に至る。

5× フランスに留学して印象派の画風を日本に伝えたのが黒田清輝であり，日本画において活躍したのが横山大観である。

第3章 近代から現代

正答 **3**

実践 問題 **32** ＜応用レベル＞

頻出度			
地上★★	国家一般職★	東京都★★	特別区★★
国税·財務·労基★	国家総合職★	国家総合職(教養区分)★★★	

問 近代における我が国の社会・文化に関する記述として最も妥当なのはどれか。

(国家総合職2021)

1：明治政府は，新しい知識や技術を学ばせるため，欧米に留学生を送り出し，多くの外国人を雇い入れた。廃藩置県直後には，特命全権大使の岩倉具視を団長，勝海舟を副団長とする岩倉使節団を欧米に派遣した。この使節団には多くの留学生も加わっており，その中には，後に『学問のすゝめ』を著した福沢諭吉や，女子英学塾（現津田塾大学）を創設した津田梅子も含まれていた。

2：明治政府は，富国強兵を目指し，産業を振興する殖産興業政策を推し進めた。鉄道の敷設や鉱山，造船所の経営に加えて，富岡製糸場などの官営模範工場を開業し，通信では前島密の建議により郵便制度を発足させた。また，新貨条例を定めて近代的な貨幣制度を採用するとともに，渋沢栄一が中心となって国立銀行条例を公布し，近代的な金融制度の基礎を整えていった。

3：明治政府は，大教宣布の詔を発して神道を国教と定め，仏教とキリスト教を含む神道以外の宗教の信仰を禁じたが，キリスト教は欧米諸国からの抗議を受けて禁制が廃止された。その後，信教の自由を認めた大日本帝国憲法の発布で，キリスト教会による教育活動や慈善活動が盛んになった。他方，キリスト教徒の新渡戸稲造が教育勅語に敬礼しなかったとして教職を追われるなど様々な圧迫を受けた。

4：日清戦争前後には，啓蒙主義や合理主義に反発して，感情・個性の躍動を重んじるロマン主義が文壇の主流となり，国木田独歩，田山花袋らが活躍した。庶民の姿を情緒豊かに描いた樋口一葉もロマン主義の影響を受けた人物であり，彼女は，日露戦争が始まると，「君死にたまふこと勿れ」とうたう反戦詩を発表して，戦争の早期講和を世論に訴えた。

5：日露戦争後，大正デモクラシーの風潮の下で，多様な学問や芸術が発達した。自然科学では，野口英世の黄熱病の研究や本多光太郎のＫＳ磁石鋼の発明など優れた業績が生まれた。文学では，西洋的教養を身に付けた森鴎外や尾崎紅葉らの白樺派と，耽美的作風で知られる有島武郎や志賀直哉らの新思潮派が活躍した。音楽では，滝廉太郎が本格的な交響曲の作曲や演奏で活躍した。

OUTPUT

実践 問題 **32** の解説 ————————————————————

〈近代の社会と文化〉

1× 勝海舟と福沢諭吉は幕末に遣米使節の随行艦である咸臨丸に乗船しているが，明治初期に派遣された岩倉使節団に含まれていない。岩倉使節団の副団長は木戸孝允，大久保利通，伊藤博文らである。なお，多くの留学生の中に津田梅子が含まれていた点は妥当である。

2○ 明治政府による近代化政策の説明として妥当である。

3× キリスト教徒として教育勅語に最敬礼をせず，職を追われたのは，新渡戸稲造ではなく内村鑑三である。新渡戸稲造は国際連盟事務局次長として国際親善に努めた人物である。

4× 国木田独歩や田山花袋は，人間社会の暗い現実の姿をありのままに写し出そうとした自然主義の作家である。また，「君死にたまふこと勿れ」という反戦詩を発表したのは，樋口一葉ではなく与謝野晶子である。樋口一葉は『にごりえ』や『たけくらべ』などの名作を残した人物である。

5× 森鴎外や尾崎紅葉は明治期に活躍した作家であって，大正文学の主流である白樺派に属していない。有島武郎や志賀直哉は新思潮派ではなく白樺派の作家である。さらに，滝廉太郎は明治期の作曲家である。大正デモクラシー期に本格的な交響曲の作曲や演奏で活躍したのは山田耕作である。

第３章 近代から現代

正答 **2**

実践 問題 **33** 基本レベル

頻出度	地上★★	国家一般職★	東京都★	特別区★
	国税·財務·労基★	国家総合職★	国家総合職(教養区分)★★★	

問 明治時代の産業に関する次のア～エの記述には，妥当なものが二つある。それらはどれか。 (地上2018)

ア：生糸産業の成長を目指して，官営の模範工場である富岡製糸場が設けられた。また，ヨーロッパから先進技術の導入や普及が行われ，工女の育成がなされた。

イ：通信や運輸の近代化が図られ，通信では国営の郵便制度が始まった。運輸では官営鉄道のほか民営鉄道も建設されたが，明治時代後期に政府は，主要幹線の民営鉄道を国有化した。

ウ：重工業部門では，日清戦争後，鉄鋼業の国内生産を目指して八幡製鉄所が建設された。同製鉄所では，鉄鉱石の一部を国内で賄えたものの，鉄鋼の生産に必要な石炭は，国内ではほとんど産出されなかったため，ほぼ全てを輸入に依存していた。

エ：軽工業，重工業ともに，明治時代を通じて輸出額は増加の傾向を見せていたが，明治時代末期においても輸出総額のほとんどを占めていたのは，米や茶などの農作物であった。

1：ア，イ
2：ア，ウ
3：ア，エ
4：イ，エ
5：ウ，エ

OUTPUT

実践　問題 33　の解説

〈明治時代の産業〉

ア○ 明治政府は，輸出の中心となっていた生糸の生産拡大に力を入れ，群馬県に官営の模範工場である富岡製糸場を設けた。

イ○ 1872（明治5）年に東京・横浜間で鉄道が開通し，官営の東海道線が全通した1889（明治22）年には，多くの民営鉄道が敷設されていたが，日露戦争直後の1906（明治39）年には，第1次西園寺内閣が，軍事的な配慮もあって主要幹線の民営鉄道を国有化した。

ウ× 軍備拡張を急ぐ政府が，日清戦争の賠償金の一部を用いて，鉄鋼の国産化を目指して北九州に八幡製鉄所を設立したが，北九州が選ばれたのは，筑豊炭田から石炭が供給されたからである。1960年代後半に石炭から石油へと主要なエネルギーが転換するまで，石炭産業は日本の重要な産業であった。

エ× 明治初期の輸出品は，生糸や緑茶，水産物，石炭，銅といった1次産品が主であったが，政府の殖産興業により，徐々に綿糸や絹織物，綿織物などの工業製品が増えた。米や茶などの農作物が輸出総額のほとんどとあるのは妥当でない。また，明治時代の主要産業は軽工業で，重工業の輸出はほとんどない。なお，明治時代に入って米の生産高は上昇したが，非農業人口の増加により，米の国内需要が増大し，日清戦争後には朝鮮などから毎年米を輸入するようになった。

以上から，アとイが妥当であるので，肢1が正解となる。

第3章　近代から現代

正答 1

実践 問題 **34** 〈 基本レベル 〉

頻出度	地上★★★	国家一般職★	東京都★★★	特別区★★★
	国税・財務・労基★		国家総合職★	国家総合職(教養区分)★★★

問 江戸時代末期から明治時代において日本が締結した条約に関する記述として，妥当なのはどれか。 （東京都Ⅰ類A 2024）

1：日米和親条約では，下田と浦賀の2港を開き，アメリカの船に薪水や食糧を供給すること等が定められ，大老の井伊直弼が勅許を得て同条約を締結した。

2：日米修好通商条約では，日本は関税自主権は認められたが通商においては自由貿易が制限され，アメリカに領事裁判権があるなど，その内容は不平等なものであった。

3：下関条約は，日清戦争の講和のために締結された条約であり，その内容は，清国は日本に遼東半島及び台湾・澎湖島諸島を譲渡し，2億両の賠償金を支払うこと等であった。

4：樺太・千島交換条約は，日本とロシアとの国境を明確にすることを目的とした条約であり，この条約では，樺太・千島について，樺太の北緯50度以南及び択捉島以南を日本が領有すること等が規定された。

5：日清修好条規は，日本が結んだ初めての日本を優位とする不平等条約であり，江華島事件を機に清にせまり，関税免除等を認めさせた。

OUTPUT

実践 問題 **34** の解説

〈日本が締結した条約〉

1✕ 日米和親条約で開港されたのは，下田と箱館である。また，締結したのは老中首座の阿部正弘である。大老井伊直弼は勅許を得られぬまま日米修好通商条約を締結した。

2✕ 日米修好通商条約では，通商は自由貿易とすることが規定されたが，関税については日本に税率の決定権がなく，相互で協定して決めることとなった（関税自主権の欠如）。

3〇 そのとおり。

4✕ 択捉島以南は日本固有の領土である。樺太・千島交換条約では，樺太に持っていた一切の権利をロシアに譲り，その代わりに千島列島（シュムシュ島から択捉島のすぐ北にあるウルップ島まで）を領有した（外務省HPより）。樺太の北緯50度以南を日本が獲得するのは日露戦争後のポーツマス条約においてである。

5✕ 江華島事件は清ではなく朝鮮との間に起こしたものである。江華島事件を契機に日本は朝鮮に開国を迫り，日朝修好条規を締結した（1876年）が，これは日本の領事裁判権や関税免除を認めさせるなどの不平等条約であった。一方，日清修好条規は1871年に締結したもので，日本が外国と結んだ最初の対等条約である。

第3章 近代から現代

正答 **3**

| 実践 | 問題 **35** | 基本レベル |

| 頻出度 | 地上★★★　国家一般職★　　東京都★★★　特別区★★★
国税・財務・労基★　　国家総合職★　　国家総合職(教養区分)★★★ |

問 日清戦争から日露戦争にかけての出来事に関する記述として，妥当なのはどれか。
(東京都2010)

1：日清戦争は，朝鮮で江華島事件が起こったことから，日本が朝鮮政府の要請を受けて朝鮮へ出兵し，清国もこれに対抗するため出兵して朝鮮王宮を占拠し，日本国艦隊を攻撃して始まった。

2：清国は，下関条約で朝鮮の独立と遼東半島及び台湾・澎湖諸島を日本に譲ることを認めたが，ロシア，フランス及びドイツが，遼東半島と台湾を清国に返還するよう要求したことから日本は台湾の返還を受け入れた。

3：日本は，北清事変の鎮圧後もロシアが満州を占領し撤退しなかったことから日英同盟を結び，日本とイギリスは，清国におけるイギリスの権益と清国及び韓国における日本の権益とを相互に承認した。

4：日露戦争は，日本が旅順のロシア軍を攻撃して始まり，日本は，多大な損害を出しながらも旅順や奉天で勝利したが，日本海海戦でバルチック艦隊に敗れて戦争継続が困難となった。

5：日本とロシアとの間でポーツマス条約が結ばれ，この条約でロシアは，韓国における優越権を日本に認め，旅順・大連の租借権と長春以南の鉄道の利権及び賠償金の支払いを約束した。

直前復習

OUTPUT

実践 問題 **35** の解説

〈日清・日露戦争〉

1✕ 江華島事件（1875年）は日朝修好条規締結のきっかけとなった事件である。日清戦争の契機となった事件は，東学党の乱（甲午農民戦争，1894年）である。この朝鮮で起きた農民反乱を鎮圧するため，日清両軍が出兵し，乱を鎮圧した。しかし，事後処理をめぐり両国が対立し，日清戦争（1894〜1895年）が勃発した。

2✕ 下関条約後，ロシア・ドイツ・フランスが返還を求めたのは，遼東半島である。台湾の返還は求めていない。大国に対抗できる力のない日本はやむなく3カ国の要求を受け入れ，遼東半島を清国に返還した。これを三国干渉という。返還後，ロシアが遼東半島南部の旅順や大連を，ドイツは山東半島の膠州湾を，フランスは広州湾を租借地とした。

3◯ 北清事変とは，1900年の義和団事件に対して日本を含む列強諸国が出兵して鎮圧し，義和団に同調して各国に宣戦布告した清国が北京議定書で謝罪して莫大な賠償金を支払うとともに北京などに列強の守備兵を置くことを認めるに至った一連の事件を指す。鎮圧後もロシアは満州から撤兵しようとせず，これを事実上占領していた。これに対して，ロシアの極東進出を危惧していたイギリスと日本は1902年に日英同盟を結び，協力してロシアの南下政策に対抗する姿勢をとった。

4✕ 日本は，日本海海戦でロシアのバルチック艦隊を打ち破り，勝利している。旅順のロシア要塞の陥落と日本海海戦の勝利で，戦局は日本に有利になったものの，戦費がかさみ，戦争を継続するのは財政的に苦しくなっていた。そのため，日本はセオドア＝ローズベルト米大統領に仲介を頼み，ポーツマス条約を締結する運びとなった。

5✕ ポーツマス条約では，賠償金の支払いについては取り決められなかった。この結果に不満を抱く民衆が，東京の日比谷公園で反政府集会を行い，大暴動に発展した。これを日比谷焼打ち事件という。

第3章 近代から現代

正答 **3**

実践 問題 **36** 〈 応用レベル 〉

頻出度	地上★★	国家一般職★	東京都★	特別区★★
	国税・財務・労基★	国家総合職★		国家総合職(教養区分)★★★

問 日清戦争又は日露戦争に関する記述として，妥当なのはどれか。

(特別区2021)

1：1894年に，朝鮮で壬午事変が起こり，その鎮圧のため朝鮮政府の要請により清が出兵すると，日本も清に対抗して出兵し，8月に宣戦が布告され日清戦争が始まった。

2：日清戦争では，日本が黄海海戦で清の北洋艦隊を破るなど，圧倒的勝利を収め，1895年4月には，日本全権伊藤博文及び陸奥宗光と清の全権袁世凱が下関条約に調印した。

3：下関条約の調印直後，ロシア，ドイツ，アメリカは遼東半島の清への返還を日本に要求し，日本政府はこの要求を受け入れ，賠償金3,000万両と引き換えに遼東半島を清に返還した。

4：ロシアが甲申事変をきっかけに満州を占領したことにより，韓国での権益を脅かされた日本は，1902年にイギリスと日英同盟を結び，1904年に宣戦を布告し日露戦争が始まった。

5：日露戦争では，日本が1905年1月に旅順を占領し，3月の奉天会戦及び5月の日本海海戦で勝利し，9月には，日本全権小村寿太郎とロシア全権ウィッテがアメリカのポーツマスで講和条約に調印した。

実践 問題 **36** の解説

〈日清戦争と日露戦争〉

1× 壬午事変は1882年に朝鮮で起きた反日クーデタであり，日清戦争の契機となった事件ではない。1894年に朝鮮で起きた，日清戦争の契機となった事件は甲午農民戦争（東学党の乱）である。

2× 下関条約における清の全権は李鴻章である。袁世凱は中華民国の初代大総統となった人物である。

■下関条約
- 清国は朝鮮の独立を認める
- 遼東半島，台湾，澎湖諸島を日本に割譲
- 賠償金2億両

3× 三国干渉についての記述であるが，遼東半島の返還を求めたのはロシア・フランス・ドイツの3国であった。

4× ロシアが満州を占領する契機となったのは，甲申事変ではなく北清事変である。甲申事変は朝鮮において親日派である独立党が日本の援助のもと，親清派である事大党から政権を奪取しようとした事件である。

5○ 日露戦争についての記述として妥当である。日本は日本海海戦でロシアのバルチック艦隊を全滅させたが，長期にわたる戦争は日本の国力が許すところではなく，一方，ロシア国内でも革命運動を皇帝が弾圧する血の日曜日事件が起こり，戦争継続が困難となったため，セオドア＝ローズベルト米大統領のあっせんによって日本全権小村寿太郎とロシア全権ヴィッテ（ウィッテ）がポーツマス条約に調印した。

■ポーツマス条約
- ロシアは韓国に対する日本の指導・監督権を全面的に認める
- 旅順・大連の租借権，長春以南の鉄道とその付属の利権を日本に譲渡
- 北緯50度以南のサハリン（樺太）と付属の諸島の譲渡
- 沿海州とカムチャッカの漁業権を日本に認める
  ⇒ 賠償金がとれなかった

正答 **5**

実践 問題 **37** 〈 **基本レベル** 〉

頻出度	地上★★★　国家一般職★　　　東京都★★★　特別区★★★
	国税・財務・労基★　　　国家総合職★　　　国家総合職(教養区分)★★★

問 日清戦争，日露戦争の頃における日本の東アジア進出に関する次の文中の下線部分ア～オのうちにおいて妥当なものが二つある。それらはどれか。

(地上2020)

　1894年，朝鮮をめぐる対立から日本と清との間に日清戦争が起こった。日清戦争では日本が勝利して下関条約が締結された。下関条約では遼東半島や台湾を日本に割譲することは明記されたが，ア条約内に賠償金について明記することができなかった。また，日本に対し，イロシアなどが日本に遼東半島の返還を求めたが，日本はこれに応じなかった。その後，義和団戦争などを通じて，ロシアが満州（中国東北部）に勢力拡張を図ると，ウロシアの勢力拡張を阻止したい日本とイギリスの利害が一致し，日英同盟が締結された。

　1904年に日露戦争が始まると，旅順や日本海海戦で日本がロシアに勝利し，翌1905年にはポーツマス条約が締結された。戦費や戦死者数について日清戦争と日露戦争を比較すると，エ日露戦争の方が戦費・戦死者数ともに少なかった。

　1906年に日本は満州に南満州鉄道株式会社（満鉄）を設立した。満鉄はオ鉄道経営だけでなく，沿線の鉱山開発なども進め，日本の満州経営の中心となった。一方，朝鮮（大韓帝国）に対しては統治権を奪って保護国化し，1910年には韓国併合を行った。

1：ア，ウ
2：ア，エ
3：イ，エ
4：イ，オ
5：ウ，オ

実践 問題 **37** の解説 ─────────

〈日清・日露戦争の頃〉

ア× 日清戦争後の下関条約では，清から日本への賠償金が明記されている。日清戦争の賠償金により，軍備拡張が推進されるとともに，金融・貿易の制度面の整備が図られた。

イ× ロシアやフランス，ドイツが日本に遼東半島の返還を日本に要求したことに対し，日本はこの勧告を受け入れた。

ウ○ 義和団事件後もロシアが満州に軍隊を駐屯させていたことから，1902年に日本とイギリスは日英同盟を締結した。

エ× 日露戦争は機関銃や速射砲のような新兵器の登場によって，本格的な近代戦・物量戦となり，日露戦争の戦費は17億円に及んだ。日清戦争の時の戦費は約2億円あまりと，圧倒的に日露戦争のほうが多い。また，日露戦争における戦死者も，日清戦争の時の10倍のおよそ8万4千人といわれている。

オ○ 日露戦争後に日本の満州進出が本格化し，南満州鉄道株式会社（満鉄）が大連に設立され，ロシアから譲り受けた長春・旅順間の鉄道に加えて，鉄道沿線の炭鉱なども経営し，満州への経済進出の足がかりとなった。

以上から，ウとオが妥当であるので，肢5が正解となる。

第3章 近代から現代

正答 **5**

実践 問題 **38** 〈基本レベル〉

頻出度	地上★★	国家一般職★	東京都★★★	特別区★★★
	国税・財務・労基★	国家総合職★	国家総合職(教養区分)★★★	

問 明治期の条約締結，改正に関する記述として最も妥当なのはどれか。

(国税・労基2010)

1：岩倉具視は，使節団の全権大使として欧米の近代的な政治や産業の状況を視察して帰国した。その後，政府は，自由貿易の開始や開港場における外国人居留地の設置などについて定めた日米修好通商条約を締結した。

2：井上馨外相は，外国人判事任用案の中止や領事裁判権の撤廃に重点を置いて英国と交渉を進め，領事裁判権の撤廃について同国の同意を得た。しかし，大津事件をきっかけに辞任に追い込まれ，条約改正には至らなかった。

3：小村寿太郎外相は，領事裁判権の撤廃と関税自主権の一部回復を求めて欧米諸国と交渉し，了承を得た。しかし，欧化政策の採用や外国人の内地雑居を認める方針が国民の反発を招いたため，辞任に追い込まれ，条約改正には至らなかった。

4：青木周蔵外相は，日米通商航海条約を締結し，米国との間で領事裁判権の一部撤廃に成功した。しかし，ノルマントン号事件により辞任に追い込まれ，関税自主権の回復については，交渉が中止された。

5：陸奥宗光外相は，日清戦争開戦を目前にして，領事裁判権の撤廃，最恵国待遇の相互平等，関税自主権の一部回復などを内容とする日英通商航海条約の調印に成功した。その後，政府は他の欧米諸国とも同様の改正条約を締結した。

実践 問題 **38** の解説

〈明治時代の外交〉

1× 日米修好通商条約は，江戸時代末期の1858年に大老井伊直弼とハリスの間で調印された条約である。関税自主権の欠如や領事裁判権の容認など，日本にとっての不平等条約であった。これを受け継いだ明治政府にとって条約改正は重要な課題であり，1871年には改正交渉のために，岩倉具視を大使とする遣欧使節団が渡航したが，交渉は失敗した。その後，使節団は欧米の近代的な政治や産業の発展状況を視察して帰国している。

2× 井上馨は外国人裁判官の任用や，外国人に日本国内を開放して営業活動や旅行・居住の自由を認めること（内地雑居）などと引き換えに領事裁判権を撤廃するという条件で諸外国と交渉を進めていた。しかし，この交渉を有利に進めるために井上が採用していた極端な欧化政策への反感は強く，また，井上案に対しては政府内からの激しい反対もあり，1887年に井上は交渉を中止して外相を辞任している。なお，大津事件を契機に辞職したのは青木周蔵外相である。青木は，イギリスと交渉を進め，領事裁判権の撤廃にイギリスも同意の意向を示すようになっていたが，1891年，おりしも訪日中のロシア皇太子が警官に襲われるという大津事件が起きた。青木は事件の責任をとって辞職し，交渉は中断された。

3× 小村寿太郎外相は，1911年，アメリカと交渉し，関税自主権の完全回復を達成している。これを契機に諸外国との不平等条約の改正も完了し，日本は条約上諸外国と対等の地位を得ることができた。なお，欧化政策の採用や外国人の内地雑居を認める方針が国民の反発を招いたため，辞任に追い込まれたのは井上馨である。

4× 青木周蔵は大津事件を契機に辞職したため，条約改正交渉は中断した。ノルマントン号事件は井上馨在任中の1886年，紀伊半島沖でイギリス船ノルマントン号が沈没した際に，日本人乗客らを見捨ててイギリス人船長以下の乗組員が脱出した事件である。この事件で日本人乗客25人やインド人火夫らが死亡したが，イギリス領事による裁判の結果，船長らは無罪となったため，日本政府は激しく抗議して再審を要求，結果として船長は有罪となったものの，これを契機に条約改正に向けた世論が高まった。

5○ 日清戦争勃発直前の1894年7月，陸奥宗光外相は，イギリスと交渉し，領事裁判権の撤廃と関税自主権の一部回復に成功した。その後，イギリスに続き他の欧米各国とも新しい通商航海条約を締結している。

正答 **5**

第3章 近代から現代

実践 問題 **39** 基本レベル

頻出度	地上★★★　国家一般職★　　東京都★★　　特別区★★
	国税·財務·労基★　　国家総合職★　　国家総合職(教養区分)★★★

問 明治憲法公布から明治末（1889年～1912年）までの説明として妥当なものは
どれか。　　　　　　　　　　　　　　　　　　　　　　　　　（地上2016）

1：日本は近代的な立憲君主制の確立により近代化を進めたが，開国時に列強と結
んだ条約の改正には進展がなく，関税自主権の回復や領事裁判権の廃止は実
現できなかった。

2：八幡製鉄所など重工業が発展をしたが，産業の中心は依然として軽工業であっ
た。特に輸出においては生糸や綿糸，絹織物や綿織物などの繊維製品が大部
分を占めた。

3：明治憲法では議院内閣制をとっており，衆議院で最も議席の数が多い政党が
内閣を組織する政党政治が行われた。

4：当初，衆議院の選挙権は納税額など一定の基準を満たす男性のみに与えられ
ていたが，その後，納税額や性別に関わりなく選挙権が与えられるようになっ
た。

5：初等教育は義務教育でなかったために，教育は受ける者の数は大きくは増えず
に，国民の就学率は低い水準にとどまった。

直前復習

OUTPUT

実践 問題 **39** の解説 ─────────────

〈明治時代の政治・経済〉

1✕ 明治時代に大日本帝国憲法の発布（1889年）など，立憲君主制の確立により近代化を進めたことは正しいが，1894（明治27）年に陸奥宗光外相により領事裁判権の撤廃と関税率の引き上げ（関税自主権の一部回復）が，1911（明治44）年に小村寿太郎外相のもとで関税自主権の回復も実現している。

2◯ 日清戦争後に軍備拡張を急ぐ政府は，重工業の基礎となる鉄鋼の国産化を目指して官営八幡製鉄所を設立した。八幡製鉄所は1901（明治34）年に操業を開始したが，当時の産業の中心は依然として軽工業であった。開国当初は，生糸や緑茶，水産物が輸出品であったが，1899（明治32）年は生糸，綿糸，絹織物などが輸出品となり，1913（大正2）年には，生糸や綿糸，絹織物に加えて綿織物が輸出されるようになった。特に生糸は昭和の戦前期まで重要な外貨獲得商品であった。

3✕ 明治憲法では議院内閣制を採っていない。議院内閣制が採られるのは第2次世界大戦後の日本国憲法である。明治時代には元老が後継首相候補者を天皇に推薦するなど，重要な政治問題について国家の最高機関的な役割を果たしていた。このため，1912（大正元）年に桂太郎が元老会議によって首相になると，「閥族打破・憲政擁護」をスローガンに第1次護憲運動が起こったのである。

4✕ 明治時代には，選挙権は納税額など一定の基準を満たす男性のみに与えられていた。納税額にかかわりなく，25歳以上の男性に選挙権が与えられたのは1925（大正14）年，普通選挙法の成立による。また，女性に参政権が与えられるのは，第2次世界大戦後のことになる。

5✕ 1890（明治23）年に小学校令が改正され，尋常小学校3年あるいは4年の義務教育が明確化された。また，1900（明治33）年に義務教育の授業料が廃止されたため，明治末期には就学率が90％を超えるに至った。したがって，「国民の就学率は低い水準にとどまった」とあるのは妥当でない。

正答 2

第3章 近代から現代

実践 問題 **40** 基本レベル

頻出度	地上★★★ 国家一般職★ 東京都★★★ 特別区★★★
	国税・財務・労基★ 国家総合職★ 国家総合職(教養区分)★★★

問 日本は，明治時代前半に，近代国家の基礎を築き，明治時代後半に近代化を
さらに進展させた。明治時代後半（1890〜1912年）の日本に関する次の記述
のうち，最も妥当なのはどれか。　　　　　　　　　　　　　　　　（地上2012）

1：朝鮮半島を植民地化するなど，東アジアへの進出を拡大させた。しかし，欧米
列強との不平等条約改正交渉は進展せず，領事裁判権の撤廃や関税自主権の
回復は，いずれも明治時代には実現しなかった。

2：第1回衆議院議員総選挙が行われ，反藩閥を掲げる民党が過半数を占め，民
党による初の政党内閣が成立した。政党内閣はその後も続き，藩閥勢力は急速
に弱体化した。

3：重工業の発展が進み，明治時代末期には機械工業が日本の最大の輸出品となっ
た。一方，軽工業は衰退し，開国以来，主要輸出品となっていた綿糸や生糸は，
急速に輸出されなくなっていった。

4：初等教育における義務教育制度が整えられた。しかし，義務教育は男子のみ
に課せられており，女子については任意であったため，女子の就学率は明治時
代末期においても低いままであった。

5：工場労働者のストライキや，労働組合の結成など，労働運動の活発化がみら
れた。社会主義運動も展開されたが，大逆事件で多くの社会主義者が検挙され，
大きな打撃を受けた。

直前復習

OUTPUT

実践 問題 **40** の解説

〈明治時代後半の政治〉

1 × 不平等条約の改正は，明治政府の重要な課題であった。当初は改正交渉がなかなか進展しなかったが，1894年に外相陸奥宗光のもとで領事裁判権の撤廃が実現，1911年に小村寿太郎外相のもとで関税自主権の回復も達成された。したがって，領事裁判権の撤廃や関税自主権の回復は，いずれも明治時代に実現している。

2 × 第1回衆議院議員総選挙（1890年）が行われた結果，反藩閥を掲げる民党が過半数を占めたことは正しいが，この選挙は第1次山県有朋内閣のもとで実施されたもので，選挙後の議会では民党は「政費削減・民力休養」を唱えて，第1次山県内閣と激しく対立した。したがって，第1回総選挙後に初の政党内閣が成立したとあるのは妥当でない。1898年に初の政党内閣として第1次大隈内閣（隈板内閣）が成立したが，これは短期で瓦解し，本格的な政党内閣は1918年に成立した原敬内閣である。

3 × 明治時代の産業・輸出の中心は綿糸や生糸である。一方，重工業は，八幡製鉄所が1901年から操業を開始，日露戦争後には生産が軌道に乗るなど，著しい発展をみたが，重工業が日本の産業で本格的に重要な地位を占めるようになるのは第1次世界大戦期で，明治時代末期の日本の主要産業は依然として軽工業であった。

4 × 明治政府は1872年に学制を公布し，男女に等しく学ばせる国民皆学教育の実現を目指した。しかし，学制は当時の現実とあまりにもかけ離れたものであり，授業料や小学校設立の負担も重かったので，学制反対一揆が発生，当初の就学率には男女差があった。しかし，1900年に義務教育期間の授業料が廃止され，就学率は1902年には90％を超えた。

5 ○ 日清戦争前後の産業革命の進展期には待遇改善や賃金引上げを要求する工場労働者のストライキが始まり，労働組合が組織されるようになった。しかし，これらの労働運動は社会主義運動と結びついて発展しつつあったため，政府は治安警察法を制定して労働者の団結権，ストライキ権を制限して労働運動を取り締まった。1910年には明治天皇暗殺計画との理由で数百名の社会主義者や無政府主義者を検挙し，幸徳秋水らを大逆罪で死刑に処した（大逆事件）。

正答 **5**

第3章 近代から現代

満州国建国から政党政治を終焉させた五・一五事件，日中戦争への流れを学びます。過去問を繰り返し，問われるポイントをマスターしましょう。

問 大正時代の政治・国際関係に関する記述として最も妥当なのはどれか。 (国税2011)

1：日清戦争後から昭和初期にかけて，政治・社会・文化の諸方面で，民主主義的・自由主義的な風潮が高まった。これを大正デモクラシーといい，この潮流は第一次世界大戦をまたいで都市から農村にまで広がったが，二・二六事件と呼ばれる政党内閣の崩壊により終焉を迎えた。

2：東京帝国大学教授の吉野作造は，主権は国民にあり，天皇はあくまで国家の機関であるとする天皇機関説を唱え，大正期の政党内閣を理論面から支えた。これに対し，同大学教授の美濃部達吉は，主権は天皇にあると反論し，日本の統治体制に関する論争が展開された。

3：第一次世界大戦末期には，華族でも藩閥出身者でもない原敬が首相となり，日本で最初の本格的な政党内閣が成立した。原内閣は，普通選挙法を成立させて国民の参政権を拡大するなど政治刷新を行う一方で，社会主義思想に対しては厳しい姿勢をとり，幸徳秋水ら社会主義者を大量検挙した。

4：米国大統領ウィルソンが民族自決の原則を提唱したことなどの影響から，朝鮮では，独立を求める動きが強まり，三・一独立運動が起こったが，日本はこれを軍隊・警察によって鎮圧した。また，中国では，北京における学生の抗議運動をきっかけに，五・四運動と呼ばれる激しい排日運動が起こった。

5：第一次世界大戦後，世界的な軍縮の機運の高まりを受けてワシントン会議が開かれ，太平洋の現状維持のための九か国条約，中国の主権尊重を定めた四か国条約などが調印された。この軍縮と列国の協調を基礎にした国際秩序をワシントン体制というが，日本はこれを受け入れず，孤立外交の道を進んだ。

の解説 ────────────────

〈大正期の国内外の政治〉

1✕ 大正デモクラシーは，大正時代（1912～1926年）におけるデモクラシーの胎動であることから，「日清戦争（1894年）後から」というのは妥当ではない。また，政党内閣に終止符を打ったのは五・一五事件である。

2✕ 天皇機関説を唱えたのは，吉野作造ではなく，美濃部達吉である。天皇機関説に対し，軍部や国家主義者が統治権の主体は天皇であると主張して，天皇機関説問題が起こった。吉野作造は民本主義を唱え，大正デモクラシーに理論的根拠を与えた人物である。

3✕ 1918年，原敬が首相となって，わが国初の本格的な政党内閣が成立したことは正しいが，普通選挙法（1925年）を成立させたのは加藤高明内閣である。また，幸徳秋水ら社会主義者を大量検挙したのは第2次桂太郎内閣の時代で，これを大逆事件（1910年）という。

4◯ ウィルソン米大統領が提唱した民族自決の原則を受けて，1919年3月1日，知識人・学生が中心となってソウルで独立宣言を発表，多くの民衆が「独立万歳」を叫んで運動に合流し，運動は朝鮮全土に拡大した。日本はこれに武力鎮圧で臨み，多くの犠牲者を出した（三・一独立運動）。また，中国でも日本の「二十一カ条の要求」を撤回するべく，同年5月4日，北京で反日・反帝の学生デモが起きた（五・四運動）。

5✕ ワシントン会議を開催したアメリカの目的の1つは，東アジアにおける日本の膨張を抑制することにあり，ワシントン海軍軍縮条約で主力艦保有率は米英5に対し日本は3と低く抑えられた。しかし，政府はこれに調印し，協調外交の基礎をつくった。

■ワシントン会議

四カ国条約	太平洋の平和に関する条約 ⇒ 日英同盟の破棄
九カ国条約	中国の主権尊重，門戸開放，機会均等
海軍軍縮条約	主力艦保有量の制限

正答 **4**

第3章 近代から現代

1 第1次世界大戦と日本

(1) 列強の接近

① 日本の中国進出とシベリア出兵

イギリスがドイツに宣戦すると，日英同盟を理由に日本もドイツに宣戦し，中国におけるドイツの根拠地を占領しました。また，袁世凱政府に「二十一カ条の要求」を承認させ，ロシアで革命が起こるとシベリアに出兵します。

② 戦争中の好景気

ヨーロッパ列強が後退したアジア市場や欧米向けの輸出が増大し，貿易は大幅な輸出超過となり，海運業や造船業も空前の好況となりました。

③ ワシントン体制

アメリカの主導でワシントン会議が開催され，海軍軍縮条約や太平洋諸島に関する四カ国条約，中国に関する九カ国条約が締結されました。

(2) 社会運動の勃興と普通選挙運動

大戦中の産業の急速な発展により，労働者の数は大幅に増加しましたが，物価高でその生活は苦しくなり，労働運動が高揚します。

 1918年には原敬を首相とする初めての本格的な政党内閣が成立しました。原は非華族で衆議院議員から首相になったので「平民宰相」とよばれました。

① 第2次護憲運動

貴族院の勢力を背景に清浦奎吾が組閣すると，憲政擁護運動が起こりました。

② 加藤高明内閣

普通選挙法（1925年）を成立させるとともに，治安維持法を成立させて，国体の改革や私有財産制度の否認を目的とする結社の組織者と参加者を処罰することを定めました。対外的には幣原喜重郎外相が協調外交を進め，1925年に日ソ基本条約を締結し，ソ連と国交を樹立します。

(3) 戦後恐慌から金融恐慌へ

第1次世界大戦後には戦後恐慌と関東大震災によって経済は打撃を受けます。その後，震災手形の処理問題で取付け騒ぎが起き，休業する銀行が続出し，金融恐慌となります。

① 田中義一内閣のモラトリアム（1927年）

若槻内閣が台湾銀行救済問題で退陣すると，田中義一が組閣し，モラトリアム（支払猶予令）を発することによって，金融恐慌を鎮めました。

② 浜口雄幸内閣と井上準之助蔵相

財政を緊縮して物価の引下げを図り，産業の合理化を促進して国際競争力の強化を目指しました。1930年には金輸出解禁を断行します。

 1920年代には再三，恐慌が発生しましたが，政府の対応は一時的なもので，工業の国際競争力の不足とインフレ傾向のために貿易の輸入超過が増大し，外国為替相場は非常に不安定でした。このため浜口内閣は外国為替相場の安定と経済界の整理を図ろうとしたのです。

③ 昭和恐慌

浜口内閣は不況を打開するため，金輸出を解禁しましたが，この頃発生した世界恐慌の影響もあって，輸出が大幅に減少し，企業の倒産が相次いで失業者が増大するなど経済は大混乱に陥りました。

2 軍部の台頭

(1) ロンドン軍縮会議（1930年）

浜口内閣は幣原喜重郎を外相に起用し，ロンドン海軍軍縮条約に調印しましたが，野党や海軍司令部，右翼などが統帥権の干犯であると政府を激しく攻撃しました。

(2) 満州事変

武力による満州支配を計画した関東軍は，1931年に柳条湖事件を起こし軍事行動を開始しました。第2次若槻内閣は不拡大方針を発表しますが，関東軍は軍事行動を拡大したため，内閣は総辞職し，犬養毅内閣が発足しました。

(3) 国際連盟脱退と五・一五事件

1932年に軍部が満州国を建国しましたが，犬養内閣は承認を拒否し，五・一五事件で犬養毅首相は暗殺されます。次いで斎藤実内閣が成立し，満州国を承認しましたが，1933年に国際連盟が日本の占領を不当として撤退勧告を発すると，日本は国際連盟を脱退しました。

 五・一五事件で犬養毅首相が暗殺されたことにより政党政治に終止符が打たれました。

(4) 二・二六事件（1936年）

1936年には皇道派の陸軍青年将校らが兵を率いて政府要人を殺害し，永田町一帯を占拠した二・二六事件が起こります。まもなく鎮圧され皇道派は一掃されましたが，以後，皇道派と対立していた統制派を中心に軍部の発言権が強化されました。

第3章 近代から現代

実践 問題 **41** 〈 **基本レベル** 〉

頻出度	地上★★★ 国家一般職★ 東京都★★ 特別区★★
	国税・財務・労基★ 国家総合職★ 国家総合職(教養区分)★★★

問 明治・大正時代の内閣に関する記述として最も妥当なのはどれか。

(国家一般職2023)

1：初代内閣総理大臣である伊藤博文らは，大日本帝国憲法を起草した。大日本帝国憲法により，皇族などで構成される枢密院と国民の選挙で議員が選出される衆議院という二院制の立法機関が創設された。大日本帝国憲法では日本国憲法と同様に，衆議院に内閣不信任決議権などの衆議院の優越を認めていた。

2：山県有朋内閣総理大臣は，大日本帝国憲法の公布直後に民本主義演説を行い，政党の意向に関係なく，藩閥政府は政策を実現すべきだと主張した。また，山県内閣は，第2回衆議院議員総選挙で激しい選挙干渉を行ったが，その後，日清戦争に備えた軍備拡張のため政党との提携を目指し，立憲政友会を結党した。

3：第一次大隈重信内閣は，外務大臣に板垣退助を据えたものの，それ以外の閣僚の多くは陸・海軍が占める軍閥内閣であった。さらに，軍部大臣現役武官制を制定することで，軍部に対する政党の影響力を強化した。

4：陸軍との衝突により総辞職した第二次桂太郎内閣の後，陸軍出身で立憲国民党の西園寺公望内閣が発足した。西園寺公望は議会無視の態度をとったため，立憲同志会の尾崎行雄が「政費節減・民力休養」を掲げ，倒閣運動を起こした。この倒閣運動は，「米騒動」として全国に広がった。

5：原敬内閣は，陸・海軍大臣と外務大臣以外の全ての閣僚を立憲政友会の党員が占め，初の本格的な政党内閣となった。原内閣は普通選挙制の導入には応じなかったが，衆議院議員選挙法を改正して，選挙権の納税資格を直接国税3円以上に引き下げ，小選挙区制を導入した。

OUTPUT

実践 問題 **41** の解説

〈明治・大正時代の内閣〉

1 × 帝国議会は貴族院と衆議院からなっていた。また，大日本帝国憲法では，衆議院の予算先議権を除き，両院の権限は対等であった。枢密院は憲法や会計などの問題について天皇の諮問にこたえる機関である。

2 × 民本主義を提唱したのは吉野作造であり，その内容は政党の意向を無視するというものではなく，政党政治を肯定するものであった。大日本帝国憲法の公布後に，黒田清隆首相が政府の政策は政党の意向によって左右されてはならないと演説したが，これは超然主義とよばれる。また，第2回衆議院議員総選挙で選挙干渉を行ったのは松方正義内閣である。立憲政友会は山県有朋が結党した政党ではない。

3 × 第1次大隈内閣は，板垣退助を内務大臣に据え，陸軍大臣と海軍大臣以外は，すべて憲政党出身者が閣僚となった初の政党内閣である。また，軍部大臣現役武官制を制定したのは第2次山県内閣であり，その目的は政党の力が軍部に及ぶのをはばむことである。

4 × 陸軍との衝突により第2次西園寺公望内閣が総辞職して，第3次桂内閣の組閣後，立憲政友会の尾崎行雄らが「閥族打破・憲政擁護」を掲げる第1次護憲運動を起こした。また，「米騒動」はシベリア出兵を見越した米の買い占め等による米価高騰に対して起きた騒動である。

5 ○ 原敬内閣の説明として，妥当である。第1次大隈内閣（隈板内閣）が短期に終了したため，原内閣を「初の本格的な政党内閣」という。

第3章 近代から現代

正答 **5**

実践 問題 **42** ＜応用レベル＞

頻出度	地上★★★ 国家一般職★ 東京都★ 特別区★★
	国税・財務・労基★ 国家総合職★ 国家総合職（教養区分）★★★

問 護憲運動に関する記述として，妥当なのはどれか。 （特別区2018）

1：立憲政友会の犬養毅や立憲国民党の尾崎行雄らの政党政治家，新聞記者，実業家たちは，「閥族打破・憲政擁護」を掲げて，第3次桂太郎内閣の倒閣運動を起こし，桂内閣は総辞職に追い込まれた。

2：憲政会総裁の加藤高明は，立憲政友会，革新倶楽部と連立内閣を組織し，国体の変革や私有財産制度の否認を目的とする運動を処罰し，共産主義思想の波及を防ぐことを目的とした治安警察法を制定した。

3：枢密院議長の清浦奎吾は，貴族院の支持を得て超然内閣を組織したが，これに反発した憲政会，立憲政友会，革新倶楽部の3政党は，内閣反対，政党内閣実現をめざして護憲三派を結成した。

4：立憲政友会総裁の原敬は，華族でも藩閥でもない衆議院に議席をもつ首相であったため「平民宰相」とよばれ，男性の普通選挙の実現を要求する運動が高まると，普通選挙法を制定し，25歳以上の男性に選挙権を与えた。

5：海軍大将の山本権兵衛は，立憲同志会を与党として組閣し，文官任用令や軍部大臣現役武官制の改正を行ったが，外国製の軍艦購入をめぐる海軍高官の汚職事件で世論の批判を受け，山本内閣は総辞職した。

OUTPUT

実践 問題 **42** の解説 ─────────────────

〈護憲運動〉

1✕ 犬養毅や尾崎行雄が中心となって「閥族打破・憲政擁護」を掲げて，第3次桂太郎内閣の倒閣運動を起こしたことは正しいが，犬養毅が立憲国民党，尾崎行雄が立憲政友会である。

2✕ 加藤高明内閣が，国体の変革や私有財産制度の否認を目的とする運動を処罰し，共産主義思想の波及を防ぐことを目的に成立させたのは，治安警察法ではなく，治安維持法である。治安警察法は，日清戦争後の労働運動の高まりに対処するために，1900年に制定されたもので，政治結社や政治集会の届出義務などを定めた。

3○ 妥当である。1924年に貴族院や官僚の勢力を背景に清浦奎吾が超然内閣を組織すると，憲政会，立憲政友会，革新倶楽部の3党が護憲三派を結成し，憲政擁護運動を展開した（第2次護憲運動）。清浦内閣は議会を解散したが，総選挙の結果，護憲三派が圧勝し，憲政会総裁の加藤高明が3党の連立内閣（護憲三派内閣）を組織した。

4✕ 立憲政友会の総裁である原敬が華族でも藩閥出身者でもなく，平民籍の衆議院議員だったので，「平民宰相」とよばれたことは正しいが，国民の期待に反して，原内閣は普通選挙制の導入には冷淡であった。普通選挙法を制定して，25歳以上の男性に衆議院議員の選挙権を与えたのは，護憲三派による加藤高明内閣である。

5✕ 海軍大将山本権兵衛は立憲政友会を与党として組閣した。他の記述については妥当である。山本権兵衛は，文官任用令を改正して，政党員にも高級官僚への道を開き，また軍部大臣現役武官制を改めて予備・後備役の将官にまで資格を広げ，官僚・軍部に対する政党の影響力の拡大に努めたが，シーメンス事件が発覚すると，総辞職した。

第3章 近代から現代

正答 **3**

実践 問題 **43** 〈 基本レベル 〉

頻出度	地上★★★	国家一般職★	東京都★★	特別区★★
	国税・財務・労基★	国家総合職★	国家総合職(教養区分)★★★	

問 第一次世界大戦中，大戦後の日本社会に関する記述として最も妥当なものは
どれか。　　　　　　　　　　　　　　　　　　　　　　　（裁判所職員2023）

1：第一次世界大戦が勃発した直後は，一時的に好景気となったが，軍需産業の
拡大が急速に進められ，食糧・繊維などの産業が軍需産業に転換されたこと
を受けて不況が進み，経常収支は赤字となり，日本は債権国から債務国に転じ
た。

2：第一次世界大戦中の軍事費は増税や公債の乱発によって賄われたため悪性イ
ンフレが進み，食糧や生活必需品の不足で国民生活が苦しくなると，富山県の
主婦たちによる配給制中止を求める運動をきっかけに，各地で米騒動が起きた。

3：米騒動によって寺内正毅内閣が退陣したのち成立した原敬内閣は，立憲政友
会員を中心とする最初の本格的な政党内閣で，原首相も華族ではなく衆議院に
議席をもつ代議士であったため，「平民宰相」と呼ばれた。

4：第一次世界大戦後，政党内閣の成立やパリ講和会議を背景に改革の機運が高
まると，吉野作造の天皇機関説や美濃部達吉の民本主義が提唱され，いわゆ
る大正デモクラシーと呼ばれる風潮が広がった。

5：原敬の死後，高橋是清が立憲政友会総裁となり組閣すると，高橋内閣は1925
年に普通選挙法を成立させたが，同時に治安維持法を制定して，共産主義思
想の波及や労働者階級の政治的影響力の増大に備えた。

OUTPUT

実践 問題 **43** **の解説**

〈第1次世界大戦中と戦後の日本社会〉

1✕ 第1次世界大戦に伴う大戦景気は，当時の不況と財政危機を克服し，それによって日本は債務国から債権国になった。不況になるのは戦後である。

2✕ 米騒動は，シベリア出兵を当て込んだ米の投機的買占めとそれによる米価の高騰をうけて，買占め反対と安売りを求めたものであって，配給制の中止を求めたものではない。

3◯ 米騒動や原内閣の説明として妥当である。

4✕ 天皇機関説を唱えたのが美濃部達吉であり，民本主義を唱えたのが吉野作造である。

5✕ 1925年に普通選挙法を成立させたのは，高橋是清内閣ではなく加藤高明内閣である。これにより，選挙資格から納税要件を撤廃し，原則としてすべての満25歳以上の男子に選挙権を認めた。

第3章 近代から現代

正答 **3**

実践 問題 **44** 基本レベル

| 頻出度 | 地上★★ 国家一般職★ 東京都★★ 特別区★★
国税·財務·労基★ 国家総合職★ 国家総合職(教養区分)★★★ |

問 大正から昭和初期の我が国の出来事に関する記述として，妥当なのはどれか。

(東京都2016)

1：第一次世界大戦の開戦以来，我が国はアジア，アメリカ市場に軍需品を輸出したことで大戦景気と呼ばれる好況となり，設備投資が進んで生産性が向上したことから，大戦終結後も好況が継続した。

2：関東大震災の死者・行方不明者は10万人以上，壊れたり焼けたりした家屋は50万戸以上に上り，我が国の経済は大きな打撃を受け，企業の手持ちの手形が決済不能となり，日本銀行の特別融資でしのいだが，決済は進まなかった。

3：手形の処理法案を審議する過程で，一部の銀行の不良な経営状態が暴かれ，群衆が預金の払戻しを求めて行列する騒ぎが起こり，銀行の休業が続出する金融恐慌が発生し，モラトリアム（支払猶予令）によっても収拾できなかった。

4：世界恐慌が始まった翌年，我が国は，生産性の低い企業を救済することを目指して，輸入品の代金支払のために金貨や地金を輸出することを禁じたが，世界恐慌の影響を受け，昭和恐慌と呼ばれる恐慌に陥った。

5：我が国のゆきづまりの原因が財閥・政党などの支配層の無能と腐敗にあると考えた一部の将校が二・二六事件を起こし，岡田啓介首相を殺害して，大正末以来の政党内閣が終わった。

直前復習

OUTPUT

実践 ▶ 問題 **44** の解説

〈大正から昭和初期のわが国の出来事〉

1 × 第1次世界大戦の開戦以来，わが国が軍需品を輸出して大戦景気となったことは正しいが，戦後はヨーロッパ諸国の復興が進み，その商品がアジア市場に再び登場してくると，日本経済は苦境に立たされ，戦後恐慌が発生した。

2 ○ 妥当である。政府は日本銀行に約4億3000万円を特別融資させたが，1926年の末時点で，そのうちの2億680万円が未決済であった。

3 × 金融恐慌が発生すると，時の若槻礼次郎内閣は経営が破綻した鈴木商店に対する巨額の不良債権を抱えた台湾銀行を緊急勅令によって救済しようとしたが，枢密院の了承を得られずに辞職，次いで成立した田中義一内閣がモラトリアム（支払猶予令）を発して，日本銀行から巨額の救済融資を行い，全国的に広がった金融恐慌をようやく鎮めた。したがって，モラトリアム（支払猶予令）によっても収拾できなかったとあるのは誤り。

4 × 世界恐慌が始まった翌年，浜口雄幸内閣は産業の合理化（企業整理・経営の合理化）を促進して国際競争力の強化を目指し，金輸出解禁に踏み切ったのである。金輸出を禁じたのではない。しかし，日本経済はこの金解禁と，おりからの不況により，昭和恐慌とよばれる深刻な恐慌状態に陥った。

> 大戦景気 ⇒戦後恐慌
> ⇒関東大震災（1923年）⇒金融恐慌 ⇒モラトリアム（支払猶予令）
> ⇒世界恐慌 ⇒金解禁 ⇒昭和恐慌

5 × 政党内閣を終焉させたのは，犬養毅首相が暗殺された五・一五事件である。岡田啓介首相は二・二六事件の際の首相であったが，首相官邸を襲撃されたものの，あやうく難を逃れ，殺害はされていない。

正答 **2**

第3章 近代から現代

実践 問題 **45** 基本レベル

頻出度	地上★★　　国家一般職★　　東京都★★　　特別区★★
	国税・財務・労基★　　国家総合職★　　国家総合職(教養区分)★★★

問 昭和初期の日本経済に関するア〜エの記述を年代が古いものから順に並べたものとして妥当なのはどれか。　　　　　　　　(国税・労基2008)

ア：田中義一内閣は、恐慌の収拾に当たるため、緊急勅令によって3週間のモラトリアム（支払猶予令）を発し、日本銀行から巨額の救済融資を行い、全国的に広がった恐慌を鎮めた。

イ：浜口雄幸内閣は、膨張した財政を緊縮して物価の引下げを図りながら、産業の合理化を促進して国際競争力を強化しようとした。そして、金輸出解禁（金解禁）を断行した。

ウ：第1次若槻礼次郎内閣は、慢性化した不況を打開するため、震災手形の整理を図ろうとしたが、その処理をめぐる議会で銀行の経営悪化が問題となった。これをきっかけに預金者の銀行に対する不安が高まり、銀行への取付け騒ぎが起こり、銀行の休業が続出した。

エ：犬養毅内閣は、国内での通貨と金との兌換を停止し、管理通貨制度を導入した。通貨は、金の保有量に縛られずに、財政・金融当局の判断で自由に発行できるようになった。

1：イ→ウ→ア→エ
2：イ→エ→ウ→ア
3：ウ→ア→イ→エ
4：ウ→イ→ア→エ
5：ウ→エ→イ→ア

OUTPUT

実践 問題 **45** の解説 ―――――――――――――――

〈昭和初期の日本経済〉

ウ 第1次若槻礼次郎内閣は1926年1月から1927年4月までである。

前任の加藤高明首相が病死したため，組閣されたのが第1次若槻礼次郎内閣である。関東大震災のため現金に替えられなくなった手形（震災手形）の処理をめぐり，金融恐慌が起こった。若槻礼次郎内閣は台湾銀行救済のため，緊急勅令案を作成したが，枢密院に反対され，総辞職した。

ア 田中義一内閣は1927年4月から1929年7月までである。

田中義一内閣は第1次若槻礼次郎内閣の総辞職を受け，組閣された。若槻内閣総辞職の原因である金融恐慌をモラトリアムと日銀からの20億円の非常貸し出しによって収拾させた。しかし，張作霖爆殺事件をめぐり退陣した。

イ 浜口雄幸内閣は1929年7月から1931年4月までである。

田中義一内閣の後に組閣された。長引く不況を打開するため，金の輸出を解禁し，産業の合理化を図ったが，おりしも世界恐慌の影響を受け，昭和恐慌を引き起こしてしまった。一方，浜口内閣は外相に幣原喜重郎を起用し，協調外交を推進，ロンドン海軍軍縮条約に調印したが，これに対し軍部などは統帥権の干犯であると政府を激しく批判した。政府はこれらの反対を押し切って枢密院での条約の批准に成功したが，浜口首相はこれに反発する右翼に銃撃されて重傷を負い，翌年総辞職した。

エ 犬養毅内閣は1931年12月から1932年5月までである。

1931年4月に成立した第2次若槻礼次郎内閣のもとで満州事変が起こったが，内閣の不拡大方針を無視して関東軍が占領地を拡大したため，若槻内閣は総辞職した。その後に組閣されたのが犬養毅内閣である。犬養内閣は金本位制から離脱して管理通貨制度を導入することによって恐慌からの脱出を図ったが，満州国建国に反対したため，犬養首相は海軍の青年将校らに五・一五事件で暗殺された。これをもって戦前における政党内閣は終焉を迎えた。

以上から，年代の古い順に並べ替えると，ウ→ア→イ→エとなり，肢3が正解となる。

正答 **3**

第3章 SECTION ② 近代から現代 大正時代から昭和初期

実践 問題 **46** 〈応用レベル〉

頻出度	地上★	国家一般職★	東京都★★	特別区★★★
	国税・財務・労基★	国家総合職★		国家総合職(教養区分)★★★

問 我が国の恐慌に関する記述として，妥当なのはどれか。 （特別区2016）

1：加藤高明内閣は，震災手形の整理に着手したが，1927年に議会での高橋是清蔵相の失言をきっかけとする一部の銀行の経営悪化が世間に知られ，不安に駆られた人々が預金の引出しに殺到して，取付け騒ぎへと発展した。

2：若槻礼次郎内閣は，経営が破綻した鈴木商店に対する巨額の不良債権を抱えた台湾銀行を緊急勅令によって救済しようとしたが，衆議院で否決され，総辞職した。

3：田中義一内閣は，3週間のモラトリアムを発し，日本銀行からの非常貸出しによって，金融恐慌をしずめたが，金融恐慌で中小銀行の整理，合併が進み，三井・三菱・住友・安田・第一の5大銀行が支配的な地位を占めた。

4：浜口雄幸内閣は，蔵相に前日本銀行総裁であった井上準之助を起用し，金輸出禁止を断行したが，世界恐慌が発生していたため，日本経済は金輸出禁止による不況と世界恐慌の波及によって，深刻な恐慌状態に陥った。

5：犬養毅内閣は，円高で一時的に経営が苦しくなる企業の国際競争力を高めるために産業合理化政策をとり，1931年には基幹産業におけるカルテルの結成を促す重要産業統制法を制定した。

実践 ▶ 問題 **46** の解説

〈わが国の恐慌〉

1✕ 一部の銀行の経営悪化が世間に知られ，取付け騒ぎが起こり，銀行の休業が続出した「金融恐慌」は，若槻礼次郎内閣の時である。また，この時の蔵相は片岡直温である。高橋是清蔵相は，田中義一内閣の蔵相として3週間の支払猶予令（モラトリアム）を公布している。

2✕ 若槻礼次郎内閣は経営が破綻した鈴木商店に対する巨額の不良債権を抱えた台湾銀行を緊急勅令によって救済しようとしたことは正しいが，これを否決したのは枢密院である。このため，若槻礼次郎内閣は総辞職して田中義一内閣が成立した。

3◯ 妥当である。金融恐慌の過程で，中小銀行の整理・合併が進み，預金は大銀行に集中して5大銀行が支配的な地位を占めるに至り，財閥と政党との結びつきも深まっていった。

4✕ 浜口雄幸内閣は井上準之助（前日銀総裁）を蔵相に起用し，金輸出解禁に踏み切ったのである。その目的は為替相場を安定させて外国との貿易の振興を図り，あわせて産業の合理化を進め，日本企業の国際競争力を強化することにあった。しかし，金解禁（1930年）の前年の1929年にニューヨークのウォール街で株価が暴落し，世界恐慌が発生していたため，日本は金解禁と恐慌の二重の打撃を受け，深刻な恐慌状態となった（昭和恐慌）。

5✕ 産業合理化政策をとり，基幹産業におけるカルテルの結成を促す重要産業統制法（1931年）を制定したのは，浜口雄幸内閣である。

正答 **3**

第3章 SECTION ② 近代から現代 大正時代から昭和初期

実践 問題 **47** 〈 基本レベル 〉

頻出度	地上★★★ 国家一般職★ 東京都★★ 特別区★★
	国税・財務・労基★ 国家総合職★ 国家総合職(教養区分)★★★

問 昭和初期の日本に関する次の文章中の下線部ア～オに関する次の記述のうち，正しいものはどれか。 (地上2011)

　日本は長期にわたって不況が続いていたが，1930（昭和5）年には ア昭和恐慌が発生した。外交政策においては，浜口雄幸内閣のもとで行われた イロンドン海軍軍縮会議における日本の対応について，国内から批判が噴出した。不況を打開するため，中国大陸への積極的膨張の要求が高まり，1931（昭和6）年には ウ満州事変が引き起こされた。軍国主義が進展する中， エ政党政治を打倒するために，国家改造を目指して軍人や右翼による，政界の要人を狙った事件が多発した。このような中，1937（昭和12）年には， オ日中戦争が発生した。

ア：不況を脱却するため，輸出の増加を目指して浜口内閣は金輸出解禁を断行した。しかし，これは世界恐慌の最中に行われたため，輸出が減少し，正貨が大量に海外に流出したため，深刻な不況に陥った。

イ：浜口内閣の外交方針は，アメリカ・イギリスに対する強硬姿勢であった。軍縮会議の交渉において，日本の主張が通らなかったため，日本は条約に調印せず，日本は国際的な孤立を深めていった。

ウ：関東軍は，中国大陸への勢力拡大を狙って，満州事変を引き起こし，満州国を建国した。中国はこれに対し非難したが，国際連盟は満州国の建設を承認し，日本の中国大陸進出は黙認された。

エ：政党政治は，五・一五事件などのクーデターによって何度も危機に陥った。しかし，これらのクーデターはいずれも失敗し，政党政治は，大政翼賛会の成立まで続いた。

オ：日本は，開戦後数カ月で中国の主要な都市を占領し，勝利を決定づけた。日本は，翌年には国民政府との間で講和を結び，戦争を終結させた。

1：ア
2：イ
3：ウ
4：エ
5：オ

OUTPUT

実践 問題 **47** の解説

第3章 近代から現代

〈昭和初期の日本〉

ア○ 第1次世界大戦後，日本は不況が続いた。このため浜口雄幸内閣は金の輸出入を自由化し，為替相場の安定を図るとともに，輸出の促進によって景気の回復を図ろうとして金の輸出解禁を行った。しかし，世界恐慌のあおりを受け，輸入超過となり，昭和恐慌を引き起こすことになった。

イ× 浜口内閣の外交政策は協調外交であり，ワシントン会議で手腕を振るった幣原喜重郎を外相として起用し，ロンドン海軍軍縮条約に調印した。この条約では補助艦保有率を英・米10に対し日本は7とすることが決められた。このため，こうした協調外交・軍縮政策に反対する国家主義団体の青年によって，浜口は狙撃され，満州事変が勃発したことで協調外交は挫折した。

ウ× 国際連盟はリットン調査団の調査に基づき，日本の権益を認めつつも，満州の主権は中国にあり，満州国建国は自発的な民族運動による結果ではないとし，満州国を承認しなかった。さらに日本軍の撤退も勧告したため，1933年，日本は国際連盟から脱退した。

エ× 1932年の五・一五事件によって犬養毅首相が暗殺され，政党政治は終結した。続く斎藤実内閣，岡田啓介内閣の頃から軍部の発言力が強くなり，二・二六事件後，軍部大臣現役武官制が復活し，軍部の政治に対する介入が一層強くなっていった。

オ× 1937年に盧溝橋事件から始まった日中戦争では，日本軍が上海や南京などを次々と占領したが，国民政府も重慶に退いて抗戦を続け，戦争は長期化した。日中戦争は1945年に日本の降伏によって終結した。

以上から，肢1が正解となる。

1931年	柳条湖事件：満州事変	
1932年	五・一五事件 ⇒ 政党政治の終焉	満州国建国
1933年	国際連盟脱退	
1936年	二・二六事件	
1937年	盧溝橋事件：日中戦争	
1941年	太平洋戦争	
1945年	ポツダム宣言受諾	

正答 1

実践 問題 **48** 〈 基本レベル 〉

頻出度	地上★★★　国家一般職★　　東京都★★　　特別区★★
	国税・財務・労基★　　国家総合職★　　国家総合職(教養区分)★★★

問 我が国の20世紀前半の動きに関する記述として最も妥当なのはどれか。

（国家一般職2017）

1：1914年に始まった第一次世界大戦はヨーロッパが主戦場となったため，我が国は参戦せず，辛亥革命で混乱している中国に干渉し，同大戦中に清朝最後の皇帝溥儀を初代皇帝とする満州国を中国から分離・独立させた。

2：1917年，ロシア革命によりアレクサンドル2世が亡命すると，ロマノフ王朝は崩壊し，世界で最初の社会主義国家が誕生した。その影響が国内に波及することを恐れた我が国は，米国と石井・ランシング協定を結び，米国に代わってシベリアに出兵した。

3：1918年，立憲政友会総裁の原敬は，陸・海軍大臣と外務大臣を除く全ての大臣を立憲政友会党員で占める本格的な政党内閣を組織した。同内閣は，産業の振興，軍備拡張，高等教育機関の拡充などの積極政策を行った。

4：1920年に設立された国際連盟において，我が国は米国と共に常任理事国となった。1933年，国際連盟はリットン報告書に基づいて満州における中国の主権を認め，日本の国際連盟からの除名を勧告したため，我が国は国際連盟を脱退した。

5：1930年，浜口雄幸内閣は金の輸出禁止を解除したが，ニューヨーク株式市場の大暴落から始まった世界恐慌のため，我が国では猛烈なインフレが生じ，労働争議が激化した。そのため，同内閣は治安維持法を成立させ，労働争議の沈静化を図った。

OUTPUT

実践 問題 **48** の解説

〈20世紀前半の動き〉

1 ✕ 1914年に第1次世界大戦が始まると，日本は日英同盟を理由に参戦して，中国におけるドイツの根拠地（青島）や権益を接収し，赤道以北のドイツ領南洋諸島の一部を占領した。また，満州国を樹立したのは1932年のことであり，これは第1次世界大戦が1918年に終了した後のことである。

2 ✕ 石井・ランシング協定は，第1次世界大戦中に日本の中国進出を警戒したアメリカと日本との間で結ばれたもので，両国は中国の領土保全・門戸開放という原則を確認するとともに，日本が中国に対して特殊権益を持つことを認めた。したがって，ロシア革命やシベリア出兵とは関係がない。また，ロシア革命の際に退位したのはニコライ2世である。ニコライ2世が退位して社会主義政権が樹立されると，イギリス，フランス，アメリカ，日本が対ソ干渉戦争を行った。したがって，アメリカに代わって日本がシベリアに出兵とあるのも誤りである。

3 ◯ 妥当である。原敬内閣は最初の本格的な政党内閣であり，鉄道敷設や産業の振興，高等教育機関の拡充などの積極政策を行ったが，普通選挙法には反対し，選挙権の納税資格を引き下げ，小選挙区制を導入するにとどまった。

4 ✕ 1920年に設立された国際連盟で，日本は常任理事国となったがアメリカは国際連盟に参加していない。また，リットン報告書に基づいて，国連総会は満州国からの日本の撤兵と日本の満州国承認の撤回を勧告したのであり，日本の国際連盟からの除名を勧告したのではない。これを受けて日本は国際連盟を脱退した。

5 ✕ 浜口雄幸内閣が金輸出解禁を断行したことは正しいが，世界恐慌の影響もあって猛烈なデフレが生じ，労働争議や小作争議が激増した。また，治安維持法は1925年に日ソ国交樹立による共産主義思想の波及を防ぎ，普通選挙法による労働者階級の政治的影響力の増大に備えるために，国体の変革や私有財産制度の否認を目的とする結社の組織者と参加者を処罰することを定めたもので，加藤高明内閣の時に成立している。

正答 **3**

第3章 近代から現代

実践 問題 **49** 〈 基本レベル 〉

頻出度	地上★★★ 国家一般職★ 東京都★★ 特別区★★
	国税・財務・労基★ 国家総合職★ 国家総合職(教養区分)★★★

直前復習

問 近代の日本の経済に関する次のA～Dの記述の正誤の組合せとして最も適当なものはどれか。 **(裁判所職員2015)**

A：西南戦争期の緊縮政策の影響で，日本経済は激しいデフレ状態となったため，松方正義大蔵卿は，不換紙幣の発行で歳出を膨張させる政策を行った。その結果，物価が急騰したため農民生活は窮乏化し，土地を手放して小作農に転落するものが続出した。

B：産業革命期の日本では，工場労働者の大半を男性労働者が占めており，彼らは劣悪な環境の下，安い賃金で長時間労働に従事していた。日本最初の労働者保護法である工場法は，明治末になってようやく制定され，1日8時間労働制などが定められた。

C：1918年，シベリア出兵を当て込んだ投機的な米の買占めで米価が急騰すると，富山県の女性たちの行動をきっかけに，米騒動が全国各地で発生した。これを強硬策で鎮圧した寺内内閣は，世論の強い批判を浴びて総辞職した。

D：日中戦争期に国家総動員法が制定され，戦争に必要な労働力や物資を統制・運用する権限が政府に与えられた。政府は，これに基づいて国民徴用令を制定して，一般国民を軍需工場に動員し，また価格等統制令を制定して，公定価格制を導入した。

	A	B	C	D
1：	正	正	誤	誤
2：	正	誤	正	誤
3：	誤	正	正	誤
4：	誤	誤	正	正
5：	誤	正	誤	正

実践 問題 **49** の解説

〈近代日本の経済〉

A × 西南戦争期の不換紙幣の増発の影響で，日本経済は激しいインフレ状態となったため，松方正義大蔵卿は増税によって歳入の増加を図る一方，軍事費以外の歳出を徹底的に緊縮，不換紙幣を処分するデフレ政策をとった。その結果，米や繭などの物価が下落したため（松方デフレ），農民生活は窮乏し，土地を手放して小作農に転落するものが続出した。

B × 産業革命期の日本では，工場労働者の大半を繊維産業従事者が占めており，その大部分は女性であった。女性労働者の多くは，苦しい家計を助けるために出稼ぎにきた小作農家などの子女たちで，賃金前借りや寄宿舎制度で工場に縛り付けられていた。劣悪な労働条件のもと，安い賃金で長時間労働に従事していたことは正しい。日本最初の労働者保護法である工場法は，資本家の反対もあって明治末期の1911年にようやく制定されたが，その内容は少年・女性の労働時間の限度を1日8時間ではなく，12時間とし，深夜業を禁止するものであった。しかし，適用範囲は15人以上を使用する工場に限られ，製紙業などに14時間労働，紡績業につき，期限付きで深夜業を認めるものであった。

C ○ そのとおり。なお，寺内正毅内閣の総辞職を受けて，立憲政友会の総裁である原敬を首班とする内閣が成立した。原は，華族でも藩閥でもなく，衆議院に議席を持つ首相であったため，「平民宰相」とよばれて，国民から歓迎された。

D ○ そのとおり。さらには1940年にぜいたく品の製造・販売を禁止し，砂糖やマッチなどの消費を制限する切符制がしかれ，翌年には米も配給制になるなど，生活必需品への統制が極端に強まった。一方，戦時体制の形成に伴って，国体論に基づく思想統制が厳しくなり，1937年には近衛文麿内閣によって，挙国一致・尽忠愛国・堅忍持久をスローガンに，節約・貯蓄などの国民の戦争協力を促すための国民精神総動員運動が展開された。

以上から，肢4が正解となる。

正答 4

実践 問題 **50** 応用レベル

頻出度	地上★	国家一般職★	東京都★	特別区★★
	国税・財務・労基★	国家総合職★	国家総合職(教養区分)★★★	

問 明治から昭和初期における政党に関する次のA〜Dの記述の正誤の組合せとして最も適当なものはどれか。 **(裁判所職員2016)**

A：初期議会において，民党と呼ばれた自由党は次第に政府と協調するようになり，これに反発した立憲改進党や国民協会などの残存民党は，平等条約の締結を要求して政府と激しく対立したので，政府は憲法を停止して議会を閉鎖した。

B：日清戦争後，日本で最初の政党内閣が誕生するなど政党は勢力を拡大してきたが，この頃から総理大臣経験者によって後継総理大臣を推薦する元老制度が定着して，以後，事実上の国家運営の最高機関として機能するようになった。

C：第一次護憲運動に対して，総理大臣の桂太郎は新党（のちの立憲同志会）を組織して対抗しようとしたが議会の少数派にとどまった。その後，立憲同志会は憲政会を経て立憲民政党に発展し，大正末から昭和初期にかけて，立憲政友会と交代で政権を担当した。

D：総理大臣寺内正毅が米騒動の責任をとって辞職した後，立憲政友会総裁の原敬が総理大臣に任命された。原は平民宰相と呼ばれて国民の期待を集めたが，それは原が華族でも藩閥出身でもなく，衆議院に議席を持つ最初の総理大臣だからである。

	A	B	C	D
1：	正	正	誤	誤
2：	正	誤	正	正
3：	誤	正	正	誤
4：	誤	誤	正	正
5：	誤	正	誤	誤

OUTPUT

実践 ▶ 問題 **50** の解説

〈明治から昭和初期の政党〉

A× 初期議会において，民党とよばれた自由党が次第に政府と協調するように なり，これに反発した立憲改進党などの残存民党が，平等条約の締結を要 求して政府と激しく対立し（不平等条約の改正問題），たびたび衆議院が解 散されたことは正しいが，その際に憲法の停止や議会の閉鎖はされていな い。なお，国民協会はもともと民党の対抗勢力を標榜していた吏党であっ たが，第2次伊藤内閣と自由党の接近に伴い，改進党などとともに対外硬 派を形成し，伊藤内閣と自由党に対抗した。したがって，「国民協会などの 残存民党」との記述も誤りとなる。

B× 元老とは明治国家の創建時に功労のあった者で，第2次世界大戦前に後継 首相候補者の推薦など，重要な政治問題について天皇の諮問に答える国家 の最高機関的役割を果たした政治家のことを指す。具体的には黒田清隆， 伊藤博文，井上馨，西郷従道，大山巌，松方正義，桂太郎，西園寺公望を 指す。この中には井上馨，西郷従道，大山巌など，内閣総理大臣を経験し ていない者も含まれるため，総理大臣経験者によって後継総理大臣を推薦 する元老制度とあるのは誤り。

C○ 正しい。1916年に加藤高明を総裁とする立憲同志会を中心に諸政党が合同 して憲政会が結成された。憲政会は普通選挙を求める運動の指導権を握り， 軍備縮小を唱えて第2次護憲運動の主力となり，清浦奎吾内閣を倒して， 護憲三派内閣を成立させた。1927年に憲政会は政友本党と合同して立憲民 政党となり，立憲政友会とともに2大政党として交代で政権を担当した。

D○ 米騒動により寺内内閣が総辞職すると，元老の山県も国民の政治参加の拡 大を求める民衆運動の力を目の当たりにして政党内閣を認めるに至り，立 憲政友会の総裁原敬を首班とする内閣が成立した。原は華族でも藩閥でも ない，衆議院に議席を持つ首相であったため「平民宰相」とよばれた。

以上から，肢4が正解となる。

第3章 近代から現代

正答 **4**

3 近代から現代
SECTION
第2次世界大戦と戦後

> **必修問題** セクションテーマを代表する問題に挑戦！
>
> 日中戦争から太平洋戦争への流れと戦後の民主化を中心に学びます。
>
> **問** 昭和初期から太平洋戦争に関する記述として妥当なのはどれか。
>
> (地上2017)

直前復習

1：1920年代にアメリカで始まった世界恐慌の国内経済への影響は，欧米諸国との貿易額が小さかったため，あまり受けず，1930年代の日本経済は好況であり，その恩恵は農村にも及んだ。

2：日本は中国東北部に満州国を建て，これを実質的に支配していたが，中国軍が満州国に侵攻した。この事件を満州事変という。この結果，満州国は崩壊し，日中戦争が開始された。

3：日本の陸海軍の青年将校や右翼運動家らは，首相や大臣の暗殺を企て五・一五事件や二・二六事件を起こしたが，要人の暗殺はいずれも失敗し，以後，軍部の発言力は弱まった。

4：政府は国民に対し，節約と貯蓄を促し，国家総動員法を制定した。これにより政府は議会の承認なく，物資や労働力を調達できるようになった。

5：日本は真珠湾を奇襲攻撃して，アメリカに宣戦した。一方，ソ連にも宣戦し，ソ連の極東地域に侵攻して，広大なシベリアを占領した。

Guidance ガイダンス 世界恐慌が波及し，日本は昭和恐慌に陥る。→満州経営によってその危機を打開しようとする軍部と，穏健派の内閣は対立し，五・一五事件などにつながっていく。これにより，軍部は力を増し，満州国が建国される。この柳条湖事件から，満州国建国を含む1933年までの軍事的な動きを満州事変とよぶ。
→満州国の建国に対してリットン調査団が派遣され，その調査をもとに国際連盟は満州国不承認を決議する。これを不服とした日本は国際連盟を脱退し，戦争への道を歩んでいくこととなる。

| 世界恐慌 → 昭和恐慌 → 柳条湖事件 → 五・一五事件 → 満州国 |
| 建国 → リットン調査団派遣 → 国際連盟脱退 → 盧溝橋事件 → |
| 日中戦争 → 戦争長期化 →国家総動員法・日ソ中立条約 → 太平洋戦争 |

必修問題 の解説

〈昭和初期から太平洋戦争〉

1 × 1929年10月にニューヨーク株式市場での株価暴落が世界恐慌へと発展する中,日本では1930年1月に浜口雄幸内閣が,金輸出解禁（金解禁）を断行し,外国為替相場の安定と生産性の低い不良企業を整理・淘汰して日本経済の体質改善を図り,経済界の抜本的整理を図った。このため世界恐慌の影響に加え,金解禁によって深刻な不況となった（昭和恐慌）。昭和恐慌が発生すると米をはじめとする農作物の価格が暴落するとともに,アメリカの市場が縮小したことで生糸の輸出が激減,価格が下落し,農家の困窮は著しかった（農業恐慌）。

2 × 1931年に関東軍は奉天郊外の柳条湖で南満州鉄道の線路を爆破し（柳条湖事件），これを中国軍のしわざとして軍事行動を開始した。翌32年に関東軍は清朝最後の皇帝溥儀を執政として満州国の建国を宣言させた。これらの軍事行動をまとめて,満州事変とよぶ。その後,1933年に日本は国際連盟から脱退,1937年の盧溝橋事件がきっかけで日中戦争が開始された。

3 × 五・一五事件では犬養毅首相が,二・二六事件では斎藤実内大臣,高橋是清蔵相らが殺害された。二・二六事件は陸軍の皇道派の一部青年将校らが起こしたもので,このクーデタは反乱軍として鎮圧されたが,以後,陸軍では統制派が主導権を確立し,陸軍の政治的発言力は一層強まった。

4 ○ 日中戦争が始まると政府は巨額の軍事予算を編成するとともに,直接的な経済の統制に踏み切り,軍需産業に資金や輸入資材を集中的に割り当てた。さらに,1938年に国家総動員法が制定され,政府は議会の承認なしに戦争遂行に必要な物資や労働力を動員する権限を与えられ,国民生活を全面的統制下においた。

5 × 日本が真珠湾を奇襲攻撃してアメリカ（およびイギリス）に宣戦したことは正しいが,それに先立って,南進政策を進め,北方の安全を確保するために1941年にソ連との間に日ソ中立条約を締結している。日本がソ連の極東地域に侵攻して広大なシベリアを占領したとあるのは妥当でない。ソ連は終戦間際の1945年8月8日に日ソ中立条約を無視して日本に宣戦布告し,満州や朝鮮に一挙に侵攻した。したがって,日本がソ連に宣戦したのではない。

正答 **4**

第3章 近代から現代

SECTION ③ 第2次世界大戦と戦後

1 第2次世界大戦

(1) 統制の強化

1937年に盧溝橋事件から日中戦争が起こり，1938年に国家総動員法が制定され，その結果，国民徴用令や価格等統制令が発布されて，国民生活は戦争遂行体制へと組み込まれていきます。小学校は国民学校に改められ，国家主義的教育が推進されました。

(2) 第2次世界大戦

① 日独伊三国軍事同盟

第2次世界大戦が勃発すると，政府は大戦不介入を宣言しましたが，第2次近衛文麿内閣は北部仏印進駐を進め，日独伊三国軍事同盟を締結します。

② 太平洋戦争

第2次近衛文麿内閣はアメリカとの関係を調整するために日米交渉を開始していましたが，その後，日本が南部仏印進駐を実行すると日米関係は悪化します。1941年東条英機内閣が発足し，真珠湾攻撃を行い太平洋戦争が勃発しました。1942年のミッドウェー海戦の敗北から劣勢となり，1944年にはアメリカの本土空襲が開始され，アメリカ軍が沖縄本島に上陸，1945年8月に広島と長崎に原爆投下，さらにソ連が対日宣戦します。日本はポツダム宣言を受諾して無条件降伏します。

2 第2次世界大戦後

(1) 占領

1945年にポツダム宣言に基づき，アメリカが各地に進駐，マッカーサーを最高司令官とする連合国軍最高司令官総司令部（GHQ）が間接統治を行いました。

(2) 戦後の民主化政策

財閥の解体	GHQは日本の経済民主化のため，財閥の解体と資産の凍結を指令し，財閥が所有する持株を売却させた。
農地改革	政府は，自作農の創出を目的に，地主の貸付地を強制的に買い上げ，小作農に安く売り渡した。
労働組合法	労働者の団結権・団体交渉権・団体行動権を定めた労働組合法が制定（1945年）。47年には労働基準法が制定された。
教育の民主化	1947年に教育基本法が制定され，義務教育が6年から9年に延長され，学校教育法で，六・三・三・四の新学制が発足。教育の地方分権を目指して，都道府県や市町村に公選の教育委員会が設置。
新選挙法 (1945年)	婦人参政権を認めた新選挙法が制定され，46年の総選挙では39名の婦人代議士が誕生した。

(3) 日本国憲法

　ＧＨＱ草案が政府に提出されると，大日本帝国憲法を改正する形式で日本国憲法の制定が進められ，衆議院と貴族院で一部修正・可決されて，公布されました。

(4) 戦後の復興と講和

① 経済安定9原則

　ＧＨＱは予算の均衡・徴税強化・物価統制などの経済安定9原則を指示します。アメリカはドッジ＝ラインに基づき，赤字を許さない予算案を作成させ，1ドル＝360円の単一為替レートを設定しました。

② 朝鮮戦争と講和

　1950年に朝鮮戦争の勃発に伴い，アメリカは自由主義陣営の拠点としての日本の役割に期待し，1951年に西側諸国のみとの間にサンフランシスコ平和条約が調印され，占領は終了しましたが，全面講和とはなりませんでした。同時に日米安全保障条約が調印され，米軍の駐留を認めました。また，朝鮮戦争におけるアメリカ軍の膨大な特需により日本の経済は復興します。

③ 日ソ共同宣言（1956年）

　鳩山一郎内閣は，共産主義諸国との関係改善を進め，北方領土問題は棚上げする形で日ソ共同宣言に調印しました。これを受けて，従来，日本の国連加盟を拒否していたソ連が支持にまわり，日本は国際連合加盟を果たします。

④ 55年体制と高度成長時代

　1955年には，自由民主党が議席の3分の2を，社会党が3分の1を占める保革対立のもとでの保守一党優位の政治体制が成立しました（55年体制）。55年体制は，1993年に非自民8党派の連立政権（細川護熙首相）が誕生し，終焉します。

　一方，1955年から73年の間，日本は高度経済成長時代を迎えます。しかし，急速な経済成長は深刻な公害問題を発生させました。

⑤ 日中共同声明（1972年）

　韓国との間には，1965年に佐藤内閣が日韓基本条約を締結して国交を樹立していました。中国とは1972年に田中首相が訪中，日中共同声明により国交を正常化します。1978年に福田首相が日中平和友好条約を締結しました。

⑥ 貿易摩擦から円高不況そしてバブル経済

　1980年代には，自動車や半導体部門での輸出が伸び，日本の貿易黒字が大幅に拡大したため，欧米諸国との間に貿易摩擦が起こります。1985年にはドル安誘導が合意され（プラザ合意），円高が急速に進み円高不況となりました。1987年頃からは，超低金利政策のもとで金融機関や企業にだぶついた資金が不動産市場や株式市場に投資目的で流入し，地価や株価が実体とはかけ離れて高騰しました（バブル経済）。

実践 問題 **51** ◁ **基本レベル** ▷

頻出度	地上★★★	国家一般職★★	東京都★★	特別区★★
	国税·財務·労基★★	国家総合職★★		国家総合職(教養区分)★★★

問 太平洋戦争が行われるまでの昭和時代について文中のア～オについて妥当なものを選べ。 (地上2006)

　1930年代に入ると，日本は不況を克服できないまま，世界恐慌に巻き込まれ，国民の生活は窮乏していった。政府はア国内経済の回復を図る一方で，イ大陸への膨張政策を進めていった。その中でウ軍事勢力が台頭し，1937年には全面的な日中戦争へと発展していった。エ経済と国民生活の統制が厳しくなる中，日本は日独伊三国軍事同盟を結び，南進政策へ転換していった。そして，1941年オ太平洋戦争が始まった。

1：ア　高橋是清蔵相は金輸出の解禁，緊縮財政，産業の合理化を進めたが，不況は改善しなかった。

2：イ　日本は大陸進出をするため，国際連盟を脱退し，関東軍による中国東北部，華北地区を占領して「満州国」を建国した。

3：ウ　二・二六事件を制圧した陸軍によって，軍人や官僚による挙国一致内閣が誕生し，政党政治に終止符が打たれた。

4：エ　国家総動員法が制定され，国民徴用令や価格等統制令が発布され，国民は戦争遂行体制へ組み込まれていった。

5：オ　日本軍は，太平洋戦争における最も激戦といわれたミッドウェー海戦で勝利し，半年で東南アジアおよび太平洋一帯を制圧したが，ソ連の参戦で徐々に劣勢へとなっていった。

OUTPUT

実践 問題 **51** の解説

〈太平洋戦争〉

1× 金輸出解禁などを行ったのは高橋是清ではなく，浜口雄幸内閣（井上準之助蔵相）である。浜口内閣は長く続く不況に対抗するため，金輸出を解禁し，産業の合理化を図ったが，おりしも発生した世界恐慌のあおりを受け，昭和恐慌を引き起こす結果となった。

2× 関東軍が1931年満州事変を起こし，満州国を建国したが，国際連盟からは満州からの撤兵などを勧告されたため，1933年に日本は国際連盟を脱退した。

3× 政党政治が終わったきっかけは1932年の五・一五事件である。この事件で犬養毅首相が暗殺され，後任の斎藤実内閣が挙国一致内閣を発足させた。

4○ 日中戦争が長期化の様相を見せたので，政府は1938年に国家総動員法を発布し，言論や経済の統制を行った。さらに国民徴用令や価格等統制令を出し，国民の生活を締めつけ，戦争のために国民を動員できるシステムを形成していった。

5× ミッドウェー海戦で日本軍は大敗し，以降，敗色が濃厚となっていった。また，ソ連の参戦は1945年8月，終戦直前のこと。

1937年	盧溝橋事件 → 日中戦争
1939年	第2次世界大戦勃発
1940年	ドイツ・イタリア・ソ連との連携強化，南進政策
	→ 北部仏印進駐，日独伊三国同盟，日ソ中立条約
1941年	太平洋戦争
1942年	ミッドウェー海戦の敗北 → 劣勢
1944年	本土空襲
1945年4月	米軍沖縄上陸
7月	ポツダム宣言発表
8月6日	広島に原爆投下
8月8日	ソ連の対日宣戦
8月9日	長崎に原爆投下
8月14日	ポツダム宣言受諾

第3章 近代から現代

正答 **4**

実践 問題 **52** 〈 基本レベル 〉

| 頻出度 | 地上★★★　国家一般職★　　東京都★★　　特別区★★
国税・財務・労基★　　国家総合職★　　国家総合職(教養区分)★★★ |

問 アジア・太平洋戦争開戦から終戦直前までの日本に関する下記の記述のうち，正しいものを2つ選んでいるものとして，妥当なのはどれか。　　(地上2015)

ア：満州事変以降，急激に勢力を拡大した日本に対して，米国等は経済制裁を実施した。対米戦争を避けたい日本は米国との対話を継続したが難航し，交渉は妥結することなく米国等との戦争が始まった。

イ：開戦直後より日本は資源を求めて南進し，東南アジア，オーストラリア，ニュージーランドを次々に占領した。特にオーストラリアの地下資源の獲得は，日本の戦争遂行に大きく寄与した。

ウ：戦時中，日本は物資と労働力，兵力の不足から，物資を配給制とし，学生も労働力，兵力に当てることとなった。当時植民地であった朝鮮や台湾にも物資供給を強要したが，労働力や兵力は動員することはなかった。

エ：米国は広島と長崎に原爆を投下し，地上戦が日本本土に及んだことにより国力が急激に低下することとなる。連合国によるポツダム宣言が発表された直後に日本は降伏し，戦争が終結することとなった。

オ：終戦の直前，ソ連が日ソ中立条約を無視して満州・朝鮮への侵攻を開始した。そこでソ連に捕らえられた人々はシベリアに送られ，強制労働に従事させられることとなった。

1：ア，イ
2：ア，ウ
3：ア，オ
4：ウ，エ
5：イ，オ

直前復習

OUTPUT

実践 問題 **52** の解説

〈日中戦争から太平洋戦争〉

ア○ そのとおり。日本が東亜新秩序の形成に乗り出すと，米国は1939年7月，日米通商航海条約の廃棄を日本に通告した。さらに三国同盟が結成されると，米国の態度が一層硬化した。1941年に南部仏印進駐が実行されると，米国は対日石油輸出の禁止を決定し，イギリスやオランダもこれに同調し，ＡＢＣＤ包囲陣が形成された。日米交渉の妥結を強く主張する近衛首相が退陣し，交渉の打ち切りと開戦を主張していた**東条英機**が組閣すると，同年12月の真珠湾奇襲攻撃を機に**太平洋戦争**が開始された。

イ× 日本が地下資源を求めて南進したことは正しいが，オーストラリアやニュージーランドは占領していない。日本はマレー半島，シンガポール，香港，ビルマ，インドネシア，フィリピンなどを制圧して軍政下においた。

ウ× 戦時中，学徒動員が行われたことは正しい。ただし，**植民地であった朝鮮や台湾からも労働力や兵士を動員**している。朝鮮では1943年，台湾では1944年に徴兵制が施行されている。

エ× 1945年の7月にポツダム会談が開催され，日本の無条件降伏と日本の戦後処理方針からなるポツダム宣言が発表されたが，日本政府はこれを黙殺すると発表，8月6日に広島に，9日に長崎に原爆が投下された。加えて8月8日に日ソ中立条約を無視してソ連が日本に宣戦布告し，満州・朝鮮に一挙に侵入した。こうした中，8月14日にポツダム宣言の受諾が宣言されたのである。ポツダム宣言の発表直後に日本が降伏したとあるのは誤り。また，**地上戦が行われたのは沖縄**であり，地上戦が日本本土に及んだとあるのも誤り。

オ○ 終戦直前のソ連の侵攻により，満蒙開拓移民をはじめ多くの日本人が悲惨な最期を遂げ，また，生き残った人々も引き揚げに際して非常に厳しい苦難にあい，多数の中国残留孤児を生む結果となった。

以上から，アとオが妥当であるので，肢3が正解となる。

正答 3

第3章 近代から現代

実践 問題 **53** 〈 基本レベル 〉

頻出度	地上★★	国家一般職★★	東京都★★★	特別区★★★
	国税・財務・労基★★	国家総合職★★	国家総合職(教養区分)★★★	

問 第二次世界大戦後のわが国に対する連合国軍最高司令官総司令部（ＧＨＱ）の政策に関する記述として，妥当なのはどれか。 （東京都2005）

1：ＧＨＱは，日本のポツダム宣言受諾の後，マッカーサーを最高司令官とし，日本を占領して，直接統治による占領政策を行った。

2：ＧＨＱは，日本の経済を民主化するため，財閥の解体と資産の凍結を指令し，持株会社整理委員会を発足させて財閥が所有する持株を売却させた。

3：ＧＨＱは，農業の生産性を高めるため，農地改革を実施し，全農地の半分近くを占めていた小作地を地主に集約し，寄生地主制を促進した。

4：ＧＨＱは，日本政府が作成した旧憲法の改正案について，修正の指示をすることなく原案どおり承諾し，帝国議会の審議の後，日本国憲法として公布した。

5：ＧＨＱは，ドッジ＝ラインを示し，日本政府はこれを受けて経済安定九原則を定め，為替を固定相場制から変動相場制に移行した。

OUTPUT

実践 ▶ 問題 **53** の解説 ─────────

〈ＧＨＱの政策〉

1 × ドイツが米・英・仏・ソの４カ国により分割占領され，直接軍政のもとに置かれたのに対し，日本はマッカーサー元帥を総司令官とする連合国軍最高指令官総司令部（ＧＨＱ）の指令・勧告に基づいて日本政府が政治を行う間接統治の方法がとられた。マッカーサーは幣原喜重郎首相に対し五大改革を指示するとともに，政府による神社・神道への支援・監督を禁じ，国家神道を解体した。

> **■五大改革**
> ①婦人参政権の付与　②労働組合の結成奨励　③教育制度の自由主義的改革　④秘密警察などの廃止　⑤経済機構の民主化

2 ○ ＧＨＱは，日本経済の後進性を象徴する財閥・寄生地主制が軍国主義の温床になったとみて，経済機構の民主化を指示し，財閥の資産の凍結を命じ，持株会社整理委員会を発足させて，財閥が所有する株式を売却させ，財閥の解体を進めた。

3 × 農地改革は寄生地主制を解体し，自作農（土地を所有する農民）を創出することが目的である。

> **■寄生地主（制）**
> 自らは田畑を耕すことなく，小作農（土地を所有しない農民）に土地を貸し付けて，高額の現物小作料を取り立てる大地主，またはその制度。

4 × 最初に日本が示した憲法案は，天皇の統治権を認める保守的なものであったため，ＧＨＱは自から英文の改正草案を作成し，政府はこれに手を加えて政府原案として発表，大日本帝国憲法を改正する形式をとり，改正案は衆議院と貴族院で修正可決された後，日本国憲法として交付された。ＧＨＱが「修正の指示をすることなく原案どおり承諾」とあるのは妥当でない。

5 × ①ＧＨＱが1948年に予算の均衡や賃金の安定，物価統制などを含む経済安定9原則の実施を指令し，②これを実施させるためにドッジを招聘して具体策の策定にあたらせた。赤字を許さない超均衡予算，単一為替レートの設定など，一連の施策をドッジ＝ラインという。したがって，ドッジ＝ラインにより１ドルを360円とする固定相場制が採用された。固定相場制から変動相場制に切り替わったのは1970年代である。

正答 **2**

第3章 近代から現代

実践 問題 **54** 〈応用レベル〉

頻出度	地上★★	国家一般職★	東京都★★★	特別区★★
	国税·財務·労基★	国家総合職★	国家総合職(教養区分)★★★	

問 第二次世界大戦直後の日本の状況に関する記述として，妥当なのはどれか。

(東京都Ⅰ類B2020)

1：ワシントンの連合国軍最高司令官総司令部（GHQ）の決定に従い，マッカーサーは東京に極東委員会（FEC）を置いた。

2：経済の分野では，財閥解体とともに独占禁止法が制定され，農地改革により小作地が全農地の大半を占めるようになった。

3：現在の日本国憲法は，幣原喜重郎内閣の草案を基礎にしてつくられ，1946年5月3日に施行された。

4：新憲法の精神に基づいて作成された地方自治法では，都道府県知事が国会の任命制となり，これまで以上に国の関与が強められた。

5：教育の機会均等をうたった教育基本法が制定され，中学校までを義務教育とする，六・三制が採用された。

OUTPUT

実践 問題 **54** の解説

〈第2次世界大戦直後の日本〉

1 × 極東委員会（FEC）は連合国による日本占領政策の最高決定機関として ワシントンに設置されたものである。東京には連合国軍最高司令官総司令 部（GHQ）が設けられ，アメリカ政府主導で占領政策が立案，実施された。 なお，敗戦当時の日本管理の形式上の命令系統は［極東委員会→米国政府 →GHQ→日本政府］となっていたが，実質的な決定権は極東委員会より もGHQのほうが大きかった。

2 × 農地改革の目的は自作農の創出であり，地主の土地を小作人に安く売り渡 した。これによって全農地の半分近くを占めていた小作地が1割程度にま で減少し，農家の大半が零細な自作農となった。

3 × 現在の日本国憲法はGHQ草案（マッカーサー草案）を基礎につくられて いる。なお，公布は1946年11月3日，施行は1947年5月3日である。

4 × 憲法93条2項に基づき，地方自治法が成立して，都道府県知事と市町村長 は公選となった。地方自治法は民主的な行政を目的に制定されたもので， 首長の公選のほか，リコール制を取り入れた。これによって，国の関与は むしろ弱められた。

5 ○ 教育基本法についての記述として妥当である。義務教育の期間について，六・ 三制が採用された。教育基本法と同時に成立した学校教育法においては， 単線型学校体系の六・三・三・四制が導入された。

第3章 近代から現代

正答 **5**

実践 問題 **55** 〈 基本レベル 〉

頻出度 | 地上★★★　国家一般職★　　　東京都★★　　　特別区★★
国税·財務·労基★　　国家総合職★　　国家総合職(教養区分)★★★

問 第二次世界大戦後の占領期の日本に関する次の記述のうち妥当なのはどれか。

(地上2013)

1：連合国により極東国際軍事裁判（東京裁判）が行われた。この裁判では，戦前・戦中の指導者たちが，侵略戦争の計画・実行等をしたとして，「平和に対する罪」を犯したA級戦犯として有罪の判決を受けた。

2：日本国憲法はGHQ（連合国軍最高司令部）により制定された。民主的な内容の憲法であったが，制定作業はGHQが独占的に行い，日本側は憲法案の起草・修正に関与することはできなかった。

3：経済の民主化・自由化の一環として，持株会社の設立が認められるようになった。この措置によって三井や三菱といった財閥が，持株会社を中心に形成され，これら財閥が日本の経済復興をリードした。

4：農地改革が行われた。これは，国が零細農家から農地を買い上げ，それを大地主に払い下げる政策であった。この結果，農業の大規模化・合理化が進んだおかげで，食料生産も回復した。

5：教育基本法や学校教育法が制定され，これらの法律により義務教育が導入された。義務教育は六・三・三・四制の新しい学校制度のうち小学校の6年間と定められた。

直前復習

OUTPUT

実践 ▶ 問題 **55** の解説

〈占領期の日本〉

1 ○ ポツダム宣言の受諾から講和条約発効までの7年間は，連合国軍最高指令官総司令部（GHQ）の間接統治下におかれ，五大改革指令や極東国際軍事裁判所の設置などが行われた。極東国際軍事裁判所においては，侵略戦争の計画・実行をした東条英機，広田弘毅らが「平和に対する罪」を犯したＡ級戦犯として有罪の判決を受けた。

2 × 日本国憲法の起草はGHQのもとで作成され（マッカーサー草案），その内容は主権在民に基づく象徴天皇制と戦争放棄といった民主的な内容であった。その後，日本国内で大日本帝国憲法の改正という手続きをとり，帝国議会においても修正可決された。この間，日本政府の手によって修正追加が加えられているため，日本側が「関与することはできなかった」というのは妥当ではない。

3 × GHQの五大改革指令の中に経済機構の民主化があり，農地改革と財閥解体はその大きな柱である。戦前の財閥は持株会社を中心としていたが，戦後は財閥の解体のために財閥の資産は凍結され，翌年には持株会社整理委員会が財閥の持株を譲り受けて公売，持株会社は解体された。持ち株会社が解禁されたのは1997年のこと。

4 × 第2次世界大戦後に行われた農地改革は，国が不在地主の全貸付地と，在村地主については，一定面積以上の貸付地を強制的に買い上げて，小作農に優先的に売り渡したのである。これにより，日本では小規模経営の自作農が中心を占めるようになり，現在でも国際的にみて1農家あたりの耕地面積は小さい。

5 × 戦後には教育基本法と学校教育法により六・三・三・四制の新しい学校制度が成立した。このうち，義務教育は小学校の6年間と中学校の3年間である。なお，戦前には複線型の学校体系が採用されていたが，戦後は単線型の学校体系が規定されるとともに，教育の地方分権が目指され，公選制の教育委員会を都道府県・市町村に設置することになった。

第3章 近代から現代

正答 **1**

実践 問題 **56** 〈 基本レベル 〉

頻出度	地上★★★ 国家一般職★★ 東京都★★★ 特別区★★
	国税・財務・労基★★ 国家総合職★★ 国家総合職(教養区分)★★★

問 第二次世界大戦後，日本は連合国に占領されたが，1951年にサンフランシスコ平和条約（以下「平和条約」）が調印され，国際社会に復帰した。これに関連する次の記述のうち，妥当なのはどれか。 (地上2010)

1：連合国軍は，当初日本の経済復興を優先し政治改革には消極的であったが，占領期の末期には平和条約締結に備えて，新憲法制定，軍国主義者の公職追放など，民主化，非軍事化を目的とする改革に着手した。

2：米ソの対立が激化する中，平和条約はアメリカなど西側諸国とのみ締結すべきとする意見が政府内でも根強かったが，吉田茂首相の強い意向によって，中国，ソ連など東側諸国も調印する全面講和が実現した。

3：平和条約により，日本は戦後連合国軍の軍政下にあった地域のうち，南樺太，台湾の領有権を放棄することになったが，沖縄，小笠原諸島については，日本への帰属が認められ，即時返還が実現した。

4：平和条約と同時に日米安保条約が結ばれ，アメリカとの同盟および駐留軍の撤退が取り決められたが，両条約発効後もアメリカは駐留軍の撤退を実施せず，基地の使用を続けた。

5：平和条約により，連合国は日本への賠償請求権を原則として放棄したが，日本は，韓国や東南アジアの国々に対して2国間協定を結び，賠償やさまざまな形での経済協力を行った。

OUTPUT

実践 問題 **56** の解説

〈サンフランシスコ平和条約〉

1× 占領軍の統治政策は，前期には政治改革などの民主化が，後期には経済復興が中心となった。初期のGHQの目標は日本の非軍事化・民主化におかれ，軍国主義者の公職追放や日本国憲法制定は1946年（施行は1947年）に行われている。その後，米ソ対立が深まる中で，アメリカは，極東における自国の利益を守るためには日本の経済復興が必要と考え，経済安定9原則を掲げ，財政の安定化や生産・輸出の拡大が目指された。

2× 全面講和論とは，平和条約をソ連や中国を含む全交戦国と締結すべきとの主張であり，これに対し，米ソの冷戦下で米ソの妥協ができない状況下では，アメリカなど一部の西側諸国とのみ締結するのもやむを得ずとする立場が単独講和論である。政府，保守党の主張は単独講和論であった。サンフランシスコ講和会議に中国は招かれず，ソ連や東欧諸国は会議に参加したものの調印を拒否したため，サンフランシスコ平和条約は単独講和である。

3× サンフランシスコ平和条約により，日本は主権を回復したものの，南樺太・台湾などの領有権を放棄することになった。この点に関する本肢の記述は正しい。しかし，沖縄・小笠原諸島は，アメリカの施政権下におかれ，即時返還は実現しなかった。小笠原諸島は1968年，沖縄は1972年になってようやく日本への復帰が実現している。

4× サンフランシスコ平和条約と同時に締結された日米安全保障条約では，アメリカ軍の日本への駐留などが取り決められた。駐留軍の撤退が取り決められたのではない。なお，安保条約に基づいて日米行政協定が結ばれ，日本がアメリカ駐留軍に基地を提供することと，駐留費用を分担することが取り決められている。

5○ 多額の賠償金の支払いによって日本経済が危機に陥らないようにというアメリカの方針もあって，サンフランシスコ平和条約では，多くの国が日本に対する賠償請求権を放棄している。ただし，フィリピン・インドネシア・ミャンマーなどの東南アジアの国々とは個別の交渉を行い，賠償金支払いを決定している。また，連合国ではなかった韓国に対しては，日本の植民地支配に対する対日請求権という形で，無償の経済協力や低利息の借款を行っている。

正答 **5**

第3章
近代から現代

実践 問題 **57** 〈 基本レベル 〉

頻出度	地上★★★　国家一般職★　　東京都★★★　特別区★★
	国税・財務・労基★　　国家総合職★　　国家総合職(教養区分)★★★

問 1950年から1960年代に関する次の文章の下線部に関する記述について，妥当なのはどれか。　　　　　　　　　　　　　　　　　　　　　(地上2016)

　1950年にはじまった朝鮮戦争は，₁日本経済に影響を与えただけでなく，₂アメリカの対日占領政策にも影響を与えた。1950年に₃サンフランシスコ平和条約が締結され，この条約は51年に発効し，日本は主権を回復したが，同年，₄日米安全保障条約が締結された。岸信介内閣は，日本の地位をアメリカと対等なものとすべく，1960年に₅日米相互協力及び安全保障条約（新安保条約）を締結した。

直前復習

1：朝鮮戦争がはじまると，民間船の航行に制限が加えられたため，輸出入が滞り，日本経済は停滞した。

2：アメリカは日本との講和を急ぎ，日本の独立直後に，旧職業軍人や国粋主義者の処分を急いで実施した。

3：サンフランシスコ講和条約は，アメリカなどの西側諸国のみならず，ソ連や中国とも締結し，全面講和が実現した。

4：日米安全保障条約（安保条約）には，アメリカ軍の即時撤退が規定されていたが，条約の発効後もアメリカ軍は駐留を続けた。

5：日米相互協力及び安全保障条約（新安保条約）の締結の際には，これに反対する人々が国会を取り囲んだ。

OUTPUT

実践 問題 **57** の解説

〈1950〜60年代の日本〉

1× 朝鮮戦争が始まると，武器や弾薬の製造，自動車や機械の修理など，アメリカ軍による膨大な特需が発生したため，繊維や金属を中心に生産が拡大し，1951年には，鉱工業生産・実質国民総生産・実質個人消費などが戦前の水準に回復し，特需景気とよばれる好景気となった。

2× 朝鮮戦争により日本の戦略的価値を再認識したアメリカは，日本の占領を終了させて日本を西側陣営に組み込むために，講和を急いだことは正しい。ただし，旧職業軍人や国粋主義者の処分は，ポツダム宣言受諾後，直ちに進められ，戦争指導者は1946年5月から極東国際軍事裁判所で裁判が行われた。これは1951年にサンフランシスコ平和条約が締結され，独立を回復するよりも前のことである。

3× サンフランシスコ平和条約は，西側との単独講和であり，ソ連や中国を含む全交戦国との全面講和はならなかった。

4× 日米安全保障条約には，日本の独立後にも日本国内にアメリカ軍が極東の平和と安全のために駐留を続けることが規定されていた。アメリカ軍の即時撤退が規定されていたのではない。

5○ 1957年に成立した岸信介内閣は，安保条約を改定して日米関係をより対等にすることを目指し，1960年日米相互協力及び安全保障条約（新安保条約）に調印した。新安保条約では，アメリカの日本防衛義務が明文化され，さらに条約付属の文書で在日アメリカ軍の日本および「極東」での軍事行動に関する事前協議が定められた。一方，国内の革新勢力は新条約によってアメリカの世界戦略に組み込まれる危険性が高まるとして，安保改定反対運動を組織し，学生や一般市民も含めた巨大なデモが連日国会を取り巻いた。

第3章　近代から現代

正答 **5**

実践 問題 **58** 〈 基本レベル 〉

頻出度	地上★★★	国家一般職★	東京都★★	特別区★★
	国税·財務·労基★	国家総合職★	国家総合職(教養区分)★★★	

問 高度経済成長期（1955年〜1973年頃）の日本に関する次の記述のうち，妥当なのはどれか。 (地上2019)

1：55年体制と呼ばれる政治体制が続いた。この時期は，自民党などの保守勢力と，社会党などの革新勢力による政権交代が頻繁に行われた。

2：この時期には，大企業を中心に，年功序列ではなく成果主義による賃金体系や，終身雇用を特徴とする，いわゆる日本型経営が成立した。

3：国民の消費活動に大きな変化が生まれ，車，カラーテレビ，携帯電話が「三種の神器」と呼ばれ，各家庭に普及した。

4：公害問題が深刻化し，水俣病などの被害をめぐって，いわゆる四大公害訴訟が提起されたが，いずれの訴訟も原告である住民の敗訴で確定した。

5：高度経済成長によって生じた都市問題に対し，福祉政策，教育政策など都市住民の生活を重視する政策を掲げる，いわゆる革新首長が東京都などで誕生した。

OUTPUT

実践 問題 **58** の解説

〈高度経済成長期〉

1× 55年体制の間は，頻繁な政権交代ではなく，保守勢力の自由民主党が議席のおよそ3分の2，革新勢力の社会党が議席のおよそ3分の1を維持し，保革対立のもと保守一党優位が続いた。

2× 日本型経営は，成果主義よりも年功序列を重視したものである。終身雇用を特徴としているという説明は正しい。日本が石油危機を乗り越えて経済大国となると，日本的経営が世界でも高く評価されるようになった。しかし，1990年代初頭にバブル景気が終わって平成不況に入ると，日本的経営に対する評価も後退し，成果主義が導入されるようになった。

3× 高度経済成長の前半期にはテレビ，冷蔵庫，電気洗濯機が「三種の神器」とよばれ，1960年代末以降は，自家用自動車，クーラー，カラーテレビが3C，または新三種の神器とよばれた。携帯電話はどちらにも含まれない。

4× 四大公害訴訟が提起されたが，いずれの訴訟も原告である住民は勝訴している。高度経済成長期には公害問題が全国で深刻化したが，経済発展が優先されて企業や政府の対策は遅れ，1967年に公害対策基本法が制定されたものの，その中には経済の発展との調和を図るとの条項が置かれていた。被害を受けた人たちは公害反対運動を行い，企業を相手に裁判を起こし（四大公害訴訟），この結果，1970年の「公害国会」では，公害対策基本法が改正され，翌年環境庁が設置された。

5○ 妥当である。1967年には社会党や共産党や市民団体が推す美濃部亮吉が東京都知事に就任したのをはじめ，1970年代には大都市を中心に革新自治体が成立し，革新首長は公害規制条例の制定や老人医療無料化などの福祉政策に成果を挙げた。

第3章 近代から現代

正答 **5**

実践 問題 **59** 基本レベル

頻出度	地上★★★	国家一般職★	東京都★	特別区★
	国税・財務・労基★	国家総合職★		国家総合職(教養区分)★★★

問 1950年代から1990年代までの日本の対外関係に関する次の記述のうち妥当なのはどれか。 (市役所B日程2011)

1：占領状態からの脱却：50年代はじめに日本は西側諸国と講和条約を結び，主権を回復した。この条約においては米英などから多額の賠償金を課され，その返済のために50年代の経済成長は鈍化した。

2：対米関係：50年代初めに日米安全保障条約が結ばれた。この条約には米国の日本防衛義務が定められず，60年代初めにその明記をもとめる安保闘争が高揚したが米国の反対で条約改定は見送られた。

3：東側諸国との関係：中華人民共和国とは50年代にいち早く国交を正常化した。これに対してソ連と国交正常化したのは東西対立の緩和が生じた70年代のことであった。

4：貿易摩擦：60年代から一部品目で欧米との貿易摩擦が発生した。しかし，70年代以降企業が生産販売拠点を海外に求めるようになると貿易摩擦はほぼ解消し，80年代には逆に日本の貿易赤字が恒常化した。

5：国連平和維持活動（PKO）：自衛隊のPKOへの参加が湾岸戦争を機に大きな論議の的となった。こうしたなかでPKO協力法が成立し，自衛隊の部隊がカンボジアなどに派遣された。

直前復習

OUTPUT

実践 問題 **59** の解説

〈戦後の日本〉

1× 1951年に日本は西側諸国を中心にサンフランシスコ平和条約を締結して主権を回復したことは正しいが，ここには連合国からの賠償請求が放棄される旨の明文規定がある。また，1950年代は，朝鮮戦争の特需景気があり，それに続く形で日本の高度経済成長が始まっていく。

2× 1951年に締結された日米安全保障条約は，アメリカ合衆国軍隊の日本駐留に基づく片務的な性格の条約であったが，アメリカによる日本防衛義務の明文規定はなかった。1960年の新安保条約ではアメリカによる日本防衛義務が明記されたが，安保闘争は本肢のような趣旨のものではない。安保闘争は，日米の軍事同盟の深化を憂慮し，米国の軍事戦略に日本が巻き込まれることへの懸念などから発生した，新安保条約への反対運動としての闘争であった。

3× 中華人民共和国との国交回復は田中内閣による日中共同声明（1972年），ソ連との国交回復は鳩山一郎内閣による日ソ共同宣言（1956年）である。時期の先後が本肢とは反対である。

4× 貿易摩擦は60年代から90年代初めまで，主としてアメリカとの間で大きな問題となっていた。50〜60年代では繊維製品，80年代には自動車や半導体など，時代により対象は異なるが，アメリカの恒常的な貿易赤字と日本の恒常的かつ巨額の貿易黒字という状況により，問題は先鋭化した。生産販売拠点の海外展開は，こうした貿易摩擦の解消やプラザ合意（1985年）後の円高の進行により，輸出不振に陥った企業が1990年代に進めたもので，これにより日本国内では，産業の空洞化が進んだ。

5○ 妥当である。日本は宮沢内閣の時にPKO協力法を成立させ，自衛隊は国連のPKO史上最大規模といわれたカンボジアでのPKO活動に参加した。陸上自衛隊にとっては初のPKO参加となった。

第3章 近代から現代

正答 **5**

実践 問題 **60** 基本レベル

頻出度	地上★★★	国家一般職★	東京都★	特別区★
	国税・財務・労基★	国家総合職★		国家総合職(教養区分)★★★

問 1945年以降の日本の政治について，妥当なのはどれか。 （地上2017）

1：占領下の日本においては，GHQ（連合国軍最高司令官総司令部）により議会が停止され，政党は解散させられた。その後，1950年代初頭に日本が主権を回復すると，政治活動が再開され，戦後初めて国会議員の選挙が行われた。

2：1950年代には55年体制が成立した。55年体制は自民党の一党優位体制であり，自民党はその間，衆議院において，つねに議席の3分の2以上を占めていた。

3：1980年代初頭に成立した中曽根内閣は，小さな政府を目指す新自由主義と決別し，社会保障制度を大幅に増大させ，国鉄民営化を白紙撤回した。

4：1990年代に自民党は衆議院議員総選挙で過半数を割り込む大敗を喫し，自民党から分裂した諸政党を含む非自民連立政権である細川内閣が成立した。

5：2000年代に成立した小泉内閣は当初，高い内閣支持率を保っていたが，郵政民営化を強引に推し進め，郵政民営化を争点とした衆議院議員総選挙において大敗して退陣した。

直前復習

OUTPUT

実践 問題 **60** の解説 ────────────

〈戦後の日本政治〉

1 ✕ ポツダム宣言の受諾後，日本ではGHQの指令・勧告に基づいて日本政府が政治を行う間接統治の方法がとられ，当初の目標は非軍事化と民主化におかれた。これにより戦時中の責任を問われた指導者らが公職追放され，財閥が解体された一方，政党も復活ないし結成された。1945年12月には女性参政権を認めた新選挙法が制定され，翌46年4月には戦後初の総選挙が実施され，多くの女性議員が誕生した。主権が回復した後に国会議員の選挙が行われたのではない。

2 ✕ 1954年に鳩山内閣が成立すると，鳩山首相は憲法改正，再軍備を推進する姿勢を打ち出したが，1955年2月の総選挙で，社会党は左右両派あわせて改憲阻止に必要な3分の1の議席を確保して，同年10月に左右両派の統一を実現した。これを受けて同年11月に日本民主党と自由党が合流して自由民主党が成立した（保守合同）。この政治体制を55年体制とよぶが，この間，自民党は衆議院の第1党であり続けたが，3分の2以上の議席を確保できなかった。

3 ✕ 1980年代初頭に成立した中曽根内閣は，小さな政府を目指す新自由主義のもと行財政改革を実施し，老人医療や年金などの社会保障を後退させ，電電公社（現NTT）・専売公社（現JT）・国鉄（現JR）の民営化を断行した。

> **■新自由主義**
> 一般的に，1980年以降，イギリスやアメリカなどの西側先進諸国が採用した**市場原理を優先して政府機能の縮小（「小さな政府」）を唱える経済思想**および政策のことを指す。ケインズ流の福祉国家論を批判し，アダム＝スミスに代表される古典的自由主義の自由放任政策の現代における再興と考えられたため，新自由主義・新保守主義とよばれている。**イギリスのサッチャー首相やアメリカのレーガン大統領が新自由主義政策の旗手**とされた。

4 ◯ 1993年7月の衆議院議員総選挙で自民党は過半数割れの大敗北を喫し，宮沢内閣は退陣した。その後，共産党を除く非自民8党派連立政権である細川内閣が成立し，55年体制は崩壊した。

5 ✕ 2001年4月に成立した小泉内閣は，小さな政府を目指す新自由主義的な政策をとり，財政赤字の解消と景気の浮揚を目指して大胆な民営化と規制緩和を進めた。その一環として行われたのが郵政の民営化である。2005年8月に郵政民営化法案が参議院で否決されると，小泉内閣は衆議院を解散して総選挙に臨んだ。同年9月の選挙では自民党が大勝したため，郵政民営化法案が可決・成立した。その後，2007年10月に郵政民営化が実現された。

正答 4

実践 問題 **61** 〈基本レベル〉

頻出度	地上★★	国家一般職★★	東京都★	特別区★★
	国税・財務・労基★	国家総合職★★	国家総合職(教養区分)★★★	

問 1980年代から1990年代にかけての日本経済に関する次の文中のア～オの{　}に関する記述のうち，aが妥当なのはどれか。　　　　(地上2013)

　1980年代，ア{a：鉄鋼，石油化学，造船　b：自動車，半導体，コンピュータ}の海外輸出向けの生産が急速に増大し，欧米諸国との間で貿易摩擦が発生した。1985年のプラザ合意以降，イ{a：円高の加速による輸出企業への打撃　b：円安の加速による石油などの輸入額の急上昇}による，急速な景気後退が発生したが，1980年代後半には後にバブル景気とよばれる好景気となった。その主因は，ウ{a：内需拡大政策に伴う企業業績の好調さに伴い，株価が実体経済に伴って上昇した　b：金融機関の余剰資金が不動産や株式に流入し，株価が実体経済と乖離して上昇した}ことにあり，地価については，エ{a：東京都心部では上昇したが，それ以外の地域の地価は下落した　b：東京だけでなく大阪や名古屋でも上昇し，都心部から離れた地域でも地価が上昇した}。

　1990年代に入るとバブル経済が崩壊し，金融機関の不良債権が表面化するなどして，長期にわたる不況に突入した。生産コストを削減するため，生産拠点をオ：{a：海外から国内に戻す　b：国内から海外に移す}企業が増加し，産業の空洞化が問題となった。

1：ア

2：イ

3：ウ

4：エ

5：オ

OUTPUT

実践 問題 61 の解説

〈1980〜90年代の日本経済〉

ア✕ 1980年代に欧米諸国との間で貿易摩擦の原因になったのは，b：自動車，半導体，コンピュータである。鉄鋼，石油化学，造船などの工業は，いわゆる重工業とよばれるものであるが，これは第1次世界大戦期から高度経済成長期にかけての日本経済を支えた工業である。

イ◯ プラザ合意の背景は，当時貿易赤字が拡大していたアメリカの状況を踏まえ，特に対日貿易赤字の削減を目指したことがある。この結果，国際社会が協調してドル安誘導，とりわけ円高ドル安に誘導する流れが出来上がり，短期間のうちに大幅な円高が進んだ。このためa：円高の加速による輸出企業への打撃による景気後退が発生した（円高不況）。

ウ✕ バブル景気とは，b：金融機関の余剰資金が不動産や株式に流入し，株価が実体経済と乖離して上昇したことから名づけられた。

エ✕ バブル期における地価は，b：東京だけでなく大阪や名古屋でも上昇し，都心部から離れた地域でも地価が上昇した。投機マネーが流入したのが一因であるが，1987年に制定されたリゾート法が，ゴルフ場やリゾート地の開発を促し，それまで見向きもされなかった土地が高価格で取引されるようになったことが大きい。

オ✕ 1990年代以降，いわゆる「失われた20年」とよばれる不況期に突入した日本では，企業が利益を維持するためのコストダウンを迫られた。特に1990年代半ばは円高が急加速した時期でもあり，生産コストを削減するために生産拠点をb：国内から海外に移す企業が増加した。その結果，「産業の空洞化」が生じた。

以上から，aが妥当なのはイの記述であるので，肢2が正解となる。

第3章 近代から現代

正答 **2**

実践 問題 **62** 〈 基本レベル 〉

頻出度	地上★★★　国家一般職★　　東京都★　　　特別区★ 国税・財務・労基★　　国家総合職★　　国家総合職(教養区分)★★★

問 55年体制（1955〜1993年）の時期の日本に関する次の記述のうち，妥当なのはどれか。 (地上2012)

1：国会は，自由民主党による一党優位が続いていた。野党は，日本社会党など小政党の乱立が相次ぎ，野党第一党と呼びうる勢力は存在しなかった。

2：アメリカ軍による日本駐留が続けられ，駐留経費は日本も負担した。アメリカによる日本防衛義務が新安保条約に明記されるなど，日米の同盟関係は深まっていった。

3：中華人民共和国やソ連などとの国交は，冷戦期の東西対立の影響で断絶していた。これらの国とは，1980年代後半の冷戦終結によって，ようやく国交が成立した。

4：経済は，1970年代までは低迷していたが，1980年代になると，国民総生産（GNP）が年平均10％の高度経済成長を見せるようになった。

5：終身雇用や年功序列の賃金体系などの日本型雇用体系は1960年代に廃れ，代わって成果主義等の人事制度を取り入れる大企業が増えた。

OUTPUT

実践 ▶ 問題 **62** **の解説** ─────────────

〈55年体制〉

1 × 1955年から1993年まで続いた55年体制とは，衆議院議席の3分の2弱を占める自民党が政権を保持し，約3分の1を占める野党の社会党と国会で対立する体制をいう。1993年に日本新党の細川護熙を首班とする非自民8党派の連立内閣が成立したことで，55年体制は終結した。

2 ○ 1951年にサンフランシスコ平和条約が締結され，翌年条約が発効して戦後の7年に及んだ米軍の占領は終結し，日本は独立国としての主権を回復した。これと同時に日米安全保障条約が調印されて独立後もアメリカ軍が駐留を続け，1960年に調印された日米相互協力及び安全保障条約（新安保条約）では，アメリカの日本防衛義務が明文化された。

3 × ソ連はサンフランシスコ講和条約に調印せず，中国は講和会議に招かれなかったことから国交が断絶していた。しかし，第3次鳩山内閣は1956年に日ソ共同宣言に調印して国交を回復，中国との関係については，当初，国共内戦に敗れた国民党が建てた中華民国を正規の中国としていたが，1972年にニクソン米大統領が中華人民共和国を訪問して，事実上，中華人民共和国を承認すると，同年，日本も田中角栄首相のもと，日中共同声明が発表され，日中国交正常化が実現している。

4 × 日本経済は戦後低迷していたが，朝鮮戦争によって金属を中心に特需景気となり，1955年から73年まで，20年近くにわたり日本経済は年平均10％を超える成長をみせた（高度経済成長）。しかし，第1次石油危機による原油価格の暴騰から激しいインフレが発生し，1974年には戦後初のマイナス成長となって高度経済成長に終止符が打たれた。

5 × 終身雇用や年功序列の賃金体系などの日本型雇用体系は，高度経済成長を支えたシステムである。一方，成果主義などの人事制度が取り入れられるようになったのは，バブル崩壊後に生じた1990年代の複合不況の時代である。複合不況の時代には，企業が生き残りをかけて事業の整理や人員削減などの経営効率化を進めるとともに，従来型の日本型雇用体系の見直しが図られた。

第3章 近代から現代

正答 **2**

❓Question

Q 1 版籍奉還によって知藩事が廃止され，県令が派遣された。

Q 2 地租改正によって課税標準は法定地価から収穫高に改められた。

Q 3 明治政府は，各藩に属していた士族を軍隊の構成員とする近代的軍隊を編成した。

Q 4 明治政府は憲法を公布して立法府の権限の強い議院内閣制を確立した。

Q 5 西南戦争後にデフレが起こり，松方正義が紙幣増刷や積極財政をとった。

Q 6 明治初期に義務教育制度が実施され，国民の反対もなかった。

Q 7 明治政府は政府支出削減のため秩禄を廃止，華族・士族制度を廃止した。

Q 8 板垣退助や江藤新平は征韓論に反対し，参議を辞した。

Q 9 士族の不満を背景に板垣退助らは民撰議院設立の建白書を提出した。

Q 10 板垣退助は立憲改進党，大隈重信は自由党を発足させた。

Q 11 第1回衆議院議員総選挙が行われ，民党が過半数を占め，民党による初の政党内閣が成立し，藩閥勢力は急速に弱体化した。

Q 12 明治期に衆議院議員選挙の選挙権を有したのは全人口の20％であった。

Q 13 わが国最初の政党内閣（隈板内閣）が成立したが，旧自由党系と旧進歩党系の対立があり，短期間で瓦解した。

Q 14 清浦奎吾らを中心に第1次護憲運動が起こったが，西園寺公望内閣は治安維持法を制定して，これを鎮圧しようとした。

Q 15 日清戦争後の賠償金をもとに，官営の八幡製鉄所が設立された。

Q 16 ポーツマス条約では2億テールの賠償金支払いが取り決められた。

Q 17 井上馨は欧化政策を採用し条約改正に臨んだが反対にあい辞任した。

Q 18 青木周蔵外相の時，領事裁判権の撤廃と関税自主権の一部回復が実現した。

Q 19 日清戦争の勝利を機に，大隈重信が関税自主権を完全に回復した。

Q 20 樺太・千島交換条約では，樺太を日本領，千島全島をロシア領とした。

Q 21 明治後半の輸出の中心は機械となり，綿糸や生糸は輸出されなくなった。

Q 22 関東大震災が起きた1923年には明治天皇の暗殺を計画したとして，吉野作造，内村鑑三らが検挙される大逆事件が起きた。

Q 23 江華島事件をきっかけに日清戦争が起こった。

Q 24 わが国で初めての本格的な政党内閣である犬養内閣が成立した。

Q 25 第1次世界大戦時に世界的な船舶不足が生じた際，日本では，造船・海運業は空前の好況となり，「船成金」が生まれた。

A1	×	版籍奉還によって知藩事が設置され，廃藩置県により知藩事が廃止されて府知事・県令が中央から派遣された。
A2	×	地租改正により課税標準は収穫高から法定地価に改められた。
A3	×	政府は，国民皆兵を原則とする徴兵令を公布し，満20歳以上の成年男子に兵役の義務が課せられた。
A4	×	大日本帝国憲法では議院内閣制は採られていない。
A5	×	西南戦争後にインフレが起こり，松方正義が緊縮財政をとった。
A6	×	当初は小学校の設置の負担をきらって農民一揆が起こっている。
A7	×	秩禄は廃止したが，華族・士族制度が廃止されるのは戦後である。
A8	×	板垣退助や江藤新平は征韓論を主張したが，これが受け入れられなかったため，参議を辞した。
A9	○	民撰議院設立の建白書が自由民権運動の口火となった。
A10	×	板垣が自由党，大隈が立憲改進党を発足させた。
A11	×	初の衆議院議員総選挙で民党が過半数を占めたが，成立したのは超然主義に立つ第1次山県内閣である。藩閥勢力は弱体化していない。
A12	×	全人口の1％強である。
A13	○	大正の初めまで一部を除き，総理大臣は旧薩長出身者であった。
A14	×	第2次護憲運動で倒されたのが清浦内閣，治安維持法の制定は加藤内閣の時である。
A15	○	八幡製鉄所は1901年に操業を開始し，重工業発展の基盤となった。
A16	×	ポーツマス条約では賠償金をとれず，日比谷焼打ち事件が起こった。
A17	○	外国人の裁判で判事を半数以上外国人とする案に反対が強まった。
A18	×	領事裁判権の撤廃と関税自主権の一部回復は陸奥宗光外相の時である。
A19	×	日露戦争後の日本の国際的地位の向上を背景に，1911年小村寿太郎が関税自主権の完全回復を実現した。
A20	×	樺太はロシア領，千島全島を日本領とした。
A21	×	明治後半の輸出の中心となったのは綿糸と生糸である。
A22	×	大逆事件は1910年に起きており，社会主義者として処刑されたのは幸徳秋水である。関東大震災の際には大杉栄らが虐殺された。
A23	×	日清戦争のきっかけは東学党の乱（1894年）。江華島事件は1875年。
A24	×	わが国で初めての本格的な政党内閣は原内閣である。
A25	○	そのとおり。

第3章 近代から現代

Q26	日清戦争後に三国干渉が行われ，日本は台湾を清に返還した。
Q27	日露戦争で日本は日本海海戦で破れ，戦争継続が困難になった。
Q28	日露戦争後のポーツマス条約で，旅順・大連の租借権と賠償金を得た。
Q29	第1次世界大戦後，韓国を併合し，統監府が設置された。
Q30	原敬内閣が普通選挙法を制定した。
Q31	第1次世界大戦で日本は連合軍側に立って参戦した。
Q32	第1次世界大戦中は不況であったが，戦後は好景気となった。
Q33	ワシントン会議が開催され，中国の主権尊重を定めた四カ国条約が締結されたが，日本はこれを受け入れず，孤立外交の道を選んだ。
Q34	浜口雄幸内閣は金輸出禁止に踏み切った。
Q35	日本は大陸に進出するために国連を脱退し，その後満州国を建国した。
Q36	二・二六事件を制圧した陸軍主導の内閣が誕生し，政党政治が終わった。
Q37	若槻礼次郎内閣のもと，日ソ基本条約が締結されて対ソ国交を樹立した。
Q38	柳条湖事件を契機に満州事変が起きた。
Q39	張作霖爆殺事件を契機に日中戦争が勃発した。
Q40	1945年，日本は広島と長崎に原子爆弾を投下され，さらに英国から宣戦されたため，ポツダム宣言を受諾した。
Q41	太平洋戦争が勃発すると，国家総動員法が制定された。
Q42	ミッドウェー海戦に勝利したものの，地上戦が全土に及ぶと敗戦色が濃くなった。
Q43	連合国軍はGHQによる直接統治により，日本の民主化を進めた。
Q44	GHQが五大改革指令を発した時の首相は吉田茂である。
Q45	サンフランシスコ平和条約の調印により，日本は国連に加盟した。
Q46	サンフランシスコ平和条約締結により沖縄と小笠原諸島が返還された。
Q47	原爆が投下されて戦局が悪化したため，ポツダム宣言が発表された直後に日本は降伏した。
Q48	戦後，日本経済は低迷していたが，1980年代に高度経済成長となった。
Q49	1960年代から貿易摩擦が生じたが，日本企業は生産拠点を海外に移し，70年代には解消された。
Q50	田中角栄内閣が中国と国交を回復したことにより，中華民国との国交は断絶した。
Q51	1970年代には日本の貿易黒字が拡大し欧米諸国との間に貿易摩擦が発生したが，80年代には逆に日本の貿易赤字が恒常化した。

A 26 × 三国干渉で日本が清に返還したのは遼東半島である。

A 27 × 日本は日本海海戦で勝利したが，戦争の長期化は国力の許すところでなかった。

A 28 × ポーツマス条約で賠償金を得られず，日比谷焼討ち事件が起こった。

A 29 × 1910年に韓国を併合し，朝鮮総督府が置かれた。

A 30 × 普通選挙法を制定したのは加藤高明内閣である。

A 31 ○ 日英同盟を口実にドイツに宣戦し，中国のドイツ根拠地を占領した。

A 32 × 第1次世界大戦中は好景気であったが，戦後は不景気となった。

A 33 × 中国の主権尊重を定めたのは九カ国条約で，日本も調印している。

A 34 × 浜口雄幸内閣は，金輸出を解禁した。

A 35 × 満州国樹立（1932年）→リットン調査団→日本の国連脱退（1933年）。

A 36 × 政党政治の終焉は，五・一五事件（1932年）による。

A 37 × 日ソ基本条約（1925年）は加藤内閣のもと，幣原外相による。

A 38 ○ 柳条湖事件は南満州鉄道爆破事件ともいう。

A 39 × 日中戦争の契機は盧溝橋事件である。

A 40 × 原爆を投下された後，日本に宣戦布告したのはソ連である。

A 41 × 国家総動員法の制定は日中戦争が契機である。

A 42 × 日本はミッドウェー海戦で大敗北を喫している。また，地上戦が行われたのは沖縄である。

A 43 × ＧＨＱは，日本政府に指示を出しながら間接統治を行った。

A 44 × 幣原喜重郎内閣である。

A 45 × 1956年日ソ共同宣言でソ連との国交が正常化，国連加盟が実現した。

A 46 × サンフランシスコ平和条約により沖縄と小笠原諸島はアメリカの施政下におかれ，小笠原諸島は1968年，沖縄は1972年に復帰した。

A 47 × ポツダム宣言発表→原爆投下→ソ連参戦→ポツダム宣言受諾である。

A 48 × 1955年から1973年まで高度経済成長である。

A 49 × 1980年代前半も，半導体や自動車を対象に貿易摩擦が起こっている。生産拠点が海外に移転するのは1990年代のことである。

A 50 ○ 1972年の日中共同声明により，日中国交が正常化した結果,中華民国（台湾）との国交は断絶した。

A 51 × 1970年代に日本の貿易は黒字を計上するようになり，80年代には貿易黒字が恒常化し，欧米諸国との貿易摩擦が起こり，プラザ合意となる。

memo

第4章

テーマ史

SECTION

① 通史・制度・政策
② 外交史
③ テーマ史

セクションテーマを代表する問題に挑戦!

各時代の幕府の政策について,朝廷との関係も含めて整理します。
それぞれの時代の基本事項は何かを把握しましょう。争乱の区別
も大切です。

問 我が国の幕府が行った政策に関する記述として,妥当なのはどれ
か。 (特別区2011)

1:鎌倉幕府は,訴訟を専門に扱う六波羅探題を置き,源頼朝以来の先例や
道理と呼ばれた武士社会での慣習,道徳に基づいて,御家人同士や御家
人と公家との間の紛争を公平に裁く基準を明らかにした御成敗式目を制
定した。

2:鎌倉幕府は,窮乏する御家人を救うため,永仁の徳政令を発布し,御家
人の所領の質入れや売買を禁止して,それまでに質入れ,売却した御家
人領を無償で返却させ,御家人が関係する金銭の訴訟を受け付けない対
策をとった。

3:室町幕府は,南北朝の内乱の中で半済令を出して,国人に任国の荘園,
公領の年貢の半分を兵粮米として徴発し,それを国内の武士に分け与え
る権限を与えた。

4:江戸幕府は,禁中並公家諸法度を定め,天皇や公家が守るべき心得や朝
廷のあり方にまで規制を加えるとともに,大目付を置いて公家から任命
された武家伝奏を通じて,朝廷内部や公家の行動を監視,統制した。

5:江戸幕府は,天明の飢饉を契機に本格的に農民対策を講ずるようになり,
年貢を負担する農民が土地を失うことを防ごうとする田畑永代売買禁止
令を出し,さらに農民の衣食住にも細かな規制を加えて農村の立て直し
を図った。

Guidance
ガイダンス

■鎌倉幕府の
組織図

将軍

執権   連署

評定衆
引付衆

問注所

侍所

公文所
→
政所

守護
地頭

京都守護

六波羅探題

必修問題の解説

〈幕府の政策〉

1✕ 六波羅探題は，承久の乱後，鎌倉幕府が朝廷の監視と西国の御家人の統轄を目的に設置したものであって，訴訟を取り扱う機関ではない。訴訟を扱う機関として設置されたのは，問注所である。なお，御成敗式目（貞永式目）についての説明については正しい。

2◯ 妥当である。永仁の徳政令は，1297年に発令された。しかし，鎌倉幕府のこのような政策は社会の混乱を増幅させ，幕府の弱体化を早めることになった。

3✕ 半済令により任国の荘園，公領の年貢の半分を兵糧米として徴発し，それを国内の武士に分け与える権限を与えられたのは守護である。国人とは地頭や荘官が土着して領主となったもので，守護は徴収した兵糧米を国人に分け与えることで，国人を家臣として組織し，守護領国制とよばれる支配体制を確立していった。

4✕ 禁中並公家諸法度についての記述は正しい。しかし，大目付は，大名・旗本らを監察する目的で設置されたものであり，幕政安定後は各藩への法令伝達などの役目も果たしたが，朝廷および公家を監視する職ではない。江戸時代に朝廷の監察等を目的に設置されたのは京都所司代である。

第4章　テーマ史

■幕府と朝廷

鎌倉時代	京都守護⇒承久の乱⇒六波羅探題
江戸時代	禁中並公家諸法度，武家伝奏，京都所司代

5✕ 天明の飢饉とは，天明年間（1781～89年）に連続して発生した飢饉をいうが，田畑永代売買禁止令は，1643年に家光が将軍であった江戸幕府草創期に出されものである。また，「農民の衣食住にも細かな規則を定めて」とは1649年の慶安の触書を指すもので，いずれも時期が異なる。天明の飢饉は田沼意次の勢力が衰える契機となり，続いて松平定信が寛政の改革を実施して，荒廃した農村の復興を図った。

■江戸幕府の農民統制

初期：田畑永代売買の禁令，田畑勝手作りの禁止，慶安の触書
後期：旧里帰農令（寛政の改革），人返しの法（天保の改革）

正答 **2**

1 土地制度史

大和政権	私地私民制：大王や豪族が私有地と私有民を支配する。
大化の改新 以降	公地公民制：国が土地と民を支配する。
	班田収授法：6歳以上の男女に口分田を貸与する。
奈良時代	三世一身法（新たに溝池をつくって開墾した者には3世代にわたって土地の私有を認める）→ 墾田永年私財法（墾田の永久私有を認める）→ 公地公民制の崩壊 → 荘園の発生
平安時代	寄進地系荘園の発展（藤原氏など有力者に集中）→ 延久の荘園整理令（11世紀後半）→ 院政により院に荘園が集中
鎌倉時代	地頭請・下地中分 （荘園領主と地頭の土地支配をめぐる紛争の解決法）
室町時代	守護請・半済令（荘園における守護の権限拡大）→ 守護領国制へ
戦国時代	戦国大名の分国支配：指出検地・貫高制
	豊臣秀吉の太閤検地：一地一作人・石高制 → 荘園の消滅
江戸時代	石高制・村方三役による農村と農民の管理
明治時代	地租改正（政府が定めた地価に基づき地主が地租を金納する）
昭和時代	戦後の農地改革（自作農の創設）→ 寄生地主の消滅

2 兵制史

大宝律令（701年） による兵役	農民から徴兵し，軍団で訓練の後，衛士（都の防衛）や防人（北九州の防衛）に就く。
健児の制（平安初期）	桓武天皇は東北と九州を除く軍団を廃止し，郡司の子弟を兵士にした。
封建制度（鎌倉時代）	将軍は御恩として土地を与え，御家人は軍役や京都大番役などの務めを行う（奉公）。
貫高制（戦国時代）	戦国大名は貫高により家臣の身分や土地の保障をし，家臣はそれに見合う軍役を負担した。
石高制（豊臣秀吉が 導入）	石高に見合う軍役を負担する。江戸幕府も石高制を採用。
徴兵令（明治時代）	満20歳以上の男子を兵役に就かせる国民皆兵制度。その後，徴兵制度は1945年まで続いた。

3 歴史上の主な争乱

平安時代	承平・天慶の乱 保元の乱 平治の乱	東国の平将門の乱・瀬戸内海の藤原純友の乱 後白河天皇（平清盛）が崇徳上皇に勝利 後白河上皇の近臣の争い　→　平清盛が勝利
鎌倉時代	承久の乱	後鳥羽上皇が義時追討の兵を挙げたが鎮圧される
室町時代	観応の擾乱 正長の土一揆 応仁の乱	鎌倉幕府以来の法秩序を重んじる尊氏の弟直義と，新興勢力が支持する高師直の対立 惣村の結合をもとにした農民勢力が，高利貸しを営んでいた土倉や酒屋を襲って貸借証文を奪い，私徳政を実施 義政の弟義視と子義尚（妻日野富子）の家督争いに細川勝元と山名持豊が介入
江戸時代	島原の乱 大塩の乱	キリスト教徒弾圧や領主の圧制に反対する反乱 大塩平八郎が天保の飢饉による貧民救済のために起こす
明治時代	戊辰戦争 西南戦争	鳥羽・伏見の戦いから，箱館の五稜郭の戦い 西郷隆盛が起こした最後の不平士族の反乱

第4章　テーマ史

4 公武（朝廷と武家政権）関係史

平安末期	・平清盛が後白河上皇の信任を得て政治を行う。 ・源頼朝が朝廷より守護と地頭の任命権を得る。 ・朝廷より征夷大将軍に任じられる　→　鎌倉幕府の成立
鎌倉時代	・後鳥羽上皇が承久の乱を起こす　→　六波羅探題の設置 ・幕府が皇族将軍を採用
建武の新政	・足利尊氏と後醍醐天皇の対立　→　新政の崩壊
南北朝時代	・足利尊氏が光明天皇を擁立（北朝） 　→　尊氏は征夷大将軍に任じられ，室町幕府を開く。
室町時代	・足利義満が南北朝を合一
江戸時代	・幕府が禁中並公家諸法度を発布，京都所司代や武家伝奏（公家2人)を通じて朝廷の監視や統制をする。禁裏御料(天皇領)・公家領などは必要最小限度にとどめられた。 ・大老井伊直弼が勅許を得ず，日米修好通商条約に調印 　→　尊王攘夷運動が起こる。 ・公武合体政策による皇女和宮と将軍徳川家茂の結婚 ・徳川慶喜が大政奉還をする　→　江戸幕府の滅亡

問 **日本における近代以前の政治の特徴として妥当なのはどれか。** （地上2018）

1：奈良時代：律令体制と呼ばれる国家体制が確立した。この体制では，豪族の間接的な統治が原則であり，朝廷は土地や人民を直接掌握せず，豪族が土地や人民を私有して税を負担した。

2：平安時代：天皇を退位した上皇が，天皇の政務を代行・補佐する摂政や関白となって政治の実権を握る摂関政治が行われた後，天皇の外戚であった藤原氏が政治の実権を握り，院政を行った。

3：鎌倉時代：幕府は将軍と御家人の主従関係を基盤としていた。蒙古襲来後，多くの御家人が窮乏する一方で，政治の実権を握っていた北条氏の勢力が拡大し，御家人の反感を買うようになった。

4：室町時代：応仁の乱以前には，幕府の守護に対する統制力は不十分で，守護は領国に在住していたが，応仁の乱の後には，幕府の支配権が確立し，守護は原則在京して，幕府に出仕するようになった。

5：江戸時代：幕府と藩が全国の土地と人民を支配する幕藩体制が確立した。この体制では，老中などの幕府の要職は，加賀藩など石高の多い有力な藩の外様大名が就任する慣行であった。

OUTPUT

実践 問題 **63** の解説

〈各時代の政治〉

1 ✕ 律令体制下では，豪族による土地や人民の支配が排除され，土地や人民は朝廷のものとする班田収授が行われた。豪族はすでに天武天皇（位673～686年）のもと，八色の姓により天皇を中心とした身分秩序に編成され，律令体制下では位階に応じて官職に任ぜられた。

2 ✕ 摂政や関白となって政治の実権を握ったのが天皇の外戚であった藤原氏であることは正しいが，藤原氏の摂関政治は，藤原道長（966～1027年）と頼通（992～1074年）の時代に全盛期を迎え，その後，天皇を退位した上皇が天皇を後見しながら政治の実権を握る院政が行われた。院政は11世紀の白河上皇から鳥羽上皇，後白河上皇と100年余りも続いた。

> 藤原氏の摂関政治 → 上皇の院政

3 ○ 蒙古襲来は御家人らに多くの犠牲を払わせたが，幕府はこれに対して十分な恩賞を与えることができず，御家人が経済的に窮乏した。一方，幕府の支配権が全国的に強化されていく中で北条氏の権力が拡大し，特に家督を継ぐ得宗（とくそう）の勢力が強大となった。それにつれて，得宗の家臣である御内人（みうちびと）と本来の御家人との対立が激しくなり，御家人の反発を買うようになった。

4 ✕ 足利義満の頃になると守護職は世襲されるようになり，守護は守護代に領国を統治させ，自身は在京して幕府に出仕するようになった。しかし，応仁の乱によって主戦場となった京都が戦火に焼かれて荒廃する中，守護大名の多くが領国に下り，有力守護が在京して幕政に参加する幕府の体制は崩壊した。

5 ✕ 老中などの幕府の要職は，三河以来，もともと徳川氏の家臣であった譜代大名の中から選ばれた。関が原の戦いの後に徳川氏に従った外様大名は，なるべく遠隔地に配置された。

第４章 テーマ史

正答 **3**

実践 問題 **64** 基本レベル

頻出度		
地上★★★	国家一般職★	東京都★★ 特別区★★
国税·財務·労基★	国家総合職★	国家総合職(教養区分)★★★

問 我が国の各時代の出来事に関する記述として最も妥当なのはどれか。

(国家総合職教養区分2021)

1：飛鳥時代，豪族の蘇我氏の勢力が強くなる中，推古天皇が即位し，推古天皇の甥の厩戸王（聖徳太子）が補佐し国政改革を始め，氏族ごとに序列を付けて官位を与える冠位十二階や，神道を基に天皇を君主とする国家秩序を示した憲法十七条を定めて，天皇を中心とする国家組織の形成を進めた。また，小野妹子らを遣唐使として中国に派遣し，朝廷は，中国の新しい制度・思想・文化を吸収しようとした。

2：奈良時代，仏教文化が広く行き渡る中，道鏡は，持統天皇の支持を得て法王として権力を握り，仏教の力によって国を守ろうとする鎮護国家の思想を基に，仏教政治を行った。しかし，天皇が亡くなると，後ろ盾を失って道鏡は失脚した。持統天皇の後は，壬申の乱の後に天皇となった天智天皇の皇統に代わって，壬申の乱で敗れた大友皇子の子孫が天皇に即位し，寺院勢力の強い奈良から山背国（後の山城国）への遷都を決めた。

3：平安時代，藤原氏による摂関政治が終了した後，天皇が退位後に自らを上皇（院）として院庁をひらき，天皇の代わりに政治の実権を握る院政が始まった。しかし，平城天皇は退位後完全には実権を握ることができず，安徳天皇との「二所朝廷」と呼ばれる政治的混乱が生じた。平城太上天皇は，この状況を打破するため，側近の源義朝や藤原薬子らと共に挙兵したが失敗し，失脚した。これを平城太上天皇の変（薬子の変）という。

4：鎌倉時代，北条氏による執権政治が開始された後，後鳥羽上皇は，畿内・西国の武士や大寺院の僧兵，さらに北条氏の勢力増大に反発する東国武士の一部をも味方に引き入れて，北条義時追討の兵を挙げた。これに対して，東国武士の大多数は源頼朝の妻であった北条政子の呼び掛けなどに応じて結集して戦いに臨み，幕府は，義時の子らが率いる軍を京都に送り込んでこの戦いに勝利した。これを承久の乱という。

5：江戸時代，開国などで幕府の力が衰えると，大老井伊直弼は，朝廷と幕府の融和を図る公武合体の政策を採り，孝明天皇の妹の和宮を将軍家茂の妻に迎えた。この政略結婚は尊王攘夷論者から非難され，安政の大獄への憤慨も重なり，江戸城桜田門外で井伊直弼が水戸脱藩士らに暗殺される桜田門外の変が起きた。その後，朝廷と幕府の双方につながりのある土佐藩主山内豊信（容堂）は，勅使を奉じて江戸に下り，公武合体を進め文久の幕政改革の中心を担った。

OUTPUT

実践 問題 **64** の解説

〈各時代の出来事〉

1 ✕ 厩戸王（聖徳太子）は冠位十二階により，氏族ごとではなく個人に対し冠位を与えた。また，憲法十七条で仏教を基に天皇を中心とした国家形成を行いながら，豪族たちに国家官僚としての自覚を求めた。小野妹子らを遣隋使として，隋に派遣した。

2 ✕ 壬申の乱（672年）は天智天皇の死後に起こったもので，天智天皇の弟である大海皇子が天智天皇の皇子・大友皇子を破り，天武天皇として即位した。奈良時代に入ると，聖武天皇が鎮護国家の思想を基に国分寺・国分尼寺の設立や大仏造立を実施した。その後，道教は聖武天皇の娘の孝謙天皇（重祚して称徳天皇となる）を後ろ盾とし法王となって権力を握った。さらに，山背国に遷都を決めたのは，桓武天皇である。なお，壬申の乱の後，天武天皇から称徳天皇までは天武天皇の皇統が続いたが，称徳天皇の後は天智天皇の孫である光仁天皇が即位した。

3 ✕ 院政の始まりは1086年の白河上皇によってである。平城太上天皇の変（薬子の変）は平城上皇と嵯峨天皇の対立により，「二所朝廷」となったことが原因で発生した。結果，嵯峨天皇が勝利し，平城上皇とその側近である藤原仲成と藤原薬子が敗北した。これは平安時代初期の810年に起こったもので，平安時代後期の院政の開始とは時代が異なる。また，安徳天皇は平清盛の娘徳子が生んだ高倉天皇の第一皇子であったが，1185年の壇ノ浦の戦いにおいて亡くなった。

4 ◯ 鎌倉時代の承久の乱の説明として妥当である。

5 ✕ 公武合体の政策をとったのは，井伊直弼が桜田門外の変で暗殺された後に老中となった安藤信正である。政略結婚を尊王攘夷論者から非難された安藤信正は，坂下門外で水戸脱藩士らに傷つけられて老中を退いた。また，朝廷と幕府双方につながりが深く，勅使を奉じて江戸に下り，文久の幕政改革の中心を担ったのは薩摩藩の島津久光である。山内豊重（容堂）は，将軍徳川慶喜に，討幕派の機先を制して政権の返還を進めた人物である。

第4章 テーマ史

正答 **4**

実践 問題 **65** 〈 基本レベル 〉

頻出度	地上★	国家一般職★	東京都★	特別区★★
	国税・財務・労基★	国家総合職★		国家総合職(教養区分)★★★

問 鎌倉時代から江戸時代初期までの朝廷と武家との関係に関する記述として最も妥当なのはどれか。　　　　　　　　　　　　　　　（国税・財務・労基2016）

1：源頼朝の死後，将軍の後継者をめぐる兄の頼家と弟の実朝との争いによって鎌倉幕府が分裂すると，後鳥羽上皇は幕府打倒を目指し承久の乱を起こした。しかし，執権の北条氏らは，乱を短期間のうちに鎮圧し，幕府はこの後，侍所，問注所などの機関を設置し勢力基盤を強化していった。

2：後醍醐天皇は，公家と武家とを統一した新しい政治を目指して建武の新政を開始し，京都に記録所などの諸機関を置くとともに地方には国司と守護を併置した。しかし，新政権の人事，恩賞の配分，所領紛争の裁定などにおいて公家偏重の方針がとられたため多くの武士の不満を引き起こした。

3：室町時代の初期には，吉野の南朝と京都の北朝との間で天皇の地位をめぐる争いが激化したため，幕府の調停によって南朝と北朝が交互に皇位に就くという，いわゆる両統迭立の状況となった。その後，将軍足利義政は，南朝の後亀山天皇が北朝の後小松天皇に譲位する形で南北朝の合一を実現させた。

4：天下統一を目指した織田信長は，足利義昭を追放して室町幕府を滅ぼした。一方，自らの権威を確立するために朝廷に接近し関白や太政大臣に任ぜられるとともに，後陽成天皇を招いて，配下の諸大名に天皇と信長に対して忠誠を誓わせるなどした。

5：江戸時代の初期，徳川家康は朝廷を監視するため京都守護職を設置するとともに，大名の中から武家伝奏を任命して朝廷と幕府の間の連絡役とした。さらに，家康は禁中並公家諸法度を制定して天皇の生活にまで規制を加えるとともに，朝廷の経済的基盤を弱体化させるために天皇の支配地である禁裏御料を没収するなどした。

OUTPUT

実践 問題 **65** の解説 ─────

〈鎌倉時代から江戸初期までの朝廷と武家の関係〉

1 × 侍所や問注所などの機関が整備されたのは，源頼朝が征夷大将軍に任じられるよりも前のことである。承久の乱の後に設置されたのではない。また，承久の乱が起こったのは3代将軍実朝が暗殺された後である。頼朝は源平の争乱に際し，関東を動かず，1180年には侍所を設け，1184年には公文所（のちの政所）と問注所を開いた。1185年には後白河法皇が義経に頼朝追討を命ずると，頼朝は軍勢を京都に送って追討令を撤回させるとともに，諸国に守護を，荘園や公領に地頭を任命する権利を獲得した。この結果，東国を中心とした頼朝の勢力が広く全国に及ぶようになった。

2 ○ 後醍醐天皇の建武の新政の説明として妥当である。後醍醐天皇は幕府，院政，摂政，関白を否定し，土地所有権の確認は天皇の綸旨を必要とするなど，天皇への権力集中を図った。

3 × 南北朝の合一を実現させたのは，3代将軍の足利義満である。両統迭立とは，鎌倉時代の後期，皇位や所領をめぐって対立した持明院統と大覚寺統の2つの皇統との間で，交互に天皇を出すこととした原則のことを指す。

4 × 朝廷に接近して関白や太政大臣に任ぜられたのは，織田信長ではなく豊臣秀吉である。また，後陽成天皇を招いて，配下の諸大名に天皇と秀吉に対して忠誠を誓わせたのも秀吉である。秀吉は軍事力だけでなく，天皇の権威をたくみに利用しながら統一国家をつくり上げていった。織田信長が足利義昭を京都から追放して室町幕府を滅ぼしたことは正しい。

5 × 江戸時代の初期に朝廷を監視するために設置されたのは，京都守護職ではなく京都所司代である。京都守護職は江戸時代の末期に設置され，京都や近畿の治安維持にあたった役職である。また，朝廷と幕府の連絡役として武家伝奏が置かれたことは正しいが，これは大名の中から任命されたのではなく，公家が任命された。天皇の支配地である禁裏御料は必要最小限度にとどめられたが，没収されたのではない。

第4章 テーマ史

正答 2

問 北海道や沖縄等の歴史に関する次の記述のうち，最も妥当なのはどれか。

(国税2004)

1：和人の蝦夷地（北海道）への進出が平安時代から始まったが，各地に館と呼ばれる居留地や荘園が広まると，アイヌとの交易を独占していた安東氏やアイヌがこれに抗して蜂起した。しかし，征夷大将軍であった坂上田村麻呂により奥羽地方の反乱と同様に鎮圧された。

2：沖縄本島では三山と呼ばれる三つの勢力が長期にわたり分立していたが，江戸時代に入ると，中山王の尚巴志が薩摩藩の支援を受けて琉球を統一し，琉球王朝を成立させた。この王朝は明や日本，東南アジア諸国と対等な条件で国交を開き，中継貿易を主として栄えた。

3：豊臣政権下において松前氏の領土であった蝦夷地は，江戸幕府が成立すると直轄領となり，国替え等で失業した武士が屯田兵として送り込まれた。また，18世紀にロシアが蝦夷地まで勢力を伸ばすと，幕府は開拓使かつ箱館奉行所である五稜郭を設け，北方の防備を固めた。

4：18世紀に清国から国交を断絶された琉球王朝は，貿易による利益を失い，国力が衰退した。領地拡大をねらった江戸幕府は，軍隊を送って王朝を滅ぼし，琉球藩を置いた。その後清国との間で日清修好条規が結ばれ，琉球藩が清国との貿易を江戸末期まで独占するようになった。

5：日本とロシアとの間で樺太国境問題が長らく懸案となっていたが，19世紀後半に樺太・千島交換条約が結ばれ，樺太をロシア領，千島全島を日本領とすることが定められた。また，帰属問題が未解決であった小笠原諸島については，日本がその領有を宣言し，アメリカ合衆国などに認められた。

OUTPUT

実践 問題 **66** の解説 ─────────────────

〈北海道と沖縄の歴史〉

1✕ 和人（日本人のこと）が蝦夷地（北海道）に進出したのは中世に入ってからである。彼らは北海道南部に館を建て，アイヌとの交易を行った。平安時代の頃の「蝦夷」とは東北の豪族のことで，坂上田村麻呂は北海道まで討伐していない。15世紀にはアイヌの酋長コシャマインの反乱も起こったが，蠣崎氏（のちに松前氏と改名）がこの地域の支配者となった。

2✕ 中山王の尚巴志が沖縄の３つの勢力を束ねて，琉球王国を成立させたのは15世紀（室町時代）のことである。また，琉球王国は明とは朝貢関係にあり，対等な関係ではない。

3✕ 秀吉の時代に蠣崎氏（松前氏）が蝦夷島主の扱いを受けていたことは正しいが，蝦夷地が幕府の直轄地となるのは，18世紀末以降，ロシア使節の来航などを契機に一時的なものであった。また，屯田兵は明治初頭，北海道開拓と防衛の目的で創設されたもので，江戸時代ではない。開拓使も明治時代の役職である。五稜郭は江戸時代末期，オランダの城郭建築に基づいて建てられた城で，北方警備の箱館奉行庁舎として使用され，戊辰戦争のとき，榎本武揚らが拠点とした。

4✕ 日清修好条規が結ばれたのは明治時代である。また，琉球王朝は江戸時代も清国と朝貢関係にあり，国交は続いていた。江戸時代初頭，薩摩藩は幕府の許可を得て，琉球を武力制覇したが，独立した王国の姿を維持し，中国との朝貢関係を維持させた。幕府軍が王朝を滅ぼしたのではない。明治に入り，政府は廃藩置県を実施したが（1871年），琉球に対しては，いったん琉球藩を置き（1872年），琉球王を華族に列したうえで，1879年に廃藩置県を実施し，沖縄県を置き，日本の領土とした。

5○ 江戸時代末期の日露和親条約では，択捉以南の千島列島を日本領，得撫島以北の千島列島をロシア領，樺太は日露両国民の雑居地域と定められた。明治に入り，樺太・千島交換条約で，樺太をロシア領，千島全土を日本領と定められた。また，小笠原諸島については1876年に日本領であることが確定した。

第4章 テーマ史

正答 5

実践　問題 67　応用レベル

頻出度	地上★　国家一般職★　　東京都★　　　特別区★
	国税·財務·労基★　国家総合職★　国家総合職(教養区分)★★★

問 前近代の日本の領地に関する次の文中の下線部ア～オには，妥当なものが二つあるが，それらはどれか。　　　　　　　　　　　　　（市役所B日程2011）

　7世紀に大化の改新が行われた頃，朝廷の支配は北海道や沖縄はもちろん，東北地方や九州南部にも及んでいなかった。

　奈良時代に入ると，九州南部には薩摩藩などが置かれ，律令国家の支配が及ぶようになった。しかし，琉球（沖縄）まで朝廷の支配が及ぶことはなく，15世紀には琉球王国が誕生し，ァ中国·日本·東南アジア各国との中継貿易で栄えた。しかし，江戸時代に入るとィ幕府の命を受けた薩摩藩の侵略を受けて琉球王国は滅亡し，琉球の島々は幕府の直轄領となった。

　東北地方の蝦夷居住地域に征服事業が開始されたのは，ゥ近世に入り，豊臣秀吉による奥州征伐が行われてからであり，これによって陸奥国が置かれ，中央の行政組織への組み入れが進められた。北海道の蝦夷地には古くからアイヌが居住していたが，サケや昆布などを求める和人の動きが強まったのに合わせて，江戸時代には蝦夷地南部に松前藩が置かれた。しかし，ェ鎖国政策が始まると，和人とアイヌとの交易は厳禁され，アイヌの居住地への和人の往来も禁じられた。

　18世紀末以降，異国船が蝦夷地周辺に来航するようになると，幕府は調査隊を派遣し，ォ東蝦夷，国後・択捉島の調査を行わせ，番所を築き，蝦夷地全土を幕府の直轄下に置いたこともあった。

1：ア，ウ
2：ア，オ
3：イ，エ
4：イ，オ
5：ウ，エ

OUTPUT

実践 問題 **67** の解説

第4章 テーマ史

〈近代以前の日本の領土〉

ア○ 沖縄では，北山・中山・南山の三勢力が争っていたが，15世紀に中山王の尚巴志が三山を統一し，琉球王国を成立させた。琉球は明や日本と国交を結ぶとともに，南方のジャワ島やインドシナ半島にまで交易圏を広げ，東南アジア諸国間の中継貿易により繁栄した。

イ× 江戸時代に入ると，琉球王国は1609年に幕府の許可を得た薩摩の島津氏によって征服され，島津氏は，琉球王国の尚氏を石高8万9000石余りの王位に就かせ，支配下におく一方で，独立した王国の体裁をとらせて中国との朝貢貿易を継続させた。琉球王国が滅亡して幕府の直轄領となったのではない。

ウ× 東北地方の蝦夷居住地域には，奈良時代からすでに城柵が設けられ，蝦夷地域の支配浸透が進められ，平安時代の初めには，桓武天皇が坂上田村麻呂を派遣し，田村麻呂は蝦夷を制圧して胆沢城を築き，鎮守府を多賀城からここに移している。12世紀には陸奥の平泉を根拠地として奥州藤原氏が繁栄を誇った。

エ× 北海道南部の和人地に勢力を持っていた蠣崎氏は，近世になると松前氏と改称して，江戸時代には徳川家康からアイヌとの交易独占権を保障され藩制をしいた。鎖国政策が始まってもアイヌとの交易が禁止されたのではない。1669年にはシャクシャインを中心に反乱が起こり，アイヌは全面的に松前藩に服従させられた。

オ○ 18世紀末にロシア使節ラクスマンが根室に来航すると，幕府は江戸湾や蝦夷地の海防強化を命ずるとともに，近藤重蔵や最上徳内らに択捉島を探査させ，1807年には松前藩と蝦夷地を一時的に幕府の直轄地として松前奉行の支配下においた。

　以上から，アとオが妥当であるので，肢2が正解となる。

正答 **2**

実践 問題 **68** 〈 応用レベル 〉

頻出度	地上★	国家一般職★	東京都★	特別区★
	国税・財務・労基★	国家総合職★	国家総合職(教養区分)★★★	

問 沖縄の歴史に関する記述として，妥当なのはどれか。 （特別区2014）

1：琉球王国は，按司と呼ばれる地方豪族が勢力を競い分裂していた北山・中山・南山の三山を，1429年に南山王の尚泰が統一し建国したものである。

2：琉球王国は，薩摩の島津氏の軍に征服され実質的に島津氏の属領となったため，明に対しての朝貢関係を解消した。

3：琉球王国は，琉球国王の代替わりごとにその即位を感謝する慶賀使を，徳川将軍の代替わりごとにその就任を奉祝する謝恩使を，それぞれ幕府に派遣した。

4：琉球藩は，日本政府が1872年に琉球国王尚巴志を藩王とし設立したのち，琉球処分により廃止され沖縄県となったが，王府は存続された。

5：1945年の沖縄戦では，沖縄本島に上陸したアメリカ軍に対し，男子生徒の鉄血勤皇隊や女子生徒のひめゆり部隊などの学徒隊が動員された。

OUTPUT

実践 問題 **68** の解説 ───────────────

〈沖縄の歴史〉

1 ✕ 琉球王国は，1429年に中山王の尚巴志が三山を統一して成立した王国である。王国の首都首里の港である那覇は重要な国際港となって発展した。

琉球王国	明や日本と国交を結ぶとともに，ジャワ島やインドシナ半島にまで交易圏を広げ，東南アジア諸国間の中継貿易により繁栄した。

2 ✕ 薩摩藩は1609年に琉球王国を占領し，国王の尚氏を石高8万9000石余りの王位に就かせ，独立した王国の姿をとらせて明（のちに清）との朝貢関係を継続させた。琉球王国が中国との冊封関係を破棄するのは，明治政府によって王政が廃止され，沖縄県が設置された琉球処分の時である。

3 ✕ 慶賀使と謝恩使に関する説明が反対である。琉球は，国王の代替わりごとにその就任を感謝する謝恩使を，将軍の代替わりごとにそれを奉祝する慶賀使を江戸に派遣した。

謝恩使	琉球王の代替わりごとにその就任を感謝して送った使節
慶賀使	徳川将軍の代替わりごとにその就任を奉祝して送った使節

4 ✕ 琉球王国は，江戸時代以来，事実上薩摩藩（島津氏）の支配下にあったが，名目上は清を宗主国とする複雑な両属関係にあった。1872（明治5）年，明治政府は琉球藩を置いて琉球王国を廃し，琉球国王の尚泰を藩王とした。明治政府は尚泰に清国との冊封関係の破棄を迫ったが藩王がそれに従わなかったため，1879（明治12）年の琉球処分によって，琉球藩の廃止と沖縄県の設置が決定した。沖縄県には鍋島直彬が赴任し，これによって王統による支配は終わった。

5 ◯ そのとおり。沖縄戦の犠牲者は15万人を超えた。

第4章 テーマ史

正答 **5**

実践 問題 **69** 〈基本レベル〉

頻出度	地上★★　国家一般職★　東京都★★　特別区★★★
	国税・財務・労基★　国家総合職★　国家総合職(教養区分)★★★

問 我が国における奈良時代から江戸時代の政治に関する記述として最も妥当なのはどれか。 (国税・財務・労基2012)

1：奈良時代には，氏姓制度と呼ばれる仕組みの下で，有力な豪族の中から大臣や大連が任命され中央の政治を司った。また，藤原鎌足らによって大宝律令が制定され，刑罰や行政組織に関する規定が整備された。

2：平安時代初期，桓武天皇は政治改革を行い神祇官と太政官を新たに設置し，太政官の下で式部省などの八省が政務を分担することとなった。また，荘園の増加が国衙領を圧迫しているとして，延久の荘園整理令を出した。

3：鎌倉時代初期，鎌倉幕府は源頼朝の支配体制を有力御家人が補佐する体制であった。その後，蒙古襲来によって幕府の勢力が衰退する中，六波羅探題が新たに設置され統治体制が強化されたものの，執権の北条氏の勢力は衰えた。

4：室町時代には，三代将軍足利義満の時に南北朝の合体が実現した。また，室町幕府の機構についてみると，将軍を補佐する中心的な職である管領が，足利氏一門の斯波，細川，畠山の三氏から任命され，侍所，政所などの中央諸機関を統轄した。

5：江戸時代には，将軍の下に老中がおかれて政務を統轄した。また，老中を補佐する大目付や諸大名を監察する若年寄がおかれたほか，参勤交代などを義務付ける棄捐令が発せられ，幕府は諸大名にその遵守を厳命した。

実践 問題 **69** の解説

〈古代から近世におけるわが国の政治〉

1 × 氏姓制度は，血縁をもとにした集団である氏に，大臣や大連などの姓を与え，豪族を秩序づけた制度で，大和朝廷で採用されていた。また，大宝律令を制定し（701年），律（刑法）と令（行政法）による支配を整えたのは，藤原鎌足の子，藤原不比等である。したがって，いずれも奈良時代の内容ではない。

2 × 平安京遷都を行った桓武天皇が政治の刷新を目指したのは正しいが，神祇官と太政官の二官の下に八省を設置したのは大宝律令による。また，摂関政治で栄華を誇った藤原家などの財政基盤を弱めるために，延久の荘園整理令（1069年）を出したのは後三条天皇である。

3 × 鎌倉幕府が，将軍源頼朝のもとに，有力な御家人が侍所や政所，問注所などに配されて，将軍支配を補佐する体制であったことは正しい。しかし，六波羅探題は承久の乱後に朝廷を監視するために設けられたものであって，設置は元寇後ではない。元寇の後，幕府は元の再来に備えて九州の御家人を異国警固番役に動員する一方，御家人以外の全国の荘園・公領の武士をも動員する権利を朝廷から獲得するなど，西国一帯に幕府勢力を強めていき，北条氏の権力も拡大，北条家の家督を継ぐ得宗の勢力が強大となった。

■元寇後の政治

得宗専制政治（直属の家臣である御内人（みうちびと）と御家人の対立）

→ 幕府から恩賞を得られなかった御家人の窮乏 → 永仁の徳政令

一方，元寇の後，御家人らは恩賞を得られずに窮乏し，得宗専制政治に対する不満が大きくなった。

4 ○ 1392年，足利義満は，南朝（奈良）と北朝（京都）に分立されたままになっていた朝廷の分裂を統一（南北朝の合体）し，幕府権力も最盛期を迎えた。室町幕府は，「三管領」とよばれた斯波，細川，畠山の三氏が管領として将軍を補佐した。

5 × 江戸幕府における政務統括を担ったのが老中であることは正しい。非常の職として大老があるが，通常は老中が政務を取り仕切った。しかし，参勤交代を義務付けたのは，3代将軍家光が発した武家諸法度（寛永令）であって，棄捐令ではない。棄捐令は寛政の改革の際に出された法令であり，旗本・御家人層が札差から借りた借金を破棄させる（棄捐）ものであった。なお，老中を補佐したのが若年寄，大名を監察したのが大目付である。

正答 **4**

第4章 SECTION ① テーマ史 通史・制度・政策

実践 問題 **70** 〈 **基本レベル** 〉

頻出度	地上★　国家一般職★　東京都★★　特別区★★
	国税・財務・労基★　国家総合職★　国家総合職(教養区分)★★★

問 我が国における一揆に関する記述として最も妥当なのはどれか。

(国税・財務・労基2020)

1：15世紀前半，将軍の空位という政治的混乱に乗じて，下総の民衆が正長の徳政一揆（土一揆）を起こした。民衆の代表者であった佐倉惣五郎は，民衆の要求を幕府に直訴し，借金の帳消しを平和的に認めさせた。

2：15世紀後半，山城南部の国人らが，領地争いを続ける源氏・平氏双方の国外退去を求めて国一揆を起こした。しかし，両氏は要求を拒否し，一揆を結ぶ国人らを味方にしようとする動きを活発化させたため，国人らは足軽となって分裂し，翌年に一揆は崩壊した。

3：15世紀後半，加賀国で勢力を伸ばした一向宗の門徒が国人らと結んで一向一揆を起こし，加賀国の守護大名を倒した。これ以降，加賀国では，織田信長に制圧されるまでの間，一向宗の門徒が国を治めた。

4：17世紀前半，キリスト教を黙認する領主に反対する島原・天草地方の農民たちが，宣教師の国外追放を訴えて一揆を起こした。大塩平八郎を首領とした農民たちは，大砲などで武装したが，幕府の軍勢に半日で鎮圧された。

5：明治維新直後には，不安定な政治情勢や物価の高騰を背景に，民衆が「ええじゃないか」と連呼しながら金融業者や米商人などを襲う世直し一揆が多発した。また，政府の地租改正事業に反発する農民が血税一揆を起こした。

OUTPUT

実践 問題 **70** の解説

〈わが国の一揆〉

1 ✕ 佐倉惣五郎は17世紀の下総（現千葉県北部と茨城県の南西部）佐倉藩の名主であり，藩主の苛政について江戸幕府の将軍に直訴した人物である。正長の土一揆は，京都をはじめ畿内一帯に広がった土一揆である。徳政を求めて土倉や酒屋を襲い，質物や売買・貸借証文を実力で奪う私徳政がなされた。

2 ✕ 山城の国一揆についての記述であるが，15世紀後半に山城南部で両派に分かれて争っていたのは畠山氏である。畠山氏を国外に退去させた後は，山城の住民の協力を得て，三十六人衆の月行事による8年間の自治支配を実現している。

3 ◯ 加賀の一向一揆についての記述として妥当である。なお，この一揆で倒されたのは守護大名の富樫政親である。

4 ✕ 17世紀前半，キリスト教を（黙認ではなく）弾圧する領主に対して，島原・天草地方の農民たちが（大塩平八郎ではなく）天草四郎を首領として一揆を起こし，原城跡に立てこもった。幕府は約12万人の軍勢を動員して（半日ではなく）半年の攻囲でようやく鎮圧した。

5 ✕ 「ええじゃないか」は明治維新直後ではなく，幕末の1867年秋から冬にかけて流行した熱狂的乱舞であり，実力行使を伴う世直し一揆とは別物である。また，血税一揆は政府の地租改正事業ではなく徴兵令に反発した一揆である。

第4章 テーマ史

正答 **3**

実践 問題 **71** 〈 基本レベル 〉

頻出度	地上★	国家一般職★	東京都★	特別区★★
	国税・財務・労基★	国家総合職★	国家総合職(教養区分)★★★	

問 我が国における一揆や反乱等に関する記述として最も妥当なのはどれか。

(国家一般職2014)

1：平安時代中期，関東で勢力を伸ばしていた平将門が朝廷に対して挙兵し，関東の大半を征服し，自ら新皇と称した。一時は京都付近まで攻め上ったが，朝廷は，伊予を本拠地とし瀬戸内海の海賊を支配下においていた藤原純友の協力を得て平将門を討伐した。

2：室町時代，貨幣経済の進展によって金融業を営む土倉などが増加した。これらに対し，幕府や荘園領主は収入を増やす目的で重税を課した。応仁の乱の後に京都で発生した正長の土一揆は，こうした課税に反対した土倉が起こしたものである。

3：江戸時代初期，凶作と飢饉をきっかけにキリスト教の信徒を中心とする島原・天草一揆（島原の乱）が起きた。幕府は，両地方の領主であったキリシタン大名の支援を受けた信徒たちと戦い，和睦したが，この後，幕府はキリスト教を禁止し，取締りを強化した。

4：明治維新後，秩禄処分や廃刀令などによって，士族は特権を失い，政府の政策に対する不満が高まっていた。征韓論争に敗れて参議を辞職した西郷隆盛が鹿児島で兵を挙げると，九州各地の士族が加わり，戦闘は半年以上に及んだ。

5：昭和初期，浜口雄幸首相は協調外交路線を採り，ロンドン海軍軍縮会議に参加し海軍の補助艦艇の制限に関する条約に調印した。二・二六事件は，天皇の統帥権を侵すものとしてこの条約に反対する青年将校らが，首相官邸を襲い，浜口首相を射殺したものである。

直前復習

OUTPUT

実践 問題 **71** の解説

〈わが国の一揆・反乱〉

1× 平将門は，関東の大半を征服し，自らを新皇と称したが，京都付近まで攻め上ることなく，朝廷が派遣した平貞盛と藤原秀郷によって討伐された。藤原純友は，同じ頃，伊予を本拠地とし瀬戸内海の海賊を支配下において反乱を起こした人物である。伊予の国府や大宰府を攻め落としたが，源経基らによって討伐された。この2つの反乱を承平・天慶の乱とよぶ。

2× 正長の土一揆は，近江の馬借（運送労働者）の蜂起を契機に，山城から畿内一帯に波及した土一揆である。人々は徳政を要求して，京都の高利貸を営んでいた酒屋・土倉などを襲い，質物や売買・貸借証文を奪った。この一揆は近畿地方や周辺に広がり，各地で実力による債務放棄や売却地の取り戻しが展開されたのである。また，その発生時期は1428（正長元）年であり，応仁の乱が発生した1467（応仁元）年よりも前のこと。室町時代には，農民の自立的・自治的な惣村が発達し，しばしば一揆を起こしたが，正長の土一揆は惣村の結合をもとにしており，中央の政界に衝撃を与えた。

3× 島原の乱は，飢饉の中，天草領主の寺沢氏と島原領主の松倉氏らが過酷な年貢を課し，キリスト教徒を弾圧したことに対して，農民が起こした反乱である。天草と島原は，かつてキリシタン大名の有馬晴信と小西行長の領地であり，反乱を起こした者の中には有馬・小西氏の浪人も多かった。したがって，島原の乱が起こった時の両地方の領主はキリシタン大名ではない。幕府は九州の諸大名らおよそ12万人の兵力を動員し，一揆勢3万人を殺害しているので，和睦という言葉は適切でない。また，禁教令が全国に及ぼされたのは1613年で，これは島原の乱（1637年）よりも前のことである。島原の乱の後には，キリスト教徒を根絶するため，絵踏を強化し，寺請制度を設けて，宗門改めを実施した。

4○ 西南戦争の説明として妥当である。政府軍の勝利と西郷軍の敗北は，新しい徴兵制による軍隊の威力を示した。こうして，西南戦争を最後として士族による武力反抗に終止符が打たれた。

5× ロンドン海軍軍縮会議（1930年）において，軍縮条約に調印したことが激しい政府批判となり，右翼の青年が浜口首相を襲っているが，これは二・二六事件ではない。二・二六事件（1936年）は，陸軍統制派との派閥的対立の中で生じた皇道派青年将校を中心とするクーデタ未遂事件である。彼らは首相官邸や警視庁などを襲い，首相岡田啓介を負傷させ，蔵相高橋是清や内大臣斎藤実などを殺害した。

正答 4

第4章 テーマ史

実践 問題 **72** 〈 基本レベル 〉

頻出度	地上★	国家一般職★	東京都★	特別区★★
	国税・財務・労基★	国家総合職★		国家総合職(教養区分)★★★

問 14世紀から16世紀までの我が国の戦乱に関する記述として最も妥当なのはどれか。 (国税・財務・労基2014)

1 : 後醍醐天皇は，足利尊氏や新田義貞らとともに鎌倉幕府を滅ぼし，建武の新政を始めた。しかし，新政において後醍醐天皇は名目的な存在に留まる一方，新田義貞に実権が集中し，政治機構も鎌倉幕府のものをそのまま踏襲したため，足利尊氏が中先代の乱を起こし反旗を翻した。

2 : 建武の新政が崩壊した後，足利尊氏は光明天皇を擁立して北朝とし，後醍醐天皇を中心とした南朝と対立した。足利尊氏は南朝方の新田義貞や高師直などの有力武将をいち早く破るなどして短期間で南北朝の争乱を収拾し，その後，室町幕府を開いた。

3 : 足利義満が3代将軍に就任すると，幕府の中心を担う管領の細川氏や畠山氏らの間で観応の擾乱と呼ばれる争いが起こり，一時，幕府の勢力は弱まった。しかしその後，足利義満が日明貿易により莫大な利益をあげるとともに，三好長慶や上杉憲忠らの有力守護大名を滅ぼすなどしたため，幕府の勢力は回復した。

4 : 将軍足利義政の継嗣争いや管領家の家督相続争いが，室町幕府の実力者である細川勝元と山名持豊（宗全）の対立と結び付き，応仁の乱と呼ばれる全国の守護大名を巻き込んでの戦乱に発展した。この戦乱によって京都の市街地の多くが焼失し，多くの公家や僧侶が地方に逃れた。

5 : 織田信長は，今川義元を桶狭間の戦いで破った後，室町幕府の権威を利用するとともに，石山本願寺などの仏教勢力とも同盟してその勢力を急速に拡大したが，家臣の明智光秀に殺された。その後，信長の後継者である豊臣秀吉によって将軍足利義昭が京都から追放されたことで，室町幕府は完全に滅亡した。

実践 問題 **72** の解説

〈中世戦乱史〉

1 × 後醍醐天皇は，幕府も院政も摂政・関白も否定して天皇への権限集中を進め，土地の所有権の確認は綸旨（天皇の指令書）を唯一の根拠とすることを取り決めた。したがって，「新政において後醍醐天皇は名目的な存在に留ま」っていはいない。また，中先代の乱は，鎌倉幕府第14代執権北条高時の子時行が鎌倉幕府の再興を図って起こした反乱であり，足利尊氏によって平定された。

2 × 足利尊氏は室町幕府を開いたが，南北朝の動乱は約60年にわたり，発足当初の幕府は南北朝の対立で不安定であった。南北朝の合体を実現したのは，室町幕府第3代将軍の足利義満である。なお，高師直は，足利尊氏の武将であり，観応の擾乱では尊氏の弟である直義と対立して殺された。

3 × 観応の擾乱とは，足利尊氏とその弟である直義両派の抗争と，それに連動した全国的争乱である。南北朝の動乱も足利義満の頃には収まり，幕府は安定期を迎え，義満は南北朝の合一を実現した。また，足利義満は動乱の中で強大になった守護の統制を図り，明徳の乱では山名氏清，応永の乱では大内義弘をそれぞれ攻め滅ぼした。

4 ○ そのとおり。応仁の乱によって京都が荒廃したため，公家や僧侶などの文化人が地方の大名を頼って続々と地方へ下った。たとえば，大内氏の城下町の山口には連歌の宗祇をはじめ多くの文化人や公家が集まった。また，関東では，上杉憲実によって足利学校が再興され，全国から集まった僧侶や武士に対して高度な教育が施された。

5 × 足利義昭を京都から追放して室町幕府を滅ぼしたのは織田信長である。また，織田信長は，石山本願寺などの仏教勢力を徹底的に弾圧した。戦国時代には一向宗（浄土真宗）が守護大名の領国支配に対して各地で一揆を起こしたが，信長は10年に及ぶ石山本願寺との戦いで，これを屈服させた。

第4章 テーマ史

正答 **4**

実践 問題 73 〈基本レベル〉

頻出度	地上★★	国家一般職★	東京都★★	特別区★★
	国税・財務・労基★	国家総合職★	国家総合職(教養区分)★★★	

問 我が国での戦いに関する次の記述のうち，[   ]に当てはまる人物が「征夷大将軍」に任命されたものとして最も妥当なのはどれか。

(国家一般職2021)

1：陸奥北部の豪族安倍氏を，源頼義は子の源義家と共に出羽の豪族清原氏の助けを得て滅ぼしたが，その清原氏一族に内紛が起こると，源義家は[   ]を助けて内紛を制圧した。この後，奥羽地方は平泉を根拠地として[   ]，基衡，秀衡の三代100年にわたって繁栄した。

2：後白河天皇は，対立した崇徳上皇方を[   ]や源義朝らの武士を動員して破った。さらに，院政を始めた後白河上皇の近臣間の対立により，[   ]は，藤原信頼や源義朝を滅ぼした。[   ]は娘の徳子を高倉天皇の中宮に入れ，その子の安徳天皇の即位後は外戚として威勢を振るった。

3：源実朝が暗殺された事件をきっかけに，後鳥羽上皇は[   ]追討の兵を挙げたが，幕府は，[   ]の子の泰時，弟の時房らの率いる軍を送り京都を攻めた。戦いは幕府側の圧倒的な勝利となり，三上皇を配流した。

4：建武の新政の後，吉野の南朝と京都の北朝が対立して，約60年にわたる全国的な南北朝の動乱の中，北朝側では[   ]が弟の直義と分担して政治を執ったが，後に[   ]の執事高師直と直義の両派が対立して，武力対決することとなった。

5：桶狭間の戦いで今川義元を破った[   ]は，畿内を追われていた足利義昭を立てて入京し，姉川の戦いで近江の浅井氏と越前の朝倉氏を破り，長篠の戦いで武田勝頼に大勝する一方，敵対した足利義昭を追放して室町幕府を滅ぼした。

OUTPUT

実践 問題 **73** の解説

〈征夷大将軍〉

1 × 藤原清衡　藤原清衡は平安後期の奥州藤原氏の祖である。平泉に本拠を定め，京都の文化を移殖し，中尊寺金色堂を建てたが，征夷大将軍にはなっていない。

2 × 平清盛　前半は保元の乱，および平治の乱についての記述である。保元の乱で後白河天皇側につき，平治の乱で源義朝らを破ったのは平清盛である。平清盛は1167年には太政大臣となって娘の徳子を高倉天皇の中宮に入れ，その子である安徳天皇を皇位に就けたが，征夷大将軍にはなっていない。

3 × 北条義時　承久の乱についての記述である。北条義時は幕府側であり，後鳥羽上皇と対立した。北条氏は征夷大将軍ではなく，その補佐役の執権となって政治を執り行った。征夷大将軍にはなっていない。

4 ○ 足利尊氏　建武の新政後に，弟の直義とともに政治を執り行ったのは足利尊氏である。足利尊氏は1338年に征夷大将軍となり，室町幕府を開いている。

5 × 織田信長　織田信長は桶狭間の戦い，姉川の戦い，長篠の戦い，室町幕府滅亡に関連した人物である。織田信長は尾張の武将であり，1582年に本能寺の変で討たれるまで，天下統一の事業を進めた人物であるが，征夷大将軍にはなっていない。

> **■征夷大将軍**
>
> 　もともとは，奈良末期から平安初期にかけて，東北の蝦夷征討のために派遣された遠征軍の総指揮官を指したが，鎌倉幕府を開いた源頼朝が朝廷から任じられて以降，江戸時代まで，代々幕府の首長は朝廷から将軍宣下によって征夷大将軍に任じられた。

第4章 テーマ史

正答 **4**

実践 問題 **74** 〈応用レベル〉

頻出度	地上★★　　国家一般職★　　東京都★★　　特別区★★★
	国税·財務·労基★　国家総合職★　　国家総合職(教養区分)★★★

問 我が国の歴史上の争乱に関する記述として，妥当なのはどれか。

(特別区2012)

1：保元の乱とは，天皇家や摂関家の内部対立が表面化して起きた武力衝突であり，藤原忠通と結んで源義朝・平清盛を味方につけた後白河天皇側が，藤原頼長と結んで源為義・平忠正を味方につけた崇徳上皇側に勝利した。

2：承久の乱とは，北条政子の死をきっかけに，後鳥羽上皇が鎌倉幕府打倒のために起こした兵乱であり，北条義時は，北条泰時・北条時房を将として京都を攻撃し，上皇方を破り，この後，幕府の朝廷に対する優位が確立した。

3：観応の擾乱とは，鎌倉幕府以来の秩序を重んじる足利尊氏の執事高師直を支持する勢力と，急進的な改革をのぞむ尊氏の弟足利直義を中心とする勢力との争いであり，一方が一時的に南朝方につくなどして，長期化した。

4：島原の乱とは，ポルトガル船の来航禁止をきっかけに，苛酷な年貢を課す領主とキリスト教徒を弾圧する幕府に対し，農民らが天草四郎時貞を大将として起こした一揆であり，幕府は，九州の諸大名の兵力を動員し，これを鎮圧した。

5：西南戦争とは，鹿児島の私学校生を中心とした士族が西郷隆盛を擁して起こした反乱であり，この反乱は，激戦の末，徴兵制による政府軍によって鎮圧されたが，これ以降，各地で士族の反乱があいついで起こった。

OUTPUT

実践 問題 **74** の解説 ―――――――――

〈歴史上の争乱〉

1○ 保元の乱の記述として妥当である。保元の乱の結果，崇徳上皇は讃岐に流されたが，その後，後白河上皇の近臣間の対立から平治の乱が起こった。平治の乱では，平清盛と結ぶ藤原通憲に反感を抱いた藤原信頼が源義朝と結んで兵を挙げ，通憲を殺害したが，平清盛によって信頼や義朝は滅ぼされた。

2× 承久の乱は後鳥羽上皇が鎌倉幕府打倒のために起こした兵乱であることは正しいが，この乱が起こった1221年の時にはまだ北条政子は死去しておらず，義時追討の院宣に動揺する御家人に対して，頼朝の恩を示して団結を訴えた。このため東国武士の大半は北条政子の呼びかけに応じて結集し，戦いに臨んだため，上皇側が敗北した。北条義時が子の泰時や弟の時房を将として京都を攻撃して上皇方を破ったことは正しい。

3× 観応の擾乱が足利直義と高師直の対立から生じたものであることは正しいが，足利尊氏の執事高師直が急進派であり，尊氏の弟の直義が鎌倉幕府以来の秩序を重んじる側である。

4× 島原の乱（1637年）は，領主が過酷な年貢を課し，キリスト教徒を弾圧したことに抵抗した農民らの一揆であり，天草四郎時貞を大将としていたこと，幕府が九州の諸大名の兵力を動員してこれを鎮圧したことは正しい。しかし，ポルトガル船の来航の禁止は乱の後の1639年である。

5× 戊辰戦争に際して政府軍に加わって戦った士族の中には，新政府において自分たちの意見が反映されないことへの不満を持つ者も多く，自由民権運動もそうした士族の不満が背景にある。1874年には江藤新平が郷里の佐賀で佐賀の乱を，また，1876年に廃刀令が出され，秩禄処分が断行されると熊本でも不平士族の反乱が起こった。こうした士族の反乱が政府軍によって鎮圧される中で起こった大規模な反乱が西南戦争（1877年）である。明治維新の功労者でもある西郷隆盛を首領として，旧薩摩藩士だけでなく，九州各地の不平士族がこれに呼応したが，政府は約半年を費やして鎮圧し，これを最後に不平士族による反乱は収まった。

正答 **1**

第4章 テーマ史

実践　問題 **75**　〈基本レベル〉

頻出度	地上★★★　国家一般職★　　　東京都★★★　特別区★★★
	国税・財務・労基★　　　国家総合職★　　　国家総合職(教養区分)★★★

問 日本の土地政策の歴史に関する記述として，妥当なのはどれか。

（東京都Ⅰ類A 2023）

1：班田収受法とは，戸籍に基づき全ての男女に口分田が与えられ，その子，孫，曾孫まで三世にわたる土地の使用を認めた法令をいう。

2：管省符荘とは，国衙の検田使などの立ち入りを拒否する権利である不輸の権が与えられた荘園をいう。

3：半済令とは，室町幕府が，軍費調達のために守護に一国内の荘園や公領の年貢の半分を徴発する権限を認めた法令などをいう。

4：太閤検地とは，豊臣秀吉が全国的にほぼ同一基準で実施した土地の調査であり，これにより，荘園制度が完成するとともに，一地一作人の制度は崩壊した。

5：地租改正とは，明治政府が，課税基準を所有地における収穫高とすることを明文化した制度改革であり，併せて土地所有権の確認証である地券が発行された。

OUTPUT

実践 **問題 75** **の解説**

〈土地制度史〉

1× 班田収受法では，戸籍に基づいて6歳以上の男女に口分田が与えられた。全ての男女ではない。この後，本人と，子，孫の代まで土地の使用を認めたのは，三世一身法（723年）である。

2× 管省符荘とは，政府の出した太政官符や民部省符によって税の免除（不輸の権）が認められた荘園をいう。国衙の検田使などの立ち入りを拒否する権利は不入の権である。

3○ 半済令の説明として妥当である。守護はこれらの権限を利用して国内の荘園や公領を侵略し，これを武士たちに分け与えて統制下に組み込むことで，一国支配を確立していった。

4× 豊臣秀吉が実施した太閤検地によって，石高制が確立し，荘園制のもとで1つの土地に何人もの権利が重なっていた状態を整理し，実際にその土地を耕作している農民の田畑を登録して一地一作人制度を確立した。

5× 明治政府が行った地租改正により，課税基準を収穫高から土地の価値（地価）へと変更した。これにより，全国同一の基準で豊凶にかかわらず一律に貨幣で地租が徴収されるようになり，近代的な租税の形式が整った。

第4章 テーマ史

正答 3

実践　問題 **76**　基本レベル

頻出度	地上★★	国家一般職★	東京都★★★	特別区★★★
	国税・財務・労基★	国家総合職★		国家総合職(教養区分)★★★

問 次の文は我が国の古代から現代の税制度について述べた文である。正しいものはどれか。　　　　　　　　　　　　　　　　　　　　　　　　（地上2020）

1：奈良時代には，班田収授法が実施され，それまでの土地の公有が否定され，豪族が土地と民を支配し，税を負担することとなった。

2：室町時代には，商工業の発展に伴い，金融業を営んでいた土倉や酒屋に税が課され，幕府の重要な財源となっていた。

3：江戸時代には，個々の農民が幕府や藩に年貢を直接納入することとなり，江戸時代以前の村請制や五人組といった連帯責任制は廃止された。

4：明治時代には，地価の一定の割合を地租として課したが，凶作のたびに一揆が頻発したので，豊凶にあわせて毎年税率を調整するようになった。

5：第2次世界大戦後の占領期には，アメリカ主導のもと税制改革が行われ，間接税中心とするために所得税の減税や消費税の導入が行われた。

OUTPUT

実践 問題 76 の解説

〈わが国の税制〉

1 × 班田収授は，豪族が土地と民を支配していた状態に代えて，**公地公民制への移行を示すものである**。9世紀になると，墾田の増加により大土地私有が進み，口分田不足となって班田が不可能になり，10世紀初頭に廃絶した。

2 ○ 室町幕府の財政は，御料所からの収入，守護の分担金，地頭・御家人に対する賦課金などのほか，京都で高利貸を営む土倉や酒屋にも税を課した。

3 × 江戸時代には，村は，**村方三役を中心に運営され**，入会地の利用や用水，山野の管理，道の整備や治安や防災などの仕事を共同で自主的に担った。大名や旗本は，こうした村の自治に依存して，年貢や諸役を割り当て，収納した。これを村請制という。また，村民は数戸ごとに五人組に編成され，年貢の納入や犯罪の防止に連帯責任を負わされた。

4 × 明治時代には，地租改正により，地価の一定の割合を地租として課した。一揆が起こった後には，その税率を下げたが，豊凶にあわせて毎年税率を調整するようなことはしていない。

5 × 第2次世界大戦後の占領期には，シャウプ勧告を受けて，直接税中心主義や累進所得税制が採用された。大型間接税としての消費税の導入は1989年のことである。

第4章 テーマ史

正答 2

実践 問題 **77** 〈 基本レベル 〉

頻出度	地上★	国家一般職★	東京都★	特別区★★
	国税・財務・労基★	国家総合職★		国家総合職(教養区分)★★★

問 わが国の近現代の軍事，外交に関する次のA〜Dの記述の正誤の組合せとして最も適当なものはどれか。　　　　　　　　　　（裁判所職員2014）

A：幕末に締結した日米修好通商条約は，長く日本とアメリカの貿易関係において大きな役割を果たした。しかし，日中戦争が長期化し，日本とイギリス，アメリカの関係が悪化した1930年代末に廃棄された。

B：主にヨーロッパが戦場となった第一次世界大戦には，日本は参戦しなかった。そのため日本の工業生産が発展し，ヨーロッパ向けの輸出が大幅に増えて「成金」と言われる人々が生まれた。

C：ソビエト連邦（ソ連）と日本の国交は，1930年代までには樹立されていなかった。しかしナチス・ドイツが1939年にソ連と不可侵条約を結んだため，後に日本もソ連と中立条約を締結し国交を樹立した。

D：朝鮮戦争では，日本に置かれた米軍が動員された。また日本国内では米軍が必要とする物資・サービスに対する「特需」が生まれ好景気となった。これも作用して鉱工業生産は，1950年代の初めに戦前の水準に戻った。

	A	B	C	D
1：	正	正	正	誤
2：	正	正	誤	誤
3：	正	誤	誤	誤
4：	誤	誤	正	正
5：	誤	誤	誤	正

直前復習

OUTPUT

実践 問題 **77** の解説 ─────────────

〈わが国の近現代の軍事・外交〉

A ✕ 1858年に結ばれた**日米修好通商条約**は，関税自主権の喪失や，治外法権などが規定された不平等条約であったため，1899年，**陸奥宗光**外相が結んだ日米通商航海条約によって破棄され，治外法権の撤廃と関税自主権の一部回復がなされた。1911年に**小村寿太郎**外相によって新日米通商航海条約が締結され，わが国は関税自主権を完全に回復することとなる。なお，この新日米通商航海条約は日米間の関係悪化のため1939年にアメリカ側から破棄を通告され，翌年失効した。

B ✕ 日本はイギリスと**日英同盟**を締結しており1914年 8 月に**日英同盟**を理由にドイツに宣戦，**第 1 次世界大戦**に参加した。大戦中は参戦国から軍需品等の注文を受けて**大戦景気**が発生し，成金が出現したが，大戦後は一転して**戦後恐慌**となった。

C ✕ 日ロ間の国交は日ソ中立条約以前に樹立されている。1924年に加藤高明内閣が成立すると，幣原喜重郎外相のもとに協調外交が進められ，1925年に**日ソ基本条約**が締結され，日本とソ連の間に正式に国交が樹立されることとなった。しかし，一方で私有財産の否認を目的とする結社を禁止する治安維持法を制定して，社会主義運動の活発化を防ごうとした。

D ◯ 正しい。1950年 6 月に始まった朝鮮戦争は，韓国を支援した在日アメリカ軍や在朝鮮アメリカ軍によってわが国に物資やサービスの発注が大量になされ，**特需景気**，あるいは**朝鮮特需**とよばれる，戦後最初の好景気を出現させた。これによりわが国では，1951年に鉱工業生産指数，実質個人消費，民間消費が戦前の1935年のレベルまで回復し，翌年には実質国民総生産，製造業の実質賃金が回復した。

以上から，肢 5 が正解となる。

第4章 テーマ史

正答 **5**

必修
問題
セクションテーマを代表する問題に挑戦!

中国や朝鮮半島との関係を中心に整理していきます。近現代史は
政治史とリンクさせましょう。

問 第一次世界大戦から第二次世界大戦の終結までの日本の対外関係
に関する次の記述のうち,妥当なのはどれか。 (地上2010)

1：第一次世界大戦中,日本は中国に二十一か条の要求を突き付け,これを
拒んだ中国に宣戦布告し,山東半島を占領した。しかし,第一次世界大
戦後のヴェルサイユ条約で,日本は山東半島を中国に返還させられた。

2：1920年代から1930年代初めにかけて,ワシントンやロンドンで国際的な
軍縮会議が開かれた。しかし,日本はこれらの会議に参加せず,軍備拡
張を続け,幣原喜重郎外相の下,対中強硬外交を推し進めた。

3：1930年代初頭,中国軍が南満州鉄道を爆破した事件をきっかけにして,
日中両国軍が衝突し,日本は,満州全域を占領し,満州国を建国した。
国際連盟は,中国側の爆破行為を非難し,中国に満州国を承認するよう
勧告を出した。

4：1930年代後半,盧溝橋で日中両国軍の衝突事件が起こり,日中戦争へと
発展した。中国では,国民党と共産党が対日民族統一戦線を結成し抗戦
を続けたため,日中戦争は,当初の日本側の予想に反し,長期戦となった。

5：1940年代初頭,太平洋戦争が始まった。日本は,ミッドウェー海戦に大
勝するなど,戦局を有利に進めたが,ソ連が日ソ中立条約を無視して対
日参戦すると,日本は徐々に劣勢に転じ,最終的に無条件降伏した。

直前復習

Guidance
ガイダンス
■戦間期のフロー

第1次世界大戦 → 大戦景気 → ワシントン体制 〜協調外交〜 → 戦後恐慌・金融恐慌・昭和恐慌 → 軍部の台頭 → 日中戦争・盧溝橋事件

必修問題 の解説 ─────────────

〈戦間期の日本の対外関係〉

1 ✕ 第1次世界大戦において，日本が宣戦したのは中国ではなくドイツである。また，日本はヴェルサイユ条約において，山東省における旧ドイツ権益を引き継ぐことを認められた。その結果，中国国内では旧ドイツ権益の中国への直接返還などを求めて，五・四運動が起こった。山東半島における旧ドイツ権益を日本が中国に返還したのは，ワシントン会議で締結された九カ国条約に関連して締結された条約による。

2 ✕ 戦勝国の日本は国際連盟の常任理事国を務め，積極的に軍縮会議にも出席した。特に幣原喜重郎外相はアメリカとの協調関係を強化し，中国に対する内政不干渉政策を推進した。こうした協調外交は国際的に高い評価を得，「幣原外交」と称された。したがって，ワシントン会議やロンドン軍縮会議にも参加し，ワシントン海軍軍縮条約やロンドン海軍軍縮条約にも調印している。

3 ✕ 南満州鉄道を爆破したのは日本の関東軍である（柳条湖事件）。これを契機に満州事変が起こり，関東軍は元清朝最後の皇帝溥儀を執政として満州国を建国した。一方，1933年，国際連盟は満州の主権は中国にあるとし，満州からの撤兵を日本に勧告したが，日本はこれを不満として国際連盟を脱退した。

4 ◯ 西安事件（1936年）を契機に国共内戦が停止され，1937年7月，盧溝橋事件が勃発し，全面的な日中戦争となると，同年9月に抗日民族統一戦線が成立した。日本側の予想に反し，中国の抵抗は強く，長期戦となっていった。

5 ✕ 当初，日本は東南アジアや南太平洋の広大な領域を制圧したが，ミッドウェー海戦（1942年）で大敗し，太平洋における制空権・制海権を失った。これ以降，日本は劣勢に転じ，米軍による本土空襲，沖縄占領，広島・長崎への原爆投下となり，終戦間際にソ連が日ソ中立条約を破って満州に侵攻したため，日本はポツダム宣言を受け入れ，無条件降伏した。

第4章

テーマ史

正答 **4**

1 近世までの外交

(1) 古代の朝鮮半島との関係

4世紀には朝鮮半島に高句麗・新羅・百済・伽耶（かや）が成立していました。

① 白村江の戦い

新羅と唐の連合軍に滅ぼされた百済の救援要請を受けて出兵した日本軍は，663年白村江の戦いで唐と新羅の連合軍に大敗しました。その後，新羅は高句麗を滅ぼして朝鮮半島を統一します。

(2) 元寇から倭寇対策

① 元寇

元のフビライ＝ハンは高麗を服属させ，日本にも朝貢を要求してきました。しかし，鎌倉幕府の執権北条時宗がこれを退けたため，元は高麗の軍勢も合わせて2度にわたって来寇します。しかし，2度とも台風に遭遇し撤退しました。

② 日明貿易

明の倭寇禁止の求めに応じた足利義満は，明と国交を開き，勘合貿易を開始しました。明との貿易は対等な関係ではなく，日本が明に従属するという関係（朝貢）で行われました。1523年の寧波の乱を契機に大内氏が貿易を独占しましたが，大内氏の滅亡とともに勘合貿易も断絶します。

③ 李氏朝鮮との貿易

義満は李氏朝鮮との間にも国交を開き貿易を開始しました。日朝貿易は明との朝貢貿易と異なり，幕府だけでなく守護大名や豪族も参加して盛んに行われましたが，朝鮮側は対馬の宗氏を通して貿易を統制します。

(3) 豊臣秀吉の時代（16世紀末）

① バテレン追放令

秀吉が宣教師の国外退去を命じたものですが，貿易は許可していたのでキリシタン排除にはあまり効果はありませんでした。

② 朝鮮出兵

豊臣秀吉は朝鮮半島に大軍を派遣しましたが，次第に戦局は不利となり，撤退します（文禄の役）。再びの出兵も，秀吉の死により撤退しました（慶長の役）。

(4) 江戸時代初期の対外関係

① 朱印船貿易

江戸時代初期には，日本人の海外渡航が盛んに行われ，幕府は彼らに渡航許可証として朱印状を与え，朱印状を携えた朱印船が東南アジアで明との出会貿易を行いました。生糸や絹織物などが輸入され，銀や銅が輸出されました。

② **鎖国体制**

　島原の乱の後にポルトガル船の来航を禁止し，オランダ商館を平戸から長崎の出島に移して，鎖国体制が完成します。鎖国体制のもとではオランダや清との交易は続き，朝鮮からも通信使が訪れるなど交流がありました。

2 ▶ 江戸時代末期以降の外交

(1) 朝鮮との関係

日朝修好条規	江華島事件を契機に朝鮮を開国させ，領事裁判権を承認させた。
日韓協約	日露戦争後に第2次日韓協約を締結し，統監府を設置して初代統監に伊藤博文が就任。
韓国併合	1910年に韓国を併合して植民地とし，朝鮮総督府を置いた。

(2) ロシアとの関係

日露和親条約	開国後にロシアと締結。千島列島の択捉島以南は日本領，得撫島以北はロシア領に，樺太は両国民の雑居地。
樺太・千島交換条約	1875年に締結。樺太全土をロシア領，千島全島を日本領。

3 ▶ 近代の外交

(1) 第1次世界大戦と戦後

1914年	日本は**日英同盟**を理由に**ドイツに宣戦** → 山東省のドイツ権益を接収
1915年	「二十一カ条の要求」 → 袁世凱政府
1919年	国際連盟設立 → 日本は常任理事国に
1921年	**ワシントン会議** → 海軍軍縮条約で日本の主力艦保有率は米英より低く抑えられたが，日本はこれに調印，協調外交を進めた

(2) 日中戦争から太平洋戦争

1931年	満州事変 → 満州国建国
1932年	**五・一五事件** → **犬養毅首相の暗殺** → 政党政治の終焉
1933年	国際連盟を脱退
1936年	二・二六事件
1937年	**盧溝橋事件** → **日中戦争**
1941年	太平洋戦争 → ミッドウェー海戦の敗北から劣勢に
1945年	ポツダム宣言を受諾して無条件降伏

実践 問題 **78** 基本レベル

頻出度	地上★★	国家一般職★	東京都★★	特別区★★
	国税·財務·労基★	国家総合職★	国家総合職(教養区分)★★★	

問 次は，我が国と過去に存在した中国王朝との関係に関する記述であるが，A，B，Cに当てはまるものの組合せとして最も妥当なのはどれか。

(国税・財務・労基2021)

○ 小野妹子が　A　に派遣され，翌年に　A　の煬帝は使節を我が国に送った。また，　A　への留学生である高向玄理らは，中国の制度，思想，文化についての新知識を我が国に伝え，7世紀半ば以降の政治に大きな影響を与えた。

○ 平清盛は，摂津の大輪田泊を修築して　B　の商人の畿内への招来に努め，貿易を推進した。　B　との貿易がもたらした多くの珍宝や銭貨，書籍は我が国の文化や経済に大きな影響を与え，その利潤は平氏政権の重要な経済的基盤となった。

○ 足利義満は，倭寇と呼ばれる海賊集団と区別するために　C　から発給された勘合を用いて朝貢貿易を行った。この貿易は，滞在費，運搬費などを全て　C　が負担したことから，我が国の利益は大きいものであった。

```
     A    B    C
1：隋    宋    明
2：隋    宋    清
3：隋    元    清
4：唐    宋    明
5：唐    元    清
```

OUTPUT

実践 問題 **78** **の解説**

〈中国王朝との関係史〉

A 隋　小野妹子が派遣されたのは隋であり，煬帝は隋の皇帝である。律令国家を形成する時期に，日本は中国王朝の隋や唐に使節を送って，制度や文化を学んだ。

B 宋　平清盛が推進していたのは，日宋貿易である。

C 明　足利義満が朝貢貿易を行ったのは明である。日明貿易は，海賊と区別をつけるために勘合を用いたことから勘合貿易ともよばれている。この貿易は，日本が明に貢物を持って行き，明から褒美を受け取るという朝貢形式の貿易であった。

以上から，肢1が正解となる。

第4章 テーマ史

正答 **1**

実践 問題 **79** 〈 基本レベル 〉

頻出度	地上★★★ 国家一般職★	東京都★★★ 特別区★★
	国税・財務・労基★ 国家総合職★	国家総合職(教養区分)★★★

問 鎌倉時代から江戸時代までにおける我が国の対外関係に関する記述として最も妥当なのはどれか。　　　　　　　　　　　　　　　　（国家一般職2013）

1：13世紀後半，元のフビライは，日本に対して二度にわたって軍事行動を起こした。鎌倉幕府は執権北条時宗の指導の下，朝鮮半島の高麗の支援も受けて，二度とも対馬沿岸において元軍を撃退した。

2：15世紀初め，足利義満は室町幕府の経済的基盤を強化することを目的として，日本と明の対等な関係に基づく勘合貿易を始めた。貿易の主要品目についてみると，日本から明に生糸や絹織物が輸出される一方，明からは大量の銅銭が輸入された。

3：16世紀末，豊臣秀吉は，キリスト教の国内への広がりを抑えるためバテレン追放令を出すとともに，海外貿易を全面的に禁止した。また，秀吉は朝鮮半島に出兵し，明からの独立を図る李氏朝鮮とともに明と戦ったが，失敗に終わった。

4：17世紀前半に江戸幕府によって行われた鎖国政策により，日本の貿易相手国はオランダ，ポルトガル，清の三か国に限られることとなった。この政策により，17世紀前半まで行われていた通信使と呼ばれる使節を通じた朝鮮との交流も禁止された。

5：19世紀半ば，アメリカ合衆国のペリーは軍艦を率いて日本に来航し，江戸幕府に開国を要求した。幕府はやむなく，下田と箱館を開港することなどを内容とする日米和親条約を結んだ。次いで幕府はイギリスやロシアなどとも同様の条約を結び，200年以上続いた鎖国体制は崩壊した。

実践 問題 **79** の解説

〈鎌倉時代から江戸時代までの対外関係〉

1× 高麗は元に征服され，元寇に際しては2度にわたり元軍とともに高麗兵も壱岐・対馬を襲った。この元寇の時には，御家人らの活躍や暴風雨により，元が敗退している（文永の役・弘安の役）。日本が高麗の支援を得て元軍を撃退したのではない。

2× 室町幕府第3代将軍足利義満が始めた勘合貿易は日本が明に臣従する形をとった朝貢貿易であり，対等な関係に基づくものではない。また，生糸や絹織物は明から日本が輸入したものである。日本からの輸出品は銅・硫黄・金・刀剣・扇・漆器，明からの輸入品は生糸・絹織物・綿糸・砂糖・陶磁器・書籍・絵画などであった。永楽通宝など大量の銅銭が輸入されたことは正しく，この時期の貨幣経済に基づく商品流通の興隆を後押しする役割を担った。

3× 秀吉がバテレン追放令を出したことは正しいが，秀吉はキリスト教と南蛮貿易を分離できると考えたので，ポルトガル船や商人の来航は従来どおり認める方針をとった。このため，バテレン追放令の効果は薄かった。また，秀吉による朝鮮出兵は，明への先導役を朝鮮に求めたものであり，朝鮮とともに明と戦ったわけではない。朝鮮は李舜臣の活躍や明の援軍を得て，戦局を有利にした。

4× 江戸幕府の鎖国政策の例外とされた交易国は，オランダ，清，李氏朝鮮であり，ポルトガルの来航は1639年に禁止されている。また，秀吉の朝鮮侵攻の後，江戸時代初期に朝鮮との間に講和が成立し，朝鮮通信使が江戸時代に将軍の代替わりに来日した。鎖国体制が完成していくときに，朝鮮との交流が禁止されたのではない。

5○ 妥当である。ペリー来航により，薪水の供給や下田・箱館を開港地と定めるなどを内容とする日米和親条約が締結され，次いでプチャーチンによって日露和親条約が，イギリス，オランダとも同様の条約が締結された。

第4章 テーマ史

正答 **5**

実践 問題 80 基本レベル

頻出度	地上★★	国家一般職★	東京都★★	特別区★★★
	国税・財務・労基★	国家総合職★	国家総合職(教養区分)★★★	

問 鎌倉時代から江戸時代までの我が国の対外関係に関する記述として最も妥当なのはどれか。 (国税・財務・労基2019)

1：13世紀後半，元のフビライ＝ハンは，日本に朝貢を求めたが，北条時宗はその要求に応じなかった。元は，文禄の役，慶長の役と二度にわたって日本に兵を派遣したが，高麗や南宋の援軍を得た日本軍は，集団戦法や火薬で圧倒し，元軍を二度とも退けた。

2：15世紀初め，国内を統一した足利義満は，対等な通交を求めてきた明に使者を送り，国交を開いた。この日明貿易では，正式な貿易船と海賊船とを区別するために勘合という証明書が用いられ，その後，16世紀半ばまで，室町幕府が貿易の実権を独占した。

3：16世紀半ばに始まった南蛮貿易では，主に，銅銭，薬草，生糸などを輸入し，刀剣，銅，硫黄などを輸出した。南蛮船で日本に来たキリスト教の宣教師は，布教活動を行ったが，キリスト教信者の増大を警戒した九州各地の大名によって国外に追放された。

4：17世紀，江戸幕府は当初，諸外国との貿易に意欲を出し，キリスト教を黙認していたが，後に貿易統制とキリスト教の禁教政策を強化していった。そして，異国や異民族との交流は長崎・対馬・薩摩・松前に限定され，鎖国と呼ばれる状態が完成した。

5：18世紀末以降，中国・ロシア・アメリカ合衆国などの諸外国が日本に開国を求めた。19世紀半ばには，アメリカ合衆国のペリーが二度来航したことを受け，江戸幕府は，自由貿易や下田・箱館の開港などを内容とする日米和親条約を結ぶこととなった。

OUTPUT

実践 問題 **80** の解説

〈鎌倉時代から江戸時代までの対外関係〉

1 ✕ ２度にわたる元の襲来は，文永の役，弘安の役である。文禄の役，慶長の役は豊臣秀吉の命令で行われた日本と朝鮮の戦いである。また，日本は高麗や南宋の援軍を得ていない。元は高麗を征服した後，高麗軍とともに日本を攻撃した。さらに，集団戦法や火薬を用いて有利に戦ったのは元軍である。一騎打ち戦を主とする日本軍は苦戦に陥ったが，暴風雨もあって元は退いた。

2 ✕ 足利義満が行った日明貿易は，対等な外交ではなく，日本など周辺国が明国に貢物を持っていき，明の皇帝から褒美の品をもらうという朝貢形式の貿易であった。勘合についての記述は正しい。15世紀後半，幕府の衰退とともに貿易の実権は堺商人と結んだ細川氏や博多商人と結んだ大内氏の手に移り，寧波の乱以後，大内氏が16世紀半ばまで独占した。

3 ✕ キリスト教は九州の大名らに受け入れられ，大村純忠など，洗礼をうけてキリシタン大名となった者もいた。キリスト教が警戒され始めるのは豊臣秀吉が政権を握る頃からである。

4 ◯ 妥当である。長崎ではオランダ，清と貿易が行われ，対馬藩を介して朝鮮から通信使が訪れた。また，薩摩藩は琉球王国を力で従えて貢物を受け取っていた。琉球王国からは，謝恩使や慶賀使が江戸幕府に派遣された。蝦夷地に住むアイヌと松前藩は海産物などの交易を行った。

5 ✕ ロシアやアメリカ合衆国は日本に開国を求めたが，もともと貿易を行っていた中国は開国を求めていないので誤り。また，日米和親条約では自由貿易についての取り決めはなされていない。その後，井伊直弼がハリスと結んだ日米修好通商条約において，通商は自由貿易とすることが規定されていたが，別冊貿易章程で日本には関税自主権の欠如が決められた。

第４章 テーマ史

正答 4

実践 問題 **81** 基本レベル

頻出度	地上★★★	国家一般職★	東京都★★	特別区★★★
	国税・財務・労基★	国家総合職★	国家総合職(教養区分)★★★	

問 桃山時代から明治時代における我が国の外交等に関する記述として最も妥当なのはどれか。 （国家一般職2020）

1：豊臣秀吉が2度の朝鮮出兵を行った結果，江戸時代を通じて我が国と朝鮮は長く国交が断絶した状態にあったが，明治新政府の成立を契機に対馬藩を窓口として国交の正常化が実現し，日清戦争が始まるまでの間，数回にわたって朝鮮通信使が派遣されてきた。

2：江戸幕府は，戦国時代末期に島津氏に征服された琉球王国に対して，明との貿易を禁止したが，明が滅びて清が建国されると，琉球王国は清の冊封を受けるとともに朝貢貿易を再開したことから，江戸幕府は我が国と清との交易を全面的に禁止した。

3：18世紀にロシアの南下政策に危機を感じた江戸幕府は，伊能忠敬に蝦夷地，樺太の地図作成を命じた。樺太の帰属は日露間の大きな問題であり，樺太・千島交換条約で樺太南半分の領有権を得る代わりに千島列島の領有権を放棄することでその問題を解決した。

4：19世紀中頃，米国使節のペリーは，黒船を率いて江戸湾入口の浦賀に来航し，開国を求める国書を渡し，翌年，その回答を求め再び来日した。江戸幕府は，下田・箱館の開港，漂流民の救助，米国に対する最恵国待遇の供与等を内容とした日米和親条約を結んだ。

5：江戸時代に長崎の出島でオランダのみと行われていた西洋諸国との貿易は，日米修好通商条約の締結後，スペイン，ポルトガル，オランダ，英国とも通商条約を締結し，大きく拡大した。これら4か国との条約では，日米修好通商条約で認められなかった我が国の関税自主権が認められた。

直前復習

OUTPUT

実践 問題 **81** **の解説** ―――――――――――――――

〈桃山時代から明治時代の外交〉

1× 対馬藩を窓口として朝鮮との国交が正常化し，朝鮮通信使が派遣されたのは江戸時代である。秀吉の朝鮮出兵の後，朝鮮との国交が途絶えていたが，徳川家康が朝鮮との講和を実現し，対馬藩主宗氏は朝鮮との間に己酉約条を結んだ。これにより，釜山に倭館が設置され，宗氏は朝鮮外交上の特権的な地位が認められた。

2× 島津氏が琉球王国を征服したのは，江戸幕府が開かれた後の1609年である。この結果，琉球王国は薩摩藩の支配下に入ったが，一方で薩摩藩は琉球王国を独立した王国として中国との朝貢貿易を継続させた。明との朝貢貿易を禁止したのではない。明から清に王朝が交代してもこれは変わらなかった。江戸時代を通じて中国貿易は行われていた。

3× 18世紀末から19世紀のロシアの南下に対して江戸幕府は，松前藩と蝦夷地をすべて直轄にして松前奉行の支配のもとにおき，東北諸藩をその警護にあたらせるとともに，間宮林蔵に樺太とその対岸を探査させた。その後，樺太の領有についてはロシアとの間の懸念材料であったが，明治時代初頭，政府は北海道の開拓で手いっぱいであったため，1875年に樺太・千島交換条約を結んで，樺太に持っていた一切の権利をロシアに譲り，その代わりに千島全島を領有した。なお，伊能忠敬は，幕府の命を受けて全国の沿岸を実測し，「大日本沿海輿地全図」の作成にあたった人物である。

4○ ペリー来航から日米和親条約の締結までの記述として妥当である。

5× 日米修好通商条約を締結した後に通商条約を締結したのは，オランダ，ロシア，イギリス，フランスである（安政の五カ国条約）。スペインやポルトガルではない。また，この通商条約は日米修好通商条約と類似の条約であり，わが国の関税自主権はない。

第4章 テーマ史

正答 **4**

頻出度	地上★★★ 国家一般職★ 東京都★★★ 特別区★★
	国税・財務・労基★ 国家総合職★ 国家総合職(教養区分)★★★

問 江戸時代の我が国の対外関係に関する記述として最も妥当なのはどれか。

(国税・財務・労基2023)

1：徳川家康は，オランダ人ヤン＝ヨーステン，イギリス人ウィリアム＝アダムズを外交顧問とし，オランダとイギリスの両国は，平戸に商館を設けて貿易を開始した。しかし，旧教国としてキリスト教の布教を行ったことなどから，幕府は，両国の商館を閉鎖し，来航を禁止した。

2：幕府は，19世紀前半に薪水給与令を出し，漂流民の送還のため浦賀に来航したアメリカ合衆国の商船モリソン号を穏便に退去させた。しかし，アヘン戦争での清の劣勢が伝わると，方針を転換し異国船打払令を出し，外国船の打ち払いを命じた。

3：初代アメリカ合衆国総領事ハリスは，清がアロー戦争でイギリスとフランスに敗北すると，両国の脅威を説いて通商条約の調印を強く迫った。大老井伊直弼は，孝明天皇の勅許を得て，日米修好通商条約に調印し，イギリス，フランス，ロシア，スペインとも同様の条約を結んだ。

4：朝廷から攘夷決行を迫られた幕府は，諸藩に攘夷の決行を命じ，長州藩は下関の海峡を通過する外国船を砲撃した。攘夷を決行された報復として，イギリス，フランス，アメリカ合衆国，オランダの四か国は，連合艦隊を編成して下関を攻撃した。

5：薩摩藩は，薩摩藩士によるイギリス人殺傷事件の報復のために鹿児島湾に来航したイギリス艦隊と交戦し，大きな損害を受けた。その後，薩摩藩はフランスに接近し，武器の輸入や洋式工場の建設を進める一方，幕府はイギリスから財政的援助を受けて軍制の改革を行った。

OUTPUT

実践 問題 **82** の解説

〈江戸時代の対外関係〉

1× オランダとイギリスの両国はともに、旧教（カトリック）国ではなく新教（プロテスタント）国であった。旧教国としてキリスト教の布教を行ったことなどから来航が禁止されたのはスペインとポルトガルである。

2× 順番が逆転した肢である。19世紀前半に異国船打払令が出されたが、アヘン戦争で清が敗北したことを受け、薪水給与令を出した。モリソン号は異国船打払令に基づき、砲撃されたので（モリソン号事件）、「穏便に退去させた」とあるのも誤り。

3× 井伊直弼は勅許を得られないまま日米修好通商条約に調印をした。また、この条約はアメリカ、オランダ、イギリス、フランス、ロシアの5カ国と結んだが、スペインとは結んでいない。

4○ 四国艦隊下関砲撃事件の説明として妥当である。

5× 肢の後半のイギリスとフランスが逆である。薩摩藩は薩英戦争により攘夷が不可能なことを認識すると、イギリスに接近する開明政策に転じた。一方、幕府はフランスから財政的援助を受けた。

第4章 テーマ史

正答 **4**

テーマ史

セクションテーマを代表する問題に挑戦！

文化史・教育史・仏教史など，よく出題されるテーマについて時代ごとの特徴を学びます。

問 我が国の文化に関する記述として最も妥当なのはどれか。

（国税・財務・労基2022）

1：弘仁・貞観文化は，平城京において発展した，貴族を中心とした文化で，隋の影響を強く受けている。仏教では，いずれも隋に渡った経験をもつ，比叡山延暦寺を開いた最澄の真言宗，高野山金剛峯寺を開いた円仁の天台宗が広まり，密教が盛んになった。

2：東山文化は，武家文化と公家文化，大陸文化と伝統文化の融合が進み，また，当時成長しつつあった楽市や都市の民衆との交流により生み出された，広い基盤をもつ文化である。この頃，能，浮世絵，落語，生花などの日本の伝統文化の基盤が確立され，茶の湯では，千利休が茶と禅の統一を主張して，侘茶を創出した。

3：元禄文化は，鎖国状態が確立し外国の影響が少なくなったことで，江戸において発展した日本独自の文化で，国学などの学問も重視された。国学のうち，朱子学派の一派である古学派の林羅山は，朱子学と神道を融合させた垂加神道を唱え，公家や神職に受け入れられて経世論に大きな影響を与えた。

4：化政文化は，都市の繁栄，商人・文人の全国的な交流，出版・教育の普及，交通網の発達などによって，全国各地に伝えられた。民衆向けに多彩な文学が発展し，滑稽本の十返舎一九，読本の曲亭（滝沢）馬琴などの代表的作家が現れた。

5：明治の文化は，新しいものと古いもの，西洋的なものと東洋的なものが，無秩序に混在・併存する文化である。西洋画では，岡倉天心が日本最初の西洋美術団体である明治美術会を結成し，高村光雲が白馬会を創立する一方，日本画では，黒田清輝が日本美術院を組織して日本画の革新に努めた。

Guidance ガイダンス　■江戸時代の儒学

朱子学は大義名分論を基礎に封建社会を維持するための教学として幕府や藩に重んじられた。一方，中江藤樹は陽明学を学び，知行合一の立場で現実を批判するなど革新性をもっていた。また，朱子学や陽明学は中国においても後代に登場したものであることから，古学派は孔子や孟子の原点に直接立ち返ろうとしたのである。

必修問題 の解説

〈文化史〉

1× 弘仁・貞観文化は，平安遷都から9世紀末頃までの文化で，平安京を中心に唐の影響を強く受けたものである。密教が盛んになったことは正しいが，最澄が開いたのは天台宗であり，真言宗を開いたのが空海である。彼らはともに唐に渡って仏教を学んだ。

2× 東山文化を含む室町文化の特徴は，武家文化と公家文化，大陸文化と伝統文化の融合が進み，当時成長しつつあった惣村や都市の民衆とも交流して，広い基盤をもつ文化が生み出されたことである。また，東山文化で確立されたのは水墨画である。浮世絵は江戸時代。茶の湯で侘茶を創出したのは村田珠光である。千利休は安土・桃山時代に茶道を確立した人物。

3× 林羅山が活躍したのは元禄時代ではなく，寛永期である。朱子学と神道を融合させた垂加神道を唱えたのは山崎闇斎である。垂加神道はあくまで神道に儒学の要素を加えたもので，古学派とは異なる。山崎闇斎の説は，その後の神道や国学の発展に大きな影響を与えた。古学派は孔子・孟子の古典に直接立ち返ろうとするもので，古学派に属するのが山鹿素行や伊藤仁斎である。経世論とは「経世済民（世を治め，人民の苦しみを救うこと）」のための諸策であるが，統治の具体策を説く経世論の道を開いたのは，古文辞学の荻生徂徠である。

4○ 化政文化の説明として妥当である。

5× 日本初の西洋美術団体である明治美術会を結成したのは，浅井忠である。また，白馬会を創立したのはフランスで学んだ黒田清輝である。日本画の発展に寄与したのが岡倉天心であり，日本美術院を創設した。高村光雲は彫刻家である。

正答 **4**

■国学

18世紀に『古事記』や『日本書紀』などの研究が進み，日本古来の道（古道）を説く国学が発達した。賀茂真淵は日本の古代思想を研究し，洋学はもとより儒教，仏教も外来思想として排した。本居宣長は『古事記伝』を著し，「漢意」を激しく攻撃した。

① 文化史

飛鳥文化	仏教を中心とする文化が興隆し，百済や高句麗を通じて伝えられた中国の南北朝の時代の影響を受けている。
白鳳文化	天武・持統天皇の時代。美術には初唐の影響。高松塚古墳壁画。
天平文化	聖武天皇の時代。東大寺正倉院の宝物は東ローマやイスラーム，インドなどの流れをくみ，盛唐の影響を受けた国際色豊かなもの。
国風文化	藤原氏の摂関政治期。10〜11世紀に開花した日本独自の文化。かな文字が発達。『土佐日記』『紫式部』，寝殿造。
鎌倉文化	簡素で雄健な武家文化。東大寺南大門（大仏様）。『方丈記』。
北山文化	足利義満。公家文化と禅宗の気風を合わせた武家文化。義満の建てた金閣は寝殿造に唐様を折衷。観阿弥と世阿弥が能を大成。
東山文化	足利義政。禅の精神に基づく簡素さと伝統文化の幽玄・侘びを基調としている。義政の建てた銀閣は書院造。雪舟の水墨画。
桃山文化	織田信長と豊臣秀吉。大名や豪商による壮大な華麗な文化。安土城などの城郭建築。狩野永徳の障壁画。
元禄文化	上方中心の派手で現実的な町人文化。井原西鶴・近松門左衛門。
化政文化	江戸を中心とする粋・通を好む町人文化。歌麿・北斎・広重。

② 教育史

奈良時代	中央に大学，地方に国学を置き，官吏養成機関とする。
平安時代	大学別曹。綜芸種智院（空海が開いた庶民のための学校）
鎌倉時代	金沢文庫（北条実時が設けた和漢の蔵書を集めた文庫）
室町時代	足利学校
江戸時代	幕府：湯島聖堂で朱子学，各藩：藩校，庶民：寺子屋
明治時代	学制発布：フランスの教育制度を見本　→　実情に合わず一揆も 教育令発布：アメリカ式の自由教育制度 学校令発布：体系的な学校教育制度が確立。1900年の小学校令の改正で4年間の義務教育が確定し，授業料も無償に。
昭和時代	小学校を国民学校として国家主義的教育を推進
戦後	修身・歴史・地理の授業の停止 教育基本法・学校教育法で六・三・三・四制の導入 教育委員会の設置

3 仏教史

(1) 仏教の伝来

6世紀にわが国に伝えられた仏教は，朝廷の保護を受け，飛鳥を中心に仏教文化が開花します。聖徳太子の発願で法隆寺も建立されました。

(2) 奈良時代

奈良時代には聖武天皇が鎮護国家の思想に基づき仏教により社会の不安を鎮めようと，国分寺建立の詔や大仏造立の詔を発しました。この時代には唐から鑑真が渡来し，仏教の発展に寄与します。仏教理論の研究が進められ，南都六宗とよばれる諸学派が形成されました。

(3) 平安時代の仏教

① 最澄と空海

渡唐して帰国した最澄が天台宗を，空海が真言宗を開き，仏教界の革新を行いました。天台宗や真言宗には密教が取り入れられました。

② 神仏習合

仏教が広まるにつれ，仏教と古くから信仰されていた神々の融合が進みます（神仏習合）。やがて日本の神は仏が姿を変えてこの世に現れたものであるとする本地垂迹説が唱えられました。

③ 浄土教

平安中期には阿弥陀仏を信仰し，極楽浄土に往生することを願う浄土教が盛んになります。これは末法思想と相まって流行しました。

(4) 鎌倉時代の仏教

鎌倉時代には内面的な深まりを持ちつつ，庶民などを対象とする新仏教が興り，広く武士や庶民に受け入れられました。

(5) 室町時代の仏教

鎌倉末期から室町時代にかけて臨済宗が将軍家の保護を受けて大いに栄えます。足利義満の時代には京都と鎌倉に五山・十刹の制が確立します。

五山・十刹	中国の官寺の制にならって，臨済宗の寺院の格を定めたものです。五山を最高とし，十刹がこれに続きます。

実践 問題 **83** 〈 基本レベル 〉

頻出度	地上★★	国家一般職★	東京都★★	特別区★★
	国税・財務・労基★	国家総合職★	国家総合職(教養区分)★★★	

問 我が国の文化の歴史に関する記述として最も妥当なのはどれか。

(国税・財務・労基2017)

1 : 飛鳥文化は，主に天武天皇により広められた仏教中心の文化を基本としつつ，渡来人の活躍により，隋の影響を強く受けた文化である。大仏の鋳造も広く行われるようになり，その代表的なものとして唐招提寺の盧舎那仏が挙げられる。

2 : 天平文化は，平城京を中心として栄えた貴族文化で，唐の影響を受けた国際色豊かな文化である。また，仏教によって国家の安定を図るという鎮護国家思想が重んじられ，中央には東大寺，地方には国分寺・国分尼寺が造営された。

3 : 国風文化は，大陸文化に日本人のし好を加味した優雅で洗練された文化であり，13世紀に生まれた。それまでの漢字文化から脱して，かな文字が発達し，自由な表現が可能となったことから，新古今和歌集や十六夜日記といった文学作品が生まれた。

4 : 鎌倉文化は，伝統文化を受け継いだ公家が担い手になったほか，武士や庶民にも支持された。武士や庶民などを対象として，法然の浄土真宗，空海の真言宗など，いわゆる鎌倉新仏教が生まれ，それらの布教活動が盛んに行われた。

5 : 桃山文化は，戦国大名や豪商の気風を反映して，覇気と生命感にあふれた力強い文化である。戦に備え山城を中心とした城郭建築や，墨の濃淡を用いた濃絵による障壁画などが特徴とされ，オランダ人の来航を機にもたらされた南蛮文化の影響も受けた。

OUTPUT

実践 ▶ 問題 **83** ▶ の解説 ────────────────

〈古代から近世までの文化史〉

1✕ 唐招提寺は奈良時代に中国から日本に渡来し，日本に戒律を伝えた鑑真が
創建したものである。飛鳥文化は蘇我氏や王族により広められた仏教中心
の文化を基本としつつ，百済や高句麗，隋が中国を統一する前の南北朝時
代の文化の影響を受けている。天武天皇と持統天皇の時代に開花したのは
白鳳文化であり，白鳳文化は唐初期の文化の影響を受け，仏教文化を基調
としている。

2○ 天平文化は聖武天皇の時代の年号からその呼び名がある。聖武天皇が仏教
の持つ鎮護国家の思想によって国家の安定を図ろうと，国分寺建立の詔，
大仏造立の詔を発している。752年に奈良東大寺の盧舎那仏の開眼供養が行
われた。唐招提寺金堂の盧舎那仏も8世紀後半に完成したとされている。

3✕ 国風文化が大陸文化に日本人のし好を加味した優雅で洗練された文化であ
ること，かな文字が発達したことは正しい。ただし，国風文化は別名藤原
文化ともよばれ，藤原氏の摂関政治の時代であり，10世紀から11世紀に見
られたものである。また，新古今和歌集や十六夜日記は13世紀の鎌倉時代
に成立した作品であり，国風文化の時代には古今和歌集や源氏物語，枕草
子などの作品が生まれた。

4✕ 鎌倉時代に鎌倉新仏教が生まれたことは正しいが，空海の真言宗は平安時
代に成立した仏教である。

5✕ ポルトガル人とスペイン人が南蛮人とよばれ，ポルトガルの来航によって
形成されたのが南蛮文化である。桃山文化を象徴するのは城郭建築である
が，この時代の城郭は，戦いに備えて造営された山城に代わって平地につ
くられた。また，濃絵は金箔地に青・緑を彩色するもので，墨の濃淡を用
いて描くのは水墨画である。安土・桃山時代の城郭の内部の襖や屏風には，
濃絵の豪華な障壁画が描かれた。

第4章 テーマ史

正答 **2**

S ECTION ③ テーマ史

実践 問題 **84** 基本レベル

頻出度	地上★★ 国家一般職★ 東京都★★ 特別区★★
	国税・財務・労基★ 国家総合職★ 国家総合職(教養区分)★★★

問 我が国の文化に関する記述として，妥当なのはどれか。　　　　(特別区2013)

1：化政文化は，京都や大坂など上方の町人を担い手として開花した文化で，人形浄瑠璃や歌舞伎では，近松門左衛門の「仮名手本忠臣蔵」や鶴屋南北の「東海道四谷怪談」などの作品が生まれて人気を博した。

2：国風文化は，唐の文化を日本の風土や日本人の感性に融合させた文化で，田楽と猿楽などをもととした能が大成し，なかでも観世座の観阿弥・世阿弥父子は，朝廷の保護を受け，芸術性の高い猿楽能を完成させた。

3：元禄文化は，江戸を中心として開花した町人文化で，人形浄瑠璃では，竹本義太夫が竹田出雲の作品を語って人気を博し，歌舞伎では，坂田藤十郎らの名優があらわれ，民衆演劇として発展した。

4：桃山文化は，新興の大名や豪商の気風を反映した豪壮で華麗な文化で，城郭には天守閣や，書院造の居館などが建てられ，また，民衆の間では，出雲の阿国の歌舞伎踊りが人気をよび，のちの歌舞伎のはじまりとなった。

5：弘仁・貞観文化は，唐の文化の影響による洗練された貴族の文化で，貴族の間に流行した浄瑠璃は，琉球の三線を改良した三味線を伴奏楽器にして人形操りをとり入れ，人形浄瑠璃へと発展した。

直前復習

OUTPUT

実践 問題 **84** の解説 ────────────

〈わが国の文化〉

1 ✕ 化政文化は江戸時代後期に見られた，江戸を中心とする町人文化である。また，鶴屋南北が『東海道四谷怪談』を著したのは化政期であるが，近松門左衛門が活躍したのは江戸時代半ばに興った，元禄期である。近松門左衛門の作品としては『曽根崎心中』や『国姓爺合戦』があるが『仮名手本忠臣蔵』は竹田出雲らの作である。化政文学としては，十返舎一九の『東海道中膝栗毛』や上田秋成の『雨月物語』，滝沢馬琴の『南総里見八犬伝』などがある。

2 ✕ 能が大成されたのは，室町時代，なかでも北山文化の頃であり，特に世阿弥は室町幕府第3代将軍足利義満の庇護を受けたことで知られている。なお，田楽や猿楽から発展して能が誕生したという経緯は正しい。

3 ✕ 元禄文化については，上方の町人を担い手として開花した文化である。元禄期の文芸の中心となったのは近松門左衛門と井原西鶴，松尾芭蕉である。竹本義太夫が語って人気を博したのは近松門左衛門の作品である。

4 ◯ 妥当である。桃山文化は従来の日本文化に比べると，仏教の影響をあまり受けていない文化である。南蛮人の来航による異国文化の影響も見られる。狩野永徳の『唐獅子図屏風』や『洛中洛外図屏風』が著名である。

5 ✕ 平安時代初期を彩る弘仁・貞観文化は，密教の伝来など，遣唐使のもたらした影響を多分に受けた貴族を中心とする文化である。ただし，浄瑠璃が興ったのは15世紀頃であり，16世紀後半に渡来した三味線とも結びついて人形浄瑠璃が形成された。三味線の起源は琉球の三線であるといわれている。

第4章 テーマ史

正答 **4**

実践 問題 **85** 基本レベル

頻出度	地上★★★　国家一般職★　　　東京都★★★　特別区★★★
	国税・財務・労基★　　国家総合職★　　　国家総合職(教養区分)★★★

問 国風文化に関する記述として，妥当なのはどれか。 （特別区2023）

1：末法思想を背景に浄土教が流行し，源信が「往生要集」を著し，極楽往生の方法を説いた。

2：和歌が盛んになり，紀貫之らが最初の勅撰和歌集である万葉集を編集し，その後も勅撰和歌集が次々に編集された。

3：貴族の住宅として，檜皮葺，白木造の日本風で，棚，付書院を設けた書院造が発達した。

4：仏師定朝が乾漆像の手法を完成させ，平等院鳳凰堂の本尊である薬師如来像などを作った。

5：仮名文字が発達し，万葉仮名の草書体をもとに片仮名が生まれ，使用されるようになった。

OUTPUT

実践 ▶ 問題 **85** ▶ の解説

〈国風文化〉

1 ○ 国風文化に関する記述として妥当である。

摂関時代の仏教は，天台宗と真言宗が圧倒的な勢力を持ち，祈祷を通じて現世利益を求める貴族と結びつく一方，神仏習合が進み，仏と日本固有の神々を結びつける本地垂迹説も生まれた。一方，末法思想の流行を背景に，現世の不安から逃れようとする浄土教も盛んとなった。浄土教は阿弥陀仏を信仰することで，来世において極楽浄土に往生し，そこで悟りを得て苦がなくなることを願う教えである。

> **■末法思想**
>
> 末法思想とは，釈迦の没後，その教法を実行し証（さとり）を得るものが時の経過とともに少なくなり，仏法が衰滅するという思想。平安時代の後期には，盗賊や乱闘が多くなり，災厄がしきりに起こったことが，仏教の説く末法の世の姿に当てはまると考えられた。

2 × 『万葉集』は最古の和歌集ではあるが，勅撰和歌集ではない。紀貫之らが編集した最初の勅撰和歌集は『古今和歌集』である。

万葉集	奈良時代に成立。恋愛を詠む相聞歌，死者を哀悼する挽歌，相聞，挽歌に属さない雑歌などに分かれる。歌風は素朴で力強く，万葉調とよばれる。
古今和歌集	平安時代に紀貫之らが編纂した最初の勅撰和歌集。優美，繊細，技巧的な歌風で「古今調」とよばれ，「万葉調」と対比される。

3 × 国風文化の頃の貴族の住宅は棚や付書院を設けた書院造ではなく，檜皮葺，白木造の寝殿造である。

4 × 定朝が完成させたのは乾漆像の手法ではなく，寄木造である。また，平等院鳳凰堂の本尊は薬師如来像ではなく，阿弥陀如来像である。国風文化の時代には浄土教が盛んになっており，平等院鳳凰堂は阿弥陀堂の代表的な遺構である。

5 × 万葉仮名の草書体をもとに生まれたのは片仮名ではなく，平仮名である。片仮名は漢字の一部分をとった表音文字である。平仮名や片仮名は11世紀には広く使用されるようになり，その結果，人々の感情や感覚を日本語でいきいきと表現できるようになり，多くの文学作品が生まれた。ただし，貴族は公式の場では従来どおり漢文だけで文章を記した。

正答 **1**

第4章 テーマ史

実践 問題 86 基本レベル

頻出度	地上★★　　国家一般職★　　東京都★★　　特別区★★
	国税・財務・労基★　　国家総合職★　　国家総合職(教養区分)★★★

問 我が国の文化の歴史に関する記述として最も妥当なのはどれか。

(国家総合職教養区分2023)

1：弥生文化は，水稲農耕を基礎とし，青銅や鉄などを用いた金属器，稲の穂摘み用具である石包丁，木材を加工するための骨角器などを伴う文化である。弥生時代後期に，遠隔地との交易のための丸木舟が生み出され，中国・朝鮮半島との交流も盛んに行われた。交流を通して，朝鮮半島から硬質で灰色の土師器の製作技術が伝えられ，弥生土器やその系譜を引く須恵器と共に用いられるようになった。

2：白鳳文化は，6世紀末から7世紀後半にかけて，蘇我氏や王族により広められた仏教中心の文化である。この時代に，厩戸王（聖徳太子）により法隆寺が，天武天皇により大官大寺が建立された。また，持統天皇の時代に律令制度による政治の仕組みが整えられる中，貴族や官人には漢文の教養が必要とされ，現存最古の漢詩集である『懐風藻』や，諸国の産物や伝承を漢文で記録した地誌である『大鏡』が編集された。

3：天平文化は，唐の文化の影響を強く受けた国際色豊かな文化であり，聖武朝の天平時代を中心とした8世紀の奈良時代に発達した。宮廷の歌人や貴族だけでなく，民衆の歌も取り入れられた『万葉集』が編集され，また，仏教の鎮護国家の思想を受けて国分寺建立などの事業も進められた。天平文化を代表する建築には，唐招提寺金堂・講堂や，校倉造の正倉院宝庫などがある。

4：国風文化は，10世紀から11世紀半ば頃までの，大陸文化と日本文化とを融合させた優美で繊細な文化であり，『竹取物語』や『今昔物語集』など仮名文字を用いた物語文学が生まれた。また，10世紀後半に，仏と神は本来同一であるとする神仏習合思想が現れ，この思想に関係した美術・建築作品が数多くつくられた。運慶・快慶によってつくられた力強く写実的な仏像や，藤原頼通が建立した平等院鳳凰堂はその代表例である。

5：桃山文化は，織豊政権の時代の文化であり，姫路城など戦時に防塞としての役割を果たす山城を中心とした城郭建築が特徴である。城郭内部のふすまや屏風には金地に青や緑の濃厚な色彩が用いられた濃絵が描かれ，狩野永徳による『唐獅子図屏風』や俵屋宗達による『風神雷神図屏風』などが残された。また，千利休によって侘茶が大成されると，陶器の需要の増加に伴い製陶技術が進歩し，色絵の技法を完成させた酒井田柿右衛門によって京焼が始められた。

解答かくしシート

OUTPUT

実践 問題 **86** **の解説**

〈文化史〉

1 × 弥生時代に木材を加工するために用いられたのは石斧である。骨角器は縄文時代の後期に最も製作・使用されたもので，釣針や離頭銛などの漁具や弓矢の部品，かんざしや耳飾りなどの装飾品として用いられた。丸木舟が生み出されたのも縄文時代。なお，土師器や須恵器が用いられたのは古墳時代であり，弥生土器の系譜を引くのが赤焼きの土師器で，朝鮮半島から製作技術が伝えられた硬質で灰色なのが須恵器である。

2 × 蘇我氏や王族によって広められた仏教中心の文化は飛鳥文化である（6世紀末から7世紀前半）。厩戸王（聖徳太子）が法隆寺を建立したとされるのもこの時代である。一方，白鳳文化は7世紀後半から8世紀初頭にかけての天武・持統天皇の時代を中心とする文化である。律令制度が整えられるとともに，天武天皇により大官大寺が建立された。なお，現存最古の漢詩集である『懐風藻』が編まれたのは奈良時代の天平文化の時代である。この時代に諸国の産物や伝承を編纂したのが『風土記』である。『大鏡』は平安時代後期に成立した歴史物語である。

3 ○ 天平文化の説明として妥当である。

4 × 『今昔物語集』は国風文化の時代ではなく，院政期の11世紀末から12世紀前半に成立したとされており，その表記も仮名文字ではなく，すべての説話が「今ハ昔」で始まる，漢字に小書きのカタカナを交えた形式である。また，運慶・快慶が活躍したのは鎌倉時代であり，代表作は東大寺南大門の金剛力士像である。

5 × 桃山文化を特徴づけているのが城郭建築であることは正しいが，中世までの城が戦時の防塞としての役割を果たす山城であったのに対し，この時代の城は領国支配の利便性を考慮して平城となった。また，俵屋宗達が活躍するのは江戸時代である。なお，京焼色絵陶器の大成者は野々村仁清であり，時代は江戸時代である。酒井田柿右衛門は有田で赤絵を完成させた人物である。

第4章 テーマ史

正答 **3**

実践 問題 **87** 〈 基本レベル 〉

頻出度	地上★★★　国家一般職★　　東京都★★★　特別区★★★
	国税・財務・労基★　　国家総合職★　　国家総合職(教養区分)★★★

問 室町時代の文化に関する記述として，妥当なのはどれか。

（東京都Ⅰ類B 2018）

1：南北朝の動乱期には，「平家物語」などの軍記物が作られ，また，「二条河原落書」にみられるような和歌が盛んとなり，後鳥羽上皇は「新古今和歌集」を編集した。

2：足利義政が建てた鹿苑寺金閣は，北山文化を代表する一向宗の建物であり，足利義満が建てた慈照寺銀閣は，東山文化の中で生まれた寝殿造の建物である。

3：足利義満は五山の制を整え，一向宗の寺院と僧侶を統制し保護したため，浄土宗文化が盛んとなり，義満に仕えた五山の僧の雪舟は，障壁画に幽玄の境地を開いた。

4：北山文化の時期には，安土城や大坂城など，武家の居城の内部に，簡素な中に幽玄を重んじた枯山水の庭園が造られた。

5：応仁の乱が起こると，多くの公家や文化人が戦乱を避けて地方に移住したことから，朱子学をはじめとする中央の文化が地方に普及した。

実践 問題 **87** の解説

〈室町時代の文化〉

1 ✕ 南北朝の動乱期に成立した軍記物は『太平記』である。『平家物語』は平氏の興亡を主題とした軍記物語であり，成立は鎌倉時代である。また，「二条河原落書」に見られるのは和歌ではなく連歌である。後鳥羽上皇の命で『新古今和歌集』が編纂されたのも鎌倉時代である。なお，本肢は文化史がわからなくても，後鳥羽上皇が鎌倉時代初期に承久の乱を起こしたことから，切ることもできる。

2 ✕

| 北山文化 | 鹿苑寺金閣 | 足利義満 | 観阿弥・世阿弥 |
| 東山文化 | 慈照寺銀閣 | 足利義政 | 雪舟 |

金閣の建築様式は寝殿造風と禅宗様を折衷したものであり，銀閣に見られるのが書院造である。

3 ✕ 足利義満が保護したのは臨済宗の寺院と僧侶である。五山の禅僧には中国からの渡来僧や中国帰りの留学僧が多く，宋学の研究や漢詩文の創作が盛んに行われた（五山文学）。雪舟は義政の時代に水墨画を集大成した人物である。また，「幽玄」は義満の保護を受けて能を大成した世阿弥の能楽論を説明する言葉である。

4 ✕ 枯山水の庭園がつくられたのは東山文化の時代である。安土城は織田信長が築城，大坂城は豊臣秀吉が築城したもので，室町時代にはない。安土城や大坂城などの内部は，豪華な障壁画が描かれた。

5 ○ 妥当である。応仁の乱により京都が荒廃すると，京都の公家たちが地方の戦国大名を頼り，続々と地方へ下り，地方の武士らもこれを受け入れた。日明貿易で繁栄していた大内氏の城下町である山口では，儒学や和歌などの古典の講義が行われ，薩摩の島津氏も儒学の講義を開くなどした。室町時代の文化の特徴は，武士や公家だけでなく，民衆が参加し楽しむ文化が生まれたことや，文化が地方に波及したことにある。

第4章 テーマ史

正答 **5**

実践 問題 88 基本レベル

頻出度	地上★	国家一般職★	東京都★★	特別区★
	国税・財務・労基★	国家総合職★		国家総合職(教養区分)★★

問 室町文化に関する記述として，妥当なのはどれか。 （特別区2024）

1：南北朝時代には，歴史書や軍記物が書かれたが，軍記物には，北畠親房が南朝の正統性を説いた「太平記」がある。

2：観世座の観阿弥・世阿弥父子は，将軍足利義満の保護を受けながら，猿楽能を完成させ，世阿弥は「風姿花伝」を著した。

3：茶の湯では，村田珠光が出て，茶室で心の静けさを求める闘茶が始まり，そののち千利休によって完成された。

4：御伽草子は，絵入りの短編物語で「一寸法師」や「浦島太郎」などがあり，宗祇が全国をめぐって普及に努めた。

5：足利義政が造営した慈照寺銀閣は，北山文化を代表する建物であり，書院造は和風住宅のもとになっている。

OUTPUT

実践 ▶ 問題 **88** **の解説** ―――――――――――――

〈室町文化〉

1✕ 北畠親房が南朝の立場から皇位継承の道理を説いたのは『神皇正統記』である。『太平記』は南北朝の動乱の全体を描いた軍記物語である。

2○ 観阿弥・世阿弥親子の説明として妥当である。なお，猿楽は能楽の旧称である。

3✕ 村田珠光が創出したのは侘茶である。闘茶は南北朝時代に流行したもので，茶の異同を飲み分けて，かけ物を争う勝負ごととして行われた。村田珠光が創出した侘茶は，のちに千利休によって完成された。

4✕ 宗祇は室町時代に正風連歌を確立した人物であり，「全国をめぐって普及に努めた」とあるのは連歌師のことである。連歌は和歌を上の句と下の句に分け，一座の人々が次々に句を継いでつくる共同作品で，南北朝時代に出された『菟玖波集』が勅撰集と同格とみなされてから，連歌は和歌と対等の地位を築き，室町時代には民衆の間でも連歌の寄合が多く催された。

5✕ 足利義政が造営した慈照寺銀閣は，東山文化を代表する建物である。北山文化を代表するのは足利義満が造営した鹿苑寺金閣である。

第4章 テーマ史

正答 **2**

実践 問題 **89** 基本レベル

頻出度	地上★★ 国家一般職★ 東京都★★ 特別区★★
	国税・財務・労基★ 国家総合職★ 国家総合職(教養区分)★★★

問 次の文は，江戸時代の元禄文化における美術作品に関する記述であるが，文中の空所A〜Cに該当する作者名又は作品名の組合せとして，妥当なのはどれか。 (特別区2020)

　京都の（　A　）が残した「紅白梅図屏風」は，中央に水流を描き，左右に白梅・紅梅を配している。（　A　）のほかの作品には，「（　B　）」や，工芸品の「（　C　）」等がある。

	A	B	C
1 :	尾形光琳	燕子花図屏風	八橋蒔絵螺鈿硯箱
2 :	尾形光琳	見返り美人図	色絵藤花文茶壺
3 :	俵屋宗達	燕子花図屏風	八橋蒔絵螺鈿硯箱
4 :	俵屋宗達	見返り美人図	色絵藤花文茶壺
5 :	菱川師宣	燕子花図屏風	色絵藤花文茶壺

OUTPUT

実践 問題 **89** の解説 ──────────────

〈元禄文化〉

尾形光琳は江戸時代の元禄期の画家・工芸家で，代表作には『紅白梅図屏風』，『燕子花図屏風』，『八橋蒔絵螺鈿硯箱』などがある。

なお，俵屋宗達は江戸時代の寛永期の画家で，代表作には『風神雷神図屏風』がある。

『見返り美人図』と『色絵藤花文茶壺』はどちらも元禄期のものであり，作者はそれぞれ菱川師宣と野々村仁清である。

以上から，肢1が正解となる。

■近世の美術

桃山文化	狩野永徳	唐獅子図屏風
江戸初期	俵屋宗達	風神雷神図屏風
	酒井田柿右衛門	色絵花鳥文深鉢（赤絵）
元禄文化	尾形光琳	紅白梅図屏風，燕子花図屏風，八橋蒔絵螺鈿硯箱
	菱川師宣	見返り美人図
	野々村仁清	色絵藤花文茶壺

第4章 テーマ史

正答 **1**

実践 問題 **90** 基本レベル

頻出度	地上★★	国家一般職★	東京都★★	特別区★★★
	国税・財務・労基★	国家総合職★		国家総合職(教養区分)★★★

問 化政文化に関する記述として，妥当なのはどれか。 （東京都Ⅰ類B 2024）

1：化政文化は，上方を中心として開花した文化であり，田沼意次が幕政の実権を握った田沼時代に最盛期を迎えた。

2：恋愛ものを扱った人情本が庶民に受け入れられたが，「春色梅児誉美」の作者である十返舎一九は，緊縮政策と風紀の刷新を図った寛政の改革で処罰された。

3：文章主体の小説で歴史や伝説を題材にした読本が読まれ，曲亭（滝沢）馬琴は，勧善懲悪・因果応報を盛り込んだ「南総里見八犬伝」を書いて評判を得た。

4：俳諧では，松尾芭蕉が故郷である信濃に生きる民衆の生活を詠み，庶民の主体性を強く打ち出した。

5：錦絵の風景画が流行し，歌川（安藤）広重が制作した「富嶽三十六景」などの作品が町人の間で高額で取引された。

OUTPUT

実践 問題 **90** の解説

〈化政文化〉

1 ✕ 化政文化は江戸を中心に開化した文化である。上方中心に開化したのは元禄文化である。また，田沼意次が幕政の実権を握っていたのは，1772年に老中となってから1788年に死去するまでの間であり，化政文化が開花したのは1787年に将軍に即位した11代将軍家斉の治世下の文化・文政時代（1804～1830年）である。

2 ✕ 『春色梅児誉美』の作者は十返舎一九ではなく，為永春水である。また，為永春水は寛政の改革ではなく，天保の改革において処罰された。十返舎一九は滑稽本の作者であり，代表的な作品は『東海道中膝栗毛』である。

3 ○ 読本の作者である曲亭（滝沢）馬琴の説明として妥当である。

4 ✕ 故郷である信濃に生きる民衆の生活を詠み，庶民の主体性を強く打ち出したのは小林一茶である。松尾芭蕉は元禄期に活躍した俳人で，さび・かるみで示される幽玄閑寂の蕉風俳諧を確立した。

5 ✕ 「富嶽三十六景」は葛飾北斎の作品である。歌川（安藤）広重が制作したのは「東海道五十三次」である。

第４章 テーマ史

正答 **3**

実践 問題 **91** 基本レベル

頻出度	地上★ 国家一般職★ 東京都★ 特別区★
	国税・財務・労基★ 国家総合職★ 国家総合職(教養区分)★★★

問 明治・大正期の我が国の文学に関する記述として最も妥当なのはどれか。

(国家一般職2018)

1：明治初期，坪内逍遙は，江戸時代以来の大衆文芸である戯作文学の勧善懲悪主義と西洋文学の写実主義との融合を提唱し，その考え方をまとめた『小説神髄』を著すとともに，小説『安愚楽鍋』を著し，我が国の近代小説の先駆けとなった。

2：明治中期，尾崎紅葉は，我が国で初めて言文一致体で書かれた小説『浮雲』を著すとともに，国木田独歩らと民友社を結成して雑誌『国民之友』を発刊し，写実主義と言文一致体によってもたらされた近代小説の大衆化を進めた。

3：明治末期には，英国やドイツの影響を受けた自然主義が文壇の主流となり，留学経験もある夏目漱石と森鷗外は，人間社会の現実の姿をありのままに描写する作品を著して，自然主義文学を代表する作家として活躍した。

4：大正期には，人道主義・理想主義を掲げ，雑誌『白樺』を拠点に活動した志賀直哉や武者小路実篤らの白樺派，新現実主義を掲げ，雑誌『新思潮』を拠点に活動した菊池寛や芥川龍之介らの新思潮派が活躍した。

5：大正末期には，社会主義運動・労働運動の高揚に伴って，プロレタリア文学運動が起こり，機関誌『改造』が創刊されて，幸田露伴や小林多喜二らが，労働者の生活に根ざし，階級闘争の理論に即した作品を著した。

OUTPUT

実践 ▶ 問題 **91** の解説 ─────────────

〈明治から大正期の文学〉

1 ✕ 坪内逍遥は著書『小説神髄』において，近世戯作文学の勧善懲悪主義を排斥し，西洋の文学理論をもとに人間の内面や世相を客観的に描くことを提唱した。また，『小説神髄』の理論化を実践すべく，逍遥が著した小説は『当世書生気質（とうせいしょせいかたぎ）』である。『安愚楽鍋（あぐらなべ）』の著者は仮名垣魯文である。

2 ✕ 小説『浮雲』の作者は二葉亭四迷である。尾崎紅葉は『二人女房』を著し，「である調」による言文一致体を創始した。また，紅葉が山田美妙らとともに結成したのは「硯友社（けんゆう）」であり，雑誌『我楽多文庫（がらくた）』を発刊し，写実主義を掲げて文芸の大衆化を進めた。

3 ✕ 明治末期に自然主義が文壇の主流となったという肢の指摘は正しい。しかし，自然主義はフランスで起こった文芸思潮である。また，夏目漱石と森鴎外は，反自然主義の余裕派（高踏派）に位置づけられる作家である。自然主義の代表的作家としては，『破戒』，『夜明け前』で知られる島崎藤村，『蒲団』，『田舎教師』で知られる田山花袋，『何処へ』で知られる正宗白鳥らを挙げることができる。

4 ○ 妥当である。大正前期には，自己の個性の発揮を唱えて人道主義・理想主義を掲げ，雑誌『白樺』を中心に活動する白樺派が台頭した。白樺派の思想的特徴を最もよく表す作家として武者小路実篤，白樺派のリアリズムを代表する作家として志賀直哉を指摘できる。大正後期には，現実を明晰な知性と技巧的な表現によって捉えようとする，新現実主義に位置づけられる作家たちが活躍した。その中で，雑誌「新思潮」によって文壇に出た人々は新思潮派とよばれ，代表的作家として，『父帰る』，『恩讐の彼方へ』で知られる菊池寛，『羅生門』，『鼻』，『河童』等で知られる芥川龍之介らが挙げられる。

5 ✕ プロレタリア文学運動における機関誌は「種蒔く人」，「文芸戦線」である。また，プロレタリア文学を代表する作家は，『蟹工船』で知られる小林多喜二であるが，幸田露伴は，明治中期，尾崎紅葉と「紅露の時代」とよばれる一時期を形成した作家でプロレタリア文学には属さない。

第4章 テーマ史

正答 **4**

実践 問題 **92** 基本レベル

頻出度	地上★★★　国家一般職★　　　東京都★★★　特別区★★★
	国税・財務・労基★　　　国家総合職★　　　国家総合職(教養区分)★★★

問 我が国の文化の歴史に関する記述として最も妥当なのはどれか。

（国家総合職2016）

1：鎌倉時代の初期には，元と民間の商人との往来が盛んであったが，元寇後，幕府が元との往来を禁じたため大陸文化の影響が薄まり，我が国の風土や嗜好に沿った独自の文化が育った。素朴で質実な気風の文学や美術が生み出され，戦乱における武士の活躍を生き生きと描いた軍記物や，東大寺の再建に用いられた大仏様の建築様式がその代表である。また，多くの優れた和歌が詠まれ，後白河法皇を中心に新古今和歌集が編纂された。

2：室町時代には，南北朝の動乱を背景とした南北朝文化が生まれ，その後北山文化，東山文化が形成された。幕府は積極的に文化保護に努め，文化人たちは一様に京都に集められ，地方での文化活動や民衆の娯楽は厳しく制限された中，公家文化と武家文化が独自の発展を遂げた。公家の間では，平安時代の貴族のきらびやかな生活を描いた能が流行した一方，武士の間では，禅の精神が広く受け入れられ，簡素と幽玄を重んじる傾向が強まっていった。

3：安土・桃山時代には，新しい支配者となった武将や，貿易などで富を蓄積した豪商たちの気風と経済力を反映した文化が生まれた。戦乱が鎮まってくると，軍事機能と城主の居館・政庁としての機能を併せ持つ平城が建設されるようになり，城内には書院造の様式を取り入れた御殿がつくられ，ふすまや天井などには金箔地に青や緑を彩色した濃絵の障壁画が描かれた。また，豊臣秀吉をはじめ，諸大名や豪商の間で茶の湯が流行し，社交の場として茶会が催された。

4：江戸時代の元禄期には，東アジアの秩序と幕政が安定して経済がめざましく発展したことを背景として，経済の拠点であった江戸を中心に華やかな文化が形成された。学問分野では，封建社会を維持するために幕府や藩によって儒学が重んじられた一方，文学や美術では，現実社会を超越した「浮世」と呼ばれる理想郷を題材とした開放的な作品が多く生み出された。井原西鶴の浮世草子，菱川師宣の浮世絵版画などがその代表である。

5：江戸時代の化政期には，江戸に代わって上方が経済・文化の中心地となった。老中水野忠邦による天保の改革では，倹約令の励行や風俗の取締りが行われたが，改革が終わると，その反動から町人の生活が華美となり，町人文化の最盛期を迎えた。交通網の発達に伴って町人文化は全国各地に伝わり，庶民の娯楽として風刺や皮肉を特色とする川柳や読本が人気を博し，芝居小屋や寄席が盛んに開かれるなど，多様な芸能が発展した。

OUTPUT

実践 問題 **92** の解説

〈文化史〉

1 ✕ 大陸文化の影響が薄まり，わが国の風土や嗜好に沿った独自の文化が育ったのは，9世紀末に遣唐使が廃止されて以降の10～11世紀のことで，この時代の文化を国風文化と称する。また，『新古今和歌集』が編纂されたのは，後鳥羽上皇の命による。また，元寇後，元と日本との間に正式な外交関係はなかったが，建長寺の再建費用を得るために元に派遣された貿易船は幕府の公認により出帆しており，幕府が元との往来を禁止していたのではない。「軍記物」「大仏様」については正しい。

2 ✕ 室町時代の文化の特徴は，幕府が京都に置かれたことから，武家文化と公家文化，大陸文化と伝統文化の融合が進んだことにある。「公家文化と武家文化が独自の発展を遂げた」のではない。また，当時，成長しつつあった惣村や都市の民衆とも交流して広い基盤を持つ文化が生み出され，中央文化と地方文化の融合が進んだ。「地方での文化活動や民衆の娯楽が厳しく制限された」とあるのは誤り。能や狂言，茶の湯，いけ花などの多くは，この時代に中央・地方を問わず，武家・公家・庶民の別なく愛好された。

3 ◯ 安土・桃山時代の文化の説明として妥当である。障壁画の中心となった狩野派では，狩野永徳が水墨画と日本古来の大和絵を融合させて『唐獅子図屏風』を残している。また，千利休が茶道を確立した。

4 ✕ 江戸時代の元禄期に文化の中心となったのは京・大坂をはじめとする上方である。元禄文化の内容は正しい。

5 ✕ 江戸時代の化政期に文化の中心となったのは江戸である。18世紀以降に多様に発展し始めていた文化は，寛政の改革の時に倹約令の励行や出版統制令などにより，いったん停滞したが，19世紀に入ると11代将軍家斉による半世紀に及ぶ長い治世（大御所時代）のもと，天保の改革の頃までに栄えた文化が化政文化である。天保の改革の後に発達したものではない。

第4章 テーマ史

正答 **3**

実践 問題 **93** 基本レベル

頻出度	地上★★	国家一般職★	東京都★★	特別区★★
	国税·財務·労基★	国家総合職★	国家総合職(教養区分)★★★	

問 我が国における教育の歴史に関する記述として最も妥当なのはどれか。

（国家一般職2015）

1：平安時代には，貴族の子弟を対象とした大学が盛んに設立され，そこでは儒教に代えて仏教・道教を中心とする教育が施された。また，藤原氏が設けた綜芸種智院，北条氏が設けた勧学院など，大学の寄宿舎に当たる大学別曹も設けられた。

2：鎌倉時代には，足利氏が一族の学校として鎌倉に足利学校・金沢文庫を設立した。足利学校では，朝廷の儀式・先例である有職故実や古典の研究が行われ，朝廷の歴史を記した『吾妻鏡』が編まれた。

3：江戸時代には，貨幣経済の浸透に伴い，一般庶民も読み・書き・算盤などの知識が必要になったことから，幕府はそのような実用教育を中心とした寺子屋を全国に設けた。寺子屋は下級武士によって経営されたが，特に貧農層については月謝の負担が大きく，江戸時代末期には衰退していった。

4：明治時代には，政府は，富国強兵と殖産興業の実現に向けて，教育機関や教育内容の整備を進めた。文部大臣森有礼の下で帝国大学令・師範学校令などの学校令が初めて公布され，学校体系の基本が確立された。

5：第二次世界大戦後には，米国教育使節団の勧告により，修身・日本歴史・地理の授業が一時停止されるとともに，複線型・男女別学の学校体系に改められた。昭和22（1947）年には，教育基本法が制定され，義務教育期間が12年から9年に短縮された。

OUTPUT

実践 問題 **93** の解説

〈教育史〉

1 ✕ 大学では官吏に必要な儒教中心の教育が施されている。具体的には儒教の経典，律令や格式，漢文学・中国史等である。また，貴族は一族子弟の教育のために，大学の寄宿舎にあたる大学別曹を設けたが，勧学院は藤原氏が設けたものである。なお，綜芸種智院は庶民教育の目的で空海が京都に設置した学校であって，大学別曹ではない。綜芸種智院では儒教のみならず，仏教や道教も広く教えた。

2 ✕ 金沢文庫は，鎌倉幕府2代執権の北条義時の孫にあたる金沢実時によって開設された書庫である。また，足利学校は鎌倉ではなく足利にある。15世紀に上杉憲実が再興してから発展した。なお，『吾妻鏡』は朝廷の歴史ではなく，鎌倉幕府の記録である。

3 ✕ 寺子屋は幕府が設けたのではなく，私設の教育機関で，浪人・村役人・僧侶・神職・富裕な町人などによって運営された。下級武士ではない。また，19世紀初めには，「教育爆発」とよばれるほど，寺子屋の数が急激に増加し，江戸時代末期にも衰退していない。寺子屋を中心とする庶民教育は，出版の盛行もあって都市のみならず農村にも広まり，封建社会では世界にもめずらしいほど初等教育が普及し，識字率も非常に高まった。

4 ○ そのとおり。公布された帝国大学令・師範学校令・中学校令・小学校令などを総称して学校令という。その後，教育政策は国家主義重視の方向へと進んでいき，1890年に発布された教育に関する勅語（教育勅語）によって，忠君愛国が学校教育の基本となった。また，1900年の小学校令の改正により，4年間の義務教育期間が確定されるとともに，学校の授業料が廃止されたので，義務教育の就学率，特に女子の就学率が大幅に伸びた。1907年には尋常小学校が6年の義務教育となり，明治末期には就学率は98％に達し，男女間の就学率の差もほとんどなくなった。

5 ✕ 戦後の教育制度は，単線型・男女共学の学校体系に改められた。1947年の教育基本法・学校教育法により，六・三・三・四制の単線型学校体系が規定され，義務教育は従来の6年から9年となった。戦後，教育制度の民主的な改革の結果，教育勅語や修身など，戦前の教育は一掃された。

第4章 テーマ史

正答 **4**

実践 問題 **94** 応用レベル

頻出度	地上★	国家一般職★	東京都★	特別区★
	国税・財務・労基★	国家総合職★		国家総合職(教養区分)★★★

問 江戸時代の学問の発達に関する次のA～Cの記述の正誤の組合せとして最も妥当なものはどれか。 （裁判所職員2019）

A：幕藩体制の安定した時代に合う忠孝・礼儀を尊重する考え方が好まれて，儒学が重んじられ，さまざまな学派が生まれた。

B：医学や農学，和算などの実用的な学問や国文学などが発達して，多くの書籍が刊行された。

C：文芸を中心とした国家の隆盛が図られて，中国の歴史・文学などが大学でさかんに学ばれ，寄宿舎にあたる大学別曹も設けられた。

	A	B	C
1：	正	正	誤
2：	誤	正	正
3：	正	誤	正
4：	誤	正	誤
5：	誤	誤	正

OUTPUT

実践 問題 **94** **の解説**

〈江戸時代の学問〉

A○ 正しい。孔子を祖とする儒学は幕府で重んじられ，特に儒学の一派である朱子学は幕府によって推奨された。朱子学のほかには，陽明学，古学といった学派も学ばれた。

B○ 正しい。医学においては，『解体新書』を記した杉田玄白，前野良沢ら，農学では『農業全書』の著者である宮崎安貞，和算では関孝和などが有名である。

C× 大学別曹は平安時代に貴族が一族の学生のために設けた寄宿舎であり，江戸時代の学問の発達についての説明として，妥当ではない。

以上から，肢1が正解となる。

第4章 テーマ史

正答 **1**

頻出度	地上★★ 国家一般職★ 東京都★ 特別区★
	国税・財務・労基★ 国家総合職★ 国家総合職(教養区分)★★★

問 鎌倉時代の仏教に関する宗派，開祖，主要著書及び中心寺院の組合せとして，妥当なのはどれか。　　　　　　　　　　　　　　　　　　　　　（特別区2019）

	宗派	開祖	主要著書	中心寺院
1：	浄土真宗	法然	選択本願念仏集	本願寺（京都）
2：	臨済宗	栄西	興禅護国論	建仁寺（京都）
3：	浄土宗	親鸞	教行信証	知恩院（京都）
4：	曹洞宗	道元	立正安国論	久遠寺（山梨）
5：	時宗	一遍	正法眼蔵	永平寺（福井）

OUTPUT

実践 問題 **95** の解説

〈鎌倉仏教〉

1 × 浄土真宗−法然の部分で誤りと判断する。

2 ○ 栄西の主要著書や中心寺院を覚えていた人はいないと思うが，この肢を消去法で残す。

3 × 浄土宗−親鸞の部分で誤りと判断する。

4 × 『立正安国論』は日蓮の著作であることから誤りと判断する。

5 × 『正法眼蔵』は道元の著作であることから誤りと判断する。

【鎌倉新仏教の宗派や開祖など】

宗派	開祖	主要著書	中心寺院
浄土宗	法然	選択本願念仏集 （せんちゃくほんがんねんぶつしゅう）	知恩院
浄土真宗	親鸞	教行信証 （きょうぎょうしんしょう）	本願寺
時宗	一遍	（一遍上人語録） （いっぺんしょうにんごろく）	清浄光寺 （しょうじょうこうじ）
臨済宗	栄西	興禅護国論	建仁寺
曹洞宗	道元	正法眼蔵 （しょうぼうげんぞう）	永平寺
日蓮宗	日蓮	立正安国論	久遠寺 （くおんじ）

なお，一遍は死の直前に自身の著書などを焼き捨てており現存していない。一遍上人語録は一遍の門弟たちが編集し，江戸時代後期に刊行されたものである。

第4章 テーマ史

正答 **2**

実践 問題 **96** 基本レベル

頻出度	地上★★	国家一般職★	東京都★★	特別区★★
	国税·財務·労基★	国家総合職★		国家総合職(教養区分)★★★

問 鎌倉仏教に関する記述として，妥当なのはどれか。　　　（東京都Ⅰ類B 2022）

1：一遍は，煩悩の深い人間こそが，阿弥陀仏の救いの対象であるという悪人正機を説き，「愚管抄」をあらわし，時宗の開祖と仰がれた。

2：栄西は，坐禅によってみずからを鍛練し，釈迦の境地に近づくことを主張する禅宗を日本に伝え，「興禅護国論」をあらわし，日本の臨済宗の開祖と仰がれた。

3：親鸞は，善人・悪人や信仰の有無を問うことなく，すべての人が救われるという念仏の教えを説き，「選択本願念仏集」をあらわし，浄土宗を開いた。

4：日蓮は，「南無妙法蓮華経」と題目を唱えることで救われると説き，武士を中心に広まった日蓮宗が，鎌倉幕府の保護を受けた。

5：法然は，「南無阿弥陀仏」の念仏を唱えれば，極楽浄土に往生できるという専修念仏の教えを説き，「立正安国論」をあらわし，浄土真宗（一向宗）を開いた。

OUTPUT

実践 問題 **96** **の解説**

〈鎌倉仏教〉

1 × 一遍は時宗の開組であるが，悪人正機を説いたのは親鸞である。また，『愚管抄』は慈円の著。鎌倉時代初期の史論書である。親鸞が著したのは『教行信証』である。

2 ○ 栄西の説明として妥当である。

3 × 浄土宗を開いたのは法然である。法然は阿弥陀仏の本願を信じ，念仏を唱えれば一切衆生が極楽浄土に往生できると説いたのであり，「信仰の有無を問うことなく」という肢の記述は妥当でない。『選択本願念仏集』を著したのは法然。

4 × 武士を中心に広まったのは禅宗である。特に幕府の保護を受けたのは臨済宗。日蓮宗は，日蓮が他宗を激しく批判したことから，迫害を受けた。

5 × 法然が専修念仏を説いたことは正しいが，浄土真宗を開いたのは親鸞である。また，『立正安国論』は日蓮の著作である。

第4章 テーマ史

正答 **2**

頻出度	地上★★★　国家一般職★　　東京都★★　　特別区★★
	国税・財務・労基★　　国家総合職★　　国家総合職(教養区分)★★★

問 日本の宗教と政治，社会の関連について述べた次の文のなかに，妥当なものが２つある。それらはどれか。 (地上2022)

ア：(奈良時代)：仏教の力を借りて国を治めようとする鎮護国家思想に基づいて，奈良に東大寺などの大寺院が建立された。また，諸国には国分寺や国分尼寺が建立された。

イ：(平安時代)：死後に極楽浄土に往生することを願う浄土教が，摂関期に民衆に広まった。貴族の間では，天台宗や真言宗などの既存の宗派が根強く残っており，広まらなかった。

ウ：(鎌倉時代)：新しい宗派が生まれた。法華経を重んじた日蓮宗は幕府に保護されたが，禅宗である臨済宗は幕府から迫害され，武士や商人の間で広まった。

エ：(江戸時代)：キリスト教徒を根絶するために，島原の乱後，とくに九州北部で絵踏の強化などを行った。また，すべての人を寺の檀徒とする寺請制度を設けた。

オ：(明治時代)：明治政府が成立するとすぐに，政府は神仏習合を日本の伝統とする法令をだし，この法令に基づいて神道も仏教も区別なく一体的に保護した。

1：ア，イ
2：ア，ウ
3：ア，エ
4：イ，エ
5：ウ，オ

OUTPUT

実践 ▶ 問題 **97** の解説

〈宗教史〉

ア○ 奈良時代の仏教の説明として，妥当である。

イ✕ 摂関期の仏教は天台宗と真言宗が圧倒的な勢力を持ち，貴族の間で広まった。一方，浄土教は10世紀以降発達し，貴族をはじめ庶民の間でも広まった。藤原道長が建立してその壮麗さをうたわれた法成寺は，阿弥陀堂を中心とした大寺であり，その子藤原頼通の建立した平等院鳳凰堂は，阿弥陀堂の代表的な遺構である。

ウ✕ 日蓮宗は鎌倉幕府の迫害を受けながらも関東の武士層や商工業者の間で広まった。一方，鎌倉幕府は臨済宗を重んじて鎌倉に建長寺や円覚寺などを建立した。

エ○ 江戸時代のキリスト教や仏教の説明として，妥当である。

オ✕ 明治維新期に，政府は神仏習合を禁じて神道を国教とする神仏分離令を出した。そのため，一時期は全国にわたって廃仏毀釈が行われた。

> **■神仏習合**
> 　日本固有の神の信仰と仏教信仰との融合。平安時代には神仏習合が進み，仏教の仏と日本固有の神々とを結びつける本地垂迹説（神は仏が仮に形を変えてこの世に現れたものとする思想）も生まれた。

以上から，アとエが妥当であるので，肢3が正解となる。

第4章 テーマ史

正答 **3**

実践 問題 **98** 〈 基本レベル 〉

頻出度	地上★★★ 国家一般職★ 東京都★★ 特別区★★
	国税・財務・労基★ 国家総合職★ 国家総合職(教養区分)★★★

問 奈良時代から室町時代までの仏教に関する次の記述のうち妥当なのはどれか。

(地上2003)

1：奈良時代，仏教は朝廷の保護を受けて栄えたが，次第に政治と深く結びついて腐敗した。寺院では国家の鎮護のための法会や貴族の現世利益のための加持祈祷が重視され，遣唐使により伝えられた仏教理論の研究は行われなかった。

2：平安時代初期，最澄と空海はそれぞれ天台宗，真言宗を開いた。これらは密教を取り入れ，山中での厳しい修行を重視したため，朝廷や貴族社会とのつながりは薄かった。またこのころ，大寺院が僧兵を組織して朝廷に強訴を行うことが横行した。

3：平安時代中期以降，極楽往生を願う浄土教が広まった。浄土教は空也など聖による市中での布教も行われて，貴族だけでなく都の庶民の信仰も集めた。平安時代後期には末法思想と相まって更に流行し，極楽往生を遂げた人物の伝記である往生伝も多く作られた。

4：鎌倉時代，精神の救いを平易に説く新しい仏教が興り，広く武士や庶民にも受け入れられた。特に，念仏のみにすがるという浄土宗や浄土真宗の教えは，武士の気風に合っていたことから東国武士を中心に広まり，幕府もこれを積極的に保護した。

5：室町時代，幕府は五山・十刹の制を確立し，従来朝廷が握っていたこれらの寺院の人事権を取り上げて管理した。また応仁の乱後には，各地で日蓮宗徒による一向一揆が起こり，守護大名としばしば対立した。

OUTPUT

実践 問題 **98** の解説

〈奈良時代から室町時代までの仏教史〉

1× 現世利益のための加持祈祷を重視したのは，奈良時代のことではなく平安時代初期のことである。仏教の中でも，とりわけ，秘密の呪法や儀式を整備している密教がその中心となった。また，奈良時代には南都六宗とよばれた仏教理論を研究する学派が存在している。

2× 平安時代初期に開かれた天台宗・真言宗は，密教として加持祈祷を行い，国家・社会の安泰，現世利益を願う仏教として朝廷や貴族社会の信仰を集めてつながりも深かった。また，僧兵の出現は平安時代初期ではなく平安後期である。僧兵とは平安後期，京都・奈良の大寺院が有する自衛のために武装した僧で，なかでも，興福寺（南都）・延暦寺（北嶺）の僧兵が，しばしば神木・神輿を担ぎ出して朝廷に強訴した。

3○ 平安中期の10世紀以降に，浄土への往生を願うことで現世の苦しみから逃れることを説く浄土教が広まった。空也のような，既存の教団に属さず，公的な僧の位や役職を持たない民間の宗教者である聖が活躍して庶民にまで仏教思想が広まったこと，さらに11世紀には，仏教の予言思想で，仏法の衰える乱世となるという末法思想の広まりによって，浄土教は一層流行した。

4× 幕府が積極的に保護をしたのは浄土宗・浄土真宗ではなく，禅宗の1つ，臨済宗である。これは禅宗の厳しい修業が武士の気風にあっていたからである。

5× 一向一揆は浄土真宗の門徒によって行われた一揆で，日蓮宗徒によるものではない。15世紀末〜16世紀末に浄土真宗（一向宗）の信徒が結束し，支配を強める大名権力と対立する一向一揆が各地で起きた。なかでも，加賀の守護大名富樫政親を倒し，約1世紀における自治を行った加賀の一向一揆（1488〜1580年）が著名である。なお，本肢前段は正しい。

第4章 テーマ史

正答 **3**

Q1	倭は高句麗・唐の連合軍と白村江で戦って敗れた。
Q2	聖徳太子は遣唐使として小野妹子を派遣した。
Q3	藤原道長は日宋貿易を奨励した。
Q4	勘合貿易は，正式に明と国交を結んで対等な関係で行われた。
Q5	寧波の乱後，細川氏が日明貿易の交易権を独占した。
Q6	朱印船貿易によって東南アジアに日本町が多くできた。
Q7	江戸幕府は朝鮮通信使を派遣し，朝鮮との交流を深めた。
Q8	1875年の樺太・千島交換条約では樺太全土を日本領，千島全土をロシア領とすることが決められた。
Q9	日本が韓国を併合すると，ロシアとの間に日露戦争が起こった。
Q10	田中首相が訪中して日中共同声明を発表，中国との国交を正常化した。
Q11	班田収授法は，律令制度において，6歳以上の男子に限って口分田を与え，その永久私有を認めたものである。
Q12	延喜の荘園整理令によって藤原氏は大きな打撃を受けた。
Q13	秀吉の太閤検地によって荘園は消滅した。
Q14	地租改正によって地主には収穫高を課税標準として地租を納入させ，小作農は小作料を金納することとなった。
Q15	高松塚古墳壁画は飛鳥文化の代表作である。この文化の代表的な建築物として，聖徳太子の建立といわれる法隆寺や東大寺がある。
Q16	聖武天皇の命で唐に渡った鑑真などの遣唐使の活動で仏典研究が進んだ。
Q17	10世紀の国風文化の時代には，和風住宅のもととなる書院造が普及した。
Q18	平清盛は平等院鳳凰堂を建立した。
Q19	仮名文字日記の最初として名高いのは紀貫之の『伊勢物語』である。
Q20	障壁画としては雪舟が有名である。
Q21	化政文化は上方を中心とする派手で現実主義的な町人文化である。
Q22	奈良時代，中央に国学，地方に大学を置いて官吏養成機関とした。
Q23	平安時代には，藤原氏の綜芸種智院など，有力な貴族が藩校を各地に設置し，庶民を対象に読み，書き，そろばんなどの実用的な学問を学ばせた。
Q24	明治維新後，フランスの学制にならった「学制」が発布されたが，地方の実情に合わず，その後改革が繰り返し行われた。
Q25	第2次世界大戦後には，教育の民主化が進められ，教育基本法や国民学校令が制定された。

A1	×	白村江の戦いの相手は唐と新羅の連合軍である。
A2	×	小野妹子は遣唐使ではなく，遣隋使である。
A3	×	日宋貿易を奨励したのは平清盛である。
A4	×	勘合貿易は対等関係で行われたのではなく，朝貢貿易である。
A5	×	寧波の乱後，日明貿易の交易権を独占したのは大内氏。
A6	○	特にシャムのアユタヤが有名である。
A7	×	朝鮮通信使は将軍の代替わりの時に朝鮮から派遣された親善大使。
A8	×	樺太がロシア領，千島が日本領である。
A9	×	日露戦争は1904年から。韓国併合は1910年のこと。
A10	○	中国との国交を正常化した結果，日本は中華民国と国交を断絶した。
A11	×	班田収授法では，6歳以上の女子にも口分田が与えられた。また，公地公民が原則であり，永久私有は認めていない。
A12	×	延久の荘園整理令である。
A13	○	一地一作人の原則により1つの土地に1人の耕作者が決められ，従来のようなあいまいな名義人の形がなくなり，荘園は消滅した。
A14	×	課税標準となったのは収穫高ではなく地価であり，また，小作料は物納であった。
A15	×	高松塚古墳壁画は白鳳文化の作品。また，聖徳太子が法隆寺を建立したのは飛鳥時代であるが，東大寺は奈良時代の天平文化の時代に造られたものである。
A16	×	鑑真は唐の僧であり，奈良時代に来日して唐招提寺を建立した。
A17	×	国風文化の時代は寝殿造。書院造は東山文化の時代に生まれた。
A18	×	平等院鳳凰堂を建立したのは藤原頼通である。
A19	×	仮名文字日記の最初として名高いのは紀貫之の『土佐日記』である。
A20	×	障壁画としては狩野永徳が有名である。雪舟は水墨画の絵師である。
A21	×	上方を中心とした派手で現実主義的な町人文化は元禄文化。化政文化は江戸を中心とする粋や通を重んじる享楽的な文化である。
A22	×	中央に大学，地方に国学が置かれた。
A23	×	綜芸種智院は空海が開いた庶民のための学校である。読み・書き・そろばんなどの実用的な学問を教えたのは，江戸時代の寺子屋である。
A24	○	学制は画一的で地方の実情に合わなかった面もあったことから，その後も改革が続いた。
A25	×	国民学校は第2次世界大戦中に戦時体制に対応するために編成された学校である。

第4章 テーマ史

memo

人文科学

第2編
世界史

出題傾向の分析と対策

試験名	地　上			国家一般職			東京都			特別区			国税・財務・労基			国家総合職			国家総合職（教養区分）		
年度	16-18	19-21	22-24	16-18	19-21	22-24	16-18	19-21	22-24	16-18	19-21	22-24	16-18	19-21	22-24	16-18	19-21	22-24	15-17	18-20	21-23
セクション／出題数	20	13	11	3	3	3	2	3	3	3	3	3	3	3	3	3	3	3	6	6	6
第1章 古代から中世の西ヨーロッパ						★					★		★				★		★	★	★★
第1章 ルネサンスと宗教改革	★★	★★	★								★										
第1章 絶対主義諸国			★★	★															★		★
第2章 市民革命から19世紀の欧米諸国	★★	★★	★		★		★★	★					★★	★		★★	★	★	★		★★
第2章 第1次世界大戦と第2次世界大戦	★×7	★★			★				★		★★	★★	★	★			★		★		
第3章 中国王朝史	★×4	★★	★★		★				★										★	★	★
第3章 西アジアの歴史										★	★		★	★	★				★	★	
第3章 アジアの近現代史	★×4	★★	★×4	★	★	★		★		★							★				★★

(注)　1つの問題において複数の分野が出題されることがあるため，星の数の合計と出題数とが一致しないことがあります。当表は，2024年7月31日現在の情報に基づいて作成しております。

　2024（令和6）年度より公務員試験が大きく変わり，2024（令和6）年9月現在，裁判所職員の採用試験では，日本史も世界史も出題されません。

地方上級

　地方上級での出題数は，おおむね2題となっています。年度や自治体によって若干異なりますので，3題ということもあります。他の試験と大きく異なるのは，人名や戦争名などを中心に一般に歴史の勉強の際にみなさんが覚える固有名詞が選択肢にほとんど入ってこないことです。出題されるのは，中学校の歴史の教科書にも出題されるような，歴史の転換点となった事象になります。また，出題数が多い社会事情の選択肢の中にも現代史の知識が必要となるので，完全に捨てて

しまうのは大きく得点確率を落とすことになります。

東京都

Ⅰ類A，Ⅰ類Bとも1題の出題になっています。難易度はそれほど高くはありません が，地方上級の問題と異なり，固有名詞はたくさん出題されます。ただ，日本史と同様，固有名詞を覚えておいて選択肢を誤りと判断するものと，時代の流れなどを理解して切る選択肢とが1題の中で半々くらいの問題であることが多いです。問題の内容自体はそれほど難しいものではありません。以前には東京都を受験された方の本試験における正答率はかなり高かったですが，令和6年度から国家公務員試験が変わったのを契機に，捨ててしまっている人が多いようです。もったいないですね。

特別区

毎年，1題の出題がありますが，特別区の場合，世界史は選択問題なので，他の試験種に比べて難易度が高いです。ただし，年によっては非常に簡単な場合もあるので，基本的なことを勉強しておいて，サービス問題であれば解く，というのが一番です。捨て科目が多くなると勉強してきた科目が難しかったときに，他の受験生と大きく点差が開きます。難しい場合には，ほぼすべての問題が固有名詞で選択肢の誤りを判断させているので，細かい人名等を覚えていないと，まったく正誤の判断がつかないケースも多いです。ただし，その難易度も『詳説　世界史』（山川出版社）が出典となっているので，大学受験で世界史を選択した人にとっては，教科書の範囲内ということになります。教科書を超えるものは出題されません。

国家公務員

2024（令和6）年度から試験が大きく変わり，世界史そのものとしての出題はなくなりました。試験要綱では「人文科学に関する時事」を出題するとなっていますが，実際には時事と関連する歴史知識をやや無理やり選択肢に挿入しているような問題となっています。国家総合職では5題（選択肢25）のうち，世界史の知識が選択肢に登場しているのは2，国家専門職では6，国家一般職では2となっています。いずれの選択肢も，時事の内容はたいへん細かいですが，世界史の知識があれば簡単に選択肢が誤りと判断できるものでした。したがって，世界史そのものでの出題はありませんが，基本事項を学ぶことで得点確率は相当に上がると考えてください。

　毎年，秋に実施される教養区分では世界史が２題出題されています。教養区分が創設された際には，教科書の内容を超える出題も見られましたが，ここ３年は，かつて国家一般職で出題されてきた問題と同等のレベルになっています。したがって，『詳説　世界史』（山川出版社）のレベルを超えることはないので，きちんと学習すれば確実に得点ができます。2022年には他の試験種では出題されない「交通や物流の歴史」なども出題されましたが，本問の正解肢はオランダの海外進出や航海法の制定であったので，マニアックとまではいえないものでした。

Ａdvice アドバイス　学習と対策

　近年，日本史や世界史を捨ててしまう人が多いですが，文章理解や数的処理，時事などが難しかった際に，たかが１問されど１問，勉強しておいてよかったと思った人も多いでしょう。特に，国家公務員で出題される時事と関連した知識は，かなり大雑把な理解でも十分役立つレベルのものが聞かれており，高校までにしっかりと学習してきた人にとっては，なんとなく違うと思う，というレベルでも選択肢は切れると思います。したがって，まずは戦後史を中心に社会事情や時事に関連するところを集中的に勉強するとよいでしょう。

第1章

ヨーロッパ世界の形成

SECTION

① 古代から中世の西ヨーロッパ
② ルネサンスと宗教改革
③ 絶対主義諸国

ヨーロッパ世界の形成
古代から中世の西ヨーロッパ

必修問題 セクションテーマを代表する問題に挑戦！

古代ローマの歴史をマスターして，西ヨーロッパ社会の基本を学びます。

問 ローマ帝国に関する次の記述には，妥当なものは二つある。それらはどれか。 (地上2010)

ア：ローマ帝国の最大版図は，西はイベリア半島から東はバルカン半島まで，南は地中海北岸から北はスカンジナビア半島にまでわたり，これは，現在のEUの領域とほぼ重なっている。

イ：ローマ帝国では当初，世襲の皇帝による専制が行われていたが，カエサルやオクタヴィアヌスらによるクーデターが成功し，皇帝の権限は著しく削減され，事実上の共和政に移行した。

ウ：ローマ帝国では，帝国各地における思想や慣習法などを普遍化させたローマ法が形作られ，これは近代ヨーロッパ法の源流の一つとなった。

エ：ローマ帝国では，キリスト教は当初迫害されていたが，やがて公認された。キリスト教はその後国教となり，聖書の編纂や教会制度の整備などが進められていった。

オ：ローマ帝国は数世紀にわたり繁栄していたが，やがて東西に分裂し，弱体化していった。両帝国とも，5世紀にはゲルマン民族の侵入を受けて滅び，ヨーロッパにおける古代は終わりを告げた。

1：ア　ウ
2：ア　オ
3：イ　エ
4：イ　オ
5：ウ　エ

Guidance ガイダンス

ローマ帝国

西ローマ帝国 → 476年 ゲルマン民族の大移動の混乱の中で滅亡

東ローマ帝国 （ビザンツ帝国） → 1453年 都コンスタンティノープルをオスマン帝国に攻略されて滅亡

の解説

〈ローマ史〉

ア✕ ローマ帝国は地中海を内海として成立した帝国であり，北アフリカ北岸も
ローマ帝国の版図であるが，一方，スカンジナビア半島には及んでいない。
一部を除き，基本的にはライン川とドナウ川の北はゲルマン民族の居住地
域であり，ローマの支配は及ばなかった。このためローマ帝国と現在のEU
の領域とは異なる。

イ✕ ローマでは当初，貴族の元老院を中心に共和制が行われていたが，ポエニ
戦争後に社会が変質し，2回の三頭政治を経て，オクタヴィアヌスが前27
年から元首政を開始し，これが実質的にローマの帝政の始まりとなった。

前6世紀末	王を追放して貴族が元老院を中心に**共和制**
前264～前146年	**ポエニ戦争** → 内乱の1世紀
前60年	第1回三頭政治
前43年	第2回三頭政治
前31年	オクタヴィアヌスがアクティウム海戦でアントニウスを破る
前27年	**オクタヴィアヌスが元首政を開始** → 帝政の始まり

ウ◯ ローマは，さまざまな習慣を持つ多くの民族を支配するようになったため，
万人が納得する普遍的な法律の必要が生じた。このためローマの法律は万
民法として成立し，近代ヨーロッパ法の源流の1つとなった。

エ◯ 1世紀にローマ支配下のパレスチナでキリスト教が成立したが，当初，皇
帝崇拝を行わなかったキリスト教徒は弾圧されていた。しかし，帝国の解
体期にキリスト教を柱にローマ帝国を再建しようと試みたコンスタンティ
ヌス帝が，313年ミラノ勅令でキリスト教を公認した。

オ✕ ローマ帝国が東西に分裂し，西ローマ帝国は5世紀にゲルマン民族の侵入
を受けて滅亡したが，東ローマ（ビザンツ）帝国は，その後も東西交易路
の拠点であるコンスタンティノープルを都に1453年にオスマン=トルコに
滅ぼされるまで存続した。西ローマ帝国の滅亡をもって古代の終わりとす
ることは正しい。

以上から，ウとエが妥当であるので，肢5が正解となる。

正答 5

1 古代ローマ

(1) ローマの歴史

　都市国家ローマでは，貴族が元老院を中心に共和制を実施していましたが，やがて平民は身分闘争を展開し，貴族との政治的な平等を達成しました。前3世紀には地中海支配をめぐるカルタゴとのポエニ戦争に勝利して，シチリア島を獲得し，以後，領土を拡大していきます。

前264〜前146年	**ポエニ戦争**（ローマがカルタゴに勝利）
前27年	オクタヴィアヌスの元首政開始
	＊第2回三頭政治を制したオクタヴィアヌスの時代から，実質的に帝政時代となる　→　以降200年間，「ローマの平和」とよばれる繁栄の時代に
96年〜200年間	**五賢帝**
98〜117年	トラヤヌス帝の時代にローマ帝国の領土が最大となる
3世紀	カラカラ帝の時代に帝国全土の自由民にローマ市民権が与えられた

(2) キリスト教の成立と発展

1世紀	ローマ支配下のパレスチナでキリスト教が成立
	⇒　当初は皇帝崇拝をしないキリスト教徒は激しく弾圧された
313年	ミラノ勅令で**コンスタンティヌス帝がキリスト教を公認**
392年	テオドシウス帝がキリスト教を国教化
395年	ローマ帝国の東西分裂
476年	西ローマ帝国がゲルマン民族の大移動により滅亡
	⇒　キリスト教はローマ教皇を中心にカトリックとして確立

(3)　東ローマ（ビザンツ）帝国

東ローマ（ビザンツ）帝国は，コンスタンティノープルを都に商業が盛んであり，キリスト教はビザンツ皇帝を頂点とするギリシア正教として発展しました。しかし，次第にイスラーム教徒の圧迫を受け，1453年にオスマン帝国に首都を攻略されて滅亡しました。

2 中世の西ヨーロッパ

(1)　フランク王国による統合

西ローマ帝国がゲルマン民族の大移動の中で滅亡した後，西ヨーロッパはフランク王国によって統合されます。

■中世の封建社会

主君が家臣に封土を授け，所領に対して保護を与える一方，家臣は主君に忠誠を誓って軍役奉仕を行う主従関係が成立した。家臣は一方で荘園の領主として農奴に対し徴税権・裁判権を行使した。また，ゲルマン民族の大移動後の混乱によって商業が衰え，自給自足を基本とする農業経済が主流となった。

(2)　十字軍の遠征

①　目的

聖地イェルサレムをイスラーム教徒から奪回

②　経過

1095年　ウルバヌス 2 世がクレルモン公会議で十字軍の派遣を決定

1096年　第 1 回十字軍：聖地イェルサレムを奪回してイェルサレム王国建国

1202年　第 4 回十字軍：教皇インノケンティウス 3 世の提唱でヴェネツィアがコンスタンティノープルを攻略

③　結果

聖地を奪回できずに終了し，**ローマ教皇の権威が衰退**

十字軍に従軍した**諸侯が没落**し，代わって**国王の勢力が伸張**

自給自足の現物経済に代わって貨幣経済が進展

地中海交易に従事した**イタリア都市が繁栄**

⇒　**封建社会が崩壊する契機となる**

実践 問題 **99** 基本レベル

頻出度	地上★	国家一般職★	東京都★	特別区★
	国税・財務・労基★	国家総合職★	国家総合職(教養区分)★★★	

問 ローマ帝国に関する記述として，妥当なのはどれか。 (特別区2021)

1：オクタウィアヌスは，アントニウス，レピドゥスと第2回三頭政治を行い，紀元前31年にはアクティウムの海戦でエジプトのクレオパトラと結んだアントニウスを破り，前27年に元老院からアウグストゥスの称号を与えられた。

2：3世紀末，テオドシウス帝は，2人の正帝と2人の副帝が帝国統治にあたる四分統治制を敷き，皇帝権力を強化し，以後の帝政はドミナトゥスと呼ばれた。

3：コンスタンティヌス帝は，313年にミラノ勅令でキリスト教を公認し，また，325年にはニケーア公会議を開催し，アリウス派を正統教義とした。

4：ローマ帝国は，395年，テオドシウス帝の死後に分裂し，その後，西ローマ帝国は1千年以上続いたが，東ローマ帝国は476年に滅亡した。

5：ローマ法は，はじめローマ市民だけに適用される市民法だったが，やがて全ての市民に適用される万民法としての性格を強め，6世紀には，ユスティニアヌス帝の命令で，法学者キケロらによってローマ法大全として集大成された。

実践 問題 **99** の解説

〈ローマ帝国〉

1 ○ オクタヴィアヌス(オクタウィアヌス)に関する記述として妥当である。ローマ帝国の問題が出題された際に,オクタヴィアヌスが正解肢になる可能性は非常に高い。本問によりまた確率が上がったところだ。

2 × 3世紀末に四分統治制(四帝分治制)を採用したのはディオクレティアヌス帝である。ディオクレティアヌス帝は,皇帝を神として礼拝させ,専制君主として支配したので,以後の統治は元首政治と区別して専制君主政(ドミナトゥス)と称される。

3 × コンスタンティヌス帝がミラノ勅令でキリスト教を公認したことは正しいが,ニケーア公会議で正統教義と認められたのは,アタナシウス派である。アタナシウス派は神とキリストと精霊は三位一体であると説き,正統教義の根本となったのに対し,アリウス派はキリストに人性を強く認め,異端とされた。

4 × テオドシウス帝がローマ帝国を東西に分割したことは正しいが,西ローマ帝国がゲルマン民族の大移動によって476年に滅亡したのに対し,東ローマ帝国は東西交易路の拠点であったコンスタンティノープルを都に1453年まで存続した。

5 × ローマ法が万民法としての性格を持ち,6世紀に東ローマ帝国の皇帝ユスティニアヌス帝のもとで「ローマ法大全」として大成されたことは正しいが,キケロ(前106〜前43)はローマの政治家・哲学者として,共和政末期に不正の弾劾者,自由の擁護者として活躍した人物である。

【ポイント】

　古代ローマが出題された場合,オクタヴィアヌスが正解肢になりやすいです。公務員試験の世界史では,最盛期を現出した人物は要注意です。正解肢になる情報は優先的に押さえていくこと。

正答 **1**

実践 問題 **100** 〈 応用レベル 〉

頻出度	地上★★	国家一般職★	東京都★	特別区★
	国税・財務・労基★	国家総合職★	国家総合職(教養区分)★★★	

問 ローマ帝国に関する記述として，妥当なのはどれか。 （特別区2013）

1：元老院からアウグストゥス（尊厳者）の称号をあたえられたオクタウィアヌスは，共和政の伝統を尊重しながらも，専制君主政（ドミナートゥス）と呼ばれる統治を始めた。

2：二人の正帝と二人の副帝をおく四分統治を始めたディオクレティアヌス帝は，皇帝の権威を高めるため，元首政（プリンキパトゥス）と呼ばれる体制をうち立てた。

3：テオドシウス帝は，ミラノ勅令でキリスト教を公認し，ニケーア公会議を開いて，三位一体説をとるアタナシウス派を正統とし，キリスト教の教義の統一をはかった。

4：コンスタンティヌス帝は，財政基盤を整備するため，コロヌスを土地にしばりつけて税収入を確保し，人々の身分や職業を世襲化し，また，都をローマからビザンティウムに移し，コンスタンティノープルと改称した。

5：帝国を東西に分割したユスティニアヌス帝の死後，東ローマ帝国（ビザンツ帝国）はなお1000年以上続くが，西ローマ帝国はゲルマン民族の傭兵隊長オドアケルによって滅ぼされた。

OUTPUT

実践 問題 **100** の解説

〈ローマ帝国〉

1 × 第2回三頭政治を制したオクタヴィアヌスが行った政治は，専制君主政（ドミナートゥス）ではなく元首政（プリンキパトゥス）である。オクタヴィアヌスは前27年に元老院からアウグストゥス（尊厳者）の称号を与えられ，元老院を尊重するなど共和制の伝統を重んじる姿勢を示したが，実質的には全政治権力を手中に収める元首政を行った。帝政時代の始まりである。

2 × 3世紀にはローマ帝国の解体傾向が進み，短期間に多数の皇帝が即位しては殺害されるという軍人皇帝の時代となったが，284年に即位したディオクレティアヌス帝は，四分統治を実施して秩序を回復し，皇帝の権威を高めるために元首政に代えて専制君主政（ドミナートゥス）とよばれる体制を打ち立てた。元首政（プリンキパトゥス）はオクタヴィアヌスの開始した政治体制である。

3 × ミラノ勅令（313年）でキリスト教を公認し，ニケーア公会議（325年）でアタナシウス派を正統としたのはコンスタンティヌス帝である。テオドシウス帝は，キリスト教を国教とした皇帝であり，その死に際して帝国を東西に二分した。

4 ○ ローマ帝国の発展は，戦争によって得た奴隷による労働によって支えられていたが，対外的な拡大が収束する中で，奴隷を使用する大農場経営も行き詰まり，有力者が解放奴隷や没落した自由農民を小作人（コロヌス）として使用する農場経営が広まった。コンスタンティヌス帝は財政基盤を整備するためにコロヌスを土地に縛り付け，身分や職業を世襲化するとともに首都をローマからビザンティウムに移し，ここをコンスタンティノープルと改称した。

5 × 帝国を東西に分割したのはユスティニアヌス帝ではなく，テオドシウス帝である。東ローマ帝国と西ローマ帝国についての記述は正しい。ユスティニアヌス帝は6世紀の東ローマ帝国の皇帝で，「ローマ法大全」を編纂した皇帝として名高い。

正答 **4**

実践 問題 101 〈基本レベル〉

頻出度	地上★★	国家一般職★	東京都★★★	特別区★★★
	国税・財務・労基★	国家総合職★	国家総合職(教養区分)★★★	

問 次の文は，ビザンツ帝国に関する記述であるが，文中の空所A〜Cに該当する語又は語句の組合せとして，妥当なのはどれか。 (特別区2018)

ローマ帝国の東西分裂後，西ローマ帝国は ［　Ａ　］ の混乱の中で滅亡したが，東ヨーロッパでは，ビザンツ帝国がギリシア正教とギリシア古典文化を融合した独自の文化的世界をつくり，商業と貨幣経済は繁栄を続けた。

ビザンツ帝国の首都 ［　Ｂ　］ は，アジアとヨーロッパを結ぶ貿易都市として栄え，ユスティニアヌス帝の時代には，一時的に地中海のほぼ全域にローマ帝国を復活させた。

しかし，7世紀以降，ビザンツ帝国の領土は東西ヨーロッパの諸勢力やイスラーム諸王朝に奪われ縮小し，1453年に ［　Ｃ　］ により滅ぼされた。

	A	B	C
1：	十字軍の遠征	アレクサンドリア	オスマン帝国
2：	十字軍の遠征	コンスタンティノープル	ササン朝ペルシア
3：	ゲルマン人の大移動	アレクサンドリア	ササン朝ペルシア
4：	ゲルマン人の大移動	コンスタンティノープル	オスマン帝国
5：	ゲルマン人の大移動	アンティオキア	ササン朝ペルシア

実践 問題 **101** の解説 ─────────────

〈ビザンツ帝国〉

A **ゲルマン人の大移動** ローマ帝国の東西分裂後，西ローマ帝国はゲルマン民族の大移動の混乱の中で，476年にゲルマン人の傭兵隊長オドアケルに滅ぼされた。

B **コンスタンティノープル** ビザンツ帝国の首都はコンスタンティノープルである。アジアとヨーロッパの結節点として古代より貿易都市として栄えた。

C **オスマン帝国** ビザンツ帝国は1453年にイスラーム教徒が建国したオスマン帝国によって首都コンスタンティノープルを攻略されて滅亡した。この結果，オスマン帝国が東地中海における東方との貿易を支配下におくこととなり，ヨーロッパにおける新航路の開拓が促された。

以上から，肢4が正解となる。

【ポイント】

空欄Aがわからなくても，オスマン帝国がビザンツ（東ローマ）帝国の都コンスタンティノープルを攻略して，これを滅ぼしたことがわかれば正答できます。基本中の基本問題です。

正答 **4**

実践 問題 **102** 基本レベル

頻出度	地上★★★	国家一般職★	東京都★★	特別区★
	国税・財務・労基★	国家総合職★	国家総合職(教養区分)★★★	

問 十字軍に関する記述として，妥当なのはどれか。 　　　　　　(特別区2015)

1：教皇インノケンティウス3世は，1095年にクレルモン公会議をひらいてイェルサレムの奪回を目的とする十字軍の派遣を提唱した。

2：第1回十字軍は，1099年に聖地奪回の目的を果たしてイェルサレム王国を建てたが，12世紀末にイェルサレムはアイユーブ朝のサラディンに奪回された。

3：教皇ウルバヌス2世が提唱した第4回十字軍は，ヴェネツィア商人の要望によりイェルサレムには向かわず，1204年にコンスタンティノープルを占領してラテン帝国を建てた。

4：神聖ローマ皇帝フリードリヒ2世は，第5回十字軍で，外交によるイェルサレムの回復に失敗したが，フランス王ルイ9世が主導した第6回，第7回十字軍はイェルサレムの奪回に成功した。

5：1291年に十字軍最後の拠点アッコンが陥落し，十字軍遠征が失敗のうちに幕を閉じたことによって，国王の権威は低下し，没落した諸侯や騎士の領地を没収した教皇の権力が伸長した。

実践 問題 **102** の解説

〈十字軍〉

1 × 1095年に**クレルモン公会議**を開いてイェルサレムの奪回を目的とする第1回十字軍の派遣を提唱したのは，教皇**ウルバヌス2世**である。

2 ○ そのとおり。第1回十字軍は聖地イェルサレムをイスラーム教徒から奪回すると，イェルサレム王国を建てた。しかし，12世紀末にイェルサレムは，エジプトにアイユーブ朝を建てたイスラーム教徒のサラディンに奪回された。

3 × 第4回十字軍の提唱者は，教皇**インノケンティウス3世**である。第4回十字軍がヴェネツィア商人の要望でイェルサレムに向かわず，ビザンツ帝国の都コンスタンティノープルを攻略したことは正しい。十字軍が宗教的な目的よりも，経済的な利益を優先させたのである。

4 × 神聖ローマ皇帝の**フリードリヒ2世**は，外交交渉によりイェルサレムの奪回に成功したが，フランス王ルイ9世が主導した第6回と第7回十字軍は聖地奪回に成功していない。

5 × 十字軍遠征が失敗のうちに幕を閉じたことによって，その権威が低下したのは**ローマ教皇**である。一方，**国王**は没落した諸侯や騎士の領地を没収して権力を伸長させた。

【十字軍の遠征】

1095年	**ウルバヌス2世 クレルモン公会議**で十字軍の派遣を決定
1096年～	第1回十字軍：聖地イェルサレム奪回
1187年	アイユーブ朝を建てたサラディンが聖地をイスラーム側に奪回
1189年～	第3回十字軍
1202年	**インノケンティウス3世**が第4回十字軍の遠征を提唱 ヴェネツィアが東ローマ帝国の首都**コンスタンティノープル**を攻略 → 十字軍が宗教的目的を捨てて経済的利益を優先する
1228年～	第5回十字軍 独帝が話し合いで一時的に聖地奪回
1248年～	第6回十字軍 フランス王の主導で行ったが敗退

正答 **2**

問 11世紀から13世紀の西ヨーロッパに関する次の記述ア～オのうち，正しいものが2つある。それはどれか。 (地上2012)

ア：教皇は，イスラーム勢力の支配下にあった聖地イェルサレムの回復のために十字軍の派遣を提唱し，十字軍遠征が始まった。十字軍遠征は数度にわたり行われたが，結局失敗に終わった。

イ：十字軍に参加した各国の国王は，度重なる遠征の負担に苦しみ，その国力を弱め，国内の分権化が進んだ。一方，教皇は，十字軍の精神的支柱となり，その権威を高めていった。

ウ：イベリア半島では，キリスト教徒によるレコンキスタ（国土回復運動）が急速に進み，イスラーム勢力の駆逐に成功してスペインとポルトガルが成立した。両国は，十字軍が始まる頃には，太平洋航路の開拓など積極的に海外進出を行った。

エ：十字軍を機に，地中海を経由する東方貿易が盛んになり，北イタリアの諸都市が発展した。また，北海やバルト海沿岸の諸都市の商業も発達し，これらの諸都市と地中海沿岸とを結ぶ内陸の交通路も発達した。

オ：西ヨーロッパ世界とイスラーム世界との接触の機会が多くなり，医学や哲学，羅針盤や火薬などといった急進的な技術・知識が，西ヨーロッパ世界からイスラーム世界へ伝わっていった。

1：ア，エ
2：ア，オ
3：イ，ウ
4：イ，エ
5：ウ，オ

OUTPUT

実践 問題 **103** の解説

〈中世の西ヨーロッパ〉

ア○ 11世紀にウルバヌス2世がクレルモン公会議でイスラーム教徒の支配下にあった聖地イェルサレムの回復のために十字軍の派遣を決定したが，最終的に十字軍は聖地を奪回できずに失敗に終わった。

イ× 十字軍に参加したことで，遠征の負担に苦しんだのは封建諸侯である。また，第4回十字軍を提唱した教皇インノケンティウス3世の時代には，イギリス王やフランス王を屈服させて教皇権は最高潮に達したが，最終的に十字軍の遠征が聖地を奪回できずに終了すると，教皇の権威も衰退した。一方，封建諸侯の没落や教皇の権威衰退に対し，国王は中小の領主である騎士の領地を没収し，身分制議会を通じて国内の支持を得て教皇に対抗するなど，その勢力を伸張させた。

ウ× 十字軍の遠征が開始されたのは11世紀，スペインやポルトガルが航路の開拓に乗り出すのは15世紀である。イベリア半島においてイスラーム勢力を駆逐するレコンキスタ（国土回復運動）は，8世紀後半から進められ，十字軍の遠征が行われている12世紀にはイベリア半島の北半分がキリスト教圏に入った。その後，スペインは15世紀末にイベリア半島におけるイスラーム教徒の最後の拠点グラナダを攻略して国土回復運動を完成させた。なお，15世紀にポルトガルが開拓したのはインド航路である。

エ○ 十字軍の遠征以降，地中海を経由する東方貿易が北イタリアの諸都市によって盛んに行われた。一方，北海やバルト海沿岸ではハンブルクやリューベックなどの北ドイツの都市が海産物や木材などの貿易によって繁栄した。こうした地中海商業圏と北ヨーロッパ商業圏を結ぶ内陸の交易路も発達し，フランスのシャンパーニュ地方は定期市で繁栄した。

オ× 羅針盤や火薬の基本原理は中国からイスラーム世界を通じて西欧社会に伝えられ，これに改良が加えられて，羅針盤と火薬，活版印刷術がルネサンスの三大発明となったのである。

以上から，アとエが妥当であるので，肢1が正解となる。

正答 **1**

実践 問題 **104** 〈 基本レベル 〉

頻出度	地上★★	国家一般職★	東京都★★	特別区★★
	国税・財務・労基★	国家総合職★		国家総合職(教養区分)★★★

問 中世ヨーロッパ世界に関する記述として最も妥当なのはどれか。

（国家一般職2023）

1：4世紀後半，ノルマン人はアジア系遊牧民のフン族に圧迫され，大移動を始めた。その混乱の中で東ローマ帝国（ビザンツ帝国）は滅亡した一方，西ローマ帝国は，モンゴル帝国の攻撃により滅亡するまで，1,000年近く存続した。

2：8世紀前半，フランク王国はイベリア半島から侵入したイスラーム勢力を撃退した。その後，ローマ教皇は，フランク王国との提携を一層進め，カール大帝にローマ皇帝の帝冠を授けた。カール大帝の死後，王国は三つに分裂した。

3：9世紀以後，封建社会の崩壊により，国王が領主の特権である不輸不入権を剥奪したことで，農民は農奴身分から解放された。農民は，ギルドをつくって荘園を共同管理する荘園制を確立し，経済的に自立した。

4：11世紀末，ローマ教皇の呼び掛けにより，聖地コンスタンティノープルをイスラーム支配から奪回することを目的に十字軍遠征が行われた。十字軍遠征の後，キリスト教徒に占領された土地をイスラーム教徒が奪い返すレコンキスタ（国土回復運動）が進められた。

5：14世紀前半，中央集権化が進んでいた神聖ローマ帝国は，フランスとの百年戦争で領地のほとんどを失った。戦争後は皇帝の力が弱まったことにより諸侯の自立が進み，独立国に近い大小の領邦が分立した。

OUTPUT

実践 問題 **104** の解説

〈中世のヨーロッパ〉

1 × アジア系遊牧民のフン族に圧迫されて大移動を始めたのはゲルマン人である。また，ゲルマン人の大移動によって滅亡したのは西ローマ帝国であり，その後，1000年近く存続したのが東ローマ（ビザンツ帝国）である。なお，東ローマ（ビザンツ）帝国を滅ぼしたのは，モンゴル帝国ではなく，イスラーム王朝であるオスマン帝国である。

2 ○ フランク王国の歴史として，妥当である。

3 × 11世紀に始まる十字軍の遠征の前は，封建社会が徐々に確立していくときなので，「9世紀以後，封建社会の崩壊」とあるのは妥当でない。西ヨーロッパにおける農奴解放は，14世紀以降のイギリス，フランスで起こっている。また，ギルドは中世に発達した自治都市内の同業組合のことを指す。荘園を共同管理する仕組みが存在したことはない。

4 × 11世紀末にローマ教皇の呼びかけにより行われた十字軍の遠征は，キリスト教の聖地イェルサレムをイスラーム教徒から奪回することを目的とする。コンスタンティノープルは，東ローマ（ビザンツ）帝国の都である。また，レコンキスタ（国土回復運動）は，732年のトゥール・ポワティエの戦いでフランク王国に敗れたイスラーム勢力が，そのままイベリア半島に残留していたことに対して，実施されたものである。つまり，イスラーム勢力に占領されたイベリア半島をキリスト教徒が奪い返すために行った。

5 × フランスと百年戦争を行ったのはイギリスである。百年戦争（1339～1453年）ではフランスが勝利し，イギリスはヨーロッパ大陸に保有していた領土のほとんどを失った。神聖ローマ帝国では，14世紀以降，大諸侯が領内の集権化を進め，帝国としての統一は進まず，国内には大小の諸侯や自由都市など，300ほどの領邦が分立するようになった。

正答 **2**

実践 問題 **105** 〈 応用レベル 〉

頻出度	地上★★	国家一般職★	東京都★	特別区★
	国税・財務・労基★	国家総合職★		国家総合職(教養区分)★★★

問 中世ヨーロッパの文化に関する記述として最も妥当なのはどれか。

（国税・財務・労基2021）

1：ビザンツ帝国では，ユスティニアヌス帝が，古代ローマ以来の法をまとめた『四書大全』の編纂や，ヴェルサイユ宮殿の建設に尽力した。ヴェルサイユ宮殿のように，ドーム（円屋根）とモザイク壁画を特色とするこの時代の建築様式は，ビザンツ様式と呼ばれる。

2：キリスト教の信仰や教理を探求する学問である神学は，12世紀ルネサンスで復興したアリストテレス哲学と結合することでスコラ学に発展した。『神学大全』を著したトマス=アクィナスは，信仰と理性の調和を図り，スコラ学を大成した。

3：都市の発展を背景に，学問を教授する教育機関として，ボローニャ大学，パリ大学，ハーバード大学などがつくられた。これらの大学は，国家主導の下で制度化されたものであり，研究や教育の中心は実証的な歴史学や物理学であった。

4：西ヨーロッパの建築では，尖頭アーチと鮮やかなステンドグラスを特徴とするゴシック様式が生み出されたが，その後，厚い石壁に小さな窓を持つ重厚なロマネスク様式が現れた。前者を代表するものとしてピサ大聖堂，後者を代表するものとしてシャルトル大聖堂がある。

5：文学では，フランスの『ドン=キホーテ』やドイツの『ニーベルンゲンの歌』など，騎士の武勲をテーマとした騎士道文学が，公用語であるギリシア語で表現された。また，南フランスでは，ホメロスに代表される吟遊詩人たちが，宮廷を巡り歩いて恋愛叙情詩をうたった。

OUTPUT

実践 問題 **105** の解説

〈中世ヨーロッパの文化〉

1 × ヴェルサイユ宮殿は17世紀にフランスのルイ14世が建造したバロック様式の建築物である。また，ビザンツ帝国のユスティニアヌス帝が編纂したのは「ローマ法大全」である。『四書大全』は明の永楽帝が編纂させた四書の注釈書である。なお，四書とは，儒学の経典のうち，「大学」「中庸」「論語」「孟子」を指す。ビザンツ様式の代表的建築物はハギア＝ソフィア聖堂であったが，この建物はビザンツ帝国がオスマン帝国に征服された際にモスクに改修された。1935年にトルコ建国の父であるケマル＝アタテュルクによってどの宗教の人も立ち入ることができる博物館となったが，2020年7月エルドアン大統領の大統領令によりモスクに回帰した。

2 ○ 中世のスコラ哲学の説明として，妥当である。なお，12世紀ルネサンスとは，十字軍の遠征を契機に東方との交流が盛んになった結果，ビザンツ帝国やイスラーム世界からもたらされたギリシアの古典が，ギリシア語やアラビア語からラテン語に訳され，学問や文芸が大いに発展した時期をいう。

3 × ハーバード大学はアメリカの大学であるから，中世には存在しない。同大学は17世紀にイギリス植民地時代のアメリカにおいて設立された。中世にボローニャ大学やパリ大学とともに設立されたのは，イギリスのオックスフォード大学やケンブリッジ大学である。これらの大学は都市に設立され，皇帝や教皇からの特許状によって自治権を与えられていた。近代的な教育制度としての大学が国家主導のもとで制度化されるのは，19世紀以降のことである。

4 × 11世紀にロマネスク様式が，12世紀にゴシック様式が生まれた。ロマネスク様式を代表するのがピサ大聖堂であり，ゴシック様式を代表するのがシャルトル大聖堂である。

5 × 中世において公用語の役割を果たしたのはギリシア語ではなくラテン語である。ただし，『ニーベルンゲンの歌』は俗語で表現された。また，『ドン＝キホーテ』はフランスではなくスペインのセルバンテスが17世紀初頭に著したものである。セルバンテスはイギリスのシェークスピアと同時期に活躍した。なお，吟遊詩人たちが宮廷を巡り歩いて恋愛叙情詩をうたったのは正しいが，ホメロスは古代ギリシアの詩人である。

正答 **2**

SECTION 2 ルネサンスと宗教改革

必修問題 セクションテーマを代表する問題に挑戦！

宗教改革によってカトリックから分かれていった人たちの思想と，その影響に注目してください。

問 16世紀のヨーロッパにおける宗教改革に関する記述として，妥当なのはどれか。 （東京都Ⅰ類A 2023）

1：ルターは贖宥状（免罪符）を肯定しつつその改善点を示した「95か条の論題」を発表し，聖書信仰のあり方を見直すことによって，ローマ教皇の権威の回復に努めた。

2：カルヴァンは，スイスのジュネーブで改革を指導し，神は全能者として救う者とそうでない者をあらかじめ区別しているとする予定説を唱えた。

3：イギリスでは，国王ヘンリ8世が，カトリック信仰を擁護するため，イギリス国教会を解散させ，ローマ教皇との統合を果たした。

4：フランスで広まったカルヴァン派はユグノーと呼ばれたが，サンバルテルミの祭日にカトリック信徒を虐殺し，ナントの王令によって国外追放された。

5：ドイツでは，カルヴァン派の説教師であったミュンツァーが指導者となって，ドイツのシュマルカルデンの農民とともに同盟を結成し，カトリック教会に対抗して，宗教内戦を引き起こした。

Guidance ガイダンス

カトリック教会の首長
ルター VS ローマ教皇 → カトリック側は，トリエント公会議を開催 → カトリック勢力の挽回を図る

ドイツの統治者
ルター VS 神聖ローマ皇帝 → 神聖ローマ皇帝はルター派諸侯に譲歩し，アウグスブルクの宗教和議で諸侯にルター派かカトリックかを選択する権利を認めたが，支配地の民衆はそれを強要された。

★ 個人の信仰の自由なし

必修問題の解説

〈宗教改革〉

1× ルターは魂の救済は善行によらず，キリストの福音を信じること（福音信仰）のみによるとの確信から，贖宥状（免罪符）の悪弊を批判する「95カ条の論題」を発表したのである。ルターが公表した「95カ条の論題」がドイツ各地に伝えられると，広範な社会層がこれを支持したため，カトリック教会は対抗宗教改革によって，ローマ教皇の至上主義を確認し，勢力挽回に努めた。

2○ カルヴァンの予定説の説明として妥当である。

3× イギリスでは，国王ヘンリ8世が自分の離婚を認めない教皇と対立して，教皇からの分離を図り，イギリス国教会制度を創設した。

4× サンバルテルミの虐殺は，フランスのユグノー戦争の際に，カルヴァン派が殺害された事件である。また，ナントの勅令（王令）は，カトリックと同様にカルヴァン派であるユグノーにも大幅な信教の自由を認めて，ユグノー戦争を終結させたものである。

5× ミュンツァーはカルヴァン派ではなく，ルターの説に影響を受けて，農奴制の廃止などを掲げてドイツ農民戦争を率いた人物である。ドイツ農民戦争は農民らがその農奴的身分の改善を要求したもので，カトリック教会に対抗した宗教内戦ではない。一方，シュマルカルデン同盟は神聖ローマ帝国内のルター派の諸侯や帝国都市が結成したもので，カトリックの擁護者である神聖ローマ皇帝カール5世に対抗したものである。

正答 **2**

第1章 ヨーロッパ世界の形成

ルネサンスと宗教改革

1 ルネサンス

　十字軍以降，東方貿易によって経済的に繁栄していたイタリアの都市でルネサンスが開花します。フィレンツェのメディチ家やローマ教皇が保護者となりました。ダンテはトスカナ語で『神曲』を著し，ルネサンスの先駆とされています。最盛期にはダヴィンチやミケランジェロ，ラファエロの三大巨匠が活躍しました。特に絵画では遠近法の確立により，写実主義の基礎がすえられました。

 火砲（火薬）・羅針盤・活版印刷術がルネサンスの三大発明です。火薬や羅針盤は中国で発明・実用化されていて，これが西欧に伝えられ，改良されました。文化の流れに注目しましょう。

2 大航海時代

　15世紀にはポルトガルがアジアとの直接交易を目的にインド航路の開拓を進め，スペインは西周り航路を採用して新航路の開拓に乗り出します。ポルトガルは東南アジアの香辛料貿易を，スペインは新大陸の銀を支配しました。

 新大陸でポルトガルが植民地としたのがブラジルで，東南アジアではフィリピンがスペインの植民地となります。

① 価格革命

　新航路の開拓後，アメリカ大陸から大量の銀がヨーロッパに流入したことで，物価が騰貴しました。これを価格革命とよびます。

② 商業革命

　ヨーロッパの商業は世界的広がりを持つようになり，遠隔地貿易の中心は地中海から大西洋に臨む国々に移ることになりました。

3 宗教改革

(1) ドイツ宗教改革

　1517年にルターが「95カ条の論題」を発表してカトリック教会が販売していた贖宥状（免罪符）の効力を否定したことを契機に，宗教改革が開始されました。ドイツの宗教改革はアウグスブルクの宗教和議によって，諸侯にカトリックかルター派かの選択権が与えられて終結します。

 アウグスブルクの宗教和議では，領民は領主である諸侯の信仰に従うことが決められました。つまり，個人の信仰の自由は認められていません。

(2) カルヴァン

スイスのジュネーブで予定説を唱えたカルヴァンが独自の宗教改革を進めます。

ルター	聖書主義	ルターは信仰のよりどころを聖書に求め，聖書とそこに記されている神の福音を信じることが信仰の始まりであるとした。
	信仰義認説	贖宥状を買ったり，善行を積むことではなく，神と福音への信仰によってのみ人は救われるとする。
カルヴァン	予定説	カルヴァンの予定説は自己の職業を神から与えられた天職として禁欲的に勤労すべしとの職業倫理に発展し，その結果，富が蓄積することを肯定したため，商工業者に広く受容された。

(3) 対抗（反）宗教改革

宗教改革の進展に対し，カトリック教会は**トリエント公会議**を開催し，勢力の建て直しに努めました。また，**イグナティウス＝ロヨラ**や**フランスコ＝ザビエル**らによって結成された**イエズス会**が海外への積極的な伝道を展開しカトリック教会の勢力の回復に貢献，この結果，南ヨーロッパへの新教の波及は阻まれました。

(4) イギリス宗教改革

イギリスでは**ヘンリ8世**の**首長法**と**エリザベス1世**の**統一法**によってイギリス国内の教会の首長は国王であるとする**イギリス国教会**が確立されました。

(5) フランス・ユグノー戦争とナントの勅令

フランスでは**ユグノー**（フランスのカルヴァン派）とカトリックとの対立からユグノー戦争が起こります。これは1598年に**アンリ4世**が発布した**ナントの勅令**によってユグノーの権利と個人の信仰の自由が認められたことで終結しました。

実践 問題 **106** 〈 基本レベル 〉

頻出度	地上★★★　国家一般職★　　東京都★★　　特別区★★
	国税・財務・労基★　国家総合職★　国家総合職(教養区分)★★★

問 ルネサンスに関する次の記述のうち，妥当なのはどれか。　　　（国Ⅱ1998）

1：ギリシア・ローマの古代文化を理想とし，それを復興し新しい文化を創り出そうという運動で，フランスに始まり，その後，ネーデルランド，ドイツなどヨーロッパに伝播し15世紀になってイタリアのフィレンツェで最も興隆をみた。

2：都市の繁栄により，巨富を得た大商人によって支えられたルネサンス運動は，宗教を否定して人間の尊厳を説き，個性の自由な発揮を重んじたため，ローマ教皇や貴族はこれを厳しく弾圧した。

3：科学技術では，自然科学の各分野で技術の開発や発明が行われた。なかでも３大発明といわれる製紙法・羅針盤・火薬はイタリアで生まれたもので，イスラーム世界を通じて中国に伝えられた。

4：美術では，現実をありのままに直視しようとする写実表現に代わって，ものの本質や人間の内面の傾向に重きをおく抽象的表現方法が広まり，ボッティチェリは「ヴィーナスの誕生」や「春」を躍動感豊かに描いている。

5：文学では，ボッカティオが『デカメロン』を著して人間の現実の姿をえぐりだし，近代小説の先駆者となり，トマス＝モアが『ユートピア』を著して，空想の理想的社会を描きながら現実を風刺した。

OUTPUT

実践 問題 **106** の解説

〈ルネサンス〉

1 × ルネサンスは14世紀から15世紀にイタリアのフィレンツェで開花した。その背景には，十字軍の遠征後，東方貿易を支配して繁栄していたイタリア都市の富がある。まずフィレンツェで大富豪メディチ家の保護によってルネサンスが開花し，次いでローマ教皇の保護によってローマで最盛期を迎えた。しかし，新航路の開拓によって世界経済の中心が地中海から大西洋岸に移行し，イタリア都市が経済的に衰退すると，ルネサンスの中心もイタリアからヨーロッパ大陸に移るのである。

2 × ルネサンスがギリシア・ローマの古典研究を通じて，人間の尊厳を説き，個性の自由な発達を重んじる新しい考え方を提示したことは正しい。ただし，ルネサンスは中世の神中心の考え方から人間中心の考え方を示すものであったが宗教を否定するものではなかった。ルネサンスの時代に作られた芸術作品は聖書を題材とするものが多く，ローマ教皇や貴族は有力なスポンサーであった。このためイタリア＝ルネサンスは現実社会への批判とは結びつかなかった。

3 × ルネサンスの三大発明とされるのは，火薬，羅針盤，活版印刷術である。また，火薬や羅針盤の原理は中国において発明されており，イスラーム世界を経由して西欧に伝えられ，ルネサンスの時代にほぼ現在の形となって実用化された。

4 × ルネサンスの時代には現実をありのままに直視しようとする精神が発達し，ルネサンス美術は優美なゴシック彫刻の伝統を打破する写実性の導入によって人々に衝撃を与えた。ボッティチェリが『ヴィーナスの誕生』や『春』を躍動感豊かに描き，レオナルド＝ダ＝ヴィンチは遠近法を用いた。

5 ○ 16世紀のイギリス最大の人文主義者であるトマス＝モアが『ユートピア』を著した当時のイギリスでは羊毛生産のために小作農を追い出す第1次囲い込み（エンクロージャー）が進展し，農民が窮乏しているさまを「羊が人間を食らう」と表現した。

正答 **5**

実践 問題 **107** 〈 **基本レベル** 〉

頻出度	地上★★★　国家一般職★　　東京都★★★　特別区★★★ 国税・財務・労基★　　　国家総合職★　　国家総合職(教養区分)★★★

問 ルネサンスに関する次のA～Eの記述のうち，妥当なもののみを全て挙げているものはどれか。 **(裁判所職員2023)**

A：ルネサンスの動きは，はじめネーデルラント（ネーデルランド）の都市でおこり，やがて貿易を通してイタリアなどヨーロッパ各地へ広がっていった。

B：ルネサンスの文学作品の例としては，ダンテの『神曲』や，ボッカチオ（ボッカッチョ）の『デカメロン』などが挙げられる。

C：ルネサンスの美術作品の例としては，ミケランジェロの壁画「アテネの学堂」や，ラファエロの彫刻「聖母子像」などが挙げられる。

D：ルネサンス期には科学分野においても発展がみられ，ガリレオ＝ガリレイは天文観測に基づいて，コペルニクスの地動説を支持した。

E：ルネサンス期には，イタリアで火薬や羅針盤が発明され，後に大航海時代を築く礎となった。

1：A，C
2：A，E
3：B，C
4：B，D
5：D，E

OUTPUT

実践 問題 **107** **の解説**

〈ルネサンス〉

A × ルネサンスの動きは，最初にイタリアの都市でおこり，やがてネーデルラントなど，ヨーロッパ各地に広がっていった。

B ○ ルネサンス期の文学作品の説明として妥当である。

C × ミケランジェロの壁画としては「最後の審判」が著名である。「アテネの学堂」はラファエロの作品で，ルネサンス絵画の代表的な特徴を現しているといわれている。

D ○ 地動説に関するガリレイの説明として妥当である。

E × ルネサンスの三大発明と称される羅針盤，火薬，活版印刷術のうち，羅針盤と火薬はもともと中国で発明，実用化されたものが，ヨーロッパに入り，改良された。イタリアで発明とあるのは誤り。羅針盤が大航海時代を築く礎となったことは正しい。なお，活版印刷術は宗教改革の進展を支えた。

以上から，BとDが妥当であるので，肢4が正解となる。

正答 **4**

実践 問題 **108** 〈 基本レベル 〉

頻出度	地上★★★	国家一般職★	東京都★	特別区★
	国税・財務・労基★	国家総合職★		国家総合職(教養区分)★★★

問 15世紀後半のヨーロッパ人の海外進出に関する記述ア～オには妥当なものが二つあるが，それらはどれか。 (地上2013)

ア：スペインは，アステカ帝国やインカ帝国と友好的な関係を維持し，アメリカ大陸の産物をヨーロッパに持ち帰った。

イ：ポルトガルは，スペインやオランダに遅れて進出したものの，インド航路の開拓に成功した。アフリカやインドに広大な領土を獲得し，植民地においてプランテーション経営を行った。

ウ：国際商業の中心は，地中海沿岸の諸都市から大西洋沿岸の諸都市へと移った。アメリカ大陸で産出される銀が大量にヨーロッパに流入し，物価が高騰した。

エ：中南米の先住民は，プランテーションや鉱山での重労働やヨーロッパからもちこまれた疫病によって人口が激減した。そのため，ヨーロッパ人はアフリカから奴隷を輸入して労働力を補った。

オ：ジャガイモやトウモロコシ，トマトなどのヨーロッパ原産の作物がアメリカ大陸へもたらされた。また，アメリカ大陸のサトウキビやコーヒーがヨーロッパでも栽培されるようになった。

1：ア，ウ
2：ア，オ
3：イ，エ
4：ウ，エ
5：ウ，オ

OUTPUT

実践 問題 **108** の解説

〈大航海時代〉

ア× スペイン王室は，アメリカ大陸に「征服者（コンキスタドール）」率いる軍隊を送り込み，アステカ帝国はコルテスにより，インカ帝国はピサロによって征服された。これにより，両帝国文化が数多く破壊され，先住民には苛酷な労働が課せられた。

イ× スペインやオランダよりもいち早く新航路の開拓に乗り出したのがポルトガルである。また，インド航路の開拓に成功したポルトガルは東南アジアの香辛料貿易に進出したが，ポルトガルは当時すでに成立していたアジアの貿易に参入したにすぎず，アフリカやインドに広大な領土を獲得したのではない。

ウ○ 新航路の開拓の結果，国際商業の中心は地中海の沿岸の諸都市から，スペインやポルトガルの大西洋岸の諸都市へと移ることになった。また，ラテン＝アメリカは銀の世界的産出地域で，スペインによってヨーロッパにもたらされたことにより，物価が高騰した（価格革命）。

エ○ スペインはアステカ帝国やインカ帝国を征服すると，中南米の先住民にプランテーションや鉱山での苛酷な労働を課した。また，ヨーロッパ人がもたらした疫病により，先住民の人口は激減し，代替労働力を確保するため，アフリカから黒人奴隷が運ばれることとなった。現在でも，カリブ海を中心に黒人が多く居住している。

オ× ジャガイモやトウモロコシ，トマトは新大陸原産の産物であり，これらがヨーロッパにもたらされた。特にやせた土地でも栽培できるジャガイモが，ヨーロッパの飢餓を救ったといわれている。一方，サトウキビの原産国はニューギニア，コーヒーの原産国はアフリカ中部であり，これらが南米大陸にもたらされることにより，大規模なプランテーションが形成された。ヨーロッパからの植民者は大土地所有者として大農場を経営するようになるのである。

以上から，ウとエが妥当であるので，肢4が正解となる。

正答 4

実践 問題 **109** 　基本レベル

頻出度			
地上★★★	国家一般職★	東京都★	特別区★
国税・財務・労基★	国家総合職★	国家総合職(教養区分)★★★	

問 ルネサンスと宗教改革に関する次の文の下線部ア〜オに関する記述として妥当なのはどれか。 　　　　　　　　　　　　　　　　　　　　　　　　　　(地上2018)

　14世紀から16世紀の西ヨーロッパでは，中世以来の世界観に代わってルネサンスや宗教改革が起こった。ルネサンスとは人間性の自由・解放を求め，各人の個性を尊重しようとする文化運動である。レオナルド＝ダ＝ヴィンチによる_ア絵画や，_イマキャヴェリの思想，新しい技術の進歩などがみられた。1517年にルターが提示した_ウ「95カ条の論題」は人々の間に広まり，この後，_エカルヴァンはスイスで宗教改革を展開した。こうした宗教改革に対し，_オカトリック教会も自己改革を行った。

1：ア　絵画においては，農民や民衆の日常生活などの世俗的な題材が増え，宗教的題材は描かれなくなった。

2：イ　マキャヴェリは，『君主論』において，権謀術数による統治を否定し，道徳や宗教による統治を理想とした。

3：ウ　95カ条の論題でルターが説いた主張が広まったのには，ルネサンス期に改良・実用化された活版印刷によるところが大きい。

4：エ　カルヴァンは，個人の救済について神があらかじめ決定しているのではなく，それぞれの生前の善行によって決定されるとした。

5：オ　宗教改革の結果，教皇は教義の解釈権を失い，名目的な存在となり，教義の解釈が多様化して，異端に対する宗教裁判は廃止された。

直前復習

294　LEC東京リーガルマインド　2025-2026年合格目標 公務員試験 本気で合格！過去問解きまくり！
⑤人文科学Ⅰ

OUTPUT

実践 問題 **109** の解説

〈ルネサンスと宗教改革〉

1 × 北方ルネサンスを代表するブリューゲルは，農民や民衆の日常生活などの世俗的な題材を描いたが，レオナルド＝ダ＝ヴィンチの「最後の晩餐」やミケランジェロの「最後の審判」，ラファエロの「聖母子と幼児聖ヨハネ」など，ルネサンス絵画の多くは宗教的題材を描いたものが多い。

2 × マキャヴェリは政治を宗教や道徳から切り離す近代的な政治理論を展開したことで知られる人物である。マキャヴェリは，当時のイタリアの小国乱立の状況と外国勢力の侵攻による混乱を見て，『君主論』を著し，イタリア統一の必要性と方法論を論じた。その中でマキャヴェリは恐怖や軍事力，権謀術数など，力に訴えた政治を主張し，宗教的・道徳的理想と政治を切り離したのである。

3 ○ 宗教改革が農民などを含む広範な層で展開した理由の1つに聖書の普及があるが，それを支えたのが当時，改良・実用化された活版印刷術の発達である。また，当時の識字率は低かったため，新旧両宗派の指導者は，絵を用いたわかりやすいビラやパンフレットを大量に印刷し，互いを批判しあっていたのである。

4 × カルヴァンは，救済はそれぞれの生前の善行によって決定されるのではなく，神があらかじめ決定しているという「予定説」を説いた。

5 × 宗教改革によってカトリック（旧教）から分かれた，ルター派やカルヴァン派，イギリス国教会などのプロテスタント（新教）が登場すると，カトリック（旧教）側はトリエント公会議を開催して，教皇の至上権を再確認するとともに，禁書目録をつくり宗教裁判を強化した。この結果，新旧両派の対立は一層激しくなり，異端に対する宗教裁判が「魔女狩り」として盛んに行われた地域もあった。

正答 **3**

実践 問題 **110** 〈 基本レベル 〉

頻出度	地上★★★	国家一般職★	東京都★	特別区★
	国税・財務・労基★	国家総合職★		国家総合職(教養区分)★★★

問 大航海時代に関する記述として，妥当なのはどれか。　　　　　(特別区2022)

1：航海王子と呼ばれたエンリケは，アフリカ大陸の西側沿岸を南下し，南端の喜望峰に到達した。

2：ヴァスコ・ダ・ガマは，喜望峰を経て，インド西岸のカリカットに到達し，インド航路を開拓した。

3：ポルトガルの支援を得たコロンブスは，大西洋を横断してカリブ海のサンサルバドル島に到達した。

4：バルトロメウ・ディアスの探検により，コロンブスが到着した地は，ヨーロッパ人には未知の大陸であることが突き止められた。

5：スペイン王の支援を得たマゼランは，東周りの大航海に出発し，太平洋を横断中に死亡したが，部下が初の世界周航を達成した。

OUTPUT

実践 問題 **110** の解説

第1章 ヨーロッパ世界の形成

〈大航海時代〉

1 ✕ ポルトガルでアフリカ西岸の探検事業を推進したのは「航海王子」エンリケであるが，アフリカ南端の喜望峰に達したのはバルトロメウ＝ディアスである。

2 ○ ヴァスコ＝ダ＝ガマの説明として妥当である。インド航路の開拓は一種の国営事業として行われ，それによって実現した香辛料の直接取引は，ポルトガル王室に莫大な利益をもたらし，首都リスボンは一時，世界商業の中心なった。

3 ✕ コロンブスが大西洋を横断してサンサルバドル島に到達したことは正しいが，ポルトガルの支援ではなく，スペイン女王イサベルの命で出航した。

4 ✕ コロンブスが到達した地が，ヨーロッパ人には未知の大陸であることを明らかにしたのは，アメリゴ＝ヴェスプッチである。アメリカ大陸の名は，アメリゴの名にちなんでつけられた。

5 ✕ スペイン王の支援を得たマゼランは，西周りの大航海に出発し，部下が世界周航を果たした。ポルトガルが先行してインド航路を開拓したのに対抗して，スペインはコロンブスやマゼランを支援して，西周り航路を開拓したのである。

【新航路の開拓】

ポルトガル	インド航路	バルトロメウ＝ディアスがアフリカ南端の喜望峰に到達
		ヴァスコ＝ダ＝ガマがインドのカリカットに到達
スペイン	西周り航路	コロンブスが大西洋を横断してサンサルバドル島に到達
		マゼラン隊が太平洋を横断して世界周航を果たす

正答 **2**

必修
問題 | **セクションテーマを代表する問題に挑戦！**

16～17世紀の西欧諸国の状況を学びます。それぞれの国が，何を基盤に絶対王政の盛期を迎えていくのかがポイントになります。

問 16世紀から17世紀にかけてのヨーロッパに関する記述として最も妥当なのはどれか。 （国家一般職2016）

1：イギリスでは，国王の権威を重んじるトーリ党と，議会の権利を主張するホイッグ党が生まれた。国王ジェームズ2世がカトリックの復活を図り，専制政治を強めると，両党は協力して，王女メアリとその夫のオランダ総督ウィレムを招いて王位に就けようとした。

2：フランスでは，ルイ14世が即位し，リシュリューが宰相となって国王の権力の強化に努めたが，それに不満を持った貴族がフロンドの乱を起こした。国内の混乱は長期化し，ルイ14世が親政を始める頃にはフランスの王権は形骸化していた。

3：神聖ローマ帝国内に大小の領邦が分立していたドイツでは，ハプスブルク家がオーストリア領ベーメン（ボヘミア）のカトリック教徒を弾圧し，それをきっかけに百年戦争が起こった。その後，ウェストファリア条約によって戦争は終結した。

4：スペインは，フェリペ2世の下で全盛期を迎えていたが，支配下にあったオランダが独立を宣言した。イギリスがオランダの独立を支援したため，スペインは無敵艦隊（アルマダ）を送り，イギリス艦隊を撃滅し，オランダ全土を再び支配下に置いた。

5：ロシアは，ステンカ＝ラージンによる農民反乱が鎮圧された後に即位したイヴァン4世（雷帝）の下で，軍備の拡大を背景にシベリア経営を進め，中国の清朝とネルチンスク条約を結び，清朝から九竜半島を租借した。

の解説 ─────────────

第1章

ヨーロッパ世界の形成

〈16〜17世紀のヨーロッパ〉

1○ **名誉革命の説明として妥当である。** イギリスにおいてカトリック復活を図ったのはチャールズ2世であり，議会はこれに対抗して「審査法」を制定したが，続くジェームズ2世もカトリックと絶対王政の復活に努めた。いったんこの肢を保留したとしても，他の肢が明らかに誤りであるとわかることが大事である。

2× リシュリューはルイ13世の宰相となって国王権力の強化に努めた。続いて宰相となったマザランも王権強化の政策を引き継いだため，貴族がフロンドの乱を起こしたが，これを鎮圧した。マザランの死後，ルイ14世は親政を開始し，強大な権力を振るって「太陽王」とよばれた。したがって，ルイ14世が親政を始める頃からフランスの王権は絶対的なものとなっていったのである。

3× ウェストファリア条約によって終結したのはドイツで起こった三十年戦争である。この戦争はドイツでハプスブルク家がオーストリア領ベーメン（ボヘミア）の新教徒を弾圧し，カトリック信仰を強制しようとしたことが契機となって起こったものである。なお，百年戦争は毛織物の産地であったフランドル地方をめぐり，イギリスとフランスが1453年まで戦ったものである。百年戦争の結果，イギリスやフランスでは国王による中央集権体制が樹立された。

4× スペインの支配下にあったオランダがスペインからの独立を宣言し，イギリスがオランダの独立を支援したことは正しいが，これに対しスペインが送った無敵艦隊（アルマダ）はイギリス艦隊に撃破され，スペインが制海権を失うきっかけとなった。この後，オランダは1609年の休戦条約で独立を事実上獲得し，以後，オランダのアムステルダムは国際金融の中心となって，オランダは全盛期を迎えた。

5× 中国の清朝とネルチンスク条約を締結したのは，ピョートル大帝（位1682〜1725年）である。また，これはピョートル大帝の時代にシベリア経営が進められたことと，中国の清朝の領域が北方に拡大したことが背景であり，両国の国境を定めたものである。九竜半島はアロー戦争後に中国の清朝がイギリスに割譲した香港の対岸である。

正答 **1**

1 主権国家体制の形成

(1) 絶対王政

16〜18世紀にかけてヨーロッパでは絶対王政とよばれる強力な国王統治体制が生まれました。

 絶対王政期には官僚制や常備軍が整備されるようになりました。

(2) 重商主義政策

国王は貨幣獲得のための重商主義政策を採用します。初期にはスペインのように金銀の獲得を目指す重金主義が見られましたが，のちには輸入の抑制と輸出の促進を進める貿易差額主義が採られました。このため貿易差額主義を採用したイギリスやフランスでは国内産業が保護されます。また，イギリス・オランダ・フランスではアジア貿易を独占する東インド会社が設立されます。

 補足 この時代には分業と協業を行うマニュファクチュア（工場制手工業）が登場します。

2 16世紀から18世紀の西欧諸国

(1) スペイン

新大陸の銀を支配してフェリペ2世がいち早く絶対王政を樹立します。フェリペ2世はレパントの海戦でオスマン帝国を破り，強勢を誇りましたが，オランダの独立戦争の際にイギリスに敗れたことを機に衰退します。

レパントの海戦（1571年）	スペインがオスマン帝国の艦隊を破る。
アルマダ海戦（1588年）	スペインの無敵艦隊がイギリスに敗れる。

(2) オランダ

ユトレヒト同盟（1579年）を締結し，スペインとの戦争に勝利して独立したオランダはポルトガル勢力を駆逐して東南アジアに貿易圏を広げ，ジャワ島のバタヴィアを根拠地として香辛料貿易の実権を握り，アムステルダムは国際金融の中心となって繁栄します。しかし，17世紀後半には3次にわたるイギリスとの戦争に破れ，海上権を失います。

(3) イギリス

16世紀には毛織物工業がイギリスの国民産業となり，エリザベス1世のもと，1600年に東インド会社を設立して積極的に海外進出を行います。

(4) 三十年戦争

17世紀初頭にはドイツでベーメンの新教徒の反乱を契機に三十年戦争が起こります。三十年戦争には周辺のヨーロッパ諸国が介入して国際戦争になりました。1648年にはウェストファリア条約が締結され，ドイツ諸侯に完全な主権が認められ，神聖ローマ帝国の解体とドイツの分裂が決定的になりました。

 三十年戦争後には神聖ローマ帝国の解体とドイツの分裂が決定的になりますが，神聖ローマ帝国は滅亡していません（有名無実化）。神聖ローマ帝国の滅亡（1806年）はナポレオンの南ドイツ制圧が契機となります。

(5) フランス

フランスは17世紀後半のルイ14世の治世に絶対主義が最盛期を迎え，コルベールが典型的な重商主義政策を実施します。しかし，ルイ14世はヴェルサイユ宮殿の建造や度重なる侵略戦争を展開したため，財政難を招きました。

 ルイ14世がナントの勅令を廃止したため，商工業者が他国に亡命し，フランスの産業発展は滞ります。

(6) 18世紀の啓蒙専制君主

① プロイセン

フリードリヒ＝ヴィルヘルム1世がユンカーを官僚・軍隊の中心として絶対王政の基礎を築き，フリードリヒ大王（2世）は啓蒙専制君主として国内産業の育成や司法改革などを行いました。しかし，その近代化には農奴解放などは伴いません。大土地所有者であるユンカー階級の支配も続きました。

 イギリスやフランスでは13世紀から16世紀に農奴解放が進展したが，ドイツやロシアの農奴解放は遅れた！

② オーストリア

マリア＝テレジアがハプスブルク家の全領土を継承したことに異を唱えたプロイセンはシュレジエンを占領し，オーストリア継承戦争が起こりました。オーストリアはその後の七年戦争でもシュレジエンを奪回できませんでした。

③ ロシア

1700年から始まる北方戦争でスウェーデンを破ったピョートル1世（大帝）は，ロシアをヨーロッパの大国とし，西欧化に努めました。また，18世紀後半のエカチェリーナ2世は啓蒙専制君主として改革を試みたものの，のちには農奴制を強化するなど，反動的な政治を行いました。

実践 問題 **111** 基本レベル

頻出度	地上★★	国家一般職★	東京都★	特別区★★
	国税・財務・労基★	国家総合職★		国家総合職(教養区分)★★★

問 ヨーロッパ各国における15世紀〜18世紀の情勢に関する記述として最も妥当なのはどれか。　　　　　　　　　　　　　　　　　　（国税・財務・労基2012）

1：英国では，チャールズ２世が，トーリー党のクロムウェルを首相に登用し，審査法や人身保護法を制定して絶対王政の復活を図ったが，「代表なくして課税なし」を主張するウィッグ党のウォルポールがピューリタン革命を起こして，権利の章典を発布した結果，立憲君主制が確立した。

2：フランスでは，ルイ14世が，内乱（宗教戦争）を終結させるため，「王は君臨すれども統治せず」とするナントの勅令を発布し，三部会による共和政を導入した。また，コルベールを宰相に登用し，農業を国の基本とする重農主義政策をとって，東インド会社を廃止した。

3：プロイセンでは，フリードリヒ２世が，宗教寛容令を出し，重商主義政策によって産業を育成したほか，ヴォルテールらの啓蒙思想家を宮廷に招き，「君主は国家第一の下僕」と称した。また，オーストリア継承戦争，七年戦争を戦い抜き，プロイセンはヨーロッパの強国となった。

4：ロシアでは，モスクワ大公国のピョートル１世が，農奴解放令を発して国力を高めると，ポーランド分割に参加して領地を拡大した。さらにオスマン帝国を滅ぼすなど，その版図を一気に拡げ，「太陽の沈まぬ国」と呼ばれるロシア帝国を成立させ，自らをツァーリと称した。

5：オランダでは，オラニエ公ウィレムの指揮の下，レパントの海戦でスペインの無敵艦隊を破り，その講和会議で独立を要求したが，列強諸国が「会議は踊るされど進まず」と評されるほどに強硬に反対したため，ウェストファリア条約で独立が認められたのは南部10州だけにとどまった。

OUTPUT

実践 ▶ 問題 **111** ▶ の解説 ────────────

〈15～18世紀のヨーロッパ各国〉

1 ✕ 「代表なくして課税なし」は，アメリカ独立戦争の前に，イギリスが印紙法により13植民地に課税を強化した際に掲げられたスローガンである。また，1642年に起こったピューリタン革命の中心となったのはクロムウェルである。また，審査法はチャールズ2世のカトリック擁護に対抗して，議会が官吏をイギリス国教徒に限るとしたものであり，人身保護法は法によらない逮捕・裁判を禁止して市民的自由を保障したもので，絶対王政の復活を図るものではない。権利の章典は，名誉革命後の1689年に発布されたものである。

2 ✕ 「王は君臨すれども統治せず」とは，18世紀にイギリスで確立した議会政治における王の地位を象徴する言葉である。また，15世紀～18世紀のヨーロッパ各国は順番に絶対王政段階に到達しているときであるが，絶対王政期にとられた経済政策は商工業を国富の基盤と考える重商主義である。ルイ14世のもと，コルベールが東インド会社を再建した。なお，ナントの勅令を発布したのは16世紀末のアンリ4世であり，ルイ14世はこれを廃止した。

3 ◯ 18世紀のプロイセンでは，フリードリヒ2世が啓蒙専制君主として国内の近代化を進めた。対外的にはオーストリア継承戦争においてシュレジエンを獲得し，七年戦争でもこれを維持した。

4 ✕ 「太陽の沈まぬ国」とよばれたのは，16世紀のスペインである。また，ピョートル1世は1700年からの北方戦争でスウェーデンを破ってロシアをヨーロッパの大国の一員とした皇帝であり，オスマン帝国を圧迫して領土を広げたが，滅ぼしてはいない。オスマン帝国が滅亡したのは第1次世界大戦後である。農奴解放令は19世紀半ばのクリミア戦争の敗北後に発せられたものである。

5 ✕ レパントの海戦はスペインがオスマン帝国の艦隊を破った戦いである。その後，オランダの独立戦争（1568～1609年）で，スペインの無敵艦隊はオランダの独立を支援したイギリスに破れ，オランダの独立が事実上承認された。1648年に三十年戦争を終結させたウェストファリア条約は，独立戦争を戦い抜いたネーデルラントの北部7州（オランダ）の独立を国際的に承認した。南部10州（ベルギー）の独立は，1831年のこと。なお，「会議は踊るされど進まず」と評されたのは，ナポレオン時代の戦後処理を目指して開かれたウィーン会議である。

正答 **3**

実践 問題 **112** 基本レベル

頻出度			
地上★★	国家一般職★	東京都★	特別区★★
国税・財務・労基★	国家総合職★		国家総合職(教養区分)★★★

問 絶対王政の時代に関する記述として，妥当なのはどれか。 （特別区2012）

1：イギリスでは，エリザベス１世がオラニエ公ウィレムを指導者とするネーデルラントの独立を支援したため，スペインから無敵艦隊の来襲を受けて，これに敗れた。

2：スペインでは，カルロス１世がレパントの海戦でオスマン帝国海軍を破った後，ポルトガルの王位を継承し，アジアの植民地も手に入れて，「太陽の沈まぬ国」を築いた。

3：フランスでは，ルイ14世がネッケルを財務総監に任命して，重商主義政策を行い，国庫の充実を図ったが，ナントの勅令の廃止によってユグノーの商工業者が亡命したため，経済は大きな打撃を受けた。

4：プロイセンでは，フリードリヒ２世（大王）がハプスブルク家のマリア＝テレジアの即位をめぐるオーストリア継承戦争に乗じてシュレジエンを獲得し，さらに七年戦争でもこれを確保した。

5：ロシアでは，エカチェリーナ２世が清とネルチンスク条約を結んで国境を決め，さらに北方戦争でスウェーデンを破り，バルト海沿岸にサンクト＝ペテルブルクを建設して都を移した。

実践 問題 **112** の解説

〈絶対王政〉

1 × ネーデルラントはスペインの植民地であったが，スペイン王フェリペ2世が新教徒が多かったネーデルラントにカトリック化政策を進めたところから反発を招き，ネーデルラントのうち，北部7州はオラニエ公ウィレムを指導者として独立を宣言した（1581年）。当時，フェリペ2世と対立していたイギリスのエリザベス1世は独立を支援していたため，フェリペ2世がイギリスに無敵艦隊を派遣した。以上について，肢の説明は正しいが，その際，イギリスはスペインの無敵艦隊を打ち破っている。ネーデルラントの北部7州は1609年にオランダとして国際的に独立が承認された。

2 × レパントの海戦（1571年）でオスマン帝国を破り，ポルトガルの王位を継承してスペインを「太陽の沈まぬ国」としたのはフェリペ2世である。カルロス1世はフェリペ2世の前のスペイン王である。

3 × ルイ14世のもとで財務総監として重商主義政策を行ったのは，コルベールである。ネッケルは，ルイ16世の時代に財務長官に起用された。ルイ14世の時代にナントの勅令が廃止されてユグノーが亡命し，フランス経済が大きな打撃を受けたことは正しい。

4 ○ フリードリヒ2世は，18世紀にプロイセンで啓蒙専制君主として近代化を進めた国王である。対外的にはオーストリア継承戦争でオーストリアからシュレジエンを獲得し，続く七年戦争でもこれを確保した。

5 × 清とネルチンスク条約を締結して国境を決め，北方戦争でスウェーデンを破り，サンクト＝ペテルブルクを建設したのはピョートル大帝（位1682～1725年）である。ピョートル大帝が1700年からの北方戦争でスウェーデンを破ったことで，ロシアはヨーロッパの大国の仲間入りを果たした。エカチェリーナ2世（位1762～96年）はその後のロシアの皇帝である。オホーツク海まで進出し，日本にラクスマンを送ったほか，啓蒙専制君主として国内の近代化を進めたが，プガチョフの乱（1773～75年）とフランス革命をきっかけに反動化し，農奴制を強化した。

正答 **4**

実践 問題 **113** 基本レベル

頻出度	地上★★★ 国家一般職★ 東京都★★★ 特別区★★★
	国税・財務・労基★ 国家総合職★ 国家総合職(教養区分)★★★

問 15世紀末から18世紀にかけてのヨーロッパ諸国のアフリカやアメリカへの進出に関する記述として，ア～オのうちに妥当なものが二つある。それらはどれか。 (地上2020)

ア：イタリアはヴェネツィアやジェノバといった都市国家を中心に，アフリカ大陸を周りインドに赴く航海路を開拓し，後に，ポルトガルやオランダなどが海外に進出した。

イ：イギリスやフランスは東インド会社を設立し，17世紀頃に積極的に海外に進出し，フランスはインドにおけるイギリスとの戦いに勝利して，インド支配の基礎を固めた。

ウ：ヨーロッパからわたっていった人々は，アメリカで鉱山などを経営し，大量の銀がヨーロッパにもたらされた結果，ヨーロッパでは物価が高騰した。

エ：ヨーロッパ諸国の人々がアメリカにわたった結果，トウガラシやトウモロコシがアメリカに伝わる一方，ヨーロッパにはアメリカからジャガイモが伝わった。

オ：ヨーロッパ諸国は，アメリカで砂糖やタバコ，サトウキビなどを栽培し，これらを栽培するための労働力として奴隷がアフリカからアメリカに連れてこられた。

1：ア，ウ
2：ア，エ
3：イ，エ
4：イ，オ
5：ウ，オ

OUTPUT

実践 問題 **113** の解説

〈ヨーロッパ諸国の海外進出〉

ア✕ インドに赴く航海路を開拓したのはポルトガルである。イタリアの都市国家は，十字軍以降，地中海東岸で東方との交易に従事していた。イタリアが従事していた東方貿易は従来のルートで行われていたものである。

イ✕ インドにおける植民地戦争に勝利してインド支配の基礎を固めたのはイギリスである。

ウ◯ アメリカ大陸からもたらされた大量の銀が，ヨーロッパの物価を騰貴させた（価格革命）。

エ✕ トウガラシやトウモロコシは，アメリカ大陸産の作物である。大航海時代の後，アメリカ大陸からヨーロッパに，トウモロコシ，サツマイモ，ジャガイモ，トマト，トウガラシなどのアメリカ大陸産作物が伝えられ，人々の生活に大きな影響を与えた。

オ◯ アメリカ大陸の先住民であるインディオは，厳しい鉱山労働やヨーロッパからもたらされた伝染病によって人口が激減したため，労働力としてアフリカから黒人が奴隷として連れてこられた。

　以上から，ウとオが妥当であるので，肢5が正解となる。

正答 **5**

Q1 ローマ帝国は，前3世紀から約200年間，「ローマの平和」とよばれる繁栄期を迎えた。

Q2 元老院からアウグストゥスの称号を与えられたオクタヴィアヌスは，共和政の伝統を重んじながら実権を握る元首政を開始した。

Q3 十字軍は，9世紀にカトリックの布教拡大を目的に行われた。

Q4 第1回十字軍はコンスタンティノープルを占領，ラテン帝国を建てた。

Q5 十字軍が聖地を回復して終結すると教皇の権威が国王よりも高まり封建制度が確立した。

Q6 十字軍の遠征により東方貿易が盛んになり，イタリアの都市が繁栄した。

Q7 イスラーム教徒最後の拠点コルドバを占領し，国土回復運動が完成した。

Q8 イタリアではすでに政治的統一が達成されており，フッガー家などが芸術家を保護する風潮があったため，他国に先駆けてルネサンスが起こった。

Q9 ルネサンス運動は，宗教を否定して人間の尊厳を説き，個性の自由な発揮を重んじたため，ローマ教皇や貴族はこれを激しく弾圧した。

Q10 ルネサンスの三大発明である製紙法・羅針盤・火薬はイタリアで生まれたもので，イスラーム世界を通じて中国に伝えられた。

Q11 ヨーロッパ人が新航路の開拓に乗り出した背景には，先進諸国で産業革命が起こり海外に市場を拡大する必要が生じたことが挙げられる。

Q12 新航路の開拓の結果，ヨーロッパでは価格革命が起こった。

Q13 ドイツのカルヴァンが「95カ条の論題」を発表し，宗教改革を進めた。

Q14 ルターは農民を率いてドイツ農民戦争を展開した。

Q15 アウグスブルクの宗教和議では個人の信仰の自由が認められた。

Q16 宗教改革の中でイエズス会はプロテスタントの布教拡大を図った。

Q17 フランスではナントの勅令が発せられたが，カルヴァン派は認められなかった。

Q18 スペインはインド航路の開拓に成功し，南アフリカの金を独占した。

Q19 スペインのフェリペ2世はイギリス海軍を打ち破り最盛期を現出した。

Q20 イギリスでは16世紀に綿織物業が盛んになった。

Q21 プロイセンのフリードリヒ大王はドイツ帝国を樹立し，ユンカー勢力を排除して農奴解放などの近代化を行った。

Q22 ロシアのピョートル大帝は北方戦争でスウェーデンを打ち破った。

A 1 ×「ローマの平和」とよばれるのは，紀元元年くらいからの200年間である。

A 2 ○ オクタヴィアヌスの時代から，ローマは実質的に帝政に入る。

A 3 × 十字軍は11世紀末にキリスト教の聖地イェルサレムをイスラームから奪回することを目的に開始された。

A 4 × コンスタンティノープルを占領したのは第4回十字軍である。

A 5 × 十字軍は聖地回復に失敗し，教皇の権威が衰退し国王が台頭，封建制度は崩壊していく。

A 6 ○ 十字軍以降のイタリア都市の繁栄がルネサンスを生んだ。

A 7 × イスラーム教徒最後の拠点はグラナダである。グラナダにはアルハンブラ宮殿が残る。

A 8 × イタリア統一は19世紀のこと。ルネサンスの保護者はメディチ家。

A 9 × ルネサンスは宗教を否定するものでなく，ローマ教皇はルネサンスの保護者である。

A 10 × 火薬・羅針盤は中国で発明され，イスラーム世界を経てヨーロッパに伝えられた。ルネサンスの三大発明はこれらと活版印刷術。

A 11 × 新航路の開拓は15世紀から。産業革命は18世紀である。

A 12 ○ 新大陸から銀が流入して物価が騰貴する価格革命が起こった。

A 13 ×「95カ条の論題」を発表したのはドイツのルター。

A 14 × 農民戦争を率いたのはミュンツァー。ルターは諸侯側に立った。

A 15 × アウグスブルクの宗教和議は諸侯にのみ宗教の選択権を認める。

A 16 × イエズス会は反宗教改革の中心としてカトリックの拡大を図った。

A 17 × ナントの勅令ではカルヴァン派の権利も認められた。

A 18 × インド航路の開拓はポルトガル。スペインが支配したのは新大陸の銀。

A 19 × スペインのフェリペ2世はオランダ独立戦争に際してイギリス海軍に敗れている。

A 20 × イギリスで16世紀に発達したのは毛織物業である。

A 21 × フリードリヒ大王は18世紀に近代化を進めたが，その近代化はユンカー階級を支柱とし，農奴解放などは伴わない。ドイツ帝国樹立は19世紀である。

A 22 ○ ロシアのピョートル大帝は，北方戦争に勝利してバルト海の覇権を確立し，ロシアをヨーロッパの大国とした。

第1章 ヨーロッパ世界の形成

memo

第2章

近代市民社会の成立

SECTION

① 市民革命から19世紀の欧米諸国
② 第1次世界大戦と第2次世界大戦

近代市民社会の成立
市民革命から19世紀の欧米諸国

必修問題

セクションテーマを代表する問題に挑戦!

市民が主権者である資本主義社会がどのように形成されたのか,その基本を学びます。

問 18世紀後半から19世紀前半の欧米諸国に関するア〜エの記述のうち,妥当なものが二つある。それらを選んでいるのはどれか。

(地上2016)

ア:イギリスでは,いち早く石炭を動力源とする機械の使用が始まり,綿織物が盛んに生産されるようになり,産業資本家が社会の中心となって台頭し,選挙法の改正などを実施した。

イ:アメリカでは13の植民地がイギリスに対して独立戦争を展開し,独立を達成した。独立後には,立法・司法・行政の三権を大統領に集中させることが憲法に明記された。

ウ:フランスでは革命により君主制が倒された。しかし,オーストリアを中心に干渉戦争が起こり,革命政府は倒され,ナポレオンが皇帝に擁立された。ナポレオンの在位中はヨーロッパで大国間の勢力が均衡し,平和が維持された。

エ:思想面では,合理性や普遍性を重んじる啓蒙思想が普及し,フランス革命を支えた。一方,こうした潮流に対抗して,各民族や各地域の固有の歴史や文化,又は個人の感情や想像力を重視するロマン主義が盛んになった。

1:ア,イ
2:ア,ウ
3:ア,エ
4:イ,ウ
5:ウ,エ

直前復習

Guidance ガイダンス

| 18世紀 イギリス | | 19世紀 イギリス |

工場経営者 ＝ 産業資本家 → 第1回選挙法改正 産業資本家が参政権を獲得

産業革命

労働者 → ★ チャーティスト運動 男子普通選挙を求める運動

の解説 ────────────────

〈18〜19世紀の欧米諸国〉

ア〇 妥当である。イギリスでは18世紀に他国に先駆けて産業革命が開始され，石炭を動力源に機械の使用が始まり，綿織物が盛んに生産されるようになった。この結果，工場経営者の産業資本家が社会の一大勢力となり，選挙法の改正などが実施された。

イ✕ アメリカで13の植民地がイギリスに独立戦争を展開し，独立を達成したことは正しいが，独立後に制定された「合衆国憲法」では，人民主権を基礎とした共和制の採用を決定し，各州に大幅な自治を認めながらも，中央政府の権限を強化する連邦主義を採用するとともに，行政権，立法権，司法権が相互に抑制しあうことによって，権力の乱用を避ける三権分立の原則が定められている。

ウ✕ ナポレオンはフランス革命に対する列強の干渉戦争の中で，軍人として台頭し，国民投票でフランス国民の圧倒的支持を得て皇帝に就任している。オーストリアにより擁立されたのではない。また，皇帝に就任した後のナポレオンは，ヨーロッパ支配を目指し，トラファルガー海戦ではイギリスに敗れたものの，ヨーロッパ大陸を次々と支配下に入れた。しかし，1813年にはライプツィヒの戦い（諸国民戦争）を機に諸国がナポレオン支配に対する解放戦争を起こしている。したがって，ナポレオンの在位中は平和が維持されたとあるのは誤り。

エ〇 妥当である。合理性や普遍性を重んじる啓蒙思想が普及して，フランス革命を支えた。フランス革命が自由と平等の理想を実現できなかったことへの幻滅と啓蒙思想に対する批判からロマン主義が盛んとなった。

以上から，アとエが妥当であるので，肢3が正解となる。

第2章　近代市民社会の成立

正答 **3**

1 イギリス市民革命

ピューリタン革命	「権利の請願」 → ピューリタン（清教徒）革命 → クロムウェルが中心となって国王を処刑
名誉革命	ジェームズ２世が亡命 → メアリ２世とウィリアム３世が即位→ 「権利の宣言」・「権利の章典」 → 立憲君主体制の樹立

2 アメリカ独立 （1775〜83年）

イギリスが13植民地を原料供給地，市場としての地位にとどめ，本国の産業を保護する重商主義政策を採用したことに植民地側が不満を高めていました。

独立の契機	印紙法：「代表なくして課税なし」・茶法：ボストン茶会事件
コモン＝センス	トマス＝ペイン著。世論を独立に傾ける。
独立宣言	トマス＝ジェファソン起草。ロックの思想の影響を受けて，圧政に対する抵抗権を明記。
合衆国憲法	1783年パリ条約でイギリスからミシシッピ以東のルイジアナを獲得して独立を達成 → 合衆国憲法の制定 → ワシントンが初代大統領に就任

 フランスやスペインは，13植民地側に立って参戦し，北欧諸国は武装中立同盟を結成したため，イギリスは孤立し，植民地側が勝利します。

3 フランス革命

1789年 国王が特権身分に課税を試みる → 三部会の召集 → 第三身分が国民議会を創設 → バスティーユ牢獄襲撃事件 → 全国的な農民蜂起 → 「人権宣言」「封建的特権の廃止」
1799年 ナポレオンがブリュメール18日のクーデタで政府の実権を握る
1804年 「フランス民法典」の発布，ナポレオンの皇帝就任
1805年 トラファルガー海戦でナポレオンがイギリスに敗れる
1813年 ライプチヒの戦い → 諸国民戦争 → ナポレオンの失脚

4 ウィーン体制

ヨーロッパの秩序再建のために1814年ウィーン会議が開催されました。会議ではフランス革命前の王権と領土を正統とする正統主義が基調となり，自由主義やナショナリズムを抑えようとするウィーン体制が成立しました。

INPUT

5 フランスの七月革命と二月革命

七月革命 (1830年)	ウィーン体制後に成立していた復古王政に対し，自由主義貴族の ルイ＝フィリップを国王とする七月王政が成立。
二月革命 (1848年)	国王ルイ＝フィリップは亡命して共和制が成立 → 大統領にルイ＝ナポレオンが就任 → 皇帝ナポレオン3世

6 イギリス産業革命（18世紀）

■背景
17世紀の市民革命により，経済活動における封建的束縛が解消
農村に**毛織物のマニュファクチュアが広範に発展し，資本が蓄積**
次々と他国を破って広大な植民地を獲得して，**市場を確保**
国内に石炭や鉄鋼が豊富に産出（綿花は輸入）
農業革命で囲い込みが進展し，労働力が供給

(1) 発明の経過

綿織物の分野から技術革新が進展し，ワットの蒸気機関，スティーヴンソンの蒸気機関車の実用化により，動力部門・運輸部門にも技術革新が進みます。

(2) 産業革命後の社会

機械制工場生産を土台に近代資本主義体制が確立し，工場を経営する産業資本家が台頭しました。しかし，一方で年少者や女性が不衛生な環境の中，低賃金・長時間労働を課せられ，労働問題が発生しました。

7 ドイツ統一

1866年	普墺（プロイセン＝オーストリア）戦争 → ドイツがオーストリアを破り，ドイツ統一の主導権を獲得
1870年	**普仏（プロイセン＝フランス）戦争**
1871年	プロイセンの勝利 → **ドイツ帝国の樹立を宣言**（ドイツ統一）

8 アメリカ南北戦争（1861～65年）

奴隷制の廃止と保護貿易を主張する北部と，奴隷制の存続と自由貿易を主張する南部との間に戦争が起こります。1863年にリンカンが奴隷解放宣言を発し，北部が勝利して戦争は終結しました。

第2章 近代市民社会の成立

実践 問題 **114** 〈 基本レベル 〉

頻出度	地上★★	国家一般職★	東京都★	特別区★
	国税·財務·労基★	国家総合職★		国家総合職(教養区分)★★★

問 17世紀のイギリスの歴史に関する記述として，妥当なのはどれか。

(東京都2020)

1：クロムウェルに率いられた議会派が，国王軍を破ると，国王チャールズ2世を裁判にかけて処刑し，共和政をはじめる十月革命をおこした。

2：クロムウェルの独裁に不満を持った国民は王制を復古させ，王権神授説をとったチャーチルが立憲君主政の頂点に立った。

3：議会と国教会は国王一家を追放し，カトリックの王族を招き，議会との間に「権利の章典」を定めることで，共和政が確立した。

4：イングランド銀行や公債の発行による積極財政をすすめ，国内産業を盛んにし，海外の植民地を拡大していった。

5：ヴィクトリア女王による絶対王政により，官僚制，常備軍を整えるなど，国内の中央集権化を推進した。

OUTPUT

実践 問題 **114** の解説

第2章 近代市民社会の成立

〈17世紀のイギリス〉

1 ✕ クロムウェルが議会派を率いて国王軍を破ったのは,清教徒（ピューリタン）革命である。また,このとき処刑されたのは,チャールズ1世である。十月革命は,第1次世界大戦中に,ロシアでレーニンが社会主義政権を樹立した革命である。

2 ✕ クロムウェルの独裁に不満を持った国民が王制（王政）を復活させたことは正しいが,この時に即位したのはチャールズ2世である。王権神授説をとった国王は,清教徒（ピューリタン）革命の前に国王であったジェームズ1世である。ジェームズ1世の名前がわからなくても,革命前が絶対王政＝王権神授説である点から本肢を誤りであると判断したい。また,チャーチルは第2次世界大戦時の首相である。

3 ✕ チャールズ2世の後,王位を継いだジェームズ2世は,カトリックと絶対王政の復活に努めたので,議会は新教徒であったジェームズ2世の娘のメアリとその夫であるオランダ総督ウィレムを国王とすべくイギリスに招いた。これが名誉革命であるが,名誉革命の後,「権利の章典」が定められて,立憲君主制が確立した。

4 ○ 妥当である。17世紀のイギリスで採用されていたのは重商主義政策である。重商主義は,輸出超過による金銀の流入が国富の増大のために不可欠であるとの考えであり,国内産業を盛んにして,積極的に海外に植民地を拡大していった。

5 ✕ イギリスで絶対王政が現出されたのは,16世紀のエリザベス1世の治世である。ヴィクトリア女王は19世紀後半の女王である。

■近代市民革命の成立

16世紀 絶対王政 （王権神授説） エリザベス1世	→	17世紀 市民革命 ピューリタン革命 名誉革命	→	18世紀 立憲君主体制 議会が 国王に優越

正答 **4**

実践 問題 **115** 基本レベル

頻出度	地上★★★ 国家一般職★ 東京都★ 特別区★
	国税・財務・労基★ 国家総合職★ 国家総合職(教養区分)★★★

問 18世紀のアメリカに関する次のA〜Cの記述の正誤の組合せとして最も妥当なものはどれか。 (裁判所職員2021)

A：1773年，ボストンの市民たちは，印紙法に反対するため「代表なくして課税なし」と主張してボストン茶会事件を引き起こした。

B：1775年，武力衝突を契機にアメリカ独立戦争が始まり，1776年にはジェファソンらが起草した独立宣言を発表した。

C：1783年，パリ条約締結により，イギリスは50の植民地の独立を承認し，ミシシッピ川以東の広大な領地を譲った。

```
        A       B       C
1：      正      誤      正
2：      正      正      誤
3：      誤      正      誤
4：      誤      正      正
5：      誤      誤      正
```

OUTPUT

実践 問題 **115** の解説

〈アメリカの独立〉

A × 1773年にボストン茶会事件が起こったことは正しいが，この事件はイギリス政府が植民地商人による茶の密貿易を禁じ，茶の滞貨に苦しむ東インド会社に茶の独占販売権を与える茶法を制定したことが原因である。印紙法の制定に対して，植民地側が「代表なくして課税なし」と反対したのは，1765年のことである。

1765年	イギリスが印紙法を制定して，13植民地に課税強化 → 植民地では「代表なくして課税なし」と反対運動が盛り上がる → 翌年撤回
1773年	イギリスが茶法を制定して植民地への茶の販売権を東インド会社に独占させる → 茶法の反発からボストン茶会事件が起こる

B ○ 1775年にイギリス政府とアメリカの植民地側との武力衝突が起こり，独立戦争が開始された。植民地側はワシントンを総司令官として戦い，1776年にはロックの思想を参考にしてトマス＝ジェファソンらが起草した独立宣言を発表した。

C × もともとアメリカ北東部海岸に成立していたのは13の植民地であり，13植民地は独立を宣言した際にアメリカ合衆国の名を採用し，パリ条約ではこのアメリカ合衆国の独立をイギリスが承認した。独立当初のアメリカ合衆国は，13の州のゆるい連合にすぎなかったが，合衆国憲法の制定により，各州に大幅な自治を認めながらも中央政府の権限を強化する連邦主義を採用した。

以上から，肢3が正解となる。

【ポイント】

2016年の国税・財務・労基に次いで，裁判所職員でもアメリカに成立していた植民地の数が問題となっています。アメリカ合衆国が当初は13州として成立した点は覚えておくべき事項ということになります。

正答 **3**

第2章 近代市民社会の成立

実践 問題 **116** 基本レベル

頻出度	地上★★★	国家一般職★	東京都★★★	特別区★★★
	国税·財務·労基★		国家総合職★	国家総合職(教養区分)★★★

問 アメリカ合衆国の独立に関する記述として最も妥当なのはどれか。

(国税・財務・労基2023)

1：北アメリカに成立した13植民地のうち，北部はタバコなどを奴隷制プランテーションで生産し輸出が盛んだったのに対し，南部は商品作物に恵まれず，南北で経済格差が生じた。この問題を背景に起こった南北戦争は，アメリカ独立運動の起点となった。

2：フランスでは，百年戦争でイギリスに敗れて深刻化した財政難をきっかけに，免税などの特権が与えられた貴族を中心とする体制に第三身分が対抗するフランス革命が起きた。これに影響を受けた13植民地は，「代表なくして課税なし」のスローガンの下，独立運動を本格化させた。

3：13植民地の独立運動は，イギリス軍と植民地軍とのアメリカ独立戦争に発展し，植民地軍総司令官に任命されたジェファソンは「独立宣言」を起草した。その後大陸会議で採択された「独立宣言」には，13植民地に住む者の独立の一環として奴隷の解放も明記された。

4：アメリカ独立戦争では，イギリスと対立していたフランス，スペイン，ロシアが13植民地側に立って参戦した。これに対してオランダは，プロイセンなどとともに武装中立同盟を結成し，義勇兵の派遣により間接的にイギリスを支援した。

5：パリ条約でアメリカ合衆国の独立が承認された後，憲法制定会議によりアメリカ合衆国憲法が採択された。アメリカ合衆国憲法では，人民主権を基礎として，三権分立が定められるとともに，自治権をもつ各州の上に中央政府が立つ連邦主義についても規定された。

実践 問題 **116** の解説 ————————————————

〈アメリカ独立〉

1 × 南北戦争は，アメリカが独立した後，南部と北部の対立により1861年に起こったものである。独立戦争は1775年から開始されているので，南北戦争がアメリカ独立運動の起点となった，とあるのは妥当でない。

2 × アメリカ独立戦争は1775年から開始され，フランス革命は1789年に開始されたので，フランス革命の影響を受けて13植民地が独立運動を本格化させたとあるのは妥当でない。なお，フランスとイギリスは18世紀に植民地戦争を展開しており，1756年から七年戦争がヨーロッパで起こると，インドではプラッシーの戦いが起こった。こうした一連の戦争後の財政難を背景に，イギリスは13植民地への課税強化を図り，アメリカ独立戦争を招き，一方のフランスは，国内の特権身分への課税を試みてフランス革命を招いたのである。百年戦争は14世紀から15世紀にイギリスとフランスとの間で起こったもので，時代が異なる。

3 × 「独立宣言」を起草したのはジェファソンであるが，独立戦争に際して植民地軍総司令官に任命されたのはワシントンである。また，「独立宣言」には奴隷解放は明記されず，黒人奴隷制をめぐる北部と南部の対立が，19世紀に南北戦争を招いたのである。

4 × アメリカ独立戦争の際に13植民地側に立って参戦したのは，フランスとスペインである。一方，ロシアは武装中立同盟を提唱している。なお，この武装中立同盟はイギリスを孤立させ，間接的に13植民地側を支援するものであった。

5 ○ アメリカ合衆国憲法の説明として，妥当である。

第2章 近代市民社会の成立

正答 **5**

実践 問題 **117** 応用レベル

頻出度	地上★★★　国家一般職★　　東京都★★　　特別区★
	国税・財務・労基★　　国家総合職★　　国家総合職(教養区分)★★★

問 18世紀のアメリカの歴史に関する記述として，妥当なのはどれか。

(東京都Ⅰ類A 2019)

1：1773年，フランスが東インド会社にアメリカ植民地での茶の独占販売を認めることに反対した一団が，同会社の船を襲い，積み荷の茶を投棄する事件が起きた。

2：1775年，アメリカ独立戦争が勃発し，翌年，13の植民地がリンカンの起草した独立宣言を採択した。

3：ヨークタウンの戦いに敗れたイギリスは，1783年にパリ条約でアメリカ合衆国の独立を承認し，五大湖以西の広大な領地を譲った。

4：1787年，アメリカ合衆国は三権分立，人民主権を基本理念とする，ミドハト憲法を制定した。

5：1789年にワシントンがアメリカ合衆国の初代大統領に就任し，その後，あらたに首都ワシントンが建設された。

OUTPUT

実践 問題 **117** の解説

〈18世紀のアメリカの歴史〉

1× 東インド会社の船を襲い，積み荷の茶を投棄するボストン茶会事件が起こったのは，イギリスが東インド会社にアメリカ植民地での茶の独占販売を認めたことが契機となっている。

2× アメリカの独立宣言を起草したのは，ジェファソンである。リンカンは，南北戦争中の1863年に，奴隷解放宣言を発した大統領である。

3× パリ条約でアメリカ合衆国の独立を認めたイギリスは，ミシシッピ以東のルイジアナを割譲した。

4× 1787年にアメリカ合衆国で制定されたのは，合衆国憲法である。ミドハト憲法は，19世紀にオスマン＝トルコで制定された憲法である。

5○ アメリカ合衆国が独立した当初は，13の独立した州のゆるい連合にすぎなかったが，憲法制定後には，各州に大幅な自治を認めながらも，中央政府の権限を強化する連邦主義を採用し，各州と対等な立場の，連邦政府に直轄のコロンビア特別区を設立し，首都ワシントンを建設した。

第2章 近代市民社会の成立

正答 **5**

実践 問題 **118** 〈 基本レベル 〉

頻出度	地上★★★	国家一般職★	東京都★	特別区★
	国税・財務・労基★	国家総合職★	国家総合職(教養区分)★★★	

問 北アメリカ及びラテンアメリカ諸国の独立に関する記述として最も妥当なのはどれか。　　　　　　　　　　　　　　　　　（国税・財務・労基2016）

1：18世紀半ばまでに，北アメリカの東海岸には，イギリスによって20以上の植民地が成立していた。しかし，イギリス領カナダが独立を果たしたことをきっかけに北アメリカの植民地においても独立運動が本格化し，アメリカ独立革命の起点となった。

2：植民地軍総司令官に任命されたジェファソンは，大陸会議においてアメリカ独立宣言を採択した。それに対し，イギリス本国が東インド会社による植民地への茶や綿の販売を厳しく制限したため，植民地側はボストン茶会事件を起こして反発し，独立戦争へと発展していった。

3：ヨーロッパにおける三十年戦争の激化により，戦局はしだいに植民地側に有利になり，18世紀末，イギリスはウェストファリア条約でアメリカ合衆国の独立を承認した。その後，人民主権，三権分立を基本理念とする合衆国憲法が制定され，初代大統領にワシントンが就任した。

4：フランス革命の影響を受けたトゥサン＝ルヴェルテュールらの指導により，カリブ海フランス領で反乱が起こった。植民地側はこれに勝利し，キューバ共和国がラテンアメリカ初の独立国としてフランス，アメリカ合衆国から正式に承認され，あわせて奴隷制が廃止された。

5：16世紀以降の南アメリカ大陸は，多くがスペインの植民地であったが，ナポレオンによるスペイン占領の影響をきっかけに独立運動が本格化した。植民地側は次々と勝利を収め，19世紀前半には，南アメリカ大陸のほとんどの植民地が独立を達成した。

直前復習

OUTPUT

実践 問題 **118** の解説 ─────────────

第2章 近代市民社会の成立

〈アメリカの独立とラテン＝アメリカの独立〉

1 ✕ 北アメリカの東海岸に成立していたイギリスの植民地は13である。また，カナダがイギリス連邦カナダ自治領となったのは19世紀であり，1931年にウェストミンスター憲章が成立すると，外交自主権を獲得して完全な独立国となった。したがって，18世紀のアメリカの独立革命はカナダの独立がきっかけではない。

2 ✕ アメリカ独立宣言は1775年に独立戦争が開始された後の1776年に発表された。また，植民地軍の総司令官はジェファソンではなく，ワシントンである。また，独立戦争の契機となったのは，イギリス本国が東インド会社に植民地への茶の販売権を独占させた茶法を制定したことである。東インド会社による植民地への茶の販売を厳しく制限したのではない。

3 ✕ ヨーロッパにおける三十年戦争がウェストファリア条約によって終結したのは1648年の17世紀のことであり，時代がまったく異なる。アメリカの13植民地は，1783年にパリ条約によりイギリスからの独立を果たした。

4 ✕ フランス革命の影響を受けてトゥサン＝ルーヴェルテュールの指導によって独立したのはハイチである。ハイチは史上初の黒人共和国であり，黒人奴隷制も同時に廃止されたため，この影響を受けてイギリスの奴隷貿易が廃止されるなど，大きな衝撃を与えた。キューバは19世紀末の時点でスペインの植民地であり，アメリカはキューバの独立を支援するという口実でスペインに開戦し，米西戦争となっている。キューバは米西戦争後にアメリカの保護国となっている。

5 ◯ 15世紀後半にポルトガルやスペインが新航路の開拓に乗り出し，1494年にトルデシリャス条約によってポルトガルとスペインの領域が決められた結果，16世紀には南アメリカ大陸の大半がスペインの植民地となった。ナポレオンがスペインを占領してスペイン本国との連絡が途絶えたことが契機となり，植民地生まれの白人であるクリオーリョ階級が独立運動の中心となって，19世紀前半には次々と独立を果たした。

正答 **5**

実践 問題 119 基本レベル

頻出度	地上★★★	国家一般職★	東京都★★★	特別区★★
	国税·財務·労基★	国家総合職★	国家総合職(教養区分)★★★	

問 19世紀のアメリカの歴史に関する記述として，妥当なのはどれか。

（東京都Ⅰ類B 2018）

1：1823年に，第5代大統領モンローは，ラテンアメリカ諸国の独立を支持するため，ヨーロッパ諸国のアメリカ大陸への干渉に反対し相互不干渉を表明するモンロー宣言を発表した。

2：1845年にアメリカ合衆国がカリフォルニアを併合すると，メキシコを植民地支配するポルトガルとの対立が激化し，アメリカ＝ポルトガル戦争が勃発し，この戦争に勝利したアメリカ合衆国は，メキシコからテキサスなどを獲得した。

3：アメリカ合衆国の南部諸州は，奴隷制の存続のために州の自治権を制限することを要求し，1861年初めに南部諸州は立憲君主制によるアメリカ連合王国をつくって連邦から分離し，南北戦争が始まった。

4：1863年，南部反乱地域の奴隷解放宣言を出し内外世論の支持を集めたリンカンは，ミズーリの演説で「人民の代表者による，人民のための政治」を訴えた。

5：南北戦争後，荒廃した南部の再建が民主党の主導で進められ，南部各州の憲法の修正により奴隷制は正式に廃止され，解放された黒人に投票権が与えられた。

OUTPUT

実践 問題 **119** の解説

〈19世紀のアメリカ〉

1 ○ 19世紀初頭のモンロー宣言の内容として，妥当である。モンロー宣言に示された相互不干渉はその後のアメリカ外交の基本となった。

2 × 選択肢を正しい文章に直すと，1845年にアメリカ合衆国がテキサスを併合すると，これに反対するメキシコとの対立が激化し，アメリカ＝メキシコ戦争が起こったが，これに勝利したアメリカ合衆国はメキシコからカリフォルニア・ニューメキシコ両地方を獲得した，となる。が，この選択肢は，「メキシコを植民地支配するポルトガル」の部分で誤りと判断する。メキシコはスペインの植民地であったが，19世紀初頭に独立した。

3 × 南部諸州が奴隷制の存続を要求していたことは正しいが，合わせて州の自治，自由貿易を主張していた。

北部（商工業が発達）	奴隷制廃止・保護貿易・連邦主義
南部（プランテーション）	奴隷制存続・自由貿易・州権主義

なお，リンカンが大統領に就任したことに対し，南部の諸州は連邦から離脱してアメリカ連合国を結成し，ジェファソン＝デヴィスを大統領に選出した。南部諸州が結成したのが立憲君主制によるアメリカ連合王国とあるのは妥当でない。

4 × リンカンが奴隷解放宣言を出したことは正しいが，リンカンが演説を行ったのは，南北戦争における最大の激戦が行われたゲティスバーグである。また，このゲティスバーグ演説でリンカンは「人民の，人民による，人民のための政治がこの地上から消えることのないようにしなければならない」と訴えた。「Government of the people, by the people, for the people」は，通常，「人民の代表者による」とは訳さない。

5 × 肢を正しい文章に直すと，荒廃した南部の再建が共和党の主導のもとに進められ，連邦憲法の修正により奴隷制は正式に廃止され，解放黒人に投票権が与えられた。しかし，南部諸州は州法などによって黒人の投票権を制限したり，公共施設を人種別に分けるなど，差別待遇を進めた，となる。

【ポイント】

　本問が基本レベルであるのは，正解肢が基本事項であるからです。肢1のモンロー宣言について，確実に○がつけられるような勉強が大切です。

正答 **1**

第2章 近代市民社会の成立

実践 問題 **120** 〈 基本レベル 〉

頻出度	地上★★★　国家一般職★★　東京都★　特別区★ 国税・財務・労基★★　国家総合職★★　国家総合職(教養区分)★★★

問 アメリカ合衆国の大統領に関する記述として，妥当なのはどれか。

(東京都Ⅰ類B 2013)

1：ワシントンは，アメリカの独立戦争で植民地側の軍隊の総司令官となり，イギリスとの戦いに勝利した後，初代大統領となって独立宣言を発表した。

2：トマス＝ジェファソンは，独立宣言の起草者の一人であり，大統領に就任後，メキシコとの戦争に勝利してテキサス，カリフォルニアを獲得し，アメリカの領土を太平洋沿岸にまで広げた。

3：リンカンは，南北戦争後に大統領に就任し，戦争で勝利した北部の主張を受けて，奴隷解放宣言を発表するとともに，保護貿易と連邦制の強化に努めた。

4：ウィルソンは，第一次世界大戦中，軍備の縮小や国際平和機構の設立を提唱し，戦後，国際連盟が結成されると，アメリカは常任理事国として国際紛争の解決に取り組んだ。

5：フランクリン＝ローズヴェルトは，恐慌対策としてニューディール政策を実施したほか，ラテンアメリカ諸国に対する内政干渉を改めて，善隣外交を展開した。

OUTPUT

実践 問題 **120** の解説 ──────────

〈アメリカ合衆国の大統領〉

1 ✕ ワシントンがアメリカの独立戦争で植民地側の軍隊の総司令官となったことは正しいが，①1775年独立戦争が勃発，②1776年に独立宣言発表，③1783年にパリ条約で独立を達成した後，④1787年に合衆国憲法が制定され，憲法に基づく連邦政府が発足し，⑤ワシントンが初代大統領に就任との順番になる。

2 ✕ トマス＝ジェファソンが独立宣言の起草者の1人であることは正しいが，ジェファソンが大統領であったのは1801年から09年である。メキシコとの戦争に勝利してアメリカの領土を太平洋沿岸にまで広げたのは1848年であるので，ジェファソンの時代ではない。

3 ✕ リンカンの大統領就任は南北戦争後ではなく，リンカンの大統領当選を契機に南部諸州が連邦から離脱したことから南北戦争が起こった。また，リンカンが1863年に発表した奴隷解放宣言は，南北戦争の最中に南部奴隷の決起を促すとともに，内外世論の支持を北部に集めるといった戦略的な措置で発せられたものである。

4 ✕ 第1次世界大戦中にウィルソン米大統領が，戦後の秩序構築のために軍備の縮小や国際平和機構の設立などを提唱した十四カ条の平和原則を発表したことは正しいが，戦後，アメリカでは再び孤立主義が台頭し，国際連盟には参加しなかった。したがって，常任理事国でもない。

5 ○ 1929年にニューヨーク市場で株価が暴落し，経済恐慌が発生すると，フランクリン＝ローズベルトはニューディール政策によって経済の建て直しを進めた。一方，19世紀末以来進めてきたラテン＝アメリカ諸国への膨張政策も転換が図られ，ラテン＝アメリカ諸国との互恵通商政策による貿易拡大とそれを通じた景気拡大を図る善隣外交が展開された。

正答 **5**

実践 問題 **121** 〈 **基本レベル** 〉

頻出度	地上★★★	国家一般職★	東京都★★	特別区★★★
	国税・財務・労基★	国家総合職★		国家総合職(教養区分)★★★

問 イギリス産業革命に関する記述として，妥当なのはどれか。 （特別区2005）

1：産業革命は，最初の労働運動であるラッダイト運動により特権的なギルド組織が取り除かれ，企業家の自由な生産活動が可能となったことにより起った。

2：産業革命により，羊毛の需要が増加したため，大地主が主に牧羊のために牧草地を囲い込み，多くの農民が土地を失った。

3：産業革命により，繊維工業の生産力が高まったため，製品市場を求めて北アメリカやインドなどの植民地の獲得を本格化した。

4：産業革命の結果，工場制機械工業が産業の中心となったため，家内工業や手工業は没落し，産業資本家が主導権を握る資本主義社会が成立した。

5：産業革命の結果，規格も品質も一定の製品を，大量に安く生産する「世界の工場」といわれる地位を確立し，労働者は高賃金と短時間労働を獲得した。

実践 問題 **121** の解説

〈産業革命〉

1× ラッダイト運動は，産業革命後に機械化によって職を失った職人らが起こした機械打ちこわし運動である。産業革命の背景としては，イギリスでは市民革命を通じて，特権的なギルド規制の枠外で，企業家の自由な生産活動が可能になったことなどが挙げられる。

2× 産業革命によってイギリスの主要工業となったのは綿織物業であり，産業革命と並行して進んだ農業革命においては，市場向けの穀物生産のために農村で第2次囲い込みが進展した。羊毛生産のための囲い込み（第1次囲い込み）は16世紀に顕著に見られたものである。

3× 18世紀にイギリスがインド進出を進めていくことは正しい。ただし，アメリカへの植民は17世紀に進められたが，1775年からはアメリカ独立戦争が起こり，1783年パリ条約によってイギリスから独立した。独立後のアメリカはイギリス製品の重要な市場となるが，イギリスにとって獲得すべき植民地の対象ではもはやない。

4○ 産業革命による機械化は本肢のように大きく社会を変質させた。本肢が正解と判断できれば本問はよい。

5× いち早く産業革命が推進されたイギリスは，「世界の工場」となったが，国内産業は年少者や女性の低賃金・長時間労働によって支えられており，19世紀には工場法が制定され長時間労働に歯止めがかけられたものの，その賃金水準は低く抑えられていた。

■産業革命後の世界

　産業革命後には大規模な機械制工場が出現し，大量生産によって安い製品が供給されるようになったため，従来の家内工業やギルド制手工業は没落し，工場経営者である産業資本家が主導権を握る資本主義体制が確立した。経済構造の変化は，都市への人口集中をもたらし，不衛生な環境のもとで労働者は低賃金・長時間労働に従事させられた。ワットが優れた蒸気機関をつくりだすと，軽工業の分野で生産効率が高められ，さらに機械を生産する機械工業や機械の原料となる製鉄業も飛躍的に発達し，さらに大量の原料や製品を輸送するために交通機関の改良が促された。

正答 **4**

第2章 近代市民社会の成立

実践　問題 122　基本レベル

頻出度	地上★★★　国家一般職★　　東京都★★★　特別区★★★
	国税・財務・労基★　　国家総合職★　　国家総合職(教養区分)★★★

問 イギリスの産業革命に関する記述として，妥当なのはどれか。　（特別区2023）

1：18世紀前半に，ニューコメンが木炭の代わりに石炭を加工したコークスを燃料とする製鉄法を開発し，鉄鋼生産が飛躍的に上昇した。

2：1733年にジョン・ケイが発明した飛び杼により綿織物の生産量が急速に増えると，ハーグリーヴズのミュール紡績機やアークライトの水力紡績機など新しい紡績機が次々と発明された。

3：1814年にカートライトが製作した蒸気機関車は，1825年に実用化され，1830年にはマンチェスター＝リヴァプール間の鉄道が開通した。

4：機械制工場による大量生産が定着すると，従来の家内工業や手工業は急速に衰え，職を失った職人たちは，機械を打ち壊すラダイト運動を行った。

5：社会主義思想を否定したオーウェンなどの産業資本家は，大工場を経営して経済活動を支配するようになり，そこで働く労働者が長時間労働や低賃金を強いられるなどの労働問題が発生した。

OUTPUT

実践 問題 **122** の解説 ─────────────

〈イギリス産業革命〉

1 × 木炭の代わりにコークスを燃料とする製鉄法を開発したのは，ダービーである。ニューコメンは蒸気力によるポンプを発明した人物である。

2 × ハーグリーヴズが発明したのは，多軸紡績機である。ミュール紡績機を発明したのは，クロンプトンである。

3 × 蒸気機関車の製作・実用化に成功したのは，スティーヴンソンである。

4 ○ 産業革命後の世界の説明として，妥当である。

5 × 産業革命後のイギリスで，大工場を経営する産業資本家が経済活動を支配するようになったことは正しいが，オーウェンは労働者の待遇改善を唱え，労働組合や協同組合の設立に努力し，共産社会建設も試みた。したがって，「社会主義思想を否定した」のではない。のちに，マルクスやエンゲルスによって，オーウェンなどは空想的社会主義と批判された。

【コメント】

本問が基本レベルであるのは，正解肢が基本事項だからです。肢4の産業革命後の世界について，確実に○がつけられるような勉強が大切です。

第2章 近代市民社会の成立

正答 **4**

実践 問題 **123** 基本レベル

頻出度	地上★★★	国家一般職★	東京都★★	特別区★★
	国税・財務・労基★	国家総合職★		国家総合職(教養区分)★★★

問 イギリスの産業革命に関する以下の記述のうち，最も妥当なのはどれか。

(地上2009)

1：産業革命は16世紀半ばのイギリスで最初に開始された。これは国内においては鉄鉱石・石炭などの資源や労働力が十分ではなかったものの，すでに他国を圧倒して広大な植民地を保有していたため，植民地から資源を集めることができたことによる。

2：産業革命の進展により，大規模な機械制工場が出現し，大工場を経営する産業資本家の社会的地位が高まり，資本主義体制が確立した。その結果，資本家の政治的発言力も高まり，19世紀には自由貿易主義への転換が見られた。

3：イギリスでは産業革命により，綿織物業の技術が著しく発達した。イギリスはそうした技術を植民地であるインドに移植したため，インドでも綿織物業が発展し，インドは綿花の一大供給地になって繁栄した。

4：産業革命の進展により都市に人口が集中して工場で働く労働者が増えると，労働者に階級意識が芽生え，選挙権拡大のためチャーティスト運動が起こった。その結果，19世紀半ばには21歳以上の男女に選挙権が拡大された。

5：産業革命によりイギリスが「世界の工場」となって他国を市場とした結果，他の欧米諸国では産業の発展が遅れ，フランスやドイツ，アメリカでは20世紀になってようやく産業革命が始まった。

OUTPUT

実践 問題 **123** の解説 ────────────

〈産業革命後のイギリス〉

1✕ イギリスで最初に産業革命が起こったことは正しいが，これは18世紀のことである。また，その背景には，イギリス国内で豊富に鉄鉱石や石炭が産出したことがある。

2○ 産業革命後，大工場を経営する産業資本家の社会的地位が高まり，1832年の第1回選挙法改正で参政権を獲得した産業資本家は，19世紀半ばには経済活動に規制をかけていた穀物法，航海法などを次々と廃止することに成功して自由貿易を実現した。

3✕ 古来よりインドは綿織物の産地として知られており，東インド会社がインドから輸入した手織綿布はヨーロッパで人気の商品であった。こうした綿布の需要の高まりの中でイギリスでは綿織物業の分野から技術革新が起こり，産業革命が開始された。産業革命が進展していく中，イギリスはインドを原料（綿花）供給地・イギリス製の機械織綿布の市場として搾取したため，インドの伝統的な綿織物業は壊滅して自給自足的な村落社会は崩壊している。イギリスからの技術移植によって繁栄したわけではない。

4✕ イギリスで男女普通選挙が実施されるのは20世紀に入ってからのことである。産業革命の進展により，工場を経営する資本家と，労働者とに階級が分化し，労働者の階級意識の高まりが見られ，第1回選挙法改正の後には，労働者たちが普通選挙の実施を求めてチャーティスト運動を展開した。しかし，このチャーティスト運動は1848年にフランス二月革命の影響を受けて最後の蜂起をしたが鎮圧され，具体的な成果とは結びつかずに終了した。

5✕ 19世紀にはイギリスが「世界の工場」として他国を圧倒していたが，19世紀前半にはベルギーやフランスで産業革命が開始され，19世紀後半にはドイツやアメリカで重工業や化学工業が著しく発展した。特にドイツとアメリカは外国製品に高い関税をかける保護政策を採用することで工業生産を伸ばし，19世紀末にはドイツとアメリカの工場生産はイギリスに追いつくまでになっている。20世紀になってようやく産業革命が始まったのではない。

第2章 近代市民社会の成立

正答 **2**

実践 問題 **124** ◁ **基本レベル** ▷

頻出度	地上★★★　国家一般職★　　東京都★　　　特別区★
	国税・財務・労基★　国家総合職★　　国家総合職(教養区分)★★★

問 18世紀から19世紀にかけて発生した環大西洋革命について述べた文中の下線部ア～オの記述には，妥当なものが二つある。それらはどれか。　(地上2013)

　18世紀から19世紀の大西洋両岸においては，政治・社会構造の激動が生じた。まず，ヨーロッパにおいては，イギリスで_ア産業革命が始まったことが挙げられる。また，フランスでは1789年に_イフランス革命が始まり，_ウナポレオンがヨーロッパ大陸のほとんどを支配下に置くと，革命の影響がヨーロッパ全土に及んだ。大西洋をはさんだ南北アメリカ大陸においては，_エ本国の圧政をきっかけとして，1775年にアメリカ独立戦争が発生し，19世紀前半には，_オラテンアメリカ諸国の独立が相次いだ。

ア：産業革命によって，それまでの石炭や蒸気力から，石油や電力へと動力の中心が移った。これにより，重化学工業の技術革新が進み，少数の大企業に生産が集中した。

イ：都市市民層の要求を受けて人権宣言が採択され，所有権の不可侵などが認められた。しかし，農村においては領主裁判権などの封建的特権が廃止されず，革命は不十分なものに終わった。

ウ：各地で民族意識が高まり改革が促され，プロイセンにおいては国家滅亡の危機に対応する形で，政府主導による「上からの近代化」が推進された。

エ：イギリスは，13植民地に対して経済においては原則として自由を認め，規制や干渉を行わなかったが，宗教についてはイギリス国教会への改宗を強制した。

オ：植民地生まれの白人であるクリオーリョ層を中心として独立運動が展開され，この時期にメキシコやアルゼンチンなどが独立を達成した。

1：ア，ウ
2：ア，エ
3：イ，エ
4：イ，オ
5：ウ，オ

OUTPUT

実践 問題 **124** の解説

〈18〜19世紀の欧米諸国〉

ア✕ イギリスで始まった産業革命によって，人力・畜力・水力から石炭と蒸気力が動力の中心となった。石油や電力へと動力の中心が移り，重化学工業の技術革新が進んで少数の大企業に生産が集中するようになるのは19世紀の終わりのことで，これを第2次産業革命ともいう。

イ✕ フランス革命において人権宣言が採択され，都市市民層の要求を受けて所有権の不可侵などが認められたことは正しい。ただしフランス革命においては，人権宣言の採択とあわせて封建的特権の廃止が宣言され，領主が農民に対して持っていた裁判権が廃止された。なお，その後，革命が進展する中でフランスでは封建的地代の無償廃止により，農民たちが土地を所有することとなった。

ウ◯ ナポレオンのヨーロッパ制圧は，各地でナショナリズムを高揚させ，プロイセンでは政府主導による「上からの近代化」が進められ，農奴解放もなされた。

エ✕ イギリスは13植民地に対して宗教上の強制は行わなかったが，経済においてはさまざまな法律を制定して，13植民地における産業発展を妨げた。これは，イギリスにとって13植民地が，本国製品の市場であることが必要であったためであるが，植民地側の不満を高めて独立戦争が起こる要因となった。

オ◯ 19世紀前半には，ナポレオンのヨーロッパ支配によって本国スペインなどとの連絡が途絶えて自立の傾向を強めていたラテン＝アメリカの国々が次々と独立を宣言した。独立の中心となったのは，植民地生まれの白人（クリオーリョ）である。ヨーロッパから渡っていった人々は，大土地所有者としてプランテーションを経営しており，こうした人々が本国支配からの独立を果たし，その後も社会の上位層を築いた。このためラテン＝アメリカの国々では現在でも大土地所有制が残り，貧富の差が大きいという特徴がある。

以上から，ウとオが妥当であるので，肢5が正解となる。

正答 5

第2章 近代市民社会の成立

実践 問題 125 基本レベル

頻出度	地上★★★ 国家一般職★ 東京都★★ 特別区★★
	国税·財務·労基★ 国家総合職★ 国家総合職(教養区分)★★★

問 第1次産業革命及び第2次産業革命に関する記述として，妥当なのはどれか。
（東京都Ⅰ類A 2024）

1：第1次産業革命とは，17世紀に「世界の工場」と呼ばれたスペインで始まった蒸気機関等の発明による生産力の革新に伴う社会の根本的な変化のことをいう。

2：第1次産業革命の時期の主な技術革新として，スティーブンソンが特許を取得した水力紡績機，アークライトが実用化した蒸気機関車などがある。

3：第2次産業革命は，19世紀後半，ドイツやアメリカなどで始まった，電力・石油を新動力源とする重化学工業を中心とした産業技術の革新である。

4：第2次産業革命の時期の主な技術革新として，ディーゼルによるディーゼルエンジンと自動車の発明，エディソンによる磁石式電話機の発明などがある。

5：第2次産業革命が進展し，資本主義の構造が変化したことによって，帝国主義は終焉を迎え，国際協調と自由貿易の時代が始まった。

OUTPUT

実践 問題 **125** の解説

〈第1次産業革命から第2次産業革命〉

1× 第1次産業革命は，18世紀のイギリスで始まった。その結果，イギリスは良質で安価な工業製品を大量にヨーロッパ内外の市場で売りさばき，19世紀に「世界の工場」とよばれるようになった。

2× 水力紡績機を発明したのがアークライトであり，蒸気機関車を実用化したのがスティーブンソンである。

ワット	蒸気機関の改良
スティーブンソン	蒸気機関車の実用化

3○ そのとおり。

4× 磁石式電話機を発明したのは一般にベルであるとされる。

5× 第2次産業革命の進展により，資源供給地や市場としての植民地の重要性が高まり，列強によるアジア・アフリカの分割が進められていく。この動きが帝国主義であり，帝国主義が終焉を迎えたのではない。また，国際協調が進展したのではなく，列強の植民地をめぐる対立が第1次世界大戦を招いた。この時期に発達した重化学工業は，巨額の投資を必要としたため，ドイツやアメリカでは独占資本が形成されている。

第2章 近代市民社会の成立

正答 **3**

実践 問題 **126** 基本レベル

頻出度	地上★★	国家一般職★	東京都★★	特別区★★
	国税·財務·労基★	国家総合職★	国家総合職(教養区分)★★★	

問 フランス革命とナポレオンに関する次の記述のうち妥当なものはどれか。

(地上2021)

1：フランス革命中には，ロベスピエールが率いたジャコバン派が，立憲君主制を目指すなど穏健な政治を行ったが，ロベスピエールは民衆により追放され，国外に亡命した。

2：フランス革命においてはすべての人の自由・平等を掲げる人権宣言が発表されたが，領主裁判権や教会への十分の一税などの封建的特権は廃止されなかった。

3：革命政府は，グレゴリウス暦に代えて革命暦を，またメートル法を採用して度量衡を統一するなど，時間や空間を全国的に統一基準で区切ることで，国民の統一感を高めようとした。

4：フランス革命の中から登場したナポレオンは，フランス民法典（ナポレオン法典）を制定したが，この民法典は私有財産の不可侵を認めないなど，フランス革命における成果の大半が否定された。

5：ナポレオンによって一時ヨーロッパの征服がなされたが，その後に敗戦した。戦後のウィーン会議においてはフランスの独立は認められず，一定期間，イギリスとオーストリアによる分割統治が行われることになった。

OUTPUT

実践 問題 **126** の解説

〈フランス革命とナポレオン〉

1 × ロベスピエールが率いたジャコバン派が実施したのは，反対派を多数処刑する恐怖政治である。ロベスピエールの独裁は人々の不満を高め，ロベスピエールはテルミドール9日のクーデタで権力を失い，処刑された。

2 × フランス革命においては，人権宣言とともに封建的特権の廃止が宣言され，領主裁判権や教会への十分の一税も廃止された。封建的特権の廃止が宣言された1789年時点では，農民が領主に支払う封建的地代は有償廃止（耕作していた土地を自分のものにするのにお金が必要）であったが，ジャコバン派政権時に封建的地代の無償廃止が実現した。

3 ○ ジャコバン派政権は公安委員会を中心に，徴兵制の導入，革命暦の制定，理性崇拝の宗教の創始など，急進的な施策を強行した。

4 × ナポレオンの制定したフランス民法典は，私有財産の不可侵や法の前の平等，契約の自由など，革命の成果を定着させるものであった。

5 × ナポレオン戦争は，最終的にワーテルローの戦いでナポレオンが大敗し，セントヘレナ島に流されたことにより終結したが，ウィーン会議では，フランスの外相タレーランが，フランス王家もまた革命の被害者である，との主張から巧みにナポレオン戦争の責任を回避し，五国同盟の一員となって反動体制の中心となっており，フランスが分割占領された事実はない。

第2章 近代市民社会の成立

正答 **3**

実践　問題 **127**　基本レベル

頻出度	地上★★	国家一般職★	東京都★★	特別区★★
	国税・財務・労基★	国家総合職★		国家総合職（教養区分）★★★

問 フランス革命又はナポレオン戦争に関する記述として，妥当なのはどれか。

(特別区2024)

1：アンシャン＝レジーム下のフランス国家の財政は，アメリカ独立戦争への参戦によって破産状態に陥ったため，国王ルイ16世は重商主義者コルベールや銀行家ネッケルを登用して，特権身分に対する課税などの財政改革をめざした。

2：1789年5月に国民議会が開会されると，第三身分代表は，国民公会と称して憲法制定まで議会を解散しないことを誓ったが，国王ルイ16世は武力で議会を弾圧しようとしたため，パリの民衆は7月14日にバスティーユ牢獄を襲撃した。

3：1789年8月に国民議会は封建的特権の廃止を決議し，続いて，ラ＝ファイエットらが起草した独立宣言を採択したことにより，旧体制は破綻し，10月にパリの民衆はヴェルサイユに行進して国王と議会をパリに移動させた。

4：ロベスピエールを中心とするジロンド派政権は，ジャコバン派を議会から追放し，恐怖政治を行ったため，パリの民衆の不満が高まり，ロベスピエールはテルミドール9日のクーデタで権力を失い処刑された。

5：ナポレオンは，ブリュメール18日のクーデタにより総裁政府を倒し，皇帝に即位すると，トラファルガーの海戦でイギリス艦隊に敗北したが，アウステルリッツの戦いでオーストリア・ロシア連合軍を破った。

OUTPUT

実践 問題 **127** の解説 —————————

〈フランス革命とナポレオン〉

1 × ルイ16世（位1774～92年）が登用したのは重農主義者のテュルゴーと銀行家のネッケルである。重商主義者のコルベールは，絶対王政期の盛期を現出したルイ14世の時代の17世紀後半の財務総監である。

2 × 1789年5月にまず開催されたのは三部会である。三部会では，議決方法をめぐって第三身分（平民）と特権身分が対立したため，第三身分が三部会から分かれて国民議会を創設した。国民公会はフランス革命が進んでいく中で実施された男子普通選挙の結果，1792年に召集された議会である。

3 × フランス革命において国民議会が採択したのは人権宣言である。

4 × ロベスピエールを中心とするジャコバン派が，ジロンド派を議会から追放した。

5 ○ ナポレオンに関する説明として妥当である。ブリュメール18日のクーデタで総裁政府を倒したことと，皇帝就任は直結しないが，本問では両者の間に読点が入っており，他の肢が明確な誤りを含むことから，総裁政府を倒し，（その後）皇帝に即位すると，というニュアンスで記述されていると判断する。

第2章 近代市民社会の成立

正答 **5**

実践 問題 **128** 〈 **基本レベル** 〉

頻出度	地上★★	国家一般職★	東京都★★	特別区★★
	国税・財務・労基★	国家総合職★	国家総合職(教養区分)★★★	

問 18世紀以降のフランスに関する記述として最も妥当なのはどれか。

(国税・財務・労基2018)

1：クリミア戦争への参戦によって破産状態に陥っていた国家財政を立て直すため，国王は，免税特権を認められていた貴族たちにも課税しようとした。これに反発した貴族たちは，第一身分の国王，第二身分の貴族，第三身分の平民から成る三部会の招集を要求した。

2：1789年，軍隊のヴェルサイユ集結の動きに危険を感じた農民が全国で反乱を起こし，その影響を受けたパリ市民がバスティーユ牢獄を襲撃した。この事態を沈静化するため，国民議会は封建的特権の廃止を決議し，領主裁判権や賦役，領主地代を無償で廃止した。

3：国民議会は，ラ＝ファイエットらが起草して，全ての人間の自由・平等，国民主権，私有財産の不可侵などをうたった人権宣言を採択した。また，教会財産の没収，ギルドの廃止などの改革が進められて，立憲君主政の憲法が発布された。

4：ロベスピエールを中心とするジロンド派政権は，ヴェルサイユ体制を維持するため，これの反対派とも話合いを重ね，協働して民主化を図った。この政権は，権力の掌握を狙うナポレオン＝ボナパルトが起こしたテルミドール9日のクーデタによって倒された。

5：ナポレオン＝ボナパルトは皇帝に即位し，第一帝政を開始した。彼は，ワーテルローの戦いではネルソンが率いるイギリス軍に勝利したが，トラファルガーの海戦ではプロイセン・ロシア軍に大敗した。

OUTPUT

実践 問題 128 の解説

〈フランス革命とナポレオン〉

1 ✕ 18世紀にフランスの国家財政が破産状態となっていたのは，18世紀前半の一連のイギリスとの植民地戦争とアメリカ独立戦争への参戦による。クリミア戦争は19世紀の戦争である。また，三部会を構成する第一身分は国王ではなく聖職者である。

2 ✕ 1789年，①パリの民衆がバスティーユ牢獄を襲撃すると，②フランス全土で農民の暴動が起こり，国民議会は封建的特権の廃止を決議し，領主裁判権や賦役などを無償で廃止したが，領主地代の廃止は有償とした。領主地代が無償で廃止されたのは，1793年であり，革命の進展によって男子普通選挙によって成立した国民公会において，ジャコバン派の独裁体制が確立する頃である。

3 ○ 人権宣言の内容として妥当である。また，国民議会は，教会財産を没収し，ギルドを廃止して営業の自由を確立するなど，市民層が求めるさまざまな改革を行った。

4 ✕ ヴェルサイユ体制は，第1次世界大戦後にドイツの徹底的な弱体化を図って確立された体制である。ロベスピエールはジャコバン派の中心として恐怖政治を行った人物であり，テルミドール9日のクーデタによって倒されたが，これはナポレオンが起こしたクーデタではない。ナポレオンは，テルミドール9日のクーデタでロベスピエールの恐怖政治が倒された後に成立した総裁政府を，ブリュメール18日のクーデタで倒した。

5 ✕ 皇帝に即位したナポレオンはヨーロッパ制圧を目指し，イギリス上陸を企てたが，トラファルガー海戦ではネルソン率いるイギリス軍に破れた。一方，プロイセン・ロシアの連合軍を破ってヨーロッパ大陸をほとんど支配下においたが，フランス人ナポレオンの支配に対しスペインやプロイセンでは民族意識が高揚した。ライプチヒの戦い（諸国民戦争）ではナポレオンはプロイセン・ロシア・オーストリアの連合軍に敗れ，退位に追い込まれ，地中海のエルバ島に流された。その後，エルバ島を脱出して復位したナポレオンは，ワーテルローの戦いでイギリス・オランダ・プロイセンの連合軍に大敗し，南大西洋上のセントヘレナ島に流された。

正答 3

第2章 近代市民社会の成立

実践 問題 **129** 〈 基本レベル 〉

頻出度	地上★★	国家一般職★	東京都★	特別区★
	国税・財務・労基★	国家総合職★		国家総合職(教養区分)★★★

問 18世紀から19世紀にかけてのフランスに関する記述として最も妥当なのはどれか。 (国税・財務・労基2022)

1：旧体制（アンシャン＝レジーム）下では，第一身分の貴族と第二身分のブルジョワジーに免税特権が認められていた。これに反発した第三身分の聖職者は特権身分への課税をも含む財政改革を目指したが，ルイ16世が反対したため，フランス革命が起こった。

2：立法議会では，立憲君主主義のジロンド派が左派を，共和主義で多数派のフイヤン派が右派を構成した。その後，ジロンド派が主導したスペインとの対外戦争での敗北によりフランス軍が不利になると，フイヤン派は，ヴェルサイユ宮殿を襲撃し王政の廃止と共和政を宣言した。

3：第一共和政の成立後，急進共和主義のジャコバン派が優勢になり権力を握った。ジャコバン派のロベスピエールを中心とする公安委員会は，反対派を粛清するなど強硬な恐怖政治を行った。しかし，ロベスピエールらは，反発を招いて穏健共和派などの政敵によって倒された。

4：ナポレオン＝ボナパルトは，クーデタで穏健共和派主導の統領政府を倒して総裁政府を樹立し，自ら第一総裁となって事実上の独裁権を握った。彼は，革命以来フランスと対立関係にあったローマ教皇と和解するとともに，大陸封鎖令を撤回して英国とアミアンの和約を結んだ。

5：フランス革命では，自由・平等の理念と共に，民族自決の原則が打ち出された。その後の第一帝政下では，共和暦に代えて革命暦が導入され，長さや重さの単位もメートル法が制定され統一される一方，地域独自の言語が重視されるなど，民族意識の形成が追求された。

実践 問題 **129** の解説

〈18〜19世紀のフランス〉

1 × 第一身分が聖職者，第二身分が貴族で，両者が免税特権を持つ特権身分である。ルイ16世が財政難を解消するため，特権身分に課税を試みようとしたが，これに特権身分が反対し，フランス革命が起こったのである。

2 × 立法議会で立憲君主主義に立ったのがフイヤン派，共和主義に立ったのはジロンド派である。フランス革命は絶対王政を打破するものであるから，立憲君主主義が右派，共和主義が左派になる点にも注意したい。その後，ジロンド派が宣戦したのは，オーストリアである。オーストリア・プロイセン連合軍がフランス国内に侵入したことから，危機感をもった民衆がテュイルリー宮殿を襲い，王権を停止した。

> **■右派と左派**
> 　右派は政党などの内部で保守的な立場をとる派で，一方，左派は急進的または革新的な立場をとる派をいう。

3 ○ ロベスピエールの恐怖政治の説明として妥当である。

4 × ナポレオンが樹立したのは統領政府である。また，ナポレオンはフランスの産業のために大陸市場を独占しようと，ヨーロッパ諸国に対してイギリスとの通商を禁止する大陸封鎖令を出した。

5 × 民族自決が唱えられたのは，第1次世界大戦時のウィルソン米大統領による。また，自由・平等を掲げたフランス革命は，それまで身分，職業，地域などによって分けられていた人々を，国家と直接結びついた市民（国民）に変えようとし，革命の結果，国民意識をもった平等な市民が国家を形成するという国民国家の理念が広まった。なお，革命暦が採用されたのはロベスピエールを中心とするジャコバン政権下である。

第2章 近代市民社会の成立

正答 **3**

実践 問題 **130** 〈 基本レベル 〉

頻出度	地上★★★	国家一般職★	東京都★★	特別区★★
	国税·財務·労基★	国家総合職★		国家総合職(教養区分)★★★

問 19世紀のヨーロッパに関する次の記述ア〜オのうち，妥当なものが二つあるが，それらはどれか。 (地上2019)

ア：19世紀初め，フランスのナポレオンがヨーロッパ諸国との戦争に勝利した。ウィーン議定書が締結され，ナポレオンがヨーロッパの多くの地域を支配するウィーン体制が成立した。

イ：産業革命が他国に先駆けて進んだイギリスは，自国製品を世界に輸出し「世界の工場」と呼ばれた。最も多くの植民地を持ち，植民地を自国製品の市場や原材料の供給地とした。

ウ：イタリアでは，19世紀後半に統一を求めて蜂起が何度も起こったが，ヨーロッパ諸国に鎮圧され，19世紀中に統一国家の実現はならず，小国の分立状況が続いた。

エ：小国の分立が続いていたドイツでは，統一を求める機運が高まり，19世紀後半に富国強兵政策を掲げるプロイセンの主導のもと統一が進展し，ドイツ帝国が成立した。

オ：ロシアは勢力拡大を求めて南下政策を行ったが，19世紀半ばにクリミア戦争に敗れると革命が起こり，帝政が打倒されて社会主義政権が成立した。

1：ア，エ
2：ア，オ
3：イ，ウ
4：イ，エ
5：ウ，オ

OUTPUT

実践 問題 **130** **の解説**

〈19世紀のヨーロッパ〉

ア✕ ナポレオンとヨーロッパ諸国との戦争は，フランスのナポレオンの敗北により終結し，その後に開かれたウィーン会議ではフランス革命以前の諸君主の統治権の回復を目指す正統主義を原則とした。この結果成立したウィーン体制は，ウィーン会議を主導した大国を中心に形成された保守反動体制である。

イ○ 妥当である。19世紀のイギリスは「世界の工場」となって圧倒的な生産力を背景にアジアへの進出を進めた。

ウ✕ イタリアの統一は19世紀に達成されている。

エ○ 普仏戦争でフランスを破ったプロイセンは，1871年ドイツ帝国の樹立を宣言し，ドイツの統一が完成した。

オ✕ ロシアで帝政が打倒されて社会主義政権が成立するのは，20世紀の第1次世界大戦中からその後のことである。19世紀半ばのクリミア戦争に敗れた後には，農奴解放などの国内改革が進められた。

以上から，イとエが妥当であるので，肢4が正解となる。

正答 **4**

実践　問題 **131**　〈基本レベル〉

頻出度			
地上★★	国家一般職★	東京都★	特別区★
国税・財務・労基★	国家総合職★	国家総合職(教養区分)★★★	

問 18世紀から19世紀にかけてのヨーロッパに関する記述として最も妥当なのは
どれか。　(国家一般職2020)

1：18世紀半ば，プロイセンのフリードリヒ二世は，長年敵対関係にあったイタリ
アと同盟してオーストリアに侵攻し，資源の豊富なアルザス・ロレーヌを奪っ
て領土とした。その後，オーストリアは英国と同盟して七年戦争を起こし，ア
ルザス・ロレーヌを取り戻した。

2：19世紀初頭，クーデタによって権力を握ったナポレオンは，ナポレオン法典を
制定して地方分権や封建制を強化したほか，トラファルガーの海戦でプロイセ
ンに勝利し，皇帝に即位した。しかし，その後自らもロベスピエールらのクー
デタにより失脚し，処刑された。

3：19世紀前半，ヨーロッパの秩序再建を討議するために，メッテルニヒの主催の
下，諸国の代表が参加したウィーン会議が開催された。この会議ではフランス
革命以前の諸君主の統治権の回復を目指す正統主義が原則とされ，革命や政
治変革を防止するためのウィーン体制が成立した。

4：19世紀半ば，ロシアは領土拡大を狙うオスマン帝国によって侵攻され，クリミ
ア戦争が始まった。この戦争では，ウィーン体制の維持のためプロイセンとフ
ランスがロシアを支援したことから，ロシアは勝利してオスマン帝国から不凍
港を手に入れた。

5：19世紀には，自然科学分野においては，メンデルが進化論を，コントが史的唯
物論を唱えるなど，科学的考察への志向が強まった。一方，芸術分野におい
ては，ルノワールなどの印象派画家が生まれるなど，個人の自然な感情などを
重視する自然主義が台頭し，科学的視点はあまり重視されなかった。

OUTPUT

実践 問題 **131** の解説 ─────────────────

〈18〜19世紀のヨーロッパ〉

1 ✕ プロイセンとオーストリアの戦争（オーストリア継承戦争）と七年戦争で両国の係争地となったのは，シュレジェンである。オーストリア継承戦争でプロイセンはオーストリアから資源の豊富なシュレジェンを獲得し，その後，オーストリアが七年戦争でシュレジェン奪回を図ったが失敗に終わった。その際，オーストリアは長年敵対関係にあったフランスと同盟している（外交革命）。なお，アルザス・ロレーヌは，プロイセンとフランスの係争地である。

2 ✕ フランス革命中に成立したロベスピエールの独裁がクーデタで打破された後にナポレオンが登場した。また，クーデタで実権を握ったナポレオンは，ナポレオン法典を制定して，私有財産の不可侵，法の前の平等，契約の自由などの革命の成果の定着を図った。地方分権や封建制は，革命によって打破された中世以来の社会の仕組みである。その後，ナポレオンはトラファルガー海戦でイギリス上陸を試みたが，イギリスに敗れている。プロイセンには勝利してヨーロッパ大陸を制圧した。なお，ナポレオンは処刑されず，最終的に南大西洋上セントヘレナ島に配流された。

3 ◯ ウィーン体制の説明として妥当である。ナポレオンが捕らえられた後，フランス革命前の秩序を回復し，自由主義やナショナリズムを抑圧するウィーン体制が成立した。

4 ✕ クリミア戦争は，南下を図るロシアがオスマン帝国に対し，ギリシア正教徒の保護を名目に開戦した戦いである。この戦争では，ロシアの地中海進出を警戒するイギリスとフランスがオスマン帝国側に立って参戦したため，ロシアが敗れ，その南下は阻止された。

5 ✕ 19世紀に進化論を唱えたのはダーウィン，史的唯物論を唱えたのはマルクスである。メンデルは遺伝法則を発見した生物学者であり，コントは実証主義を唱えて社会学の創始者となった人物である。芸術分野で「個人の自然な感情などを重視する」のは，19世紀初頭に盛んとなったロマン主義である。19世紀後半になると，科学・技術の急速な変化を背景に，非現実的なロマン主義に代わって写実主義や自然主義が登場し，19世紀末に印象派が登場した。

正答 **3**

必修問題

セクションテーマを代表する問題に挑戦!

第1次世界大戦は,アメリカの動向が解法のポイントになります。

問 第一次世界大戦に関する記述として,妥当なのはどれか。

(特別区2011)

1：パレスティナ地方について，大戦中，イギリスは，フサイン＝マクマホン協定によってアラブ人に独立を約束する一方，バルフォア宣言によってユダヤ人のパレスティナ復帰運動を援助する姿勢を示した。

2：大戦中，ドイツが連合国の海上封鎖に対抗して無制限潜水艦作戦を展開し，中立国の船舶にも攻撃したため，イタリアの参戦を招いた。

3：大戦が長期化するなか，アメリカのフランクリン・ローズヴェルト大統領は，秘密外交の廃止，海洋の自由，関税障壁の撤廃などからなる十四カ条の平和原則を示した。

4：大戦後のパリ講和会議では，高揚する民族運動に対処するため民族自決の原則が掲げられ，東欧，アジア，アフリカで多くの独立国を生み出した。

5：大戦後，ヴェルサイユ条約により国際連盟が設立され，提唱国のアメリカと，イギリス，フランス，日本の4か国が当初の常任理事国となった。

直前復習

の解説 ──────────────────────

〈第１次世界大戦〉

1○ 第１次世界大戦中にイギリスが戦局を有利にするためにパレスティナについて締結した矛盾する３つの秘密条約が中東問題の根幹となる。

フサイン＝マクマホン協定	アラブ人（パレスティナに居住している人も含む）にトルコからの独立を約束
バルフォア宣言	ユダヤ人国家の建国（イスラエル）を承認
サイクス・ピコ協定	オスマン帝国領を列強で配分することを約束

2✕ ドイツの無制限潜水艦作戦を契機に参戦したのはアメリカである。アメリカは，第１次世界大戦が勃発した当時，戦争に対して中立を表明していたが，ドイツが交戦水域に入った船舶に対して国籍を問わずに無差別・無警告に撃沈するという無制限潜水艦作戦を実施すると，ドイツに宣戦した。アメリカの参戦によって，戦争は連合国側に有利に展開されるようになった。

3✕ 大戦中に「十四カ条の平和原則」を発表したのは，フランクリン＝ローズベルト大統領ではなく，ウィルソン大統領である。秘密外交の廃止や海洋の自由，関税障壁の撤廃のほか，民族自決や国際平和機構の設立なども提案され，これがもとになって1919年のヴェルサイユ条約で国際連盟の設立が決定した。フランクリン＝ローズベルトは，経済恐慌後にニューディール政策を実施し，第２次世界大戦時のアメリカ合衆国大統領である。

4✕ ウィルソンが提案した「十四カ条の原則」に民族自決が規定されていたものの，これはアジア・アフリカの民族運動には適用されず，一部の東欧諸国にのみ適用されることとなった。その結果，ヨーロッパでは，ポーランド（ロシアから独立）やチェコスロヴァキア（オーストリアから独立）など新興の独立国が生まれたが，アジア・アフリカは依然として列強の植民地であり，民族運動は弾圧された。

5✕ 国際連盟はウィルソン大統領の発表した「十四カ条の原則」に基づいて設立されたが，提唱国アメリカでは，第１次世界大戦後の孤立主義の高まりの中，国際連盟に参加しなかった。そのため当初の常任理事国は，イギリス，フランス，イタリア，日本の４カ国となった。

正答 **1**

第２章 近代市民社会の成立

1 列強の帝国主義政策

ドイツ3B政策	トルコからバグダード鉄道の敷設権を獲得し，ベルリン・ビザンティウム・バグダードを結ぼうとするもの
イギリス3C政策	エジプトのカイロ，南アフリカのケープタウン，インドのカルカッタを結ぶ政策

2 第1次世界大戦と戦後の世界

(1) 第1次世界大戦

　セルビア人青年がオーストリア皇位継承者夫妻を暗殺したサライェヴォ事件を契機に，第1次世界大戦が始まります。アメリカは当初中立でしたが，1917年からドイツの無制限潜水艦作戦を契機に，イギリスやフランスなどの連合国側に立って参戦します。一方，ロシアでは戦争の長期化から革命が起こり，レーニンは革命の成果を守るためにドイツと単独で講和しました。

(2) 戦後の欧米諸国

① ヴェルサイユ体制

　第1次世界大戦はドイツの敗戦によって終結し，ヴェルサイユ条約が締結され，ドイツは一切の海外植民地を失うとともに，多額の賠償金（1320億金マルク）が課せられるなど敗戦国のドイツに対して厳しい処置がなされました。

INPUT

② 国際連盟の成立

　第1次世界大戦中のウィルソンの十四カ条がもとになって，戦後成立した国際連盟にはアメリカは参加せず，また，敗戦国のドイツと社会主義政権のソ連は当初，排除されていました。

3 世界恐慌とファシズムの台頭

(1) 恐慌対策

アメリカ	ニューディール政策	フランクリン＝ローズベルト。
イギリス	ブロック経済	イギリス本国と自治領，植民地間に特恵的な関税ブロックを形成。
ソ連	第1次5カ年計画中のため，経済恐慌の影響を受けない。	

(2) ファシズムの台頭と人民戦線

① ドイツやイタリアのファシズム政権

　1933年にヒトラーが首相となると，ナチスが一党独裁体制を樹立してヴェルサイユ体制の破壊を進めていきます。イタリアでは1922年にムッソリーニのファシズム政権が成立していましたが，1935年にはエチオピアに侵攻するなど対外侵略を激化させていきました。

② 人民戦線とスペイン内戦

　ファシズムの台頭に対し，共産党や左翼勢力が連合して人民戦線を結成します。スペインでは人民戦線派が政府を組織しましたが，フランコが反乱を起こします。ドイツとイタリアはフランコ側を支援して介入し，フランコが勝利しました。

> 人民戦線　ファシズムに対抗して共産党や左翼勢力が連合したものです。フランスやスペインでは人民戦線内閣が成立します。

4 第2次世界大戦後の冷戦

(1) 米ソの冷戦

　トルーマン米大統領がトルーマン＝ドクトリンによって対ソ封じ込め政策を宣言，続くマーシャル＝プランにより冷戦が開始されます。

(2) キューバ危機とデタント

　1959年にキューバでは親米的な政権が打倒される革命が起こり，社会主義を宣言します。1962年には米ソの間にキューバ危機が起こりましたが，ソ連の譲歩によって解決し，デタント（緊張緩和）が進展します。キューバ危機の当事者はケネディ米大統領とフルシチョフです。

実践 問題 132 〈 基本レベル 〉

頻出度	地上★★★ 国家一般職★ 東京都★ 特別区★
	国税・財務・労基★ 国家総合職★ 国家総合職（教養区分）★★★

問 帝国主義の時代に関する記述として最も妥当なのはどれか。

（国家一般職2013）

1：19世紀末になると，欧米先進諸国は，石炭と蒸気力を動力源に第2次産業革命と呼ばれる技術革新に成功し，巨大な生産力と軍事力の優勢を背景に，アジア・アフリカ，更には太平洋地域を次々と植民地に設定した。この植民地獲得の動きを帝国主義といい，植民地には工業製品の供給地として多くの工場が建設され，世界全体が資本主義体制に組み込まれた。

2：欧州列強諸国は，帝国主義政策の競合から，ドイツなど古くからの植民地保有国とイタリアなど後発の植民地保有国に分かれて対立し，ドイツ・フランス・イギリスの間では三国協商が，イタリア・オーストリア・ロシアの間では三国同盟が結ばれた。こうした列強の二極化は，小国が分立するバルカン半島の民族主義的対立を激化させ，同半島は「ヨーロッパの火薬庫」と呼ばれた。

3：イギリスは，アイルランドでの自治要求の高揚に直面した。20世紀初めに，アイルランド独立を目指すシン＝フェイン党が結成され，その後，アイルランド自治法が成立したが，イギリス人の多い北アイルランドはこれに反対してシン＝フェイン党と対立し，政府は第一次世界大戦の勃発を理由に自治法の実施を延期した。

4：帝国主義国の圧力にさらされた清朝支配下の中国では，日本の明治維新にならった根本的な制度改革を主張する意見が台頭した。その中心となった儒学者の康有為は，西太后と結んで宣統帝（溥儀）を動かし，科挙の廃止，立憲制へ向けての憲法大綱の発表と国会開設の公約などを実現させ，近代国家の建設に向けての改革に踏み切った。

5：イギリスの統治下にあったインドでは，近代的教育を受けた知識人が増加するにつれイギリス支配への不満が高まり，知識人の中でも英貨排斥，自治獲得などの急進的な主張をする人々の主導によってインド国民会議が創設された。これに対しイギリスは，ベンガル分割令を発表し，仏教徒とキリスト教徒の両教徒を反目させて反英運動を分断することによって事態の沈静化を図った。

OUTPUT

〈第1次世界大戦前の世界〉

1✕ 石炭や蒸気力を動力源としたのは18世紀の第1次産業革命であり，第2次産業革命は石油や電力を動力源とした。また，19世紀における欧米の植民地獲得競争，いわゆる帝国主義は，植民地を工場製品の供給地とするのではなく，原料供給地かつ市場とするものであった。

2✕ ドイツは，イタリア同様，19世紀にようやく国家統合を果たしたため，後発組である。三国同盟はビスマルク体制の時にドイツを中心にオーストリアやイタリアと結成したものであり，三国協商は，ドイツの対外侵略が激化する中で，イギリス，フランス，ロシアが結成した。なお，バルカン半島が「ヨーロッパの火薬庫」とよばれたことは正しい。

3○ アイルランドは1922年英連邦内の自治領アイルランド自由国としてイギリスからの独立を果たしたが，北アイルランドは英国領にとどまり，この結果を不十分と考える人々は，ＩＲＡ（アイルランド共和軍）など諸派によるテロを含む闘争を継続した。1998年にアイルランド，北アイルランドの諸政党とイギリスとの和平合意が成立した。

4✕ 清朝において康有為が明治維新にならって立憲君主体制を目指したことは正しい（変法運動）。ただし，この運動は，百日余りで西太后ら保守派のクーデタにより改革は挫折した（戊戌の政変）。西太后は運動をつぶした人物である。なお，時の皇帝は光緒帝であり，宣統帝は，清朝最後の皇帝である。のちに満州国皇帝となった。

5✕ インドにおける国民会議派はインド人の自治参加を漸進的に拡大することを求める穏健な団体として設立されたものであり，その中心はヒンドゥー教徒の地主階級である。一方，イギリスは，インドにおけるヒンドゥー教徒とイスラーム教徒の宗教対立を利用して民族運動の分断を図ったのである。

第2章 近代市民社会の成立

正答 3

実践 問題 133 基本レベル

頻出度	地上★★★	国家一般職★	東京都★★★	特別区★★★
	国税・財務・労基★	国家総合職★		国家総合職(教養区分)★★★

問 第1次世界大戦に関する次の記述のうち，妥当なのはどれか。 (地上2018)

1：大戦は長期化し，ヨーロッパは激しい戦禍に見舞われた。しかし大戦中，飛行機の改良など，科学技術が大きく進展し，大戦後はヨーロッパ文明への信頼が世界的に大きく高まった。

2：大戦中イギリスは，アラブ人に戦後の独立を約束する一方，ユダヤ人に対してはアラブ人が居住するパレスティナへの入植を推奨した。これが後のパレスティナ問題の原因となった。

3：ロシアは大戦の最中，帝政が崩壊してソヴィエト政権が成立した。イギリス，フランス，日本は直ちにソヴィエト政権の支持を表明したが，革命の波及効果を恐れたドイツは対ソ干渉戦争を行った。

4：敗戦国となったドイツは，領土の一部や植民地を失ったものの，イギリスやフランスは賠償金の放棄を表明したため，戦勝国から課せられた賠償金はわずかであった。このため，戦後速やかに，ドイツの経済は復興した。

5：アメリカは大戦に参戦せず，大戦中は交戦国間の調停を行った。戦後，国際的平和機構である国際連盟が設立されると，アメリカは常任理事国となった。

OUTPUT

実践 問題 **133** の解説

〈第1次世界大戦と戦後の世界〉

1 × 第1次世界大戦では，航空機や毒ガス，戦車などの新兵器が投入され，多くの死傷者を出したため，戦後には近代科学や技術への楽観的信頼が揺らいだ。また，戦争中のロシア革命によりソヴィエト政権が成立したことや，戦後，アメリカが国際政治と経済の中心になったことなどにより，ヨーロッパ中心主義の考え方にも疑問が呈されるようになった。

2 ○ 妥当である。こうしたイギリスの矛盾する外交が，現在に至るパレスティナ問題の主な原因となっている。

3 × ロシアで帝政が崩壊してソヴェエト政権が成立すると，イギリス，フランス，日本などの連合国側が，革命の拡大を恐れて反革命勢力を援助し，直接シベリアなどに軍を派遣したのである。

4 ×
> **■ヴェルサイユ条約**
> ドイツは一切の植民地を失う
> アルザス・ロレーヌをフランスに返還
> ラインラントの非武装と軍備制限
> 巨額の賠償金の支払い

ドイツとの間に締結されたヴェルサイユ条約では，巨額の賠償金の支払いがドイツに課せられている。フランスはドイツの賠償金の支払い不履行を理由に，ドイツの工業地帯であるルール地方を占領したが，これに対してドイツが不服従運動で抵抗したため，工場生産が低下し，激しいインフレーションとなって，経済が混乱した。

5 × 戦争が開始された当初は，アメリカは参戦しなかったが，1917年にドイツが無制限潜水艦作戦を実行すると，これを契機にアメリカはドイツに宣戦して参戦した。また，大戦後のアメリカでは国際的負担に反対する上院がヴェルサイユ条約批准を拒否したため，国際連盟には参加しなかったので，常任理事国にはなっていない。

正答 **2**

第2章 近代市民社会の成立
SECTION ② 第1次世界大戦と第2次世界大戦

実践 問題 **134** 〈 基本レベル 〉

頻出度	地上★★★	国家一般職★	東京都★★	特別区★★
	国税・財務・労基★	国家総合職★	国家総合職（教養区分）★★★	

問 第一次世界大戦前後の世界に関する記述として最も妥当なのはどれか。

（国税・労基2009）

1：サライェヴォ事件を契機にオーストリアがセルビアに宣戦布告をすると，ロシアがオーストリアを，ドイツがセルビアを支持して戦争に加わった。また，イギリスとフランスもドイツに宣戦したことから，戦争の規模は一挙に拡大して第一次世界大戦となった。

2：第一次世界大戦が始まると，日本は日英同盟を理由にドイツに宣戦し，中国の山東省に出兵してドイツ租借地を占領した。その後，袁世凱政権に対し，山東省におけるドイツ権益の継承などを内容とする二十一か条の要求を突き付け，その大半を認めさせた。

3：ロシアでは，第一次世界大戦中に労働者や兵士による十一月革命が起こって帝政が崩壊し，臨時政府が発足した。臨時政府は，戦争継続に反対するレーニンを首相に任命して休戦するとともに，大地主の土地を没収して農民に分配するなど，社会主義革命を推し進めた。

4：4年余にわたった第一次世界大戦は，イギリスの無制限潜水艦作戦による打撃を受けたドイツが敗北宣言を行い，終結した。戦後処理のために開かれたパリ講和会議において対独講和条約が調印され，ドイツは海外の植民地をすべて失ったが，賠償支払いの義務は免除された。

5：第一次世界大戦の終結後，国際平和の維持を求める気運が高まるなか，アメリカ合衆国大統領ウイルソンが提唱した十四カ条の平和原則に基づいて国際連盟が発足し，日英米をはじめとする戦勝国のほか，敗戦国であるドイツも加盟することとなった。

直前復習

OUTPUT

実践 ▶ 問題 **134** の解説 ─────────────

〈第1次世界大戦前後の世界〉

1 ✕ サライェヴォ事件を契機にオーストリアがセルビアに宣戦布告したが，その際にパン＝スラヴ主義の中心であったロシアはセルビアを，パン＝ゲルマン主義に立つドイツはオーストリアを支持して戦争に加わった。

2 ◯ 第1次世界大戦が始まると，日本は日英同盟を理由に参戦し，ドイツの中国における租借地を占領，袁世凱政権に二十一カ条の要求を突きつけ，その大半を承認させた。

3 ✕ ロシアで帝政が崩壊したのは，第1次世界大戦中の二月（三月）革命によってである。二月（三月）革命では皇帝ニコライ2世が退位して臨時政府が成立した。しかし，戦争を続行した臨時政府に対する不満が高まり，レーニン主導で十月（十一月）革命が起こって社会主義政権が樹立された。

4 ✕ 無制限潜水艦作戦は，ドイツが実行したものである。このドイツの無制限潜水艦作戦によって被害を受けたアメリカが，大戦の途中からイギリスやフランスなどの連合国側に立って参戦した。このアメリカの参戦によってドイツにとって戦局は不利となり，敗北した。戦後の講和条約であるヴェルサイユ条約によって，ドイツは一切の海外植民地を失うとともに，多額の賠償金が課せられている。このため第1次世界大戦後にはドイツの賠償問題が生じている。

5 ✕ 第1次世界大戦後，戦争末期にアメリカのウィルソン大統領が提唱した十四カ条の平和原則に基づいて国際連盟が成立したが，戦後，アメリカでは孤立主義が台頭したため，国際連盟には参加しなかった。また，当初は敗戦国のドイツと，社会主義政権が樹立されたソ連は排除されていた。

正答 **2**

実践 問題 **135** 〈基本レベル〉

頻出度	地上★★★　国家一般職★　　東京都★★　　特別区★★
	国税・財務・労基★　　国家総合職★　　国家総合職(教養区分)★★★

問　ヴェルサイユ体制又はワシントン体制に関する記述として，妥当なのはどれか。　　　　　　　　　　　　　　　　　　　　　　（特別区2017）

1：パリ講和会議は，1919年1月から開かれ，アメリカ大統領セオドア＝ローズヴェルトが1918年1月に発表した十四カ条の平和原則が基礎とされたが，第一次世界大戦の敗戦国は参加できなかった。

2：ヴェルサイユ条約は，1919年6月に調印されたが，この条約で，ドイツは全ての植民地を失い，アルザス・ロレーヌのフランスへの返還，軍備の制限，ラインラントの非武装化，巨額の賠償金が課された。

3：国際連盟は，1920年に成立した史上初の本格的な国際平和維持機構であったが，イギリスは孤立主義をとる議会の反対で参加せず，ドイツとソヴィエト政権下のロシアは除外された。

4：ワシントン海軍軍縮条約では，アメリカ，イギリス，日本，フランス，イタリアの主力艦保有トン数の比率及びアメリカ，イギリス，日本の補助艦保有トン数の比率について決定された。

5：四か国条約では，中国の主権尊重，門戸開放，機会均等が決められ，太平洋諸島の現状維持や日英同盟の廃棄が約束されたほか，日本は山東半島の旧ドイツ権益を返還することとなった。

OUTPUT

実践 問題 **135** の解説 ─────────────────

〈第１次世界大戦後の世界〉

1 ✕ パリ講和会議の基礎となった十四カ条の平和原則は，セオドア＝ローズベルトではなく**ウィルソン**によって発表されたものである。セオドア＝ローズベルトは日露戦争の際に講和の仲介をした米大統領である。なお，パリ講和会議では，敗戦国とロシアを除いて，連合国がドイツとの平和条約を討議した。

2 ○ 妥当である。アルザス・ロレーヌは1871年の普仏戦争後の講和条約によってフランスがドイツに割譲した地であるが，第１次世界大戦後のヴェルサイユ条約によってドイツからフランスに返還された。

3 ✕ 国際連盟において，孤立主義を採る議会の反対で参加しなかったのは，イギリスではなく**アメリカ**である。アメリカは19世紀初頭のモンロー宣言以来，孤立主義（ヨーロッパのことには干渉しない政策）を採っていた。なお，敗戦国であるドイツと，戦争中に社会主義政権が樹立されていたソヴィエト政権下のロシアは排除されていたことは正しい。

4 ✕ ワシントン海軍軍縮条約でアメリカ，イギリス，日本，フランス，イタリアの主力艦保有トン数の比率が決定されたことは正しいが，補助艦の保有率が決定されたのは1930年に開催された**ロンドン軍縮会議**である。ロンドン海軍軍縮条約を浜口内閣が調印したことに対し，国内ではこれを統帥権の干犯であると政府を攻撃する動きが高まり，浜口首相が右翼青年に狙撃されて退陣すると，軍部の発言力が強まった。

5 ✕ 中国の主権尊重，門戸開放，機会均等が決められ，山東半島における旧ドイツ権益の返還を決めたのは**九カ国条約**である。これによって石井・ランシング協定が破棄された。太平洋諸島の現状維持や日英同盟の破棄が約束されたのは四カ国条約で，正しい。

第２章 近代市民社会の成立

正答 **2**

第2章 近代市民社会の成立
SECTION ② 第1次世界大戦と第2次世界大戦

実践 問題 **136** 基本レベル

頻出度	地上★★★	国家一般職★	東京都★★	特別区★★
	国税・財務・労基★	国家総合職★		国家総合職(教養区分)★★

問 第一次世界大戦後の国際秩序等に関する記述として妥当なのはどれか。

(東京都Ⅰ類B 2023)

1：パリ講和会議は，アメリカ大統領セオドア＝ローズヴェルトが1918年に発表した十四か条の平和原則に基づき開催され，革命直後のソヴィエト政府も参加した。

2：ヴェルサイユ条約により，ドイツは，アルザス・ロレーヌをオーストリアに返還し，ラインラントを除く全ての地域の非武装化を義務づけられた。

3：国際連盟は，1920年に発足した史上初の国際平和機構であったが，アメリカは上院の反対により加盟しなかった。

4：ワシントン会議において，海軍軍縮条約が結ばれ，アメリカ・イギリス・日本・フランス・オランダの主力艦の保有総トン数比率は，同率と定められた。

5：ロンドン軍縮会議において，九か国条約が結ばれ，太平洋諸島の現状維持等を相互に約束した。

OUTPUT

実践 ▶ 問題 **136** の解説

〈第1次世界大戦後〉

1✕ パリ講和会議で基本原則とされた十四カ条の平和原則は，1918年にアメリカ大統領のウィルソンが発表したものである。また，戦争中に革命によって社会主義政権が樹立されたソ連は同会議から排除されている。

2✕ ドイツがアルザス・ロレーヌを返還したのはフランスである。アルザス・ロレーヌは，ドイツとフランスの係争の地であった。19世紀の普仏戦争でドイツに敗れたフランスは，この地をドイツに奪われたが，第1次世界大戦の勝利により，ドイツから奪還した。また，ドイツが非武装化を義務づけられたのはラインラントである。

3◯ 妥当である。

4✕ ワシントン会議において締結された海軍軍縮条約では，アメリカ・イギリスよりも日本の保有トン数のほうが少なかった。具体的にはアメリカ・イギリスの5に対して日本は3である。

5✕ 九カ国条約が締結されたのはワシントン会議であり，また，その内容は中国の主権，独立，ならびにその領土的および行政的保全の尊重，中国における門戸開放や機会均等などを約したものである。日本の中国政策はこれにより後退させられた。太平洋諸島の現状維持等を約束したのは四カ国条約である。

正答 **3**

実践 問題 **137** 基本レベル

頻出度	地上★★★	国家一般職★	東京都★★	特別区★★
	国税・財務・労基★	国家総合職★	国家総合職(教養区分)★★★	

問 戦間期（第一次世界大戦～第二次世界大戦）の世界に関する記述として最も妥当なのはどれか。 (国家総合職2021)

1：連合国と休戦協定を結んだドイツは，パリ講和会議への出席を認められたものの，ベルリンを含む国土の一部を占領され，多額の賠償金が課せられるなど過酷な制裁を受けた。第一次世界大戦後に制定されたヴァイマル憲法は，生存権を含む社会権が定められるなど，当時最も民主的な憲法とされたが，非常事態への対応のために皇帝に緊急立法権を含む強い権限が与えられており，この権限は後に憲法の趣旨と相反するヒトラー独裁への道を開くために使われた。

2：第一次世界大戦中に革命が起こったロシアでは，ソヴィエト政府が誕生し，ドイツ側との単独講和によって戦争から離脱した。連合国がロシアの革命政権を警戒して対ソ干渉戦争に乗り出した一方で，ロシア国内は政治的・経済的に安定しており，戦時共産主義の下で，憲法制定議会の開催や農奴解放令の公布がなされた。レーニンは革命政府に反対する国外の干渉を退け，ロシアとモンゴルを中心とするソヴィエト社会主義共和国連邦が誕生した。

3：米国は，ウィルソン大統領の反対により，第一次世界大戦後に設立された国際連盟に加盟しなかった。また，第一次世界大戦中に連合国に対する借款の供与，軍事物資や食料の提供などによって大きな利益をあげ，戦後は債務国から一挙に債権国へと転じ，国際金融市場を左右する存在になった。その後，ニューヨークでの株価暴落を端緒とする世界恐慌に対して，米国は国外からの輸入に高関税を課すニューディール政策を採用して対応した。

4：第一次世界大戦中に英国の保護国となっていたエジプトでは，戦後独立運動が展開され，英国が保護権を放棄したことに伴ってエジプト王国が成立した。しかし，英国は依然としてスエズ運河の支配を続け，様々な特権を留保したため，これに反対するエジプトの抗議が続いた。その後，イギリス＝エジプト条約によりエジプトは主権をほぼ回復したものの，スエズ運河の管理権は英国に残った。

5：第一次世界大戦後，欧米諸国は日本の大陸進出を警戒し，ワシントン会議において，中国の主権尊重・領土保全・門戸開放・機会均等を約束した四か国条約が締結された。これを受け，日本は，遼東半島の返還などによって中国との関係改善を図るとともに，日英同盟を発展させて，国際協調を重視する立場をとった。これにより，日本と英国を中心とするアジア・太平洋地域の新しい国際秩序が成立し，ヴェルサイユ体制と共に1920年代の国際秩序の支柱となった。

OUTPUT

実践 ▶ 問題 **137** **の解説**

〈戦間期〉

1 × 1871年にドイツ帝国が樹立されてから，ドイツには皇帝が存在していたが，第1次世界大戦の末期に即時講和を求める水兵がキール軍港で蜂起すると，革命運動が全国に広がり，皇帝は亡命してドイツは共和国になった（ドイツ革命）。その後，共和国政府が連合国と休戦協定を締結する。したがって，ヴァイマル憲法は共和国憲法であり，「皇帝に緊急立法権を含む強い権限が与えられていた」とあるのは妥当でない。ヴァイマル憲法に規定されていたのは大統領緊急令であり，これに基づいてヒトラーが全権委任法を公布し，ヴァイマル憲法を崩壊させた。

2 × ロシアで農奴解放令が発せられたのは1861年，憲法制定会議が開催されたのは1917年のことで，いずれも1918〜1921年の戦時共産主義以前の出来事である。また，第1次世界大戦中にロシア革命が起こったことに対し，ロシア国内では旧帝政派や軍人，革命に反対する政党が，各地に反革命政権を樹立した。革命の拡大を恐れる諸外国も，こうした反革命政権を援助したので，「ロシア国内は政治的・経済的に安定しており」とあるのは妥当でない。さらに，ソヴィエト社会主義共和国連邦はロシア，ウクライナ，ベラルーシ，ザカフカースの4共和国が結成した連邦国家であって，モンゴルはソ連邦の構成国ではなく，のちに社会主義国家を目指すモンゴル人民共和国が成立している。

3 × 戦争末期にアメリカの大統領であったウィルソンが，平和十四カ条を発表し，これがもとになって戦後は国際連盟が設立された。しかし，アメリカでは，国際的な負担に反対する上院がヴェルサイユ条約批准を拒否したため，アメリカは国際連盟に参加しなかった。また，世界恐慌後に，国外からの輸入に高い関税をかける政策は，共和党フーヴァー大統領のスムート＝ホーリー関税法である。ニューディール政策は1932年の大統領選挙で当選した民主党のフランクリン＝ローズベルト大統領が採用した政策である。

4 ○ 戦後のエジプトの説明として妥当である。スエズ運河に関しては，1956年にエジプトのナセルがスエズ運河の国有化を宣言し，スエズ戦争となった。

5 × ワシントン会議で，中国の主権尊重・領土保全・門戸開放・機会均等を約束したのは1922年の九カ国条約であり，日本が遼東半島を中国に返還したのは，1895年の三国干渉による。また，1921年に締結された太平洋に関する四カ国条約により，日英同盟が破棄された。これによって，アメリカを中心とするアジア・太平洋地域の新しい国際秩序（ワシントン体制）が成立した。

正答 **4**

実践 問題 **138** 〈 基本レベル 〉

頻出度	地上★★★ 国家一般職★	東京都★★★ 特別区★★★
	国税・財務・労基★ 国家総合職★	国家総合職(教養区分)★★★

問 第一次世界大戦後から第二次世界大戦前までの各国に関する記述として最も妥当なのはどれか。 （国税・財務・労基2017）

1：アメリカ合衆国は，ウィルソン大統領が提案した国際連盟の常任理事国となり，軍縮や国際協調を進める上で指導的な役割を果たした。世界恐慌が始まると，フーヴァー大統領がニューディールと呼ばれる政策を行い，恐慌からの立ち直りを図ろうとした。

2：ドイツは，巨額の賠償金の支払などに苦しみ，政治・経済は安定せず，ソ連によるルール地方の占領によって激しいインフレーションに襲われた。この危機に，シュトレーゼマン外相は，ヴェルサイユ条約の破棄，ドイツ民族の結束などを主張し，ドイツは国際連盟を脱退した。

3：イタリアは，第一次世界大戦の戦勝国であったが，領土の拡大が実現できず，国民の間で不満が高まった。世界恐慌で経済が行き詰まると，ムッソリーニ政権は，対外膨張政策を推し進めようとオーストリア全土を併合したが，国際連盟による経済制裁の決議の影響を受けて，更に経済は困窮した。

4：イギリスでは，マクドナルド挙国一致内閣が金本位制の停止などを行ったほか，オタワ連邦会議を開き，イギリス連邦内で排他的な特恵関税制度を作り，それ以外の国には高率の保護関税をかけるスターリング（ポンド）＝ブロックを結成した。

5：ソ連では，レーニンの死後，スターリンがコミンテルンを組織して，世界革命を主張した。スターリンは，五ヵ年計画による社会主義建設を指示し，工業の近代化と農業の集団化を目指したが，世界恐慌の影響を大きく受けて，経済は混乱した。

OUTPUT

実践 問題 **138** の解説

〈第１次世界大戦から第２次世界大戦までの各国〉

1 ✕ 第１次世界大戦後の国際連盟の設立は，アメリカのウィルソン大統領が提案したことが契機となったことは正しいが，戦後，アメリカではヨーロッパのことには干渉しないという孤立主義が台頭したため，国際連盟には参加していない。したがって，常任理事国にもなっていない。また，ニューディールとよばれる政策を行ったのは民主党のフランクリン＝ローズベルト大統領である。

2 ✕ ドイツが国際連盟から脱退したのは1933年のことでヒトラーによる。シュトレーゼマン外相は，戦後の激しいインフレを収めるためにレンテンマルクを発行して経済を立て直し，協調外交を推進した人物である。なお，戦後のドイツにおける激しいインフレーションの原因となったのは，フランスとベルギーによるルール占領である。

3 ✕ オーストリアを併合したのはイタリアではなくドイツである。世界恐慌後にイタリアのムッソリーニ政権が侵攻したのはエチオピアである。これに対し，国際連盟はイタリアを侵略国として経済制裁を実行したが，内容が不十分で効果を上げることができなかった。したがって，国際連盟の経済制裁の決議の影響を受けて，さらに経済は困窮したとあるのも妥当でない。

4 ○ イギリス連邦とはイギリスと旧植民地，自治領の緩やかな結合体で，「イギリス国王に対する共通の忠誠心によって結ばれた，お互いに対等な独立国の自由な連合体」と定義され，1931年のウェストミンスター憲章で確認された。

5 ✕ 1929年にアメリカで株価が暴落し，1930年代に経済恐慌が他国にも波及して世界恐慌となったが，この時期にソ連は第１次５カ年計画により社会主義建設を進めていた（計画経済をとっていた）ため，世界恐慌の影響をあまり受けなかった。なお，レーニンの死後，世界革命を主張したのはトロッキーであり，スターリンは一国社会主義を主張した。

正答 **4**

実践 問題 **139** ◁ 基本レベル ▷

頻出度	地上★★★	国家一般職★★	東京都★★★	特別区★★★
	国税・財務・労基★★	国家総合職★★		国家総合職(教養区分)★★★

問 1929年に起きた世界恐慌における世界各国の記述として，正しいものはどれ
か。 (地上2015)

1：アメリカでは世界恐慌後，ローズベルト大統領が公共投資の削減により財政再
建を図るとともに，自由放任政策への転換により景気回復を図った。

2：イギリスでは貿易拡大による景気回復を図り，それまでの保護貿易政策をやめ
て自由貿易政策をとり，すべての国に対して関税を安くする政策をとった。

3：フランスは，第1次世界大戦直後に人民戦線内閣が成立した。長期にわたる
人民戦線内閣のもと，自給政策が行われていたため，恐慌の影響をあまりうけ
なかった。

4：ドイツでは，失業問題の深刻化から労働者の不満が高まり，ナチスが台頭して
政権を確立した。ナチスは大型公共事業を展開し，軍需生産の拡大を図った。

5：ソ連は，他の資本主義諸国より恐慌の影響が深刻で，社会主義政策が失敗に
おわり，多数の餓死者がでた。このためスターリンの独裁は，人々の支持を失
い弱まった。

直前復習

実践 問題139 の解説

〈世界恐慌における欧米諸国の状況〉

1× アメリカでは，世界恐慌後にフランクリン＝ローズベルト大統領が，テネシー川流域開発公社を設立して，大規模な公共投資を行って雇用の創出・失業者の吸収を図っている。また，1929年に株価が暴落した当時，フーヴァー大統領が自由放任政策を改めずに不況を深刻化させたため，ローズベルト大統領は政府の強力な権限によって経済を指導するニューディール政策を採用した。

2× イギリスは19世紀半ばにそれまで貿易に制限をかけていた法律を次々と廃止して，自由貿易体制を樹立していたが，世界恐慌後にはイギリス本国と植民地との間に経済ブロックを形成した。これはイギリス本国がイギリスの自治領や植民地に輸出するときには関税を低く，他国がイギリスの自治領や植民地に輸出するときには高い関税をかけるもので，すべての国に対して関税を安くしたのではない。不況の中，英連邦から他国製品を締め出すことで，イギリス本国製品の販路を確保したのである。

3× 「恐慌の影響をあまり受けなかった」のはソ連である。また，人民戦線内閣が成立したのは世界恐慌後のことであり，第1次世界大戦直後ではない。人民戦線は，ファシズムに対抗する左派連合であり，フランスでは1936年に人民戦線内閣が成立した。また，フランスも恐慌の影響を受け，イギリスと同様，ブロック経済を採用した。

4○ ドイツでは世界恐慌後に失業者が増え，人々の不満が高まる中，ナチ党が第1党となり，1933年にヒトラーが首相に任命された。その後，ヒトラーは共産党を弾圧，全権委任法を制定して一党独裁体制を樹立していった。

5× ソ連は経済恐慌が発生したときに，第1次五カ年計画により計画経済を採用して，他の資本主義諸国とのかかわりがあまりなかったことから，恐慌の影響をあまり受けなかった。「社会主義政策が失敗におわり，多数の餓死者がでた」のは，戦時共産主義である。これは1920年前後に実施されたもので，世界恐慌の後ではない。また，スターリンは1953年に死去するまで独裁を続けた。

正答 **4**

第2章 近代市民社会の成立

実践 問題 **140** 〈 **基本レベル** 〉

頻出度	地上★★★	国家一般職★	東京都★★	特別区★★
	国税・財務・労基★	国家総合職★	国家総合職(教養区分)★★★	

問 世界恐慌又はファシズムの台頭に関する記述として，妥当なのはどれか。

(東京都Ⅰ類B 2024)

1：アメリカでは，セオドア=ローズヴェルト大統領が，ニューディールと呼ばれる経済復興政策を行い，業種ごとの価格協定を撤廃した。

2：イギリスでは，恐慌対応としてワグナー法が制定され，イギリス連邦以外の国に高率な保護関税をかけるスターリング=ブロックを結成した。

3：イタリアでは，ムッソリーニが組織したファシスト党が一党独裁を確立し，軍事力による市場の拡大を目指してエチオピアに侵攻したが，併合には失敗した。

4：スペインでは，人民戦線政府とフランコ将軍の率いる勢力との内戦が始まり，フランコ側が，ドイツ・イタリアからも軍事的支援を得て内戦に勝利した。

5：ドイツでは，ナチ党の党首ヒトラーが，ミュンヘン一揆によりヒンデンブルク大統領を追放して政権を奪取し，大統領と首相を兼ねる総統に就任した。

OUTPUT

実践 問題 **140** の解説

〈世界恐慌とファシズムの台頭〉

1✕ アメリカで恐慌対策にあたったのは，フランクリン＝ローズベルトである。セオドア＝ローズベルトは日露戦争時に日本とロシアの調停をした大統領である。また，フランクリン＝ローズベルトが実施したニューディール政策では，全国産業復興法により企業が工業製品の価格協定を実施して利益を確保することを公認した。価格協定を撤廃したのではない。

2✕ 恐慌対策としてワグナー法が制定されたのはアメリカである。イギリスは1932年にオタワ連邦会議を開催し，オタワ協定を締結してスターリング＝ブロックを結成した。

3✕ ムッソリーニ率いるファシスト党がクーデタで政権を握り，世界恐慌後の苦境を対外侵略によって打開しようとエチオピアに侵攻したことは正しい。これに対して国際連盟はイタリアを侵略国と認めて経済制裁を実施したが，内容が不十分で効果を上げられず，イタリアは1936年にエチオピアを併合した。併合には失敗した，とあるのは妥当でない。

4◯ スペイン内戦の説明として妥当である。スペイン内戦の過程でドイツとイタリアはベルリン＝ローマ枢軸とよばれる連携を強めた一方，イギリスとフランスは不干渉政策を掲げてフランコ将軍による反乱を黙認した。

5✕ ナチ党の党首であったヒトラーは1923年にミュンヘン一揆を起こして政権奪取を試みたが失敗している。世界恐慌後に社会不安が広がるとナチ党の人種差別主義やヴェルサイユ条約破棄などの大衆宣伝に動かされる人が多くなり，1932年の選挙でナチ党が第1党となり，翌年ヒトラーが首相に任命された。1934年にヒンデンブルク大統領が死去すると，ヒトラーは大統領の権限も併せて独裁体制を確立したのである。

第2章 近代市民社会の成立

正答 **4**

実践 問題 **141** 基本レベル

頻出度	地上★★	国家一般職★	東京都★	特別区★
	国税·財務·労基★	国家総合職★	国家総合職(教養区分)★★★	

問 次の文は，スペイン内戦に関する記述であるが，文中の空所A〜Dに該当する語句又は国名の組合せとして，妥当なのはどれか。 (特別区2019)

　1931年に王政が倒れたスペインでは，1936年に　　A　　が誕生した。これに対して，地主等に支持されたフランコ将軍が　　A　　に対して反乱をおこし，内戦となった。

　このスペイン内戦に際し，イギリスや　　B　　は不干渉政策をとり，ドイツと　　C　　はフランコ側を公然と支援した。　　A　　側には，　　D　　や国際義勇軍の支援があったものの，1939年，フランコ側が勝利をおさめた。

	A	B	C	D
1：	ブルム内閣	フランス	ポルトガル	ソ連
2：	ブルム内閣	ソ連	ポルトガル	イタリア
3：	人民戦線政府	ポルトガル	ソ連	イタリア
4：	人民戦線政府	ソ連	イタリア	フランス
5：	人民戦線政府	フランス	イタリア	ソ連

実践 問題 **141** の解説

〈スペイン内戦〉

A 　**人民戦線政府**　ナチスドイツが勢力を拡大する中，反ファシズムの左派連合として人民戦線が成立し，スペインやフランスでは人民戦線政府が成立した。人民戦線内閣には社会主義勢力が結集していたことから，地主等に支持された**フランコ将軍が反乱**を起こし，**スペイン内戦**となった。ブルム内閣が成立したのはフランスである。

B 　**フランス**　スペイン内戦に対し，イギリスとともに不干渉政策をとったのはフランスである。

C 　**イタリア**　ドイツとともに公然とフランコ側を支援したのはイタリアである。

D 　**ソ連**　人民戦線政府側を支援したのはソ連である。人民戦線政府はソ連や国際義勇軍の援助を受けたが，1939年に反乱軍が勝利し，フランコ将軍は独裁政治体制を樹立した。

　以上から，肢5が正解となる。

正答 5

実践 問題 **142** ＜ 応用レベル ＞

頻出度	地上★	国家一般職★	東京都★★	特別区★★
	国税・財務・労基★	国家総合職★	国家総合職(教養区分)★★★	

問 第二次世界大戦の始まりに関する次の記述中のＡ～Ｅの空欄に入る語句の組合せとして最も適当なものはどれか。　　　　　　　　　　（裁判所職員2017）

　1938年3月，ドイツはドイツ民族統合を名目に（　Ａ　）を併合し，9月には（　Ｂ　）のズデーテン地方の割譲を要求した。イギリス首相は宥和政策を唱え，9月末，イギリス・フランス・ドイツ・イタリアの4国による（　Ｃ　）会談が開かれ，ズデーテン地方のドイツへの割譲を認めた。

　ドイツは続いて1939年3月，（　Ｂ　）解体を強行し，西半分を保護領に，東半分を保護国にした。さらに（　Ｄ　）にもダンツィヒの返還，東プロイセンへの陸上交通路を要求した。

　そうした中，ドイツの行動に刺激された（　Ｅ　）も4月，アルバニアを併合した。

　イギリス・フランスは宥和政策を捨て，軍備拡充を急ぎ，（　Ｄ　）とギリシアに安全保障を約束したため，（　Ｄ　）はドイツの要求を拒否した。

　イギリス・フランスはソ連とも軍事同盟の交渉に入ったが，ソ連はドイツとの提携に転じ，1939年8月末，独ソ不可侵条約を結んだ。

　これに力を得て，ドイツは9月1日，準備していた（　Ｄ　）侵攻を開始した。イギリス・フランスはドイツに宣戦し，第二次世界大戦が始まった。

	Ａ	Ｂ	Ｃ	Ｄ	Ｅ
1：	ポーランド	ユーゴスラヴィア	ミュンヘン	オーストリア	ハンガリー
2：	ポーランド	チェコスロヴァキア	ミュンヘン	オーストリア	イタリア
3：	オーストリア	ユーゴスラヴィア	バンドン	ポーランド	イタリア
4：	オーストリア	チェコスロヴァキア	バンドン	ポーランド	ハンガリー
5：	オーストリア	チェコスロヴァキア	ミュンヘン	ポーランド	イタリア

OUTPUT

実践 ▶ 問題 **142** の解説 ──────

〈ファシズムの台頭〉

A オーストリア　1938年にドイツがドイツ民族の統合を名目に併合したのは A：オーストリアである。かつてドイツとオーストリアは神聖ローマ帝国を 形成するメンバーであり，オーストリアはゲルマン系民族が多数を占め， 現在でもドイツ語が公用語となっている。このためドイツがオーストリア を併合した際には，列強は事実上黙認した。

B チェコスロヴァキア　ドイツがオーストリア併合の後，ズデーテン地方の 割譲を要求したのはB：チェコスロヴァキアである。この時には当事国で あるチェコスロヴァキアの意向に関係なく，列強によりミュンヘン会談が 開かれた。

C ミュンヘン　ドイツのズデーテン地方の割譲要求に対して開かれたのはC： ミュンヘン会談である。イギリス首相が唱えた宥和政策とは，妥協点を探り， 協議と譲歩によって衝突を避けようとする政策である。当時，イギリスは 社会主義政権であったソ連を非常に警戒していたため，ドイツに対しては 宥和政策をとってドイツのズデーテン地方の領有を認めたのである。

D ポーランド　ドイツがダンツィヒの返還，東プロイセンへの陸上交通路を 要求したのはポーランドである。しかし，この情報はたいへん細かいこと であるから，最後のD，すなわち，ドイツは「（　D　）侵攻を開始した。 イギリス・フランスはドイツに宣戦し，第二次世界大戦が始まった。」とい う記述からポーランドに限定したい。

E イタリア　アルバニアを併合したのはイタリアである。

以上から，肢5が正解となる。

【ポイント】

本問は，Aがオーストリア，あるいは，Dがポーランドであることのいずれかを 確定でき，Cのバンドン会議を消去すると，肢は5しか残らず，BとEについては まったく知らなくても正答が可能です。

正答 **5**

実践 問題 143 基本レベル

頻出度	地上★★★ 国家一般職★ 東京都★★ 特別区★★
	国税・財務・労基★ 国家総合職★ 国家総合職(教養区分)★★★

問 第二次世界大戦に関する記述として，妥当なのはどれか。

(東京都Ⅰ類B 2015)

1：ドイツがフランスに侵攻すると，イギリス，ソ連及びポーランドは三国同盟を新たに結んで，ドイツに宣戦布告し，第二次世界大戦が始まった。

2：アメリカが石油の対日禁輸など強い経済的圧力をかけると，日本はオランダと同盟を直ちに結んで，オランダ領のインドネシアから石油を輸入した。

3：カイロ会談では，フランス，イタリア及びスペインの首脳が集まり，エジプトの戦後処理に関するカイロ宣言が発表された。

4：ヤルタ会談では，イギリス，フランス及びオーストラリアの首脳が集まり，中国の戦後処理に関するヤルタ協定が結ばれた。

5：アメリカによる原子爆弾の投下，ソ連の対日参戦後，日本はポツダム宣言を受諾し，第二次世界大戦は終結した。

OUTPUT

実践 問題 **143** の解説

〈第２次世界大戦〉

1 × 第２次世界大戦に際し，三国同盟を締結したのは日本とドイツ，イタリアである。また，三国同盟が成立したのは第２次世界大戦が始まった後の1940年のことである。なお，第２次世界大戦はドイツがポーランドに侵攻したことに対し，イギリスとフランスがドイツに宣戦したことで開始された。

2 × アメリカが石油の対日禁輸など強い経済的圧力をかけると，イギリスとオランダもこれに同調した。こうした動きを中国とあわせてＡＢＣＤラインとよんだ。オランダと同盟を結んだのではない。

3 × カイロ会談に参加したのは，アメリカのローズベルト大統領とイギリスのチャーチル首相，中国の蒋介石である。このカイロ会談では対日処理方針が定められたカイロ宣言が発表された。

4 × ヤルタ会談に参加したのは，ローズベルト，チャーチルとソ連のスターリンである。ヤルタ会談ではドイツの戦後処理やドイツ降伏後３カ月以内のソ連の対日参戦などが決められた。

■第２次世界大戦中の会談

カイロ会談（1943年）	米・英・中：対日処理方針
テヘラン会談（1943年）	米・英・ソ：北フランス上陸作戦
ヤルタ会談（1945年）	米・英・ソ：ドイツの戦後処理　ソ連の対日参戦
ポツダム会談（1945年）	米・英・ソ：日本の戦後処理

5 ○ 1945年４月に米軍が沖縄本土に上陸し，ポツダム宣言が発表された。８月６日には広島に，９日には長崎に原子爆弾が投下された。８月８日，ソ連が日ソ中立条約を無視して日本に宣戦し，中国東北部から朝鮮・樺太に軍を進めた。そして，８月14日に日本はポツダム宣言を受諾して降伏した。

正答 **5**

実践 問題 **144** 〈 応用レベル 〉

頻出度	地上★	国家一般職★	東京都★	特別区★
	国税・財務・労基★	国家総合職★		国家総合職(教養区分)★★★

問 第二次世界大戦は日本，ドイツ，イタリアなどの枢軸国と，アメリカ，イギリスなどの連合国が戦う世界規模の戦争であった。この戦争に関する次の記述のうち妥当なのはどれか。 (地上2014)

1：第二次世界大戦は日本の真珠湾攻撃で開始された。その後，ドイツがポーランドに侵攻して連合国と交戦状態に入ると，ヨーロッパとアジアの戦争が合体し，文字通り世界戦争となった。

2：西ヨーロッパでは，ドイツがフランスとイギリスに侵攻し降伏させて両国を占領下に置いた。しかしその後，アメリカがイギリスの奪還に成功すると，ドイツの劣勢は決定的となった。

3：中国では，日本の侵攻が始まると，国民党率いる中華民国は短期間で降伏し，中華民国政府は解体された。中国全土が日本の支配下に入り，中国共産党も日本の弾圧を受け，解散させられた。

4：日本はマレー半島，インドネシアなどの東南アジアのほぼ全域や南太平洋の島々まで占領地域を拡大したが，アメリカはミッドウェー海戦で日本に勝利した後は反撃に転じた。

5：ソ連は大戦中は中立を貫き，連合国側にも枢軸国側にも武器や資源を輸出して急激な経済成長を実現した。大戦による被害を受けずに国力を温存し，ドイツや日本の降伏後に東欧や満州に突然侵攻を開始した。

実践 問題 **144** の解説

〈第2次世界大戦〉

第2章 近代市民社会の成立

1 ✕ 第2次世界大戦は，①1939年にドイツがポーランドに侵攻したところから開始された。一方，日本は日中戦争により国力を消耗し，現状打開のために南方進出を図り，アメリカとの対立を深めた。②1941年に日米交渉が行き詰まると，日本の真珠湾攻撃から太平洋戦争となり，文字どおり世界戦争となったのである。

2 ✕ フランスは1940年にドイツに占領されたが，イギリスはドイツに占領されていない。ドイツの劣勢が決定的になったのは，1943年にソ連軍がスターリングラードでドイツ軍を降伏させたことによる。

3 ✕ 日中戦争が勃発すると，それまで内戦をしていた中国国民党と中国共産党は，抗日のための民族統一戦線を結成し，イギリスやアメリカ，ソ連の援助を受けて政府を重慶に移して抗戦を続けたため，日中戦争は長期化した。中国全土が日本の支配下に入ったのではない。また，中国共産党も解散させられていない。

4 ○ 当初，日本はマレー半島やインドネシアなどの東南アジアのほぼ全域や，南太平洋の島々まで占領地を拡大していったが，1942年のミッドウェー海戦でアメリカに敗北してから劣勢となっていった。

5 ✕ 1939年にドイツとソ連は独ソ不可侵条約を締結し，ドイツのポーランド侵攻から第2次世界大戦が始まったが，1941年にドイツがバルカン半島を制圧すると，ヨーロッパの戦場において独ソ戦が開始された。したがって，大戦中ソ連が中立を貫いたのではない。また，日本が南進を進める中で，北方の安全を確保するために1941年に日ソ中立条約を締結したが，ヤルタ会談においてソ連の対日参戦が秘密条項として決められ，終戦間際の8月8日に日本に宣戦，日ソ中立条約の規定に反してソ連が中国東北地方や朝鮮・樺太に侵攻した。日本の降伏後に侵攻を開始したのではない。

正答 **4**

実践 問題 145 基本レベル

頻出度	地上★★★	国家一般職★	東京都★★	特別区★★
	国税·財務·労基★	国家総合職★		国家総合職(教養区分)★★★

問 東西冷戦時代に関する記述として最も妥当なのはどれか。　(国家一般職2015)

1：第二次世界大戦後，米国は，ギリシャやトルコに経済・軍事援助を与えて，ソ連の拡大を封じ込める政策（トルーマン＝ドクトリン）を宣言し，また，ヨーロッパ経済復興援助計画（マーシャル＝プラン）を発表した。こうした動きに，ソ連などはコミンフォルムを結成して対抗し，以降，「冷戦」と呼ばれる緊張状態となった。

2：第二次世界大戦後，朝鮮半島は，米ソ両国によって南北に分割統治されていた。米国がソ連と中国の連携を警戒し，境界線を越えて北側に侵攻したことから朝鮮戦争が勃発し，米国軍とソ連軍との直接的な軍事衝突が起きた。その結果，北に朝鮮民主主義人民共和国，南に大韓民国が建国された。

3：第二次世界大戦後，ドイツへの賠償請求をめぐって，米・英・仏とソ連が対立し，東西の緊張が高まった。米ソ両国によって，東西ドイツの国境線上にあるベルリンに「ベルリンの壁」が築かれたが，ソ連の解体後，分割統治に反発したドイツ国民によって壁は破壊された。

4：キューバ近海にミサイル基地を建設した米国に対し，危機感を抱いたソ連がキューバの海上封鎖を行い基地の撤去を要求したことで，米ソ両国間の対立が一挙に高まり，全面衝突による核戦争の危機に直面した。最終的にソ連が米国のキューバへの不干渉を条件にミサイル基地を容認したことで，危機は回避された。

5：第二次世界大戦後，南北に分断されたヴェトナムでは，ホー＝チ＝ミンが指導する南ヴェトナム解放民族戦線により，ソ連が支援する南ヴェトナム政府に対して武装解放闘争が展開され，ヴェトナム戦争に発展した。米国は，戦争の早期終結を望む国際世論の高まりを受けてこの紛争に介入した。

OUTPUT

実践 問題 **145** の解説 ──────────────

〈東西冷戦〉

1 ○ そのとおり。

2 × 朝鮮戦争の契機は，北朝鮮軍が南に侵攻したことである。また，朝鮮戦争では米国軍とソ連軍の直接的な軍事衝突は起きていない。

■朝鮮戦争

1945年	朝鮮半島は**米ソ両国が南北を分割統治**
1948年	南部に李承晩を大統領とする大韓民国
	北部に金日成を首相とする朝鮮民主主義人民共和国（北朝鮮）
1950年	北朝鮮が朝鮮半島の南北統一を目指して南に侵攻
	→ 朝鮮戦争が開始
	アメリカ軍を中心とする国連軍が韓国を支援
	中国の人民義勇軍が北朝鮮を支援
1953年	**板門店で休戦協定成立**（平和条約は未締結）

3 × 「ベルリンの壁」はソ連の解体後に破壊されたのではない。1989年11月にベルリンの壁が破壊された後，同年12月にマルタ会談で冷戦の終結が宣言され，1991年にソ連が解体した。また，「ベルリンの壁」は米ソ両国によって築かれたのではなく，ベルリンは東西ドイツの国境線上にはない。ベルリンは東ドイツのおおよそ中央部に位置していたが，東ベルリンから西側に亡命する人が急増したため，東ドイツが東西ベルリンの境界に壁を築いたのである。

4 × キューバ危機は，ミサイル基地を建設したソ連に対し，アメリカが海上封鎖を行って対抗したものである。米ソ両国間の緊張が高まり，核戦争の危機に直面したが，ソ連がミサイル基地を撤去して危機は回避された。

5 × 南ベトナム政府を支援したのはソ連ではなくアメリカである。

インドシナ戦争 （1946〜54年）	フランスからの独立を求めるベトナム VS フランス → ジュネーブ休戦協定
ベトナム戦争 （1965〜75年）	ジョンソン米大統領の北爆からベトナム戦争 → ニクソン米大統領がベトナム和平協定に調印し撤兵 → 南部の拠点であったサイゴンが陥落

正答 **1**

実践 問題 146 　基本レベル

頻出度	地上★★★	国家一般職★	東京都★★	特別区★★
	国税・財務・労基★	国家総合職★	国家総合職(教養区分)★★★	

問 第二次世界大戦後の冷戦に関する記述として最も妥当なのはどれか。

(国税・財務・労基2020)

1：米国のフランクリン＝ローズヴェルト大統領は，共産主義の拡大を封じ込める ニューフロンティア政策としてギリシアとオーストリアに軍事援助を与え，さ らにヨーロッパ経済復興援助計画（マーシャル・プラン）を発表した。これに 対して，ソ連・東欧諸国はコミンテルンを設立して対抗した。

2：分割占領下のドイツでは，西ベルリンを占領する米・英・仏が，ソ連が占領す る東ベルリンへの出入りを禁止するベルリン封鎖を強行し，東西ベルリンの境 界に壁を築いた。その後，西側陣営のドイツ連邦共和国（西ドイツ）と東側陣 営のドイツ民主共和国（東ドイツ）が成立した。

3：冷戦の激化に伴い，アジア・アフリカの新興独立国を中心とする，東西両陣営 のいずれにも属さない第三勢力が台頭してきた。こうした第三勢力の国々が参 加して，国際平和・非暴力・不服従を掲げた非同盟諸国首脳会議が中国の北 京で開催された。

4：キューバでは，米国の援助を受けた親米政権がカストロの指導する革命運動に 倒された。その後，ソ連がキューバにミサイル基地を建設しようとしたことか ら，米国が海上封鎖を断行し，米ソ間で一気に緊張が高まるキューバ危機が 発生した。

5：東ドイツの自由選挙で早期統一を求める党派が勝利を収めると，東ドイツは西 ドイツを吸収し，ドイツ統一が実現した。これを受けて，米国のクリントン大 統領とソ連のゴルバチョフ書記長がアイスランドのレイキャビクで会談し，冷 戦の終結を宣言した。

直前復習

OUTPUT

実践 問題 **146** の解説

〈冷戦〉

1× 第2次世界大戦後に共産主義の拡大を封じ込める政策をとったのは，トルーマン大統領である。トルーマン大統領は，ギリシアやトルコに軍事援助を与えるトルーマン＝ドクトリンを発表した。フランクリン＝ローズベルトは世界恐慌の発生時にニューディール政策を実行した大統領であり，ニューフロンティア政策はケネディ大統領が実施したものである。

2× ベルリン封鎖を強行したのはソ連である。1948年にソ連が西側占領地区の通貨改革に反対して，西ベルリンへの交通を遮断した。一方，いわゆるベルリンの壁を築いたのは，東ドイツ政府である。東ドイツで農業の集団化などが実施されたことを背景に，東ベルリンから西側に脱出する人が急増したため，東ドイツ政府が1961年に東西ベルリンの境界に壁を築いたのである。

3× 戦後，第三勢力が台頭したことは正しいが，こうした第三勢力が結集したのは，アジア・アフリカ会議である（1955年）。開催地はインドネシアのバンドンであることから，バンドン会議と通称される。また，1961年にはユーゴスラヴィアの主導で非同盟諸国首脳会議がベオグラードで開催されている。

4○ 妥当である。キューバ危機はソ連がミサイル基地を撤去することで終結し，その後，米ソ両国は緊張緩和の方向に転じ，1963年には米英ソ3カ国の間で部分的核実験禁止条約が締結された。

5× ドイツ統一の実現は，西ドイツが東ドイツを吸収する形で実現した。また，ソ連のゴルバチョフ書記長と冷戦の終結を宣言したのは，アメリカのブッシュ大統領であり，会談場所は地中海のマルタ島である。冷戦の終結が1989年に宣言され，これを受けて，翌年，東ドイツで自由選挙が行われ，ドイツ統一につながるので，物事が起こっている順番も妥当でない。

第2章 近代市民社会の成立

正答 **4**

実践 問題 **147** 基本レベル

頻出度	地上★★★ 国家一般職★★ 東京都★★★ 特別区★★★
	国税・財務・労基★★ 国家総合職★★ 国家総合職(教養区分)★★★

問 20世紀以降のアメリカ合衆国に関する記述として最も妥当なのはどれか。

(国家一般職2018)

1：トルーマン大統領は，ソ連と対立していたイランに援助を与えるなど，ソ連の拡大を封じ込める政策（トルーマン＝ドクトリン）を宣言した。また，マーシャル国務長官は，ヨーロッパ経済共同体（EEC）の設立を発表した。

2：ジョンソン大統領は，北ベトナムを支援するため，ソ連やインドが援助する南ベトナムへの爆撃を開始し，ベトナム戦争が起こった。その後，ニクソン大統領は，国内で反戦運動が高まったことから，インドを訪問して新しい外交を展開し，ベトナム（パリ）和平協定に調印してベトナムから軍隊を撤退させた。

3：アメリカ合衆国の財政は，ベトナム戦争の戦費や社会保障費の増大によって悪化し，ニクソン大統領は，金とドルとの交換停止を宣言して世界に衝撃を与えた。これにより，国際通貨制度はドルを基軸通貨とした変動相場制とするブレトン＝ウッズ体制に移行した。

4：レーガン大統領は，ソ連のゴルバチョフ書記長と米ソ首脳会談を行い，中距離核戦力（INF）の全廃などに合意し，米ソ間の緊張緩和を進めた。その後，ジョージ・H・W・ブッシュ大統領は，ゴルバチョフ書記長と地中海のマルタ島で首脳会談を行い，冷戦の終結を宣言した。

5：ニューヨークの世界貿易センタービルなどが，ハイジャックされた航空機に直撃される同時多発テロ事件が起きると，ジョージ・W・ブッシュ大統領は多国籍軍を組織し，アフガニスタンに侵攻していたイラクに報復し，イラク戦争が起こった。同戦争により，イラクのタリバーン政権は崩壊した。

OUTPUT

実践 問題 **147** の解説

〈第2次世界大戦後のアメリカ〉

1 × トルーマン=ドクトリンの内容は，ギリシアやトルコへの援助を表明したものである。次いでマーシャル国務長官は，ヨーロッパの経済的な困窮が共産党の拡大の原因とみて，ヨーロッパ経済復興援助計画（マーシャル=プラン）を発表した。いずれも1947年のことである。一方，ヨーロッパ経済共同体（EEC）の設立は1958年のこと。フランス，イタリア，ベネルクス3国，西ドイツの6カ国で1957年に調印されたローマ条約による。

2 × アメリカが支援したのは南ベトナムに成立したベトナム共和国である。1965年からジョンソン大統領は北ベトナムへの爆撃（北爆）に踏み切り，ベトナム戦争が本格化した。また，ニクソン大統領が訪問したのはインドではなく中華人民共和国である。第2次世界大戦後にアメリカは台湾の国民政府（中華民国）を正規の中国であるとしていたが，1972年にはニクソン大統領が訪中し，中華人民共和国を正規の中国と認めた。

3 × ニクソン大統領が金とドルとの交換停止を発表したことで，ドルを基軸通貨として固定相場制を採ってきたブレトン=ウッズ体制が転換点を迎え，1970年代終わりには変動相場制に完全に移行した。

4 ○ 1985年にゴルバチョフがソ連の指導者となると，「新思考外交」を唱え，他国への内政不干渉や自主性の尊重を強調した。さらにレーガン大統領と中距離核戦力（INF）全廃条約に調印して軍縮を進展させ，1989年にはブッシュ（父）大統領とマルタ会談を行って冷戦の終結を宣言した。

5 × ターリバーン政権はイランではなくアフガニスタンの政権である。2001年9月11日に同時多発テロ事件が起きると，ブッシュ（子）大統領は，テロの実行犯とされるイスラーム武装組織アル=カーイダのビン=ラーディンの引渡しを拒否したアフガニスタンを攻撃し，ターリバーン政権を倒した。アメリカはさらにイラクのフセイン政権が，国際的なテロ行為にかかわり，大量破壊兵器を所有しているとして，イギリスなどとともに2003年からイラクを攻撃し（イラク戦争），フセイン政権を打倒した。

第2章 近代市民社会の成立

正答 **4**

実践 問題 **148** 基本レベル

頻出度	地上★★★ 国家一般職★ 東京都★★ 特別区★
	国税·財務·労基★ 国家総合職★ 国家総合職(教養区分)★★★

問 ソ連（ソヴィエト社会主義共和国連邦）の歴史に関する次の記述のうち，妥当なものはどれか。 （地上2016）

1：第一次世界大戦直前に，帝政ロシアで革命が起こり，ソヴィエト政府が成立した。大戦勃発後，ソヴィエト政府は，ドイツ側に立って参戦し，イギリスやフランスなどと交戦した。

2：1920年代末に始まった世界恐慌により，ソ連の経済は他国に比べて大きな打撃を受けた。それまで独裁政治をおこなっていたスターリンは，この経済危機を克服することができず，失脚した。

3：第二次世界大戦で，ソ連は人的·経済的にほとんど被害を受けなかった。戦後，ポーランドなど東欧諸国を連邦に組み込み，超大国へと成長した。

4：1960年代，アメリカとの対立が激化し，キューバ危機が起こる。両国の軍隊がキューバにて衝突し，大きな被害を受けたことから，この衝突の後，米ソ間の緊張緩和が模索された。

5：1980年代半ば以降，ペレストロイカなどの改革が起こる。その改革に刺激され，ソ連を構成していた諸国で独立運動が高まり，1990年代初頭，ソ連は解体する。

直前復習

OUTPUT

実践 問題 **148** の解説

〈ソ連邦の歴史〉

1 ✕ ロシアは第1次世界大戦前には，①イギリスやフランスと三国協商を形成し，大戦が勃発すると，ドイツと交戦した。その後，②第1次世界大戦中に国民生活の窮乏から革命が起こったのである。ロシア革命により社会主義政権が成立すると，革命の指導者であったレーニンは，ドイツと単独で講和をして戦線を離脱した。

2 ✕ 1920年代末に始まった世界恐慌は，アメリカや他の資本主義諸国にも及んだが，社会主義・計画経済を採用していたソ連は，恐慌の影響をあまり受けなかった。またスターリンは1953年に死去するまで失脚していない。

3 ✕ 第2次世界大戦では，1941年にドイツが独ソ不可侵条約を無視してソ連を奇襲し，独ソ戦が開始された。この戦いでソ連は大きな損害を出している。「人的・経済的にほとんど被害を受けなかった」とあるのは妥当でない。また，東欧やバルカン諸国には，ドイツ軍の占領を受けた後，ソ連軍によって解放された国が多く，戦後，親ソ政権が樹立されたが，ソ連邦に組み込まれたのではない。

4 ✕ 1960年代にアメリカとの対立が激化してキューバ危機が起こったことは正しいが，この時には米ソの軍隊は衝突していない。ソ連がキューバに建設していたミサイル基地の撤去を要求し，アメリカが海上封鎖を実施（1962年），核戦争が懸念されたが，ソ連がキューバに建設中であったミサイル基地を撤去したことで，キューバ危機は終結した。なお，キューバ危機の際には，核戦争が危惧されたことから，米ソ間の緊張緩和が模索されたことは正しい。翌63年には米・英・ソ3国間で部分的核実験禁止条約が締結された。

5 ◯ そのとおり。1991年8月には連邦の維持を主張する保守派のクーデタが失敗し，ウクライナ・アゼルバイジャンなどほとんどの共和国が連邦からの離脱を宣言し，連邦を結びつけていたソ連共産党も解散した。12月にはロシア連邦を中心にCIS（独立国家共同体）が結成され，ソ連は解体した。

第2章 近代市民社会の成立

正答 5

実践 問題 **149** 基本レベル

頻出度	地上★★★	国家一般職★★	東京都★★	特別区★★
	国税・財務・労基★★	国家総合職★★	国家総合職（教養区分）★★★	

問 20世紀後半の世界の出来事に関する記述として，妥当なのはどれか。

(東京都 I 類A 2012)

1：アメリカでは，圧倒的な経済力を背景にドルが上昇し，ニクソンがドルと金の交換を再開したところからドル＝ショックが起きた。

2：中国では，鄧小平が改革開放政策を進めたが，改革に反対する保守派が天安門事件を起こし実権を握ったことから改革開放政策は放棄された。

3：西アジアでは，イラクがクウェートに侵攻したことから，アメリカを中心とした多国籍軍がイラクを攻撃し，湾岸戦争が起きた。

4：ソ連では，ブレジネフがペレストロイカとグラスノスチを進めたが，改革急進派がクーデタを成功させたことでソ連は解体した。

5：ヨーロッパでは，ヨーロッパ共同体（EC）が共通通貨ユーロの導入を終えた後，ヨーロッパ連合（EU）が発足して政治的統合を実現した。

OUTPUT

実践 問題 **149** の解説

〈20世紀後半の世界〉

1× 第2次世界大戦後，ブレトン=ウッズ協定（1944年）に基づき，金と兌換可能なドルが基軸通貨となって通貨の安定に寄与してきた。しかし，国際貿易の進展によってドルの流通が増加するとともに，ベトナム戦争の戦費調達などでドルの供給量が増加すると，ドルの価値は下落し，またアメリカは国外への金流出に直面したことから，1971年，ニクソン大統領はドルと金との交換停止を発表した。これを，ドル危機（ドルショック）という。

2× 鄧小平は「4つの近代化」を示し，1978年以降，改革開放政策を強力に推進した（社会主義市場経済化）。1989年，共産党の一党支配の持続や民主化なき経済改革に不満を募らせた学生・市民が民主化を求めて天安門広場に集結したが，保守派は人民解放軍を用いて鎮圧し，学生・市民らの主張に理解を示した趙紫陽ら改革派は失脚した。これを（第2次）天安門事件という。鄧小平は，共産党支配を揺るがす動きは封じて，国際的な非難を浴びたものの，改革開放政策は堅持し，中国は目覚しい経済発展を遂げて現在に至っている。

3○ 1990年，サダム=フセインを指導者とするイラクがクウェートに侵攻したことから，アメリカを中心とする多国籍軍がイラク軍と戦ってクウェートを解放，イラクに対する圧倒的優位を維持したままブッシュ（親）米大統領は戦闘を終結させた（湾岸戦争）。なお，サダム=フセイン体制が崩壊するのはブッシュ（子）米大統領が主導した2003年のイラク戦争の際である。

4× ブレジネフはソ連がアフガニスタンへ侵攻した際の指導者である。ペレストロイカ（改革）とグラスノスチ（情報公開）を進めたのはゴルバチョフ。また，ゴルバチョフの改革は，東欧社会主義国の民主革命やソ連邦からバルト三国の独立を招くなど，保守派には容認しがたい状況を現出したため，保守派によるクーデタが勃発した。これに対し，市民らの支持を得たエリツィンら改革派が保守派を圧倒して主導権を握り，クーデタを鎮圧，1991年，ソ連は解体した。

5× EUは，ECを前身として，マーストリヒト条約の締結をもって1992年に発足しており，共通通貨ユーロ導入時期は発足後の1999年である。

正答 **3**

第2章 近代市民社会の成立

実践 問題 **150** 〈 基本レベル 〉

頻出度	地上★★★ 国家一般職★★ 東京都★★★ 特別区★★★
	国税・財務・労基★★ 国家総合職★★ 国家総合職(教養区分)★★★

問 第二次世界大戦後の世界の歴史に関する記述として最も妥当なものはどれか。

(裁判所職員2022)

1：1949年にソ連が中心となり集団防衛機構としてNATOを結成すると，西側の資本主義諸国は経済相互援助会議（コメコン）を結成した。

2：1955年にアジア＝アフリカ会議（バンドン会議）が開かれ，平和十原則が発表されたことを受け，この年は「アフリカの年」と呼ばれている。

3：東ドイツ政府によってベルリンの壁が築かれた翌年，ソ連のキューバにおけるミサイル基地建設計画により，ソ連とアメリカは一触即発の危機状態となった。

4：1960年代にアメリカがベトナムに軍事介入したことについては，ベトナムの独立を助け世界の平和を保つ行動として国内外から称賛され，ケネディ大統領のノーベル平和賞受賞につながった。

5：南アフリカ共和国では，1980年代にアフリカ民族会議の指導者マンデラが大統領に就任すると，アパルトヘイトの緩和策がとられ，1990年の初頭に廃止された。

OUTPUT

実践 問題 **150** の解説

〈第2次世界大戦後の世界〉

1 × 1949年にソ連が中心となって結成したのが経済相互援助会議（コメコン）であり，西側の資本主義諸国が結成したのがNATO（北大西洋条約機構）である。

2 × 1955年にアジア・アフリカ会議（バンドン会議）が開かれ，平和十原則が発表されたことは正しいが，「アフリカの年」とよばれているのは，1960年である。

3 ○ キューバ危機の説明として，妥当である。東ドイツ政府によるベルリンの壁構築が1961年，キューバ危機が1962年である。

4 × 1960年代にアメリカがベトナムに軍事介入したことは，国内のみならず国際的にも多くの批判を受けた。また，ケネディ大統領はノーベル平和賞を受賞していない。

5 × 南アフリカでは，アパルトヘイトとよばれる非白人に対する人種差別的隔離政策がとられていたが，国連の経済制裁やアフリカ民族会議の抵抗により1980年代末に白人大統領であったデクラーク政権が政策の見直しを進め，1991年にアパルトヘイトが全廃された。これを受けて，1994年に平等な選挙権が認められ，アフリカ民族会議が過半数を制して，指導者のマンデラが大統領に就任したのである。

【ポイント】

　本試験では肢3と肢5とで解答が分かれた。反アパルトヘイト闘争の指導者であったマンデラは，1962年に逮捕され，以後1990年まで獄にあったが，1991年にアパルトヘイトが廃止され，1994年の全人種参加の選挙の後，大統領に就任した。アパルトヘイトが廃止されなければ，マンデラ大統領は登場しないことに注意したい。

正答 **3**

実践 問題 **151** 〈 基本レベル 〉

頻出度	地上★★★	国家一般職★★	東京都★★★	特別区★★★
	国税・財務・労基★★★	国家総合職★★	国家総合職(教養区分)★★★	

問 第二次世界大戦終結後から1960年代初頭までの世界に関する記述として最も妥当なのはどれか。　　　　　　　　　　　　　　　　　（国家一般職2022）

1：ベトナムでは，第二次世界大戦終結後にホー＝チ＝ミンがオランダからの独立を宣言し，ドイツによる占領から解放されたばかりのオランダもこれを受け入れた。その翌年の総選挙では北部で共産党が，南部でベトナム民主党が勝利したため，協議の結果，ベトナムは南北に分かれて独立することとなった。

2：1950年代に発足した米国のアイゼンハワー政権は，スペインの植民地であった中南米地域を独立させて米国の経済圏に組み込む「ニューフロンティア」政策を推進した。その結果，シモン＝ボリバルによってブラジルが，カストロによってキューバが，それぞれスペインから独立した。

3：ソ連に対して不満を抱いていたチェコスロヴァキアとハンガリーでは，1950年代にソ連圏からの離脱を図る「プラハの春」などの自由民主化運動が始まった。これに対してソ連のフルシチョフはスターリン批判を行い，これら両国の北大西洋条約機構（NATO）への加入を認めることを約束して，両国との関係を修復した。

4：1950年代にエジプトの政権を掌握したナセルは，アスワン＝ハイダムの建設費用援助を米国と英国が撤回したことを受け，ダムの建設費用を得るためにスエズ運河の国有化を宣言した。これに対し，英国・フランス・イスラエルがエジプトに侵攻したが，国際世論の非難を受け，これら３か国は撤退した。

5：アフリカでは，第二次世界大戦で疲弊したフランスやドイツ，ポルトガル等が植民地の独立を容認する姿勢をとったことから植民地の独立が相次いだ。特に多くの国が独立した1960年は，「アフリカの年」と呼ばれる。これらの新たに独立した国々は，バンドン会議でアフリカ統一機構（OAU）を結成し，アルジェリアやエチオピア等の米国植民地の独立戦争を支援した。

実践 問題 **151** **の解説**

〈第2次世界大戦後の世界〉

1× ベトナムはフランスの植民地であったが，第2次世界大戦中に日本軍による占領を受けた。終戦後，ホー＝チ＝ミンはベトナムの独立を宣言したが，フランスはこれを認めず南部に傀儡政権を立て，北部のホー＝チ＝ミンとの間にインドシナ戦争となった。その後，アメリカが南部を支援して介入した結果，ベトナムは南北に分断され，ベトナム戦争となった。1973年にベトナムから米軍が撤兵し，1975年に北ベトナム軍と解放戦線はサイゴンを占領し，1976年に南北を統一したベトナム社会主義共和国が成立した。

2× ニューフロンティアは1960年の大統領選挙戦で民主党候補であったケネディが掲げたものである。その内容は，都市問題や教育問題，貧困対策や人種差別制度の廃止などである。また，ブラジルやキューバの独立は19世紀で，ブラジルはポルトガルから，キューバはスペインから独立した。アメリカは19世紀末からパン＝アメリカ会議を開催してラテン＝アメリカへの影響力の強化を図ったが，戦後には，反米を掲げて民族主義に根ざした政権や左翼政権が樹立されていく。

3× 北大西洋条約機構（ＮＡＴＯ）はソ連に対する集団防衛機構であるから，冷戦下のソ連が安易にその加入を認めることはない。また，プラハの春とは，チェコスロヴァキアで起こった自由民主化運動である。これは1968年のことであるが，これに対してソ連のブレジネフはワルシャワ条約機構軍を率いて介入し，自由主義的な改革の動きを抑えた。

4○ 妥当である。1961年ユーゴスラヴィアなどの呼びかけで，非同盟諸国首脳会儀が開催され，平和共存，民族解放の支援，植民地主義の打破を目指して共同歩調をとることを誓ったが，その一翼を担ったエジプトが積極的中立政策（米ソの冷戦の中でどちらにも与しない）をとったことが契機となり，イギリス・アメリカが資金援助を撤回した。

5× ポルトガルはアフリカの植民地の経済的利権を最後まで手放したがらなかった国の1つである。また，バンドン会議は別名，アジア・アフリカ会議であり，開催されたのは1955年である。その後，1960年に多くのアフリカの国が独立し，1963年にエチオピアのアジスアベバでアフリカ諸国首脳会議が開催され，アフリカ統一機構（ＯＡＵ）が結成された。アルジェリアはフランスの植民地であり，フランスから独立した。エチオピアは植民地支配を受けなかった国である。なお，アメリカはアフリカに植民地を保有していない。

正答 **4**

第2章 近代市民社会の成立

実践 問題 **152** 基本レベル

頻出度	地上★★★ 国家一般職★ 東京都★★ 特別区★★
	国税・財務・労基★ 国家総合職★★ 国家総合職(教養区分)★★★

問 冷戦終結の過程とソ連の解体に関する次の記述のうち妥当なのはどれか。

(地上2011)

1：1980年代後半，ソ連ではゴルバチョフの率いる反政府勢力が武装蜂起し，ソビエト政府を倒し，ソ連の解体を宣言した。これを契機にポーランドなど東欧の社会主義国が次々と革命を起こし，民主化が進んだ。

2：ソ連が成立した頃から，カフカス地方のチェチェン人が独立を求めてゲリラ戦を展開し，連邦軍との激しい戦いが続いた。このいわゆるチェチェン紛争は，ソ連解体に伴い終結し，チェチェン共和国の独立が認められた。

3：東ドイツでは，ソ連の解体の影響により，民主化勢力と政府との間で内戦が起き，多くの犠牲者を出した。その後，1990年代後半に，東欧の中では最も遅れて社会主義政権が倒れ，西ドイツとの統一が実現した。

4：ユーゴスラビアは，冷戦が終わると，国内の民族対立が激しくなり内戦が起き，解体した。その後，ボスニア・ヘルツェゴビナ紛争やコソボ紛争が起き，ＮＡＴＯ軍の空爆による軍事介入もあった。

5：冷戦終結後，ロシアと東欧諸国の市場経済への移行は，インフレや対外債務の急増により，国内経済を混乱させた。この影響を受け，アメリカでも経済が停滞し，特にクリントン大統領の時代には経常赤字と財政赤字の両方が拡大した。

直前復習

OUTPUT

実践 問題 **152** の解説

〈冷戦の終結〉

1 ✕ 1980年代にソ連の指導者となったゴルバチョフは，ペレストロイカ（改革）やグラスノスチ（情報公開）を掲げて，ソ連国内の改革を進めた。この過程で，ポーランド，ルーマニア，ハンガリーなど，多くの東欧諸国が，社会主義を捨てて，自由主義へ移行し，ベルリンの壁も崩壊した（1989年）。この動きに対し，保守派はクーデタを起こしたが失敗した。やがてソ連は1991年に崩壊して，ロシア連邦となった。

2 ✕ チェチェン紛争が起こったのは1990年代である。ソ連末期にチェチェン独立の動きが加速し，独立を宣言するも，ソ連はこれを認めなかった。ソ連崩壊後，新たに成立したロシア連邦もチェチェンの独立を認めず，1994年，エリツィン大統領はロシア連邦軍をチェチェンに派遣し，第１次チェチェン紛争が勃発した。1999年には第２次チェチェン紛争が起きたが，現在でもチェチェンは独立していない。

3 ✕ ソ連崩壊後，東ドイツでは，反政府デモなどは起きても，内戦には発展していない。東西ドイツを隔てるベルリンの壁が崩壊したのは1989年，西ドイツによる東ドイツの吸収合併は1990年のことである。1990年代後半とあるのは誤り。

4 ◯ 妥当である。ユーゴスラヴィアはもともと「７つの国境，６つの共和国（スロベニア，クロアチア，ボスニア・ヘルツェゴビナ，セルビア，モンテネグロ，マケドニア），５つの民族，４つの言語，３つの宗教，２つの文字，１つの国家」と表現されるほどだったが，対ナチスへの抵抗運動のリーダーだった，ティトーが指導力を発揮して一国としてまとまっていた。しかし，その死後，国内は分裂し，その混乱は，コソボ紛争やボスニア・ヘルツェゴビナ紛争など，ＮＡＴＯの軍事介入を招くことになった。現在，ユーゴスラヴィアを構成していた６つの共和国はすべて分離独立し，セルビアからはコソボ共和国も独立している（国連未加盟）。

5 ✕ 冷戦終結後の，ロシアおよび東欧諸国の市場経済への移行は，安定恐慌ともいうべき混乱を引き起こした。ただし，この混乱は大規模ではあったが，国際経済全体への影響はなく，特に1990年代のクリントン大統領の時代には，貿易赤字はともかく，巨額の財政赤字を解消して2000年には2000億ドル超の財政黒字を達成している。

正答 **4**

実践 問題 **153** 〈 基本レベル 〉

頻出度	地上★★★ 国家一般職★ 東京都★★ 特別区★★
	国税・財務・労基★ 国家総合職★★ 国家総合職(教養区分)★★★

問 80年代のソ連及び東欧諸国の歴史に関する次の記述のうち，下線部の記述について妥当なのはどれか。 (地上2017)

　1980年代のソ連及び東欧諸国の社会主義国家では，政治の硬直化や経済の行きづまりから改革の必要性が唱えられ，ソ連では1980年代後半から_アペレストロイカとよばれる政治改革が進められた。その後，1989年には米ソの首脳がマルタ会談を開催し，冷戦の終結を宣言し，1990年には_イ東西ドイツが統一し，1991年には_ウソ連は解体された。ソ連が解体されると，_エ東欧諸国でも民族の独立や民主化などの動きが高まり，東欧の社会主義国は解体された。さらに，_オロシア連邦の内部でも独立の気運が高まった。

ア：ペレストロイカは，労働者や学生などによる政治の民主化や自由化を求める運動であったが，共産党書記長のゴルバチョフはこれらを弾圧した。

イ：ドイツは東ドイツが西ドイツに吸収される形で統一したが，その際に東ドイツと西ドイツの軍隊が衝突して戦闘状態となり，市民を含む多くの犠牲者が出た。

ウ：ベラルーシやウクライナは独立が認められず，旧ソ連邦の全領域がロシア連邦に引き継がれた。

エ：旧ユーゴスラビアでは各民族の代表者が話し合いによって方針を決め，ボスニア・ヘルツェゴビナやコソヴォは，内戦を伴うことなく平和的に独立を果たした。

オ：ロシア連邦では，チェチェンが分離・独立を求めたが，ロシア政府はこれを認めず，戦争状態となった。

1：ア
2：イ
3：ウ
4：エ
5：オ

実践 問題 153 の解説

〈1980年代以降のソ連および東欧諸国〉

ア× ペレストロイカ（改革）は1985年にソ連共産党の書記長に就任したゴルバチョフが，政治，経済，社会の建て直しのために実施したもので，情報公開，政治改革，スターリン体制下で犠牲になった人の名誉回復を行うなどの歴史の見直し，外交政策の転換などを内容とする。こうした一連の改革はゴルバチョフが中心となって進めたものである。

イ× ドイツの統一が東ドイツが西ドイツに吸収される形で実現したことは正しいが，これは東ドイツにおける自由選挙で早期統一を求める連合党派が勝利を収めたことで，西ドイツが米・英・フランス・ソ連の同意を得て実現したもので，軍隊の衝突もなく平和裏に達成された。戦闘状態となり，多くの犠牲者が出たとあるのは妥当でない。

ウ× 1991年8月に連邦体制の維持を主張する保守派のクーデタが失敗すると，ソ連を構成していたベラルーシやウクライナなどほとんどの共和国が連邦からの離脱・独立を宣言した。このため同年12月にはエリツィンを大統領とするロシア連邦と中心にウクライナやベラルーシなどの11の共和国が独立国家共同体（CIS）を結成し，ソ連は解体された。

エ× 冷戦の終結後には民族や宗教の違いによる地域紛争や内戦が多数発生した。第2次世界大戦後，強力な指導者であるティトーのもと，独自の社会主義路線を歩んできたユーゴスラヴィアでは，ティトーの死や経済危機の深刻化，ソ連邦の解体による共産主義政党の影響力の低下を背景に共和国間，民族間の対立が表面化した。1992年にボスニア・ヘルツェゴビナが分離・独立を宣言すると，国内に居住するムスリム，セルビア人，クロアチア人の3勢力による武力衝突が起こり，3年におよび内戦がくり広げられた。またアルバニア系住民が多いセルビア共和国領内のコソヴォ自治州でも，内戦が起こっている。なお，2008年にコソヴォ共和国は独立を宣言した。

オ○ 妥当である。1991年にチェチェン（イスラーム系住民が多数派）は旧ソ連からの独立を宣言したが，ロシア連邦もこれを認めず，1994年に武力侵攻を行った（第1次チェチェン紛争）。その後もチェチェンでは抵抗が衰えず，1999年にロシアは再びチェチェンに侵攻した（第2次チェチェン紛争）。

以上から，肢5が正解となる。

正答 5

第2章 近代市民社会の成立
SECTION ② 第1次世界大戦と第2次世界大戦

実践 問題 **154** 〈 応用レベル 〉

頻出度	地上★★	国家一般職★	東京都★	特別区★
	国税・財務・労基★	国家総合職★		国家総合職(教養区分)★★★

問 冷戦に関する記述として，妥当なのはどれか。 （特別区2016）

1：戦後ヨーロッパの経済的困窮が共産党拡大の原因とみて，1947年，アメリカのアイゼンハワー大統領はヨーロッパ経済復興援助計画を発表したが，ソ連，東欧諸国はこれを拒否し，以後，冷戦と呼ばれる緊張状態が米ソ間で激化した。

2：1948年，チェコスロヴァキアではクーデタがおこり，共産党が実権を握ったが，ティトーの率いるユーゴスラヴィアは，ソ連に対して自主的な姿勢をとったため，同年，コミンフォルムから除名された。

3：ハンガリー，ルーマニア，ブルガリア，アルバニアが，ソ連型の社会主義を採用し，東欧諸国へのソ連の影響が強化されたのに対抗して，1948年，イギリス，フランス，イタリア，ベルギー，オランダは，西ヨーロッパ連合条約を結んだ。

4：ドイツでは分断が進み，1948年，ソ連は西側地区の通貨改革に反対し，西ベルリンの境界線にベルリンの壁を築いてベルリンを封鎖したが，ドイツ連邦共和国はアデナウアー首相の指導で経済復興に成功し，1954年，パリ協定で主権を回復した。

5：ソ連では1956年，フルシチョフ第一書記が，スターリン体制下の個人崇拝，反対派の大量処刑を批判し，資本主義国との平和共存を唱え，コミンフォルムを解散したが，この転換はペレストロイカと呼ばれた。

OUTPUT

〈冷戦〉

1 ✕ 経済復興援助計画は，1947年にトルーマン大統領がトルーマン＝ドクトリンを表明したことを受けて，時の国務長官であったマーシャルが発表したものである（マーシャル＝プラン）。アイゼンハウアー大統領は，トルーマン大統領の次の大統領である。

2 ○ 妥当である。ティトーは第2次世界大戦中に対ドイツ抵抗運動を指揮し，戦後，社会主義政権下のユーゴスラヴィアでも元首となった。ソ連軍の侵攻を待たずにナチスドイツからの解放を成し遂げたため，戦後もソ連とは一線を画して独自路線を採用したため，トルーマン＝ドクトリンならびにマーシャル＝プランに対抗して設立されたコミンフォルム（共産党情報局）から除名された。

3 ✕ 東欧諸国へのソ連の影響が強化されたのに対抗して，1948年に西ヨーロッパ連合条約が締結されたことは正しいが，西ヨーロッパ連合条約はイギリスとフランスとベネルクス3国（オランダ・ベルギー・ルクセンブルク）の5カ国で締結されたものである。イタリアではない。

4 ✕ 1948年にソ連が西側地区の通貨改革に反対して，西ベルリンへの交通を遮断するベルリン封鎖を行ったが，ベルリンの壁の構築は，このソ連のベルリン封鎖とは別に1961年に東ドイツによって行われたものである。東ドイツでは1950年代末に農業などの集団化が推進され，これに伴い東ドイツから西ベルリンを経由して西側（資本主義国）に脱出する人が多くなったため，これを阻止するために築かれた。ドイツ連邦共和国（西ドイツ）がアデナウアー首相のもとで経済復興に成功し，1954年にパリ協定で主権を回復したことは正しい。

5 ✕ 1956年にソ連共産党の書記長となったフルシチョフが，スターリン体制下における個人崇拝や，反対派の大量処刑を批判し，資本主義国との平和共存を唱え，コミンフォルムを解散したことは正しいが，ペレストロイカは1985年にソ連の共産党書記長となったゴルバチョフが進めたものである。

正答 **2**

Q1 名誉革命ではジョン王を処刑し「権利の請願」を発布した。

Q2 「茶法」の制定に対して「代表なくして課税なし」と反対運動が起こった。

Q3 アメリカ独立戦争に際しフランスはイギリスに援軍を送った。

Q4 「独立宣言」の起草者はトマス＝ペインである。

Q5 国民公会が分裂したため，第三身分は国民議会を結成した。

Q6 人権宣言が採択されると，ルイ16世は国民議会を武力で弾圧しようとしたため，パリの民衆はバスティーユ牢獄を襲撃した。

Q7 ナポレオンはクーデタで統領政府を倒し，皇位を獲得した。

Q8 イギリスは綿織物業によって大量の資本を蓄えていたため，他国に先駆けて産業革命が起こった。

Q9 イギリスでは産業革命が進展する際に鉄や石炭を植民地から有利な条件で輸入できた。

Q10 フランスは七月革命で共和制となり，ウィーン体制が崩壊した。

Q11 アメリカのモンロー宣言は，ヨーロッパとの協調を宣言したものである。

Q12 南北戦争前，北部は自由貿易，南部は保護貿易を主張していた。

Q13 リンカン大統領が奴隷解放宣言を発したため，南北戦争が起こった。

Q14 プロイセンは普仏戦争でフランスに敗れたが，オーストリアを打倒してドイツ帝国の樹立を宣言した。

Q15 インドに進出したイギリスは19世紀に東インド会社を設立して統治にあたった。

Q16 イギリスは中国を綿織物の市場としたため，大量の銀が中国からイギリスに流出した。

Q17 19世紀のアフリカでは，イギリスが縦断政策，フランスが横断政策を進めた。

Q18 19世紀末には，石炭と蒸気力を動力源に第2次産業革命が起こった。

Q19 欧米諸国は19世紀末からアジア・アフリカに進出して，工場を設立した。

Q20 19世紀にはドイツなどの古くからの植民地保有国とイタリアなどの後発の植民地保有国が対立を深めた。

Q21 アメリカの工場生産は19世紀末でもイギリスに及ばなかった。

Q22 20世紀初頭，エチオピアとリベリアを除き，アフリカは列強に分割された。

Q23 第1次世界大戦前，ドイツ・フランス・イギリスが三国協商を結成した。

Q24 第1次世界大戦前，ロシア，イタリア，オーストリアが三国同盟を結成した。

A 1 ×	名誉革命の結果国王は亡命し，「権利の章典」が定められた。ジョン王は13世紀に「大憲章（マグナ＝カルタ）」を承認させられた王である。
A 2 ×	「代表なくして課税なし」は印紙法の制定に反対するスローガンである。
A 3 ×	アメリカ独立戦争でフランスはアメリカの植民地側に立った。
A 4 ×	「独立宣言」の起草者はトマス＝ジェファソンである。
A 5 ×	三部会より分離した第三身分が国民議会を結成，憲法制定まで解散しないことを誓った。
A 6 ×	ルイ16世が国民議会を弾圧しようとしたためバスティーユ牢獄襲撃が起こり，これが全国的な大暴動に発展した。「人権宣言」が採択されたのはその後である。
A 7 ×	ナポレオンの皇帝就任は国民投票で圧倒的支持を受けてのこと。
A 8 ×	イギリスでは近代以降，毛織物業により資本が蓄積されていた。
A 9 ×	鉄や石炭はイギリス国内で豊富に産出した。
A 10 ×	フランスは二月革命で共和制となり，ウィーン体制が崩壊した。
A 11 ×	アメリカのモンロー宣言は，ヨーロッパとの相互不干渉を提唱した。
A 12 ×	南北戦争前，北部は保護貿易，南部は自由貿易を主張していた。
A 13 ×	奴隷解放宣言は，南北戦争の最中に発せられたもの。
A 14 ×	オーストリアを打倒したプロイセンは，普仏戦争でフランスを破り，ヴェルサイユ宮殿でドイツ帝国の樹立を宣言した。
A 15 ×	イギリスの東インド会社の設立は1600年である。
A 16 ×	大量の銀が中国からイギリスに流出したのはアヘン貿易による。
A 17 ○	1904年には，アフリカにおける住み分けを決めて英仏協商が成立。
A 18 ×	19世紀末には，石油や電力を動力源に第2次産業革命が起こった。
A 19 ×	欧米諸国はアジア・アフリカを原料供給地，市場とした。
A 20 ×	ドイツは後発の植民地保有国である。
A 21 ×	アメリカの工場生産は19世紀末にイギリスを抜いて世界1位となる。
A 22 ○	ドイツやベルギー，ポルトガルなどの植民地もあった。
A 23 ×	フランス・イギリスとロシアが三国協商を結成した。
A 24 ×	ドイツとイタリア，オーストリアが三国同盟を結成した。

第2章　近代市民社会の成立

Q25 オーストリアがセルビアを併合したためサライェボ事件が起こった。

Q26 サライェボ事件後,ロシアがオーストリアを,ドイツがセルビアを支援して,戦争が始まった。

Q27 第1次世界大戦が始まるとアメリカは直ちに連合国側に立ち参戦した。

Q28 第1次世界大戦は,イギリスの無制限潜水艦作戦による打撃を受けたドイツが敗北した。

Q29 第1次世界大戦後,国際連盟が発足し,アメリカがその中心となった。

Q30 第1次世界大戦の終結後,ロシアでは革命が起こって皇帝が退位した。

Q31 第1次世界大戦後,東欧諸国やアジア,アフリカの国々が独立した。

Q32 第1次世界大戦後のソ連では,一切の社会主義的要素を排除する新経済政策が進められた。

Q33 アメリカでは世界恐慌後,ローズベルト大統領が公共投資の削減により財政再建を図るとともに,自由放任政策の転換により景気回復を図った。

Q34 イギリスは貿易振興のためすべての国の関税を安くする政策をとった。

Q35 フランスは恐慌の影響をあまり受けなかったが,ソ連は恐慌の影響により新経済政策が失敗に終わり,スターリンが退陣した。

Q36 ドイツではナチス党が共産党と提携して党勢を伸ばした。

Q37 第2次世界大戦中,ドイツとソ連が交戦することはなかった。

Q38 第2次世界大戦後,アメリカはソ連の拡大を封じるトルーマン＝ドクトリンを宣言,マーシャル＝プランを発表,冷戦が開始された。

Q39 第1次世界大戦後,アラブ人がイスラエルを建国し,もともと居住していたユダヤ人との対立を深めた。

Q40 キューバにアメリカがミサイル基地を建設すると,ソ連が海上封鎖を行ったが,ソ連がミサイル基地を容認して危機は回避された。

Q41 ソ連ではゴルバチョフの率いる反政府勢力が武装蜂起し,ソヴィエト政府を倒し,ソ連の解体を宣言した。

Q42 ゴルバチョフの進めたペレストロイカとは市場経済の導入である。

Q43 1993年にイスラエルとパレスチナ解放機構（PLO）のアラファト議長は,相互に承認をしてパレスチナ暫定自治協定を締結し,ヨルダン川西岸とガザ地区で先行自治が開始された。

Q44 イラクがクウェートに侵攻したことから,アメリカを中心とした多国籍軍がイラクを攻撃し,湾岸戦争が起きた。

A 25 × オーストリアが併合したのは，セルビアが併合を望んでいたボスニア・ヘルツェゴヴィナである。

A 26 × ドイツがオーストリアを，ロシアがセルビアを支援して戦争となる。

A 27 × 第1次世界大戦が勃発した当初，アメリカは中立であったが，ドイツの無制限潜水艦作戦を契機に参戦した。

A 28 × 無制限潜水艦作戦はドイツが実施し，アメリカの参戦を招いた。

A 29 × アメリカでは孤立主義が台頭し，国際連盟に不参加である。

A 30 × ロシア革命が起こって皇帝が退位するのは，第1次世界大戦中である。

A 31 × アジア，アフリカの国々が独立するのは，第2次世界大戦後である。

A 32 × 一切の社会主義的要素を排除するのは戦時共産主義である。新経済政策は，その後にとられたもので，資本主義的要素を一部復活させた。

A 33 × ローズベルト大統領が公共投資を増やし，雇用を創出するとともに，自由放任政策を改めた（ニューディール政策）。

A 34 × イギリスはブロック経済を採用し，他国製品に高い関税をかけた。

A 35 × ソ連は恐慌時，第1次五カ年計画中で，独自に計画経済を採用していたため，恐慌の影響をあまり受けなかった。

A 36 × ナチス党は地主や資本家，軍部に支持され，共産党を弾圧した。

A 37 × 第2次世界大戦前夜には独ソ不可侵条約が締結されたが，ドイツのバルカン半島制圧を契機に，独ソ戦が開始された。

A 38 ○ ソ連はコミンフォルム（共産党情報局）を設立して対抗した。

A 39 × イスラエルは第2次世界大戦後にユダヤ人が建国し，もともと住んでいたアラブ人との対立を深め，中東戦争が起こった。

A 40 × ソ連がミサイル基地を建設すると，アメリカが海上封鎖を行って緊張が高まったが，ソ連がミサイル基地を撤去して危機が回避された。

A 41 × ゴルバチョフはソ連共産党の指導者としてペレストロイカを進めた。

A 42 × ペレストロイカとは政治の民主化などを含むもので，市場経済の導入とイコールではない。

A 43 ○ イスラエルはパレスチナ地区に分離壁を建設し，批判を浴びている。

A 44 ○ イラクは湾岸戦争の前に，長らくイランと戦争をしていた。

第2章　近代市民社会の成立

memo

第3章

アジア史

SECTION

① 中国王朝史
② 西アジアの歴史
③ アジアの近現代史

アジア史
中国王朝史

必修問題 **セクションテーマを代表する問題に挑戦！**

まずは，王朝を見分ける基本的なキーワードを確認します。周辺民族とのかかわりについても整理しましょう。

問 中国の各王朝に関する次のア〜オの記述のうちに妥当なものが二つある。それはどれか。 (地上2004)

ア：漢は秦の行政制度を一部手直しして中央集権体制を確立し，儒学を国家の正統な学問とした。朝鮮北部に進出して楽浪などの4郡を置き，また匈奴の対策として張騫を西域へ送った。文化の面では司馬遷の『史記』などの歴史書が編まれた。

イ：唐は律令を整備し三省と六部を中心とする中央官制を確立した。地方では初めて郡県制を施行し，中央から官吏を派遣した。北方で強大となった遼や西方から圧迫する西夏には毎年銀や絹を贈ることで講和した。

ウ：宋は科挙によって選抜した文人官僚を重んじる文治主義の政治を行った。大土地所有を抑えるため均田制を採用し，また辺境には節度使を配置した。文化の面では玄奘や義浄がインドから仏典を持ち帰り仏教を広めた。

エ：元は前王朝の科挙などの諸制度を受け継いだが，皇帝の諮問機関である軍機処が軍事行政の実権を握った。広大な国土を支配するために中央の首脳部にはモンゴル人だけでなく漢人も多数採用した。ヨーロッパとの交流もあり，フランス人宣教師らの協力を得て中国全土の実測図『皇輿全覧図』を作成した。

オ：明は魚鱗図冊という土地台帳と賦役黄冊という戸籍・租税台帳を作成し，里甲制を導入して徴税を軌道に乗せた。13世紀から猛威をふるっていた倭寇に対処するため，日本と勘合貿易を行い，さらに鄭和率いる大艦隊を南海諸国に派遣し，各国に中国への朝貢を促した。

1：ア　ウ
2：ア　オ
3：イ　エ
4：イ　オ
5：ウ　エ

直前復習

必修問題の解説

〈中国王朝史〉

ア○ 漢は，秦で採用した郡県制に封建制の要素を加味して手直しをした郡国制により中央集権体制を確立した。最盛期の武帝の時代には儒教の官学化，朝鮮半島進出，張騫の西域派遣などを行った。

イ× 郡県制を採用したのは秦の始皇帝である。唐の初期には均田制・府兵制・租庸調制が実施された。遼や西方から圧迫する西夏と毎年銀や絹を贈ることを条件に講和したのは宋の時代である。

ウ× 宋で文治主義が採用されたことは正しいが，辺境に節度使を配置したのは唐の後半である。また，玄奘や義浄がインドから仏典を持ち帰り仏教を広めたのも唐の時代である。

エ× 元は中国の統治に際して中国の伝統的な官僚制度を採用したが，中央政府の首脳部をモンゴル人が独占し，政策決定していた。また，軍機処が設置されて軍事行政の実権を握ったのは清の時代である。『皇輿全覧図』がブーヴェによって作成されたのも清の時代。

オ○ 明では里甲制により徴税システムが樹立され，「魚鱗図冊」や「賦役黄冊」が作成された。永楽帝の時代には鄭和率いる大艦隊を東南アジアやインド南西岸，アラビア半島からアフリカ東岸など南海諸国に派遣して，中国への朝貢を促した。

　以上から，アとオが妥当であるので，肢2が正解となる。

【中国の王朝（隋～清）】

隋	楊堅・煬帝	南北朝を統一，均田制・府兵制・租庸調，大運河建設
唐	李世民	中央に三省六部，律令体制，均田制・府兵制・租庸調
	玄宗	均田制の崩壊，節度使，両税法
宋	趙匡胤	文治主義，遼や金による圧迫
元	フビライ	中央政府の首脳部をモンゴル人が独占，マルコ=ポーロ
明	洪武帝	里甲制，賦役黄冊，魚鱗図冊
	永楽帝	鄭和の南海遠征
清	康熙帝	満漢併用制，ネルチンスク条約

正答 **2**

第3章 アジア史

1 中国王朝史 ......

(1) 古代中国

王朝	皇帝	統治政策	滅亡原因	朝鮮
周		封建制		
春秋・戦国時代				
秦	始皇帝	郡県制・法家思想 焚書・坑儒・万里の長城	陳勝呉広の乱	
前漢	劉邦(高祖) 武帝	郡国制・匈奴に和親策 儒教を官学	王莽の 新の建国	楽浪郡
後漢	劉秀	西域経営の進展	黄巾の乱	

(2) 東アジア文化圏の形成

		魏・晋・南北朝時代		
隋	楊堅・煬帝	科挙の創始 均田制・府兵制・ 租庸調制	高句麗遠征の 失敗	高句麗 百済 新羅
唐	李世民 玄宗	三省六部・律令体制・均 田制・府兵制・租庸調制 募兵制・節度使・安史の乱 両税法	黄巣の乱	新羅
		五代十国時代		
宋	趙匡胤	文治主義・火薬・羅針盤 科挙に殿試・木版印刷		高麗

(3) アジア諸地域の繁栄

元	フビライ	モンゴル人第一主義 駅伝制・交鈔	紅巾の乱	高麗
明	洪武帝 永楽帝	里甲制・六諭 鄭和の南海遠征・朝貢 一条鞭法	北虜南倭	李氏 朝鮮
清	康熙帝	満漢併用制・地丁銀	辛亥革命	

2 モンゴル人のユーラシア大陸支配 ......

ワールシュタットの戦い	バトゥがドイツ・ポーランドの連合軍を破る
フラグの遠征	アッバース朝の都バグダードを攻略

③ 技術と文化

秦	秦の始皇帝は法家思想を採用し，焚書・坑儒により思想統制。
前漢	前漢武帝は儒教を官学化。司馬遷の『史記』。
後漢	製紙法の発明。班固の『漢書』。
唐	国際色豊かな文化。李白・杜甫・白居易の唐詩。玄奘の『大唐西域記』。
宋	木版印刷術・羅針盤が実用化。火薬も使用。朱子学。 司馬光の『資治通鑑』。
元	マルコ＝ポーロの来朝。モンテ＝コルヴィノがカトリック布教。
明	中国の四大奇書が完成。マテオ＝リッチの『坤輿万国全図』。陽明学。
清	『四庫全書』『紅楼夢』『儒林外史』。

④ 異民族による漢民族の統治

元（モンゴル人）の支配	中国の伝統的な官僚制度を採用したが，中央の要職はすべてモンゴル人が独占 科挙の行われた回数は少なく，儒学の古典に通じた士大夫が官界で活躍する機会は少ない
清（女真族・満州族）の支配	中央の要職は女真族（満州族）と同数の漢民族を登用 科挙や官制は明から継承し，儒学を振興して中国の伝統を守る姿勢を示す

⑤ 中国の周辺民族

秦	始皇帝が匈奴を退ける
前漢	匈奴に冒頓単于が出て強勢になり，高祖・劉邦は匈奴に和親策を採用。武帝の時代には匈奴を討って前漢の最盛期を現出。
隋	突厥
唐	突厥，吐蕃（チベット），渤海，ウイグル
宋	遼（契丹），金（女真），西夏（タングート族）

実践 問題 155 基本レベル

頻出度	地上★★	国家一般職★	東京都★	特別区★★
	国税·財務·労基★	国家総合職★		国家総合職(教養区分)★★★

問 18世紀以前の中国に関する次のア〜オの記述を，古い方から順番に並べたとき，妥当なのはどれか。 　　　　　　　　　　　　　　（市役所C日程2011）

ア：孔子をはじめとして，孟子・老子・荘子・荀子などの思想家があらわれ，政治や社会のあり方に関する数多くの思想が生まれた。

イ：全国統一が果たされ，はじめて皇帝の称号が用いられた。政治統一のみならず，文字・度量衡・貨幣などの統一も行われた。

ウ：律令格式などの法制による体制が整えられ，税制としては租庸調制が確立された。官吏の登用にあたっては，科挙と呼ばれる試験が実施された。

エ：銀が広く流通し，納税においても銀が用いられるようになった。これにより，銀の需要が急増し，これを補うため，海外からの銀の輸入が増加した。

オ：江南（長江以南）地域で水田の開発が進み，華北をしのぐ大穀倉地帯が形成された。また，商業の規制が緩和され，貨幣・商業経済が発達し，世界初の紙幣も流通した。

1：ア→イ→ウ→オ→エ
2：ア→オ→イ→エ→ウ
3：イ→ア→オ→ウ→エ
4：イ→オ→エ→ア→ウ
5：オ→ア→ウ→イ→エ

実践 問題 **155** の解説

〈18世紀以前の中国史〉

ア 春秋・戦国時代（前770年〜前221年） 春秋・戦国時代には，下克上の風潮が強まる中，新しい時代の秩序が模索され，諸子百家と総称される多くの思想家・学派が登場した。孔子をはじめとする孟子・荀子の儒家，老子・荘子の道家はその代表である。

イ 秦（前221年〜前206年） 全国統一が果たし，初めて皇帝の称号を用いたのは秦の始皇帝である。始皇帝は全土に郡県制をしくとともに，文字や度量衡，貨幣の統一を行った。しかし，厳しい刑罰によって人々を支配する法家思想を統治に利用するとともに，焚書・坑儒といった厳しい思想統制を行ったことから，その死後には反乱が起こって秦は滅亡した。

ウ 唐（618年〜907年） 律令格式などの法制による体制が整えられたのは唐の時代である。唐では，前王朝の隋から均田制と府兵制，租庸調を継承して実施し，隋で始められた科挙によって官吏を登用した。

オ 宋（960年〜1279年） 長江以南の江南で水田の開発が進み，華北をしのぐ大穀倉地帯が形成されたのは宋の時代である。手形として発生した交子・会子が紙幣として用いられるようにもなった。

エ 明（1368年〜1644年） 納税においても銀が用いられるようになったのは明の時代である。明の時代には，ラテン＝アメリカでスペインが採掘したメキシコ銀や日本銀などが流入し，租税を銀納させる一条鞭法が施行された。

以上から，ア→イ→ウ→オ→エとなるので，肢1が正解となる。

第3章

アジア史

正答 **1**

実践 問題 **156** 〈基本レベル〉

頻出度	地上★★★ 国家一般職★ 東京都★ 特別区★
	国税・財務・労基★ 国家総合職★ 国家総合職(教養区分)★★★

問 中国の歴史に関する記述として，妥当なのはどれか。　（東京都Ⅰ類A2016）

1：紀元前16世紀頃までに，中国における初めての国家である秦が成立し，秦は功臣に土地を与え諸侯として支配させる封建制をしいた。

2：魏，蜀，呉の三国が争う時代に，近隣諸国の君主が皇帝の徳を慕って貢物をもって訪れる冊封体制が形成された。

3：チンギス＝ハンが打ち立てたモンゴル帝国は，東アジアからヨーロッパ東部までを含む広大な領域を支配し，交易の活発化につながる駅伝制を整備した。

4：15世紀頃，宋の洪武帝は，貿易の拡大を目指して鄭和に南海遠征を命じ，鄭和の艦隊はインド洋海域の国々に至った。

5：17世紀に明が滅んだ後，漢民族が建てた清が成立し，清はモンゴル，新疆，チベット，台湾を藩部として，自治を認めた。

OUTPUT

実践 問題 **156** の解説 ─────────────────

〈中国王朝史〉

1 ✕ 封建制をしいたのは周である。周が弱体化すると春秋・戦国時代となったが，前221年に秦が中国を統一し，郡県制を採用した。

2 ✕ 冊封体制は，魏・蜀・呉の三国時代よりも前の，漢の時代から見られるもので，一般化したのは三国時代の後の南北朝時代とされる。冊封体制は中国の皇帝が周辺諸民族の君主を封じることによって形成された東アジアの国際関係をいう。両者の関係は対等ではなく，中国の皇帝が周辺諸国の支配者に位階を与える上下の君臣関係であり，冊封された君主には朝貢の義務があった。東アジア諸国は朝貢国として交流を保証される一方，中国の権威を内政の安定に利用した。

3 ◯ 妥当である。13世紀半ばまでに，モンゴルの支配は東は中国北部から西はロシア，イランに至る広大な領域に広がった。モンゴル帝国では交通路の安全を重視し，その整備や治安の確保に努め，駅伝制を施行した。その結果，ムスリム商人の隊商によって東アジアからヨーロッパに至る陸路交易が盛んに行われるとともに，海上交易も宋代に引き続き，活発であった。

4 ✕ 鄭和に南海遠征を命じたのは，明の第3代皇帝の永楽帝である。洪武帝は明の初代皇帝である。

5 ✕ 明が滅んだ後に清が成立したことは正しいが，清は漢民族が建てた国ではなく，満州族（女真族）が建てた国である。

> **■清朝の領土**
>
> 　清朝第4代康熙帝は，鄭氏を降伏させて台湾を領土とするとともに，呉三桂らが起こした三藩の乱を鎮圧し，統治の基礎を固めた。清朝の皇帝は，中国の歴代王朝の伝統を継ぐ皇帝であると同時に，満州人やモンゴル人にとってはモンゴル帝国のハンの伝統を継ぐ北方遊牧社会の君主であったため，**清朝の領土は北方に大きく拡大した。このため，康熙帝はロシアのピョートル大帝との間にネルチンスク条約を締結して国境を定めたのである。**清朝は中国内地と東北地方，台湾を直轄領とし，モンゴル，青海，チベット，新疆は藩部として理藩院に統括された。

第3章

アジア史

正答 **3**

実践 問題 157 基本レベル

頻出度	地上★★	国家一般職★	東京都★	特別区★
	国税・財務・労基★	国家総合職★		国家総合職(教養区分)★★★

問 中国の諸王朝に関する記述として最も妥当なのはどれか。 (国家一般職2021)

1：秦は，紀元前に中国を統一した。秦王の政は皇帝と称し（始皇帝），度量衡・貨幣・文字などを統一し，中央集権化を目指した。秦の滅亡後に建国された前漢は，武帝の時代に最盛期を迎え，中央集権体制を確立させた。また，儒家の思想を国家の学問として採用し，国内秩序の安定を図った。

2：隋は，魏・蜀・呉の三国を征服し，中国を再統一した。大運河の建設やジャムチの整備などを通じて全国的な交通網の整備に努めたが，朝鮮半島を統一したウイグルの度重なる侵入により滅亡した。唐は，律令に基づく政治を行い，節度使に徴税権を与える租庸調制の整備などによって農民支配を強化した。

3：宋（北宋）は，分裂の時代を経て，中国を再統一した。都が置かれた大都（現在の北京）は，黄河と大運河の結節点で，商業・経済の中心地として栄えた。北宋は，突厥の侵入を受け，都を臨安（現在の杭州）に移し，国家を再建した（南宋）。南宋では儒学の教えを異端視する朱子学が発達し，身分秩序にとらわれない科挙出身の文人官僚が勢力を強めた。

4：元は，モンゴルのフビライ＝ハンによって建てられた征服王朝である。フビライ＝ハンは科挙制度を存続させたが，これに皇帝自ら試験を行う殿試を加えることで，モンゴル人の重用を図った。元代には交易や人物の往来が盛んであり，『東方見聞録』を著したマルコ＝ポーロやイエズス会を創設したフランシスコ＝ザビエルが元を訪れた。

5：明は，元の勢力を北方に追い，漢人王朝を復活させた。周辺諸国との朝貢体制の強化に努めた一方，キリスト教の流入を恐れ，オランダを除く西洋諸国との貿易を禁じる海禁政策を採った。清は，台湾で勢力を伸ばした女真族によって建国された。康熙帝，雍正帝，乾隆帝の三帝の治世に清は最盛期を迎え，ロシアとの間にネルチンスク条約を締結し，イランを藩部とした。

OUTPUT

実践 問題 **157** の解説 ─────────────────

〈中国王朝史〉

1 ○ 秦から前漢にかけての説明として，妥当である。

2 × 隋は魏・蜀・呉の三国時代の後の南北朝時代を統一して，建国された。また，大運河の建設を行ったことは正しいが，ジャムチ（駅伝制）を整備したのはモンゴル人である。隋の滅亡原因は，朝鮮半島北部にあった高句麗への遠征に失敗したことが契機となって起こった民衆反乱である。ウイグルは朝鮮半島を統一した民族ではなく，中央アジアで8世紀に強勢となった民族である。節度使は租庸調制が崩壊していく8世紀に，辺境防備のために設置された役職である。

3 × 大都（現在の北京）に都を置いたのは，モンゴル人が建国した元である。宋の都は開封であり，こちらが黄河と大運河の結節点に位置する。また，北宋が都を臨安（現在の杭州）に移す契機になったのは，女真族が建てた金の侵攻を受けたことによる。宋の時代に朱子学が大成されたが，これは儒学の教えに理気二元論を導入したもので，儒学の教えを異端視するのではない。異民族の侵攻を背景に，宋の時代には，華夷の区別（優れた中華と劣った異民族である夷を区別する思想）や大義名分論（君臣・父子の道徳を絶対視し，臣下として守るべき節操と本分を明らかにした思想）が説かれた。

4 × 元の時代に科挙制が存続したことは正しいが，皇帝自ら試験を行う殿試が導入されたのは，宋の時代である。また，イエズス会のフランシスコ＝ザビエルがカトリックの布教を行うのは16世紀のことであり，この時代の中国王朝は明である。なお，ザビエルは日本には到達したが中国の地を踏むことはかなわなかった。

5 × 「キリスト教の流入を恐れ，オランダを除く西洋諸国との貿易を禁じる」政策をとったのは，鎖国体制を確立した日本である。明でとられた海禁政策は，周辺諸国との朝貢を維持するために採用されたもので，民間の対外交易と海外渡航を全面的に禁止するものである。民間交易の禁止に対し，16世紀中頃には中国人を主体とする後期倭寇が盛んとなり，明は海禁策を緩めた。一方，16世紀に入るとポルトガル人が来航し，マカオに居住を許された。また，清を建国した女真族は満州で勢力を伸ばし，満州族と称される。清の最盛期に藩部とした地域を含め，現在の中華人民共和国の版図が形成されている。イランを藩部としたことはない。

正答 **1**

第3章 アジア史

実践 問題 158 基本レベル

頻出度	地上★★	国家一般職★	東京都★★	特別区★★
	国税・財務・労基★	国家総合職★		国家総合職(教養区分)★★★

問 明代及び清代に関するアからオの記述のうちには妥当なものが2つある。それらはどれか。 (地上2022)

ア：明代には民間貿易が盛んに奨励され，鄭和のように多くの利益を上げた商人もあらわれた。一方，諸外国との朝貢貿易は明代には行われなかった。

イ：明代には科学技術への関心が高まり，実用的な学問が発達した。16世紀半ば以降，ヨーロッパ宣教師が多数来航し，かれらがヨーロッパの科学技術を伝えた。

ウ：清は漢人ではなく満州人が建国した王朝であるが，中華文明の伝統を尊重する姿勢を示し，事典などの編集を国家的な文化事業として行った。

エ：清の版図は，建国の地である中国東北部と漢人が居住する中国の主要部の大半を支配したが，モンゴル，チベット，新疆には及ばす，清はこれらの地域からの民族の侵入に苦しんだ。

オ：19世紀になると，清は中国産のアヘンをインドに大量に輸出した。インドを統治していたイギリスがアヘン貿易を禁止したが，清の密輸出が絶えず，これを契機としてアヘン戦争が起こった。

1：ア，エ
2：ア，オ
3：イ，ウ
4：イ，エ
5：ウ，オ

直前復習

OUTPUT

実践 問題 **158** の解説 ——————————

〈明と清〉

ア× 明代には，海禁政策がとられており，民間人の海上交易を許さず，政府の管理する朝貢貿易を推進した。また，鄭和は永楽帝の命によりアフリカ大陸沿岸にも及ぶ南海遠征を率いた人物であり，多くの利益を上げた商人という説明は誤り。

イ○ 明代の特に末期には科学技術への関心が高まり，『本草綱目』や『農政全書』などの科学技術書がつくられ，実用的な学問が発達するとともに，マテオ＝リッチらの宣教師が来航し，『坤輿万国全図』（世界地図）を作成するなど，新しい地理知識を広めた。

ウ○ 清は，『康熙字典』『古今図書集成』『四庫全書』など大規模な編纂事業を興して学者を優遇した。しかし，一方で反清的言論に対しては文字の獄で厳しく弾圧した。

エ× 清の版図は，建国の地である中国東北部と漢人が居住する中国の主要部の大半に加えて，モンゴル，チベット，新疆にも及んだ。清朝はその広大な領域を直接統治したのではなく，モンゴル，青海，チベット，新疆は藩部として理藩院に統括された。

オ× アヘン貿易は，イギリスがインドで栽培したアヘンを中国に輸出する形で実施されている。清ではアヘン貿易を禁止していたが，密貿易が絶えず大量の銀が中国から流出したため，清朝がアヘン貿易の取締りを強化したことが契機となってアヘン戦争が起こった。

以上から，イとウが妥当であるので，肢3が正解となる。

第3章

アジア史

正答 **3**

第3章 SECTION ① アジア史 中国王朝史

実践 問題 **159** 基本レベル

頻出度	地上★★	国家一般職★	東京都★	特別区★
	国税・財務・労基★	国家総合職★		国家総合職(教養区分)★★★

問 明代から清代の中国の歴史に関する記述として，妥当なのはどれか。

（東京都Ⅰ類A 2020）

1：朱元璋（しゅげんしょう）は，13世紀後半，長江上流にある現在の北京で皇帝（洪武帝）となり，明を建国した。

2：洪武帝は，皇帝が政治・経済・軍事の頂点に立つ政治体制の確立をめざし，軍機処・理藩院を皇帝の直属とし，文字の獄や禁書による思想統制を行った。

3：永楽帝（えいらくてい）の対外政策としては，15世紀初頭から数回繰り返された，鄭和（ていわ）の指揮する大艦隊による東南アジア諸国への南海遠征がある。

4：乾隆帝（けんりゅうてい）は内モンゴルを併合して清を建国し，満州・モンゴル・漢の三族を中心とする国を成立させた。

5：清はその支配に当たって明の政治体制を受け継ぐ一方，六部などの新しい官庁を設置し，朱子学を国の認める正式な学問とした。

OUTPUT

実践 問題 **159** の解説

〈明代から清代の中国〉

1 × 朱元璋が皇帝となったのは，長江の下流にある南京である。朱元璋がどこで即位したかは知らずとも，「北京が長江上流」という点で誤りと判断したい。

2 × 軍機処や理藩院を設置し，文字の獄や禁書による思想統制を行ったのは，清代である。洪武帝は明の初代皇帝であり，六部を皇帝に直属させて，万事を皇帝が直接決定する体制をつくった。

3 ○ 永楽帝の時代には，鄭和に命じ，艦隊を率いてインド洋からアフリカ沿岸にまで至る数回の遠征を行わせ，南海諸国の明朝に対する朝貢を勧誘した。

4 × 国号を清と定めたのは，太宗ホンタイジである。この時点で女真族が支配していたのは万里の長城の北であったが，李自成が明を滅ぼすと，清軍は長城内に入って北京を占領した。反清運動を行っていた鄭成功は，台湾を拠点に清に抵抗したが，康熙帝の時代に鄭氏台湾を降伏させて台湾を領土とし，漢人武将が起こした三藩の乱を鎮圧して清朝支配の基礎を固めた。この康熙帝と，続く雍正帝，乾隆帝の時代に皇帝が独裁的な権力を振るった。

5 × 六部は隋の時代に設置された6つの官庁である。明の初代皇帝である洪武帝は六部を皇帝直属とするとともに，朱子学を官学として科挙制を整備した。清の時代に発展したのは考証学である。

■清の統治	
軍機処	皇帝直属の諮問機関。雍正帝の時代に設けられた清独自の制度。
理藩院	清朝の直轄領となったのは中国内地，東北地方，台湾であり，モンゴル，青海，チベット，新疆は藩部として理藩院に統括された。現地ではそれぞれ支配者が，清朝から派遣された監督官とともに統治を行った。

第3章 アジア史

正答 **3**

実践 問題 **160** 〈 基本レベル 〉

頻出度	地上★★	国家一般職★	東京都★	特別区★
	国税・財務・労基★	国家総合職★	国家総合職(教養区分)★★★	

問 中国の王朝に関する，次の記述のなかには正しいものが２つあるが，それらはどれか。 (地上2019)

ア：秦：中国最初の統一王朝であり，200年の長きにわたって続いた。貨幣や度量衡，文字の統一を行ったほか，儒学を官学化し，儒学をもとに社会秩序の安定化を図った。

イ：唐：律令によって政治を行い，均田制や租庸調制を整備した。首都の長安には周辺国からの商人や使節が集まる国際都市となった。

ウ：元：モンゴル人が統治の中核を担っていたが，中央アジアや西アジアの出身の色目人が重用されていた。駅伝制により陸上交易が発達し，また海運が盛んになり，長距離商業が活発となった。

エ：明：銀が国外から大量に流入して主要貨幣となった。明代を通じて，歴代の王朝が採っていた朝貢貿易体制は採らず，民間貿易を推進した。

オ：清：満州人が建てた王朝である。建国当初からモンゴル人やチベット人などによる攻撃を受け，最大版図は歴代の王朝と比べると小規模なものにとどまった。

1：ア，ウ
2：ア，オ
3：イ，ウ
4：イ，エ
5：エ，オ

実践 問題 **160** の解説 ──────

〈中国王朝史〉

ア× 儒学を官学化したのは前漢の時代である。秦では法家思想が統治に利用された。また，中国統一を果たした秦の始皇帝は，強力な中央集権化を進めたため，反発も強く，その死後には反乱が起こり，15年で滅亡した。

イ○ 正しい。遣唐使は唐の律令や均田制，租庸調制を学んで帰国した。

ウ○ 正しい。モンゴル人がユーラシア大陸を支配した13世紀には東西交流が盛んとなった。

エ× 明の永楽帝の時代には，鄭和による南海遠征が行われ，各地からの朝貢を促し，朝貢体制の確立が目指された。日明貿易も朝貢形式である。

オ× 清は，モンゴル，ジュンガル，回部（新疆），チベットなどを征服して，万里の長城の北に勢力を拡大し，これらを藩部として理藩院が統括した。したがって，最大版図は歴代王朝と比べるとたいへん大規模なものとなり，現在の中華人民共和国にほぼ引き継がれている。

以上から，イとウが妥当であるので，肢3が正解となる。

正答 **3**

第3章

アジア史

実践 問題 **161** 〈基本レベル〉

頻出度	地上★★	国家一般職★	東京都★	特別区★
	国税・財務・労基★	国家総合職★		国家総合職(教養区分)★★★

問 中国の歴史に関する記述として最も妥当なものはどれか。 **（裁判所職員2020）**

1：実在した中国最古の王朝とされているのは，前11世紀頃に華北におこった周であった。

2：戦国時代，七雄と呼ばれた七つの強国の争いの中で，庶民出身の劉邦が郷里の民衆を率いて蜂起し七雄を統一して漢王朝をたてた。

3：漢の時代，官吏を登用する方法として科挙の制度がつくられ，広く各地から人材が集められるようになった。

4：6世紀後半，南北朝に分裂していた中国を唐が統一し，長安に都を置いて百済や高句麗を破った。

5：唐の都には，商人や留学生らが集まり，ネストリウス派キリスト教やゾロアスター教の寺院がつくられるなど，国際色豊かな文化が発展した。

実践 問題 **161** の解説

〈中国の歴史〉

1× 現在，書物等の記録以外にも，考古学上確認できる最古の王朝は殷である。前11世紀に殷を滅ぼしたのが周である。

2× 周の弱体化に伴って，春秋戦国時代となったが，戦国の七雄を統一して，中国最初の統一を果たしたのは，秦の始皇帝である。秦が滅亡した後に劉邦が漢王朝を開いた。

3× 官吏を登用する方法として科挙の制度がつくられたのは，隋の時代である。

4× 南北朝に分裂していた中国を統一したのは隋である。隋は高句麗遠征の失敗を契機に各地で反乱が起こったことで滅亡し，その後にたったのが唐である。唐は長安に都を置いて百済や高句麗を破った。

5○ 唐の都長安は，商人や留学生が集まり，ネストリウス派キリスト教やゾロアスター教の寺院がつくられるなど，国際色豊かな文化が発展した。

第3章 アジア史

正答 **5**

実践 問題 **162** 〈 応用レベル 〉

頻出度	地上★★	国家一般職★	東京都★	特別区★
	国税・財務・労基★	国家総合職★		国家総合職(教養区分)★★★

問 中国の秦又は漢に関する記述として，妥当なのはどれか。　　　（特別区2010）

1：秦の始皇帝は，世襲に基づく分権的な封建制に代わって，法律と官僚制を通じて都の長安から全領域を直接統治する中央集権体制を築こうとし，中央から官僚を派遣して統治させる郡国制を全土に施行した。

2：秦の始皇帝が没すると，全土で反乱が発生し，反乱勢力のうち，農民出身で指導者として人望の厚かった項羽と，楚の名門出身の劉邦が相次いで長安を占領し，秦は統一からわずか15年で滅びた。

3：項羽を倒した劉邦は皇帝の位につき，洛陽を都とした前漢を建て，その後前漢は郡県制を行いつつ，外戚や諸侯の実権を奪ったために黄巾の乱が起こされたが平定し，武帝の頃までに中央集権体制を確立した。

4：社会の儒教化を急進的に進めた前漢は，豪族の反発や呉楚七国の乱という農民の反発を招いたため，前漢の王族の一人劉秀が咸陽を都とした後漢を建てたものの，赤眉の乱によって，魏に滅ぼされた。

5：漢代には歴史書の編纂も盛んになり，司馬遷の「史記」，班固の「漢書」が完成し，「史記」や「漢書」が採用した本紀と列伝からなる紀伝体という形式は，後世の歴史書で盛んに用いられた。

OUTPUT

実践 問題 **162** の解説 ─────────────

〈古代中国（秦・漢）〉

1 × 中国最初の統一国家を樹立した秦の始皇帝が，全国を直接に統治する中央集権体制を築こうとしたとする点は正しい。しかし，そのために全国に施行したのは，郡国制ではなく，郡県制である。なお，秦の都は長安ではなく咸陽である。

2 × 始皇帝の死後に全土で反乱が発生し，統一後，わずか15年で秦が滅亡したという点は正しい。しかし，反乱勢力のうち，農民出身で指導者として人望が厚かったのは劉邦であり，楚の名門出身であるのが項羽である。本肢は両者の説明が逆になっている。また，長安は，劉邦が秦を滅ぼした後に建国した前漢の首都である。

3 × 前漢を建てた劉邦は郡国制を採用している。郡国制とは，秦の急激な統一政策の失敗を踏まえて，中央直轄地では郡県制を用いる一方で，地方には一族や功臣を諸侯として領土を与える封建制を併用したものである。また，黄巾の乱は，後漢の末期に起きた農民反乱である。

4 × 後漢の滅亡原因となったのは，赤眉の乱ではなく黄巾の乱である。前漢を建国した劉邦が郡国制を採用したものの，その後，漢では次第に諸侯の権力を奪ったことから呉楚七国の乱が起こった。この乱が鎮圧された後には，武帝が中央集権体制を確立し，儒教を官学化する。武帝の死後には宦官や外戚が権力を争うようになり，1世紀初頭には外戚の王莽によって新が建てられたが，新は赤眉の乱で滅亡，劉秀が後漢を建てた。なお，後漢の都は咸陽でなく洛陽である。

5 ○ 漢の時代に，司馬遷が『史記』を，班固が『漢書』を著した。『史記』は，中国最初の紀伝体の歴史書である。ここでいう紀伝体とは，歴史書の形式の1つであり，皇帝の事績をまとめた本紀と，重要人物の伝記（列伝）を中心に構成されたもののことをいう。

第3章

アジア史

正答 **5**

実践 問題 **163** 基本レベル

頻出度	地上★★	国家一般職★	東京都★★	特別区★★
	国税·財務·労基★	国家総合職★	国家総合職(教養区分)★★★	

問 下記の図は中国の時代区分を概略化して表したものである。そこにあるア〜エの区分におけるそれぞれの時代の政治・文化の内容を正しく表しているものを選択肢から1つ選べ。 (地上2010)

1：戦乱の中，門閥貴族層が没落した。官吏任用法である科挙が完成し，新興地主層である形勢戸が科挙の合格者を多数輩出し，支配者層となった。　——ア

2：貨幣制度が発達し，旧法にかわり，すべての税を銀で納めることとした一条鞭法が成立し，銀の流通量が増大した。　——イ

3：冊封体制が成立した。これは，中国の皇帝が隣接諸国の支配者との間で形式上の君臣関係を結んで形成された国際秩序であり，東アジア全域に広がっていった。　——イ

4：孔子・孟子が孝の実行の思想の重要性を説き，後に儒学の経典となる『易経』『中庸』など，主要な儒学の経典が編纂された。　——ウ

5：インドから西域経由で仏教が正式に伝来した。皇帝の保護を受けた国家鎮護的性格が強く，仏教書が多数翻訳されていった。　——エ

OUTPUT

実践 問題 **163** の解説 ―――――――――――――――

〈中国王朝史〉

1 × 科挙は，門閥貴族の勢力を抑えるために隋の時代に始められた官吏任用制度で宋の時代に殿試を加えて完成した。また，形勢戸は，宋代に台頭した新興地主層であり，多くの科挙の合格者を輩出し，支配者層を形成した。

2 × 一条鞭法が，実施されたのは16世紀後半である。明の時代である。

3 ○ 冊封体制とは，中国皇帝が周辺諸国の支配者との間に形式的な君臣関係を結ぶことによって形成された国際秩序で，周辺諸国の君主が中国皇帝に朝貢の使節を送り，それに対して中国皇帝が位階や返礼品を与えることで成立するものである。漢の時代から始まり，唐代には東アジア全域に拡大した。

4 × 孔子や孟子が活躍したのは春秋戦国時代である。孔子は親に対する孝と，兄や年長者に対する恭順の心である悌を根本とする仁を基本的思想として，これを広く実践することで，国家・社会の秩序を保つことができると説いた。孟子は孔子の説を継承し，さらに性善説や易姓革命説を唱えた。「易経」「中庸」は，ともに儒教の根本的な経典の１つである。

5 × 仏教が中国に伝来したとされるのは１世紀頃で，広まったのは４世紀である。西域から中国を訪れた僧侶によって伝来し，仏図澄や鳩摩羅什が布教や仏典の翻訳において活躍した。仏教は北魏以来帝室や貴族の保護を受けて栄え，唐代には全盛を極めた。玄奘や義浄がインドに赴いて多くの経典を持ち帰るとともに，仏典の翻訳も国家の保護のもとで盛んに行われた。

第3章 アジア史

正答 **3**

実践 問題 **164** 応用レベル

頻出度	地上★★★	国家一般職★	東京都★	特別区★
	国税・財務・労基★	国家総合職★	国家総合職(教養区分)★★★	

問 モンゴル帝国に関する次のA〜Dの記述の正誤の組合せとして最も妥当なも
のはどれか。 （裁判所職員2018）

A：モンゴル民族のテムジンは，モンゴル諸族の集会クリルタイを開いてハン位に
つき，オゴタイ＝ハンと称してモンゴル帝国の成立を宣言し，諸部族を統一し
てカラコルムを都とした。

B：チンギス＝ハンは，騎馬軍を率いて支配域を広げ，大都に都を定めて，国号を
中国風に元として南宋を滅ぼした。

C：オゴタイ＝ハンは，西方に軍を派遣し，ワールシュタットの戦いでドイツ・ポー
ランド諸侯連合軍を撃破した。

D：紙幣の乱発や重税によって経済が混乱し，14世紀には，紅巾の乱など各地で
反乱が起こった。

	A	B	C	D
1：	正	誤	正	誤
2：	誤	正	誤	誤
3：	正	正	誤	誤
4：	誤	誤	正	正
5：	誤	誤	誤	正

OUTPUT

実践 問題 **164** **の解説**

〈モンゴル帝国〉

A ✕ モンゴル諸族の集会クリルタイでハン位についたテムジンとは，チンギス＝ハンである。なお，カラコルムを都としたのがチンギス＝ハンの次にハン位についたオゴタイ＝ハンであることは正しい。

B ✕ 大都を都に定めて，国号を中国風に元として南宋を滅ぼしたのは，第5代のフビライ＝ハンである。

C ○ オゴタイ＝ハンは西方にバトゥの遠征軍を派遣し，ワールシュタットの戦いでドイツ・ポーランド連合軍を撃破した。

D ○ フビライの死後，元朝内部では相続争いが続き，宮廷貴族のぜいたくな生活やチベット仏教の信仰による莫大な経費で財政が窮乏したため，交鈔（元で流通した紙幣）を乱発し，専売制度を強化したが，著しい物価騰貴が民衆を苦しめ，14世紀の半ばに紅巾の乱が起こった。これを機に反乱が各地に起こり，元は明軍に大都を奪われてモンゴル高原に退いた。

以上から，肢4が正解となる。

■ モンゴル帝国の発展

初代チンギス＝ハン	モンゴル諸族の集会クリルタイでハン位につき，モンゴル系・トルコ系諸部族を統一して大モンゴル国を形成。
2代オゴタイ＝ハン	カラコルムに都を建設。バトゥがワールシュタットの戦いでドイツ・ポーランドの連合軍を破る。
4代モンケ＝ハン	フラグがアッバース朝の都バグダードを攻略して，アッバース朝を滅ぼす。
5代フビライ＝ハン	大都を都に，国号を元として南宋を滅ぼす。

第3章 アジア史

正答 **4**

第3章
SECTION ① アジア史
中国王朝史

実践 問題 **165** 〈 基本レベル 〉

頻出度	地上★★	国家一般職★	東京都★	特別区★
	国税・財務・労基★	国家総合職★		国家総合職（教養区分）★★★

問 モンゴル帝国又は元に関する記述として，妥当なのはどれか。

（東京都Ⅰ類B2022）

1：チンギス＝ハンは，モンゴル高原の諸部族が平定したイル＝ハン国，キプチャク＝ハン国，チャガタイ＝ハン国を統合し，モンゴル帝国を形成した。

2：オゴタイ＝ハンは，ワールシュタットの戦いでオーストリア・フランス連合軍を破り，西ヨーロッパへの支配を拡大した。

3：モンゴル帝国の第2代皇帝フビライ＝ハンは，長安に都を定めて国号を元とし，南宋を滅ぼして中国全土を支配した。

4：元は，中国の伝統的な官僚制度を採用したが，実質的な政策決定はモンゴル人によって行われ，色目人が財務官僚として重用された。

5：モンゴル帝国は，交通路の安全性を重視し，駅伝制を整えて陸上交易を振興させたが，海洋においては軍事を優先し，海上交易を縮小していった。

OUTPUT

実践 ▶ 問題 **165** の解説

〈モンゴル帝国と元〉

1 ✕　チンギス＝ハンはモンゴル諸部族を統合して，大モンゴル国を形成し，その後の征服活動によりその領域は大きく拡大した。その領域の中にチンギス＝ハンの子孫の治める地方政権がつくられ，イル＝ハン国やキプチャク＝ハン国，チャガタイ＝ハン国が成立した。本肢は順番が異なる。

2 ✕　オゴタイ＝ハンの命で東欧に侵入したバトゥがワールシュタットの戦いで破ったのは，ドイツ・ポーランドの連合軍である。

3 ✕　フビライ＝ハンはモンゴル帝国第5代ハンである。また，フビライが元の都を置いたのは大都（現在の北京）である。

4 ○　元の中国統治の説明として妥当である。

> **■色目人**
> しきもくじん
>
> 　諸色目人（諸種族に属するもの）の略。元朝治下の西域諸国人を指す。漢人（モンゴルの支配以前に，金の支配下にあった華北の漢族のこと）より早くモンゴルに服属し，かつ高い文化を持っていたので，モンゴル人に次ぐ準支配階級として，漢人，南人（旧南宋治下の人々）の上に立ち，優遇された。

5 ✕　モンゴル人が広大な領域で駅伝制を施行したことで陸路交易が盛んに行われたうえ，海上交易も宋代に引き続き発展し，杭州，泉州，広州などの港市が繁栄した。

第3章

アジア史

正答 **4**

実践 問題 **166** 〈 応用レベル 〉

頻出度	地上★★	国家一般職★	東京都★	特別区★★
	国税・財務・労基★	国家総合職★	国家総合職(教養区分)★★★	

問 清に関する記述として最も妥当なのはどれか。　　　　　（国家総合職2022）

1：17世紀前半，明の将軍であった呉三桂らは，スペインやポルトガルの支援を受け，三藩の乱を起こした。清は，これを鎮圧するために海禁政策を開始し，朝貢を含む全ての外国との交易を禁止した。海禁政策により外国文化の流入が途絶えたことで，儒教の再評価と研究が進み，陽明学が確立された。

2：18世紀半ば，乾隆帝はジュンガルを滅ぼし，清の最大版図を形成した。これは，現在の中華人民共和国の領土よりも広い領域であった。清はこの領域について，北京周辺を含む直轄領と藩部に分けて統治し，直轄領では直接統治が，藩部では理藩院の監督の下で間接統治が行われた。

3：18世紀後半，永楽帝は，海禁政策を廃止して家臣の鄭和に南海大遠征を命じ，ヨーロッパまでの海上交易路を開拓させた。全国の5都市に公行を置いてヨーロッパとの貿易に従事させたが，特に綿織物の一大輸出拠点であった広州は，イギリス・インドとの三角貿易の中心地として繁栄した。

4：19世紀前半，ロシアとの間で黒竜江を国境とするネルチンスク条約を締結した。その後，ロシアの南下政策に敗れて鴨緑江を国境とするアイグン条約を締結し，沿海州の支配権を失ったが，クリミア戦争でロシアが敗れたことを契機として北京条約を締結し，再び黒竜江を国境とした。

5：19世紀半ば，イギリスからのアヘン輸入を禁止し，イギリス商人の保有するアヘンを没収したことからアヘン戦争が起こった。この戦争で清は緒戦で敗れたものの，フランスの助力を得て林則徐が北京侵攻を図ったイギリス軍を天津で撃退したため，イギリスは上海条約に基づき香港と九竜半島を得るにとどまった。

OUTPUT

実践 問題 **166** の解説

〈清朝〉

1 × 呉三桂らが三藩の乱を起こしたのは17世紀後半である。また，陽明学が確立したのは明代である。16世紀初めに王陽明が，無学な庶民や子どもでも本来その心のなかに真正の道徳をもっている（心即理）と主張し，外面的な知識や修養に頼る当時の朱子学の傾向を批判した。清代の儒学は，儒学の経典の校訂や言語学的研究を精密に行う考証学として発展した。

2 ○ 18世紀半ばの清朝の最大領域が，ほぼ今日の中国の領土の原型となっている，と説明されることが多いが，清朝の最大領域からモンゴルや沿海州等を除いた部分が，現在の中国の領土であるので，本肢の説明は妥当である。清では広大な領土をすべて直接統治したのではなく，モンゴル，青海，チベット，新疆は藩部とし，これらの地域は理藩院に統括された。

3 × 永楽帝が鄭和に南海遠征を行わせたのは，明の時代である。また，公行が置かれたのは広州のみである。さらに，イギリス・インドとの三角貿易が実施されたのは清代であるが，清から主に輸出されたのは茶である。

4 × ネルチンスク条約（1689年）で国境となったのは，スタノヴォイ山脈とアイグン川である（黒竜江よりも北）。ロシアは19世紀半ばに中国への圧力を強化し，1858年にアイグン条約を締結して黒竜江以北を領有し，さらに1860年に北京条約を締結し，沿海州を獲得してウラジヴォストーク港を開いて太平洋進出の根拠地とした。

5 × アヘン戦争の契機は，清朝がインドからのアヘン輸入を禁止したことである。また，イギリスがアヘン戦争の結果，締結したのは南京条約であり，南京条約で香港がイギリスに割譲された。そのほか，南京条約では多額の賠償金が清朝に課せられるとともに，広州や上海など5港が開港され，広州で外国貿易を独占していた公行が廃止されるなど，イギリスの求めていた中国市場の開放が部分的ながら実現している。なお，香港の対岸の九竜半島をイギリスが獲得するのは，アロー戦争後の北京条約である。

第3章

アジア史

正答 **2**

セクションテーマを代表する問題に挑戦!

イスラーム世界の歴史と特徴を理解しましょう。

問 イスラームの歴史に関する記述として最も妥当なのはどれか。

（国家総合職教養区分2021）

1：7世紀にバグダードに生まれたムハンマドは，唯一神アッラーのことばを授けられた預言者であると自覚し，厳格な一神教であるイスラームを唱えた。他方，イスラームの厳格な教義は偶像崇拝を否定したことから，偶像を崇拝し，富み栄えていたメッカの大商人から次第に反感を買うようになったため，ムハンマドは偶像崇拝についてはこれを認め，商人勢力を信徒とした。

2：ムハンマドの死後，ムハンマドにくだされた神のことばは，アラビア語で書かれた『クルアーン（コーラン）』にまとめられた。『クルアーン』の教義の中心はアッラーへの絶対的服従であり，『クルアーン』に書かれているおきては信仰生活にとどまらず，政治的・社会的・文化的活動にも及んでいる。

3：ムハンマドの死後，ムハンマドの生前の意思に基づいて4人のカリフが順次選出された。この時代は正統カリフ時代と呼ばれる。この4人を正統カリフとして認めるイスラームの分派がシーア派であり，他方，スンナ派は最初の3人のカリフの正統性を認めず，4代カリフであるアリーとその子孫だけが共同体を指導する資格があるとして，シーア派と対立してきた。

4：ウマイヤ朝は8世紀に広大な征服地を獲得し，支配者として先住の異民族を支配するようになった。国家財政の基礎は，ハラージュと呼ばれる人頭税とジズヤと呼ばれる地租であり，征服地の先住民だけに課せられていたが，彼らがイスラームに改宗すればこれらの税負担は免除された一方，キリスト教徒，ユダヤ教徒などは貢納をしても信仰の自由が認められなかった。

5：ウマイヤ朝やアッバース朝では，政府は都市や農村から租税を徴収し，官僚や軍隊には予算に基づいて食料や物資等現物で俸給を支払った。10世紀にバグダードに入城したマムルーク朝では，土地の徴税権を軍人に与え，各人の俸給に見合う金額を直接農民や都市民から徴税させる，従士制と呼ばれる制度が創設された。

必修問題の解説

〈イスラームの歴史〉

1✕ 7世紀にムハンマドが預言者であると自覚して，厳格な一神教であるイスラームを唱えたことは正しいが，「偶像崇拝については，これを認め」たとあるのは妥当でない。ムハンマドはメッカの大商人による迫害を受けて622年にメッカからメディナに逃れている。なお，ムハンマドはバグダードではなくメッカに生まれた。

2〇 『クルアーン (コーラン)』の説明として妥当である。

3✕ 4人を正統カリフとして認めるのがスンナ派であり，4代カリフであるアリーとその子孫だけが共同体を指導する資格があるとするのがシーア派である。

4✕ ハラージュが地租，ジズヤが人頭税である。また，ムハンマドは，『旧約聖書』や『新約聖書』をイスラーム教に先立つ啓示の書と認めたため，ユダヤ教徒やキリスト教徒は「啓典の民」として，当初からジズヤを支払うことで信仰の自由が認められており，のちに信仰の自由は他の宗教にも拡大された。しかし，征服民に課せられたジズヤはイスラーム教に改宗しても免除されなかったことから，非アラブ人の改宗者の不満が高まり，ウマイヤ朝は倒された。

5✕ 西アジア社会では，古代オリエント時代から貨幣の使用が活発であり，ウマイヤ朝やアッバース朝では，都市や農村から貨幣と現物の二本立てで租税を徴収し，官僚や軍隊には現金の俸給を払った。10世紀にバグダードに入城したのはブワイフ朝であり，軍人に土地の徴税権を与え，各人の俸給に見合う金額を直接農民や都市民から徴税させたイクター制を採用した。

第3章

アジア史

正答 2

S ECTION **2** アジア史
第3章
西アジアの歴史

1 イラン人の民族王朝

(1) アケメネス朝ペルシア（前550～前330年）

前6世紀の半ばにイラン（ペルシア人）のアケメネス朝が興り，西はエーゲ海から東はインダス川流域まで及ぶ大帝国を建設しました。しかし，ギリシアとのペルシア戦争に敗れ，ついにアレクサンドロス大王によって征服されました。

(2) ササン朝ペルシア（226～651年）

イラン人は3世紀にササン朝を建て，ゾロアスター教を国教に定めました。ササン朝は6世紀のホスロー1世の時代に最盛期を迎えます。7世紀にイスラーム勢力であるアラブ人の攻撃を受け滅亡します。

2 イスラーム世界の成立

(1) イスラーム教の成立
① ムハンマドとイスラーム教

7世紀初頭にアラビア半島のメッカで，アラーの啓示を受けて預言者としての自覚を持ったムハンマドがイスラーム教を創始しました。

② イスラーム世界の分裂

第4代正統カリフのアリーが暗殺され，ムアーウィヤがウマイヤ朝を開くと（661年），アリーとアリーの子孫をカリフとするシーア派と，歴代のカリフを認めるスンナ派に分裂しました。

カリフ	ムハンマドの死後，イスラーム共同体の指導者として選出されたのがカリフという役職です。

(2) イスラーム世界の拡大

8世紀にはイスラーム教徒がジハードによって支配領域を拡大します。

トゥール・ポワティエ間の戦い (732年)	イベリア半島を制圧したウマイヤ朝軍がフランク王国に敗れた戦い。
タラス河畔の戦い（751年）	アッバース朝軍が唐との戦いに大勝。唐からイスラーム世界に製紙法が伝播。

(3) イスラーム世界の分裂

当初，イスラーム教徒は1つの帝国を構成していましたが，8世紀にはアッバース朝の成立を契機にいくつかの国に分裂していきます。13世紀にエジプト・シリアにトルコ系奴隷軍人が建てたマムルーク朝は，首都カイロを中心に繁栄します。

③ ▶ イスラーム専制王朝の成立

(1) ティムール帝国 (1370〜1507年)

　14世紀にモンゴル人の建てた国が衰退すると，ティムールが台頭しサマルカンドを都にティムール帝国を建てます。1402年には，小アジアで発展途上にあったオスマン帝国をアンカラの戦いで破りましたが，ティムールは明への遠征途中に病死し，帝国は15世紀末には衰退，滅亡します。

(2) オスマン帝国 (1299〜1922年)

　13世紀末に，小アジアではオスマン＝トルコが建国を果たします。アンカラの戦いではティムールに敗れて一時混乱しましたが，その後勢力を回復して1453年には東ローマ（ビザンツ）帝国を滅ぼしました。ビザンツ帝国の都であったコンスタンティノープルは，イスタンブルと改称され現在に至っています。

　スレイマン1世（位1520〜66年）はウィーン包囲により西欧諸国に脅威を与えるとともにプレヴェザ海戦でスペイン等の連合軍を破り，地中海の制海権を掌握します。

① レパントの海戦 (1571年)

　オスマン帝国はレパントの海戦でスペインに敗れ，その勢力を徐々に後退させていきます。

② クリミア戦争 (1853〜56年)

　南下政策を採用したロシアがオスマン帝国に開戦しましたが，ロシアの南下を警戒するイギリスとフランスがオスマン帝国側に立って参戦したため，ロシアは敗北します。

③ 露土戦争とベルリン会議

　露土戦争後のベルリン会議により，ロシアの南下は再び阻止され，バルカン半島ではセルビアやルーマニアなどのスラブ諸国が独立し，オスマン帝国の領土は縮小します。

(3) ムガル帝国 (1526〜1858年)

　ムガル帝国はイスラーム教徒がヒンドゥー教徒を征服してインドに建てた王朝です。このため，第3代のアクバル帝は，イスラーム教徒とヒンドゥー教徒の融和を図って，帝国の統治を安定させました。

第3章
SECTION ② アジア史
西アジアの歴史

実践 問題 **167** 〈基本レベル〉

頻出度	地上★★　　国家一般職★★　　東京都★　　　特別区★★
	国税・財務・労基★★　国家総合職★★　国家総合職(教養区分)★★★

問 イスラーム王朝に関する記述として最も妥当なのはどれか。

（国税・労基2007）

1：7世紀半ばに，イスラーム教はカリフの正統性をめぐる争いからスンナ派とシーア派とに分裂した。多数派のスンナ派がアッバース朝を建国したことに対抗し，少数派のシーア派はウマイヤ朝を建国した。

2：アイユーブ朝の創始者サラディン（サラーフ＝アッディーン）は，12世紀後半にイベリア半島の征服に成功した。さらに，国土回復運動（レコンキスタ）を展開してイベリア半島に侵入したフランク王国を，トゥール・ポワティエ間の戦いで破った。

3：13世紀半ばには，アラブ地域に侵攻してきたモンゴル帝国軍をセルジューク＝トルコとマムルーク朝の連合軍がワールシュタット（リーグニッツ）の戦いで破った。敗れたモンゴル帝国は，以後アラブ地域への侵攻を断念した。

4：ティムール帝国の創始者ティムールは，現在の中央アジア地域を中心に勢力を伸ばし，15世紀初頭にはアンカラの戦いでオスマン帝国を破った。また，都としたサマルカンドは文化，商業の中心として繁栄した。

5：小アジア地域で建国されたオスマン帝国は，「イェニチェリ」と呼ばれる精鋭部隊を擁してバルカン半島にも領土を拡大した。15世紀半ばには，ウィーンを攻略して神聖ローマ帝国を滅ぼすなど，最盛期を迎えた。

直前復習

OUTPUT

実践 問題 **167** の解説 ――――――――――――――――――

〈イスラーム王朝〉

1× 7世紀半ばにカリフの正当性をめぐる争いからスンナ派とシーア派に分裂したことは正しいが，その契機となったのはウマイヤ朝の成立である。第4代カリフのアリーが暗殺されてムアーウィヤがウマイヤ朝を建て，カリフを世襲化すると，アリーとアリーの子孫こそがカリフであるとするシーア派が誕生，これに対し歴代のカリフとウマイヤ朝のカリフを認める多数派がスンナ派となった。イスラーム教を受容したアラブ系以外の被征服民の不満を利用してウマイヤ朝を打倒し建国されたのがアッバース朝である。

2× トゥール・ポワティエ間の戦いは，8世紀にイベリア半島に上陸したイスラーム教徒がフランク王国に敗れた戦いである。また，国土回復運動（レコンキスタ）とは，トゥール・ポワティエ間の戦い以後，イベリア半島に残留したイスラーム教徒をキリスト教徒が駆逐しようとするものであり，15世紀末にスペインがイスラーム教徒最後の拠点グラナダを攻略したことで完成した。なお，サラディンが建国したアイユーブ朝は，エジプトを中心とする王朝である。

3× ワールシュタットの戦いは，バトゥ率いるモンゴル軍がヨーロッパに攻め込んで，ドイツ・ポーランドの連合軍を打ち破ったものである。イスラーム教徒には関係がない。

4○ ティムールが建国したティムール帝国は，中央アジアから西アジアにかけて成立した王朝で，都サマルカンドは文化・商業の中心として繁栄した。1402年にはアンカラの戦いでオスマン帝国を破った。

5× 神聖ローマ帝国は，フランスのナポレオンが南ドイツを制圧した際に滅亡している。オスマン帝国が滅ぼしたのは東ローマ（ビザンツ）帝国である。小アジアで建国されたオスマン帝国は，バルカン半島に進出し，東ローマ（ビザンツ）帝国の都コンスタンティノープルを攻略してイスタンブルと改称し，都とした。なお，イェニチェリとはオスマン帝国の常設の歩兵軍団である。

第3章　アジア史

正答 **4**

実践 問題 **168** ＜応用レベル＞

頻出度	地上★★　国家一般職★★　東京都★　特別区★★ 国税・財務・労基★★　国家総合職★★　国家総合職(教養区分)★★★

問 イスラーム世界の歴史に関する記述として最も妥当なのはどれか。

（国Ⅰ 2010）

1：イスラーム教の創始者であるムハンマドは，一人の人間として唯一神アッラーに服従することを説いたが，メッカでは歓迎されず，彼の支持者とともにメディナに移住した。メディナの指導者となったムハンマドはイスラーム教徒の共同体を樹立し，630年に故郷メッカを征服し，カーバ神殿をイスラーム教の聖地に定めた。

2：イスラーム教の創始者ムハンマドの死後，イスラーム教徒の間に動揺が広がり，教団は危機に直面した。しかし，ムハンマドの後継者を意味するカリフの称号を得たウマルは，混乱を収拾してイスラームを旗印に軍勢を整えて北方への征服を進めた。その後，ムスリム軍は，651年にアケメネス朝ペルシアを滅ぼすなど更に領土を広げた。

3：第4代カリフのアリーの頃，カリフの座をめぐって有力者間の争いが発生した。アリーは暗殺され，敵対していたウマイヤ家のムアーウィヤが新たにウマイヤ朝を建てた。アリーの支持者はウマイヤ家の支配を認めず，やがてスンナ派と呼ばれるグループを作りだした。一方，スンナ派以外の少数派の人々はシーア派と呼ばれるようになり，両派の対立は，イスラーム教徒を二分することとなった。

4：イスラーム法学者の研究により，ウマイヤ家の支配の正統性への疑問が生まれたことを利用し，750年，アッバース家がウマイヤ朝から政権を奪った。アッバース朝では，少数の特権的なアラブ支配層が被征服民を支配し，被征服地の住民は，イスラーム教に改宗後も地租（ハラージュ）と人頭税（ジズヤ）が課された。

5：アッバース朝の辺境に興ったシーア派軍事政権ブワイフ朝は，946年にバグダードを占領した。アッバース朝カリフの在位は続いたものの，政治の実権はブワイフ朝の君主が握った。ブワイフ朝は，イラン系の軍人であるマムルークに対し，農地等からの徴税権に代えて俸給を与えるイクター制を導入し，常備軍を整備して十字軍を撃退した。

OUTPUT

実践 問題 **168** の解説 ─────────────

〈イスラーム史〉

1 ○ ムハンマドがイスラーム教を創始する前のアラビア半島では，多神教が信仰されていたので，唯一神アッラーへの服従を説き，富の独占を批判するムハンマドは，メッカの大商人に迫害を受けた。これらの迫害を避けるため，ムハンマドは支持者を率いて622年にメッカからメディナに移住した。これを聖遷（ヒジュラ）と称し，イスラーム暦の紀元となっている。630年には，メッカを無血征服し，カーバ神殿をイスラーム教の聖殿とした。

2 × ムハンマドの死後，イスラーム教徒の間に動揺が広がったため，これを解消するためにイラクやシリアなどに対する征服活動（ジハード：聖戦）を進めたことは正しい。しかし，イスラーム軍に642年のニハーヴァンドの戦いにおいて敗れたことが契機となって滅亡したのはササン朝ペルシアである。アケメネス朝ペルシアは紀元前にオリエントを統一した王朝である。

3 × ムアーウィヤがウマイヤ朝を成立させた際にアリー支持者が形成したのはシーア派である。これに対して，歴代のカリフとウマイヤ朝のカリフおよびその支配を認める人々がスンナ派を形成した。スンナ派が多数派である。

4 × 「少数の特権的なアラブ支配層が被征服民を支配し」たのはウマイヤ朝である。イスラーム教に改宗した被征服民（トルコ系・イラン系）の不満が，ウマイヤ朝を倒す原動力となる。アッバース朝においてイスラーム教徒の平等を旨とするイスラーム法が制定されたことで，アラブ人の特権は徐々に失われた。アラブ人でなくてもイスラーム教に改宗すればジズヤは課せられなくなった一方で，たとえアラブ人であっても耕作者にはハラージュが課せられるようになった。

5 × シーア派軍事政権のブワイフ朝がバグダードを占領し，政治の実権を握るとともに，イクター制を導入したことは正しい。イクター制はその後に成立したセルジューク朝で整備され，エジプトにも導入された。十字軍で活躍したのはこうしたイクター収入によって装備を整えたクルド人やトルコ人の騎士であり，マムルークとはトルコ系の奴隷軍人のことを指す。十字軍の遠征は11世紀から行われたものであるから，時代も合致しない点に注意。

第3章 アジア史

正答 **1**

実践 問題 **169** ＜ 基本レベル ＞

頻出度	地上★★	国家一般職★	東京都★★	特別区★★
	国税・財務・労基★	国家総合職★	国家総合職(教養区分)★★★	

問 オスマン帝国に関する記述として，妥当なのはどれか。 （特別区2020）

1：イェニチェリは，キリスト教徒の子弟を徴用し，ムスリムに改宗させて官僚や軍人とする制度であり，これによって育成された兵士で，スルタン直属の常備歩兵軍団であるデヴシルメが組織された。

2：カピチュレーションは，オスマン帝国内での安全や通商の自由を保障する恩恵的特権であり，イギリスやオランダに対して与えられたが，フランスには与えられなかった。

3：セリム1世は，13世紀末にアナトリア西北部でオスマン帝国を興し，バルカン半島へ進出してアドリアノープルを首都としたが，バヤジット1世は，1402年のニコポリスの戦いでティムール軍に大敗を喫した。

4：メフメト2世は，1453年にコンスタンティノープルを攻略し，サファヴィー朝を滅ぼして，その地に首都を移し，更には黒海北岸のクリム＝ハン国も服属させた。

5：スレイマン1世のときに，オスマン帝国は最盛期を迎え，ハンガリーを征服してウィーンを包囲し，1538年にプレヴェザの海戦でスペイン等の連合艦隊を破った。

直前復習

OUTPUT

実践 問題 **169** の解説 ────────────

〈オスマン帝国〉

1✕ キリスト教徒の師弟を徴用し，ムスリムに改宗させて官僚や軍人とする制度をデヴシルメという。一方，これによって育成された兵士で，スルタン直属の常備歩兵軍団をイェニチェリという。

2✕ カピチュレーションが恩恵的特権であることは正しいが，これを最初に与えられたヨーロッパの国がフランスである。

3✕ 1402年にバヤジット1世がティムール軍に大敗を喫した戦いは，アンカラの戦いである。なお，13世紀末にアナトリア西北部でオスマン帝国を興したのはオスマン1世，バルカン半島に進出してアドリアノープルを首都としたのはムラト1世である。

4✕ メフメト2世がコンスタンティノープルを攻略して滅ぼしたのは，ビザンツ（東ローマ）帝国である。

5◯ 妥当である。スレイマン1世の時代に，オスマン帝国は最盛期を迎えた。

■オスマン帝国	
13世紀末	オスマン＝トルコ建国
1402年	アンカラの戦いでティムール帝国に敗れる
1453年	ビザンツ（東ローマ）帝国の都コンスタンティノープルを攻略して滅ぼす
16世紀前半	スレイマン1世がプレヴェザ海戦でスペイン等の連合艦隊に勝利 ウィーン包囲
1571年	レパントの海戦でスペインに敗れる

【ポイント】

　本問が基本レベルであるのは，正解肢が基本事項だからです。スレイマン1世の治世につき，正解を選べるようにすることが大切。

正答 **5**

第3章

アジア史

実践 問題 **170** 〈 基本レベル 〉

頻出度	地上★★★ 国家一般職★ 東京都★★ 特別区★★
	国税・財務・労基★ 国家総合職★ 国家総合職(教養区分)★★★

問 各帝国の歴史に関する記述として最も妥当なのはどれか。

(国家総合職教養区分2022)

1：約200年間繁栄と平和が続いたローマ帝国では，オクタウィアヌスの治世末頃から，帝国財政の行き詰まりや経済の不振が次第に表面化したため，ローマ帝国は東西に分割された。東西ローマ帝国は共に，ゲルマン人の大移動やイスラーム王朝の隆盛により滅亡の危機にさらされながらも，我が国の平安時代末まで，500年以上もの間存続していた。

2：メッカ，メディナの二聖都の保護者の地位を得たオスマン帝国は，スレイマン1世のときに最盛期を迎え，ハンガリーを破ってウィーンを包囲するなど，ヨーロッパに大きな脅威を与えた。また，トルコ語によるイスラーム文化が発達し，スレイマン＝モスクに代表される建造物が多数造られた。

3：アラビア半島東部一帯で栄えたティムール帝国は，マムルーク朝を滅ぼしたティムールによって14世紀に建国された。ティムールは，統率力を武器に勢力を拡大し，イランや中央アジア一帯も治めた。一方で，イスラーム勢力からの侵攻が多く，彼らとの交戦が続いたため，サマルカンドを首都とした後については，商業や文化の発展は限定的となった。

4：16世紀初めのインドでは，ムガル帝国が樹立された。人口の多数をヒンドゥー教徒が占めることから，帝国の権力基盤を固めるため，皇帝アクバルは，イスラーム教を排斥する政策を採用した。ヒンドゥー教徒を政権の重要な地位につけ，異教徒には人頭税（ジズヤ）を課した。また，ヒンドゥー教のうち厳しい戒律の要素を重点的に取り入れたシク教がナーナクによって創始され，今日のインドの宗教的基盤が確立された。

5：ロシア帝国で17世紀後半に即位したピョートル1世（大帝）は，自らイギリスなどの先進国を視察し，徹底的な西欧化政策を採った。工業の育成や官僚制の整備に加え，西欧に特有の長い顎ひげを伸ばすよう貴族に強制した。また，黒海沿岸に「西欧への窓」となる都市ペテルブルクを建設するとともに，明とキャフタ条約を結んで国境を定め，明との通商を開いた。

実践 問題 **170** の解説

〈世界史上の帝国の歴史〉

1 ✕ 約200年間繁栄と平和が続いたのは，オクタウィアヌスの治世（位前27年～後14年）から五賢帝時代までである。これを**ローマの平和**とよぶ。その後，ローマ帝国は衰退していき，395年に東西ローマに分割されて終了した。西ローマ帝国は476年にゲルマン民族の大移動によって早々に滅亡し，一方の東ローマ帝国はイスラーム王朝の興隆により滅亡の危機にさらされながらも，1453年にオスマン帝国に滅ぼされるまで約1000年間存続した。

2 ○ 妥当である。

3 ✕ ティムール帝国はサマルカンドを都に中央アジアから西アジアを版図とした。アラビア半島東部一帯で栄えたとあるのは誤り。また，首都サマルカンドは壮大なモスクや学院が建設され，14～15世紀にかけて中央アジアの商業・学芸の中心として繁栄している。なお，マムルーク朝を滅ぼしたのはオスマン帝国である。

4 ✕ ムガル帝国はインドのヒンドゥー教徒をイスラーム教徒が征服して建てた王朝であり，皇帝アクバルは，イスラーム教徒とヒンドゥー教徒との融和政策を採用し，帝国支配を安定させた。また，イスラーム世界において異教徒に課した人頭税（ジズヤ）は，それを支払うことによって異教徒に信仰の保持を認めたものであったが，アクバルはヒンドゥー教徒に対する人頭税（ジズヤ）を廃止し，ヒンドゥー教徒を味方につけた。なお，シク教はヒンドゥー教とイスラーム教を融合した宗教で，唯一神への献身を説き，偶像崇拝とカースト差別を批判した。

5 ✕ ロシア帝国のピョートル1世（大帝）は，シベリアに進出して清の康熙帝とネルチンスク条約を締結して国境を定めた。また，スウェーデンを1700年からの北方戦争で破り，バルト海の覇者となると，バルト海沿岸にペテルブルクを造営したのである。なお，ピョートル1世（大帝）は，西欧諸国を視察した後，ロシア貴族の伝統的な長い髭を切ることと，西欧風の服装の着用を命じた。

第3章 アジア史

正答 **2**

頻出度	地上★ 国家一般職★ 東京都★ 特別区★
	国税·財務·労基★ 国家総合職★ 国家総合職(教養区分)★★★

問 イスラーム世界に関する記述として最も適当なものはどれか。

(裁判所職員2016)

1：イランに成立したサファヴィー朝は，建国後にシーア派を国教とし，君主はスルタンを名乗るなどイラン人の民族意識を高揚した。アッバース１世は，かつてオスマン帝国やポルトガルに奪われた領土を回復し，新首都イスファハーンを建設して，サファヴィー朝は最盛期を迎えた。

2：アドリアノープルは陸路の東西交易の拠点として発展した中央アジアの中心都市で，チンギス＝ハンによって破壊されたが，西チャガタイ＝ハン国出身のティムールにより建てられたティムール朝では首都とされ，14～15世紀には商業·学芸の中心として繁栄した。

3：13世紀にアナトリアの北西部に建国されたオスマン帝国は，セリム１世のもとでシリアへ進出し，さらに1517年にエジプトのマムルーク朝を滅ぼし，その管理下にあったメッカとメディナの保護権を手に入れ，シーア派イスラーム教の守護者の中心となった。

4：広大な版図を有したオスマン帝国内には，イスラーム教徒だけでなく多くのキリスト教徒やユダヤ教徒などが暮らしていた。彼らはイスラームの伝統にならって人頭税（ジズヤ）を支払うことによって，ミッレトと呼ばれる宗教共同体を単位とした自治が認められていた。

5：オスマン帝国のヨーロッパ・アジアへの征服活動を支えた軍事力は，軍事奉仕の代償として与えられた土地からの徴税権を保持する騎士軍団と，イクター制によって徴用されたキリスト教徒を編制した皇帝直属の歩兵軍団であるイェニチェリとからなっていた。

OUTPUT

実践 問題 **171** の解説 ────────────────

〈イスラーム世界〉

1 × サファヴィー朝は建国後，シーア派を国教とし，イスラーム世界において一般的に君主の称号として用いられていた「スルタン」ではなく，古代以来，イランの王を意味する「シャー」の称号を用い，イラン人の民族意識の高揚に努めた。アッバース1世の事績については正しい。

2 × チンギス＝ハンに破壊されたものの，ティムール朝の首都として繁栄したのはサマルカンドである。アドリアノープルはバルカン半島に位置し，オスマン帝国が東ローマ帝国を滅ぼしてコンスタンティノープルをイスタンブルと改称して都とするまで，オスマン帝国の都であった地である。

3 × オスマン帝国がセリム1世の時代にマムルーク朝を滅ぼしてメッカとメディナの両聖地の保護権を獲得したことは正しいが，この結果，オスマン帝国はスンナ派イスラーム教を守護する中心的存在となったのである。

4 ○ 妥当である。オスマン帝国に住むキリスト教やユダヤ教徒の共同体（ミッレト）には自治を認め，イスラーム教徒との共存が図られた。

> **■イスラーム世界における異教徒**
>
> イスラーム教を創始したムハンマドは，モーセやイエスなども自分に先立つ預言者とし，ユダヤ教徒やキリスト教徒は「啓典の民」として人頭税（ジズヤ）の支払いを条件に信仰の保持が認められた。のちに，これはゾロアスター教徒や仏教徒にも拡大された。オスマン帝国に見られたミッレト（非ムスリムの宗教共同体）は，こうしたイスラーム初期の異教徒政策を継承しているものである。

5 × 軍事奉仕の代償として土地からの徴税権を与えるイクター制が，セルジューク朝以降，広く西アジアで行われ，エジプトのマムルーク朝でも実施された。この制度がもとになって，オスマン帝国ではティマール制が採られた。つまり，問題文の「軍事奉仕の代償として与えられた土地からの徴税権を保持する騎士軍団」の部分がティマール制（イクター制）を意味している。一方，イェニチェリとは，主にバルカン半島のキリスト教徒の少年を徴集するデヴシルメ制により集められた軍団である。入念な訓練を受け，スルタン直属の精鋭軍になった。

正答 **4**

アジアの近現代史

必修
問題

セクションテーマを代表する問題に挑戦！

列強の侵略により中国やインドではどのようなことが起こったのかを学習します。

問 19世紀後半から20世紀前半にかけての中国での出来事に関する記述として，妥当なのはどれか。 （東京都2011）

1：アヘン戦争は，イギリスからの輸入の急増に苦しむ清が，外貨獲得手段としていたアヘンの取引をイギリスに妨害されたことから始まった。

2：アロー戦争は，イギリス船籍の乗組員が海賊容疑で逮捕されたことから始まり，この戦争に敗れた清は南京条約により香港島を割譲した。

3：太平天国の乱では，洪秀全を指導者とする太平天国が，「扶清滅洋」を掲げて鉄道や教会を破壊したが，ロシアを中心とする連合軍により鎮圧された。

4：義和団事件では，宗教結社の義和団が，「滅満興漢」を掲げて儒教を攻撃する活動を行ったが，曾国藩らの郷勇により鎮圧された。

5：辛亥革命は，四川における暴動をきっかけとして，武昌で軍隊が蜂起して起き，革命派は孫文を臨時大総統に選出して中華民国が成立した。

直前復習

Guidance
ガイダンス

18世紀の貿易　　　　　19世紀の貿易

必修問題の解説

〈清朝末期の中国〉

1 ✕ アヘン戦争は，アヘンの密貿易で莫大な利益を得ていたイギリスが，清の林則徐による徹底的なアヘン厳禁策に対して，山積していた清との間の外交・貿易上の問題を一挙に解決する目的で交渉し，戦争に及んだものである。清がアヘンの取引をイギリスに妨害されたわけではない。

2 ✕ アロー戦争が，イギリス船籍の乗組員が海賊容疑で逮捕された事件（アロー号事件）が発端となって始まったことは正しいが，アロー戦争の講和条約は北京条約である。南京条約はアロー戦争に先立って行われたアヘン戦争の講和条約であり，これによって香港島がイギリスへ割譲された。

アヘン戦争	南京条約	香港島をイギリスに割譲，広州・上海など5港開港
アロー戦争	北京条約	天津・南京などの開港，外交公使の北京駐在キリスト教の布教の自由

3 ✕ 洪秀全を指導者とする太平天国の乱で掲げられたスローガンは「滅満興漢」である。満州族の支配する清朝を打倒して漢民族の国家を再興しようという内容であり，平等主義に基づいた土地の均分や辮髪廃止などを掲げたが，変革の不徹底や内紛から次第に弱体化し，曾国藩らの郷勇（地方の義勇軍）に鎮圧された。

4 ✕ 義和団は清朝を助けて外国勢力を駆逐するという排外的スローガンである「扶清滅洋」を掲げて蜂起した。清朝もこれに同調したものの，日本やロシアを主力とする8カ国連合軍に敗れて終息した。

5 ◯ 辛亥革命は，四川で始まった暴動が激しさを増す中，1911年10月10日に武昌で革命派が武装蜂起したことをきっかけに始まり，その後各省が次々と独立し，翌年1月孫文を臨時大総統とする中華民国の建国が宣言された。しかし，まもなく袁世凱が実権を掌握すると，孫文に代わって臨時大総統職に就き，独裁的傾向を強めたことから，孫文が提唱した三民主義などの実現は遠のくこととなった。

正答 **5**

1 イギリスのインド支配

19世紀半ばにイギリスのインド支配に対しシパーヒー（セポイ）の乱が起こると，イギリスは乱を鎮圧してムガル帝国の皇帝を廃し，東インド会社を解散，その後，ヴィクトリア女王がインド皇帝に即位し，インド帝国が成立します。

シパーヒー	東インド会社のインド人傭兵のことをシパーヒーといいます。

2 第1次世界大戦後のアジア諸国

中国	五・四運動	日本の「二十一カ条要求」破棄を求める民族運動
トルコ	ケマル＝アタテュルク	オスマン帝国の敗戦に乗じて侵攻してきたギリシア軍を撃退，スルタン制を廃止してトルコ共和国を建国。イスラーム教と政治の分離を図って，トルコの近代化を進めた。
インド	ガンディー	イギリスがローラット法を制定して，民族運動を弾圧したことを契機に非暴力・不服従運動を展開。
朝鮮	三・一独立運動	日本からの独立を宣言したが，鎮圧。
パレスチナ		パレスチナはイギリスの委任統治領となる。

 辛亥革命により清朝が滅亡したのは1912年で第1次世界大戦前のこと，第1次世界大戦後には五・四運動が起こる！

3 第2次世界大戦後のアジア諸国

(1) 中華人民共和国

中国では国民党との内戦に勝利した毛沢東（共産党）が，中華人民共和国を樹立しました。内戦に敗れた国民党（蒋介石）は，アメリカの支持を受けて，台湾に国民政府を樹立します。当初，国連の常任理事国には台湾の国民政府がなります。

(2) ニクソン米大統領の訪中

1972年にはニクソン米大統領が中国訪問を果たし，アメリカが事実上中国を承認すると，日本も同年，田中首相が日中共同声明を発出して中国との国交正常化に踏み切り，1978年には福田首相が日中平和友好条約を締結して正式に国交を樹立しました。

(3) インドとパキスタン

イギリスの植民地であったインドでは，戦後，ヒンドゥー教徒はインドとしてイ

 INPUT

スラーム教徒はパキスタンとして分離独立を果たしました。

 その後，東パキスタンはインドに接近し，1971年にバングラデシュとして独立します。

(4) 第三勢力

第2次世界大戦後に独立を果たしたアジア・アフリカ諸国では，東西両陣営の対立がアジア・アフリカに持ち込まれるのを回避するために，第三勢力として結束を強めます。1955年にはインドネシアのバンドンでアジア・アフリカ会議（バンドン会議）を開催し，平和十原則が採択されました。

 第三勢力の中心となったのは，中国の周恩来とインドのネルー，インドネシアのスカルノです。

(5) インドシナ戦争とベトナム戦争

インドシナ戦争	ホー＝チ＝ミンを中心にベトナム民主共和国のフランスからの独立が宣言されると，フランスはこれを認めず南部に傀儡政権を立てインドシナ戦争が開始された。戦争は長期に及んだがディエンビエンフーの戦いでフランス軍が大敗し，1954年にジュネーブ休戦協定が締結され，統一選挙を約して戦争は終結。
ベトナム戦争	ジュネーブ休戦協定後，フランスに代わって南部を支援していたアメリカは1965年に北部ベトナムに爆撃を開始し（北爆），戦局は泥沼化した。アメリカは内外の批判を浴び，1973年にベトナム和平協定に調印，ニクソン米大統領はベトナムからの撤兵を実現。1975年には北ベトナム軍が南の拠点サイゴンを占領，1976年に南北を統一してベトナム社会主義共和国が成立（首都ハノイ）。

 北爆を開始したのはジョンソン米大統領です。

(6) 東南アジア諸国

インドネシア	第2次世界大戦後にオランダから独立。
フィリピン	19世紀末にアギナルドがスペイン支配に対して独立運動を展開するが弾圧され，フィリピンは米西戦争後にアメリカの支配下に入る。第2次世界大戦後にアメリカから独立。
タイ	イギリスとフランスの緩衝地帯となり，独立を保つ。

頻出度	地上★★★　国家一般職★　　東京都★★　　特別区★★
	国税・財務・労基★　　国家総合職★　　国家総合職(教養区分)★★★

問 19世紀のアジア諸国に関する記述として最も妥当なのはどれか。

(国家一般職2017)

1：中国では，イギリスが支配するインドに中国産の茶を輸出し，インド産のアヘンを輸入する密貿易が盛んとなり，アヘン問題で対立したイギリスと清との間にアヘン戦争が勃発した。清は，兵力に勝るイギリスに敗北し，香港島とマカオを割譲させられた。

2：インドでは，イギリスが，ムガル帝国の皇帝を廃し，東インド会社を解散して，インドの直接統治に乗り出した。その後，ヴィクトリア女王がインド皇帝に即位して，イギリス領インド帝国が成立した。

3：朝鮮は，長らく清とオランダの2国だけしか外交関係を持っていなかったが，欧米諸国は朝鮮に対し開国を迫るようになった。中でも，ロシアは，江華島事件を起こして朝鮮との間に不平等条約を締結し，朝鮮を開国させた。

4：東南アジアでは，植民地支配を強めるイギリスとフランスとの対立が激しくなり，両国はベトナムの宗主権をめぐって軍事衝突を繰り返した。その結果，フランスはベトナムを保護国とし，隣国のタイを編入して，フランス領インドシナ連邦を成立させた。

5：西アジアでは，オスマン帝国がロシア国内のイスラーム教徒の保護を理由にロシアと開戦し，クリミア戦争が勃発した。イギリスとフランスは，ロシアの南下を阻止するため，オスマン帝国を支援したが，同帝国はロシアに敗北し，クリミア半島はロシア領となった。

OUTPUT

実践 問題 **172** の解説

〈19世紀のアジア諸国〉

1✕ 19世紀初頭からイギリスは中国産の茶を輸入し，イギリス産綿布をインドに輸出，インド産のアヘンを中国に運ぶ三角貿易を展開した。中国産の茶の輸出先はイギリスである。18世紀後半以降，イギリスでは茶の需要の増加に伴って中国産の茶の輸入が増加していたが，イギリス産綿布が中国では売れないため，インド産アヘンを中国に持ち込み，茶の対価として支払った銀を回収しようと考えたのである。また，アヘン戦争に敗北した清がイギリスに割譲したのは香港島のみであり，マカオはポルトガルの植民地である。

2◯ 19世紀半ばにインドでイギリス支配に対してシパーヒーの乱が起こったが，イギリスはこれを鎮圧し，ムガル帝国を滅ぼし，東インド会社を解散してインドの直接統治に乗り出したのである。

3✕ 江華島事件を起こしたのはロシアではなく日本である。朝鮮は清を宗主国とし，江戸時代の日本とも修好を持ったが，江戸幕府の滅亡とともに朝鮮は鎖国体制をとっていた。したがって，オランダとは外交関係は持っていない。日本は1875年に江華島事件を起こし，領事裁判権などを含む不平等な日朝修好条規を締結，釜山などを開港させた。

4✕ フランス領インドシナ連邦は，ベトナム，ラオス，カンボジアから構成されている。一方イギリスは，インド帝国を樹立後，ビルマ（現ミャンマー）をインド帝国に併合した。このため，タイは東南アジアにおいて英仏の緩衝地帯となり，唯一独立を維持している。

5✕ クリミア戦争は不凍港の獲得を目指して南下政策をとっていたロシアが，オスマン帝国内のギリシア正教徒の保護を理由にオスマン帝国領に侵入したことで始まった。また，クリミア戦争ではイギリスとフランスがロシアの南下を阻止するためにオスマン帝国を支援したため，ロシアが敗北した。

第3章 アジア史

正答 **2**

実践 問題 **173** 〈 基本レベル 〉

頻出度	地上★★★ 国家一般職★ 東京都★★ 特別区★★
	国税・財務・労基★ 国家総合職★ 国家総合職(教養区分)★★★

問 17世紀から19世紀にかけてのインドに関する記述として最も妥当なのはどれか。 (国家一般職2019)

1：17世紀初頭，ポルトガル，オランダ，英国，ドイツが相次いでインドに進出し，ポルトガルとドイツは交易を王室の独占下に置いた一方，オランダと英国は政府がそれぞれ東インド会社を設立して交易を行った。

2：18世紀に入ると，英国とオランダの対立が激しくなり，両国はそれぞれインドの地方勢力を味方につけて争ったが，英蘭戦争でオランダが英国に敗れると，オランダはインドから撤退し，英国はその勢力をインド全土に拡大した。

3：19世紀半ば，英国の支配に対するインド人の不満の高まりを背景に，英国東インド会社のインド人傭兵（シパーヒー）の反乱が起こった。反乱軍は，デリーを占拠してムガル皇帝を盟主として擁立したが，英国軍によって鎮圧され，ムガル帝国は滅亡した。

4：ムガル帝国の滅亡後，英国は，東インド会社を解散させ，旧会社領を英国政府の直轄領に移行させるとともに地方の藩王国も併合して，エリザベス女王（1世）を皇帝とし，インド全土を政府直轄領とするインド帝国を成立させた。

5：インド帝国成立後，国内の民族資本家の成長や西洋教育を受けた知識人の増加を背景に高まってきた，植民地支配に対するインド人の不満を和らげるため，英国は，ヒンドゥー教徒から成るインド国民会議とイスラム教徒から成る全インド＝ムスリム連盟を同時に設立した。

OUTPUT

実践 問題 **173** の解説

〈17～19世紀のインド〉

1× 17世紀初頭以降に海外に進出していったのは，オランダとイギリス，フランスである。ポルトガルはスペインとともにオランダやイギリス，フランスよりも早く15世紀後半に新航路の開拓に乗り出し，16世紀にインドのゴアを占領してアジア貿易の拠点としていた。なお，最初に海に乗り出したポルトガルとスペインの交易は王室の独占下におかれていたが，後発組のオランダ，イギリス，フランスは東インド会社を設立して交易を行った。

2× 18世紀にインドで対立したのは，イギリスとフランスである。両者は18世紀半ばにプラッシーの戦いを展開したが，これに勝利したイギリスはベンガル地方の統治を開始し，カーナティック戦争で南インドからフランス勢力を追放した。英蘭戦争は17世紀後半に3回にわたって勃発した，制海権をめぐるイギリスとオランダの戦争である。

3○ 妥当である。シパーヒーの反乱が鎮圧されて，ムガル帝国も滅ぼされた。

4× ムガル帝国の滅亡後，イギリスはシパーヒーの反乱の責任をとらせて東インド会社を解散し，1877年にヴィクトリア英女王を皇帝にインド帝国を成立させた。エリザベス1世はイギリス絶対王政時の女王であり，1600年に東インド会社を設立し，積極的な海外進出を図った人物である。

5× インド帝国樹立後にイギリスがインド人の不満を和らげるために最初に利用したのがインド人のエリート層であり，1885年にインド国民会議が結成された。インド国民会議の中心はヒンドゥー教徒が中心である。その後，イギリスはヒンドゥー教徒とイスラーム教徒の対立を利用して，民族運動の分断を図り，1906年にイスラーム教徒に全インド＝ムスリム連盟を結成させた。インド国民会議と全インド＝ムスリム連盟は同時に設立されたのではない。

第3章

アジア史

正答 **3**

実践 問題 **174** 基本レベル

頻出度	地上★★★ 国家一般職★★ 東京都★★★ 特別区★★★
	国税・財務・労基★★ 国家総合職★★ 国家総合職(教養区分)★★★

問 第一次世界大戦後の各国の状況に関する次の記述のうち妥当なのはどれか。

(地上2010)

1：中国では，大戦中に日本が出した二十一カ条の要求が，戦後，国際的に認められたことに対し，学生を中心に抗議活動が展開された。この運動は労働者にまで広がり，全国的な民衆運動となった。

2：アメリカでは，大戦中にウィルソン大統領が発表した十四カ条の平和原則の影響で，戦後，反人種差別の世論が高まり，移民やアフリカ系住民への差別を撤廃する法律が制定されていった。

3：アフリカでは，多くの民族の独立が認められたが，国境線が民族の分布を無視して人為的に引かれたので，地域紛争が多発するようになった。

4：インドでは，大戦中にイギリスが約束していた自治の拡大が実現せず，民族運動も弾圧されていた。これに対しガンディーの主導により反英武装闘争が起こった。

5：オスマン帝国では，ケマル・アタテュルクがヨーロッパ列強の侵攻に対抗してトルコ共和国を樹立し，イスラーム復興運動を起こして政教一致の国家体制を築いた。

OUTPUT

実践 問題 **174** の解説

〈第1次世界大戦後の世界〉

1○ 妥当である。

2× 1918年にウィルソン大統領は，軍備縮小や民族自決などを掲げた十四カ条の平和原則を発表したが，一方で，戦後には伝統的な白人社会の価値観が強調されるとともに，移民法が成立して，日本を含むアジア系移民が禁止されるなど，保守的な傾向が見られた。また，黒人に対する人種差別は依然続いていた。黒人に対する差別の禁止を規定した公民権法が定められたのは1964年のことである。

3× 第1次世界大戦後は，民族自決主義に基づき多くの民族国家が誕生したが，これはハンガリーやポーランドなど東ヨーロッパ諸国に限られていた。これに対して，アフリカで多くの独立国が誕生したのは第2次世界大戦後であり，特に1960年は17カ国の独立が果たされたことから「アフリカの年」ともよばれる。しかし，植民地時代の人為的な境界線が国境となったことにより，民族国家の形成は困難となり，地域紛争が多発する原因となった。この点については正しい。

4× インドは第1次世界大戦時にイギリス側に立って参戦させられ，人的・物的の両面で協力したが，この犠牲の代償として自治を要求する声が高まっていた。これに対しイギリスは戦後にインド統治法を制定したものの，その中身は自治とはほど遠く，逆にインド人の政治運動弾圧を目的としたローラット法を施行した。ガンディーは，この時期以降，1947年にイギリスから独立を果たすまで，インドにおける反英独立運動を率いた指導者であるが，その運動は非暴力・不服従を原則としており，武装闘争を行ったわけではない。

5× ケマル＝アタテュルクは，第1次世界大戦後にトルコに侵入したギリシア軍を撃退し，1922年にスルタン制を廃止した後，翌年にはトルコ共和国を成立させ，自らが初代大統領となった。トルコは当初イスラームを国教としていたが，1928年にはこの条項を憲法から削除し，政教分離原則を採用した。なお，イスラーム復興運動とは，20世紀後半になって中東地域のアラブ人の間に広がった，イスラーム信仰に基づく勢力回復運動であり，現在のイスラーム原理主義の思想的背景となっているものである。

正答 **1**

第3章 アジア史

実践 問題 **175** 〈 基本レベル 〉

頻出度	地上★★★ 国家一般職★ 東京都★★★ 特別区★★★
	国税·財務·労基★ 国家総合職★ 国家総合職(教養区分)★★★

問 第一次世界大戦後のアジアの状況に関するアからエの記述には妥当なものが2つある。それらはどれか。 (地上2022)

ア：中国は，第1次世界大戦後間もなく日本に対して21か条要求を出し，日本が南満州に持っていた利権の回収を通告した。その後，中国における利権回収に不満をもった日本人居留民による五・四運動と呼ばれる中国政府に対する抵抗運動が広がった。

イ：インドは，第1次世界大戦後もイギリスの植民地支配が続いた。これに対し，ガンディーが非暴力・不服従の抵抗運動を行い，不買運動などを展開した。

ウ：トルコは，第1次世界大戦の敗戦国となり，オスマン帝国が滅亡した。トルコではトルコ共和国が成立し，ケマル・アタチュルクが初代大統領となり，政教分離による近代化を進めた。

エ：日本は第1次世界大戦で戦勝国となり，戦後に成立した国際連盟への加盟は，東アジアにおける日本の勢力膨張を警戒するアメリカなどの反対により果たせなかった。このため日本の民衆は列強に対する反発を強めた。

1：ア，ウ
2：ア，エ
3：イ，ウ
4：イ，エ
5：ウ，エ

OUTPUT

実践 問題 **175** の解説 ──────────────

〈第1次世界大戦後のアジア〉

ア × 二十一カ条要求は，第1次世界大戦に便乗した日本が，ドイツの利権を手中に収めるべく，中国政府に出したものである。第1次世界大戦後のパリ講和会議で，中国は二十一カ条要求の破棄を求めたが，列強に認められなかったため，これに抗議した中国の人々が二十一カ条要求の破棄を求めて展開したのが五・四運動である。

イ ○ 妥当である。インドの独立は第2次世界大戦後となる。

ウ ○ 第1次世界大戦の敗戦国となったトルコでは，当初締結されたセーヴル条約によって国土分割の危機に直面したが，ケマル＝アタテュルクが抵抗運動を指導し，スルタン制やカリフ制を廃止してトルコ共和国を樹立した。ケマルは大統領となり，政教分離のほか，太陽暦の採用，女性参政権の実施，アラビア文字に代わってローマ文字を採用するなど，近代化を強力に推進した。

エ × 日英同盟を理由にドイツに宣戦した日本は，第1次世界大戦の戦勝国であり，国際連盟にも参加している。「東アジアにおける日本の勢力膨張を警戒するアメリカ」が中心となって開催したのはワシントン会議（1921年）である。

　以上から，イとウが妥当であるので，肢3が正解となる。

第3章

アジア史

正答 3

頻出度	地上★★★ 国家一般職★ 東京都★★ 特別区★★
	国税·財務·労基★ 国家総合職★ 国家総合職(教養区分)★★★

問 20世紀前半における民族運動に関する記述として，妥当なのはどれか。

（東京都Ⅰ類B 2021）

1：軍人ビスマルクは，祖国防衛戦争を続けて勝利すると，1923年にロカルノ条約を締結し，オスマン帝国にかわるトルコ共和国の建国を宣言した。

2：アラブ地域に民族主義の気運が高まり，第一次世界大戦直後の共和党の反米運動によって独立を認められたエジプト王国などが建国された。

3：イギリスは，ユダヤ人に対しパレスチナでのユダヤ人国家の建設を約束するバルフォア宣言を発したが，アラブ人に対しては，独立国家の建設を約束するフサイン－マクマホン書簡を交わしていた。

4：フランスの植民地であったインドでは，国民会議派の反仏闘争と第一次世界大戦後の民族自決の世界的な流れにより，1919年に自治体制が成立し，同時に制定されたローラット法により，民族運動は保護された。

5：アフガニスタンでは，ガンディーを指導者に，イスラム教徒を中心に組織されたワッハーブ派による非暴力・不服従の運動が起こった。

OUTPUT

実践 問題 **176** の解説

〈20世紀前半の民族運動〉

1 × オスマン帝国に代わるトルコ共和国の建国を宣言したのは，ケマル＝アタテュルクである。ビスマルクは19世紀にドイツ統一の中心となった人物である。第1次世界大戦においてドイツ側に立って参戦したトルコは敗戦国となり，戦後には連合国による占領・半植民地化の危機に瀕したが，ケマル＝アタテュルクはオスマン政府が連合国と締結していたセーヴル条約に代えて新たにローザンヌ条約を締結した。したがって，「ロカルノ条約を締結」とあるのも誤りである。

2 × エジプトはイギリスの保護国であったので，「反米運動によって独立を認められた」とあるのは誤り。エジプト独立運動の中心となったのは，共和党ではなくワフド党である。

3 ○ 第1次世界大戦中にイギリスが矛盾する秘密協定を締結したことが，現在まで続くアラブ・ユダヤ両民族の対立の背景である。

4 × インドはフランスではなく，イギリスの植民地である。また，第1次世界大戦後のインドに対し，イギリスは形式的な自治を認めたにすぎず，一方でローラット法を制定して民族運動を弾圧した。

5 × ガンディーを指導者に非暴力・不服従の運動が起こったのは，第1次世界大戦後のインドである。第1次世界大戦後にインドの独立は達成されなかったが，アフガニスタンは第1次世界大戦後にイギリスと戦って完全独立を達成した。なお，ワッハーブ派は18世紀半ばに起こったイスラーム改革運動の中心となった勢力である。

第3章 アジア史

正答 **3**

頻出度	地上★★★	国家一般職★	東京都★★	特別区★★
	国税・財務・労基★	国家総合職★		国家総合職(教養区分)★★★

問 18世紀から20世紀にかけてのインドの歴史に関する記述として，妥当なのはどれか。 （東京都Ⅰ類A 2017）

1：18世紀後半にムガル帝国が衰退に向かうと，イギリスが設立した東インド会社は，オランダの支援を受けたムガル帝国をプラッシーの戦いで破った後に同帝国を滅亡させ，東インド会社がインド全域を支配することとなった。

2：19世紀後半，シパーヒーと呼ばれたインド人傭兵の反乱をきっかけに起こったインド大反乱を鎮圧したイギリスは，イギリスのヴィクトリア女王を皇帝とするインド帝国を成立させた。

3：イギリスの植民地となったインドでは，1919年に自治体制が成立したものの，ローラット法の成立等により弾圧も強化され，ネルーを指導者とした全インド＝ムスリム連盟による非暴力・不服従運動が展開された。

4：第二次世界大戦後，ヒンドゥー教徒が支配的な国民会議派とイスラーム教徒からなる全インド＝ムスリム連盟とが対立していたが，両者の和解を受け，イギリスはイギリス領インドの地域が一つの国家として独立することを承認した。

5：1954年，インドのガンディー首相と中国の毛沢東首相とが会談し，領土主権の尊重，平和共存等を内容とする平和十原則を発表するなど，インドは中国とともに社会主義陣営に属する立場を表明した。

OUTPUT

実践 問題 **177** の解説

第3章 アジア史

〈インドの近現代史〉

1 × プラッシーの戦い（1757年）は，イギリスの東インド会社軍がフランスの支援を受けたベンガル太守を破った戦いである。この戦いの結果，イギリスが実質的にベンガル地方を支配するようになり，イギリス領インドの基礎が築かれた。また，イギリスがムガル帝国を滅亡させたのは，19世紀後半にシパーヒーの反乱を契機に起こったインド大反乱の後である。

2 ○ インド大反乱を鎮圧すると，イギリスは東インド会社を解散し，インドの直接統治に乗り出し，ヴィクトリア女王をインド皇帝とするインド帝国を成立させた。

3 × 非暴力・不服従運動を展開したのはインド国民会議派（ヒンドゥー教徒主体）のガンディーである。ネルーもインド国民会議派の指導者である。

4 × 第2次世界大戦後，ヒンドゥー教徒が支配的な国民会議派とイスラーム教徒からなる全インド＝ムスリム連盟の和解は成立していない。ヒンドゥー教徒はインドとして，イスラーム教徒はパキスタンとしてイギリスから分離独立をした。

5 × 1954年にはインドのネルー首相と中国の周恩来首相とが会談し，領土・主権の尊重，相互不侵略，相互の内政不干渉，平等互恵，平和共存の5項目からなる平和五原則を発表した。この会談がもとになって，翌55年にアジア・アフリカ会議（バンドン会議）で平和十原則が発表されたのである。また，平和十原則は基本的人権と国連憲章の目的と原則の尊重など，平和五原則に国連憲章による個別的・集団的自衛権の尊重を織り込んだものであり，インドが社会主義陣営に属する立場を表明したものではない。

正答 **2**

実践 問題 **178** 基本レベル

頻出度	地上★★★ 国家一般職★ 東京都★★★ 特別区★★★
	国税·財務·労基★ 国家総合職★ 国家総合職(教養区分)★★★

問 第二次世界大戦後のアジア諸国の動向に関する記述として，妥当なのはどれ
か。 (特別区2008)

1：ヴェトナムでは，ホー＝チ＝ミンがヴェトナム民主共和国の独立を宣言したが，
これを認めないフランスとの間にインドシナ戦争が起こり，ジュネーヴ会議で
休戦協定が成立した。

2：インドネシアでは，スハルトが独立を宣言して初代大統領となり，独立を認め
ないイギリスとの間に独立戦争を続け，国際連合の調停によりインドネシア連
邦共和国の独立を認めさせた。

3：インドでは，国民会議派と全インド＝ムスリム連盟との対立から，統一インド
の独立は不可能となり，ヒンドゥー教徒が多く住むインド連邦と，イスラーム
教徒が多く住むバングラデシュが分離独立した。

4：中国では，国民政府軍と共産党軍との間に国共内戦が始まり，アメリカの支援
を受けた共産党軍が中国全土を制圧し，国民党は香港に移り国民政府を存続
させた。

5：朝鮮半島では，北緯38度線を境に，朝鮮民主主義人民共和国と大韓民国が成
立し，両国の間で軍事衝突が発生すると，国連安全保障理事会はソ連軍を主
体とする国連軍を派遣した。

OUTPUT

実践 問題 **178** の解説 —————————————————

〈第2次世界大戦後のアジア諸国〉

1○ ベトナムではホー＝チ＝ミンが1945年にベトナム民主共和国の独立を宣言し
たが，これを認めないフランスとの間にインドシナ戦争が起こった。インド
シナ戦争は長期化したが，1954年にフランスの根拠地であったディエンビ
エンフーが陥落してジュネーブ休戦協定が締結された。ジュネーブ休戦協
定では北緯17度線を暫定的な境界とすることが決められたが，アメリカが
これに調印せず，ゴ＝ディン＝ディエムを援助して南部に政権を樹立するな
どベトナムに介入し，1965年から北爆を開始した（ベトナム戦争）。

2× インドネシアはオランダの植民地であった。戦後にはスカルノが独立を宣
言して初代大統領となり，オランダとの戦いに勝利して独立を達成した。
インドネシア国民党の中心であったスカルノは，国内のイスラーム教徒や
共産党勢力と提携する方針を採用していたが，1965年の九・三〇事件（軍
部のクーデタ）により失脚し，1968年に事態を収拾したスハルトが大統領
に就任し，反共路線を採用した。

3× インドではヒンドゥー教徒と，イスラーム教徒の対立が長く続いており，
このためインドの民族運動は全国的に統一されたものとなりにくかった。
戦後も宗教的な対立が解消できず，ヒンドゥー教徒はインド連邦として，
イスラーム教徒はパキスタンとして分離独立をした。バングラデシュは
1971年にパキスタンから分離独立した国である。

4× 中国では日本の敗戦とともに国民政府軍と共産党軍の国共内戦が開始され
たことは正しいが，アメリカが支援したのは国民党軍である。しかし，中
国では共産党が内戦に勝利して1949年に毛沢東を主席とする中華人民共和
国の樹立を宣言した。このためアメリカの支援を受けた国民政府軍は台湾
に逃れ，国民政府を存続させている。

5× 1950年に北緯38度線を越えて北朝鮮軍が南に侵攻して朝鮮戦争が開始され
ると，ソ連が欠席した安全保障理事会でアメリカの主導により国連軍の派
遣が決定され，大韓民国を支援するため半島南部および西海岸にアメリカ
軍を主体とする国連軍が上陸した。さらに国連軍が中国の国境付近に迫っ
たことから，中国の周恩来は人民義勇軍を派兵，戦局は北緯38度線付近で
膠着した。その後，1953年にソ連のスターリンが死去すると，板門店で休
戦協定が締結された。

正答 **1**

第3章

アジア史

実践 問題 **179** 〈 基本レベル 〉

頻出度	地上★★★ 国家一般職★	東京都★★★ 特別区★★★
	国税・財務・労基★ 国家総合職★	国家総合職(教養区分)★★★

問 太平洋戦争後の各国情勢に関するA～Dの記述のうち,妥当なもの2つを適切に選んだものはどれか。 (地上2017)

A：イギリスの委任統治終了を機に国際連合によりパレスチナ分割案が提示され,ユダヤ人によりイスラエルが建国されると,アラブ諸国との間でパレスチナ戦争（第一次中東戦争）勃発した。

B：インドでは,戦後に共産党の一党独裁体制が成立し,東西冷戦の中で隣国のパキスタンと対立し,東西両陣営に属さず,積極的中立を掲げた第三勢力とは一線を画した。

C：ベトナムは,ホーチミンが旧宗主国であるフランスからの独立を宣言したが,フランスはこれを認めず,北部が東側陣営,南部が西側陣営と国土を二分しての戦争となった。

D：中国国内では共産党と国民党の内戦が再燃し,蒋介石率いる共産党が勝利して中華人民共和国を成立させると,毛沢東率いる国民党は台湾に逃れて中華民国を建国した。

E：戦後の朝鮮半島は全土をアメリカが支配していたが,金日成が朝鮮半島北部の独立を目指して武装蜂起し,これを認めないアメリカとの間に朝鮮戦争が起こった。

1：A，B
2：A，C
3：B，E
4：C，D
5：D，E

OUTPUT

実践 問題 **179** の解説 ―――――――――――――

〈太平洋戦争後のアジア〉

A○ 第1次世界大戦の際にドイツ側に立って参戦したオスマン帝国の支配下にあった東アラブ地域は，大戦中，イギリスにより独立が約束されていたが，戦後は「委任統治」という形で事実上，英仏両国に分割された。一方，イギリスはバルフォア宣言によってユダヤ人のパレスチナにおける建国に対する支援も約束していたことから，パレスチナにユダヤ人の入植が急速に進み，アラブ人との間に対立を深めていた。第2次世界大戦後にユダヤ人によりイスラエルが建国されたのを契機に，パレスチナ戦争となった。

B✕ 第2次世界大戦後に共産党の一党独裁が成立したのは中国である。イギリスから独立したインドとパキスタンはヒンドゥー教徒とイスラーム教徒との宗教対立に加え，カシミール地方の帰属をめぐって対立した。また，インドの首相であるネルーは，中国の周恩来とともに第三勢力の中心となっている。第三勢力と一線を画したとあるのは妥当でない。

C○ ホーチミンが社会主義に接近していたことから，ベトナムが社会主義国（ベトナム民主共和国）として独立することに反対したフランスとの間にインドシナ戦争が起こった。1954年には北緯17度線の暫定軍事境界線と南北統一選挙の実施等からなるジュネーブ休戦協定が成立した。しかしながら，アメリカはこれに調印せず，その後のベトナム戦争へとつながっていく。

D✕ 中国で共産党と国民党の内戦が再燃したことは正しいが，共産党を率いたのが毛沢東であり，国民党を率いたのが蒋介石である。中国の共産党政権に対しても封じ込め政策をとったアメリカは，台湾の中華民国政府を中国の正式代表として認めたため，当初，国連の代表権も中華民国政府が持っていた。

E✕ 戦後の朝鮮半島は，北緯38度線を境界にして，北部をソ連，南部をアメリカが分割占領していた。その後，北部に朝鮮民主主義人民共和国（北朝鮮）が，南部に大韓民国が成立したが，1950年に北朝鮮が北緯38度線を越えて，大韓民国に侵攻したところから朝鮮戦争が起こった。

以上から，AとCが妥当であるので，肢2が正解となる。

正答 **2**

実践 問題 **180** 基本レベル

頻出度	地上★	国家一般職★★	東京都★	特別区★★
	国税・財務・労基★★	国家総合職★★	国家総合職(教養区分)★★★	

問 第二次世界大戦後のアジア諸国に関する記述として最も妥当なのはどれか。

(国税・財務・労基2014)

1：中国では，国共内戦が再開された。当初は孫文率いる国民党軍が農民や民族資本家などの支持を集め優勢であったが，共産党がソ連の支援を獲得し形勢は逆転した。1949年には共産党が中国本土を制圧し，毛沢東を主席，周恩来を首相とする中華人民共和国の成立が宣言された。

2：朝鮮では，朝鮮戦争の後，米国とソ連による分割占領が行われた。そして，1953年に，南部に朴正熙を大統領とする大韓民国が，北部に金日成を首相とする朝鮮民主主義人民共和国が成立し，半島は二つの国家に分断された。

3：インドシナでは，ベトナム民主共和国が建国されたが，フランスがこれを認めなかったため，インドシナ戦争が始まった。ディエンビエンフーの戦いで敗北したフランスは，ベトナム民主共和国とジュネーブ協定を結んで撤退した。

4：インドネシアでは，独立運動の指導者であったスカルノを中心に独立宣言を発表し，平和五原則に基づいた憲法を制定した。これに対しスペインは武力で独立を阻止しようとしたため戦争になったが，国連の仲介で1949年にハーグ協定が結ばれ，インドネシアは独立を達成した。

5：インドでは，英国からの独立が認められたが，ヒンドゥー教徒の国民会議派とムスリム連盟の対立が高まり，ヒンドゥーのインド連邦とムスリムのアフガニスタンの2国に分離して独立した。両国の間では，カシミールの帰属をめぐる対立が激化し戦争が勃発した。

OUTPUT

実践 問題 **180** の解説

〈第2次世界大戦後のアジア諸国〉

1 × 孫文は1925年に死去しており，戦後，国民党と共産党の内戦が再開された時に国民党軍を率いていたのは蒋介石である。また，国民党を支持したのは民族資本家であったが，民衆は戦後の激しいインフレの中，党幹部の腐敗もあり，国民党への不満を増大させていた。一方，毛沢東率いる共産党は農地改革を実施して農民の支持を得て，内戦に勝利した。

2 × 大韓民国の初代大統領となったのは李承晩である。朴正煕は，李承晩が1960年に失脚した後，1961年の軍部クーデタを指導し，1963年に大統領となった人物である。朴正煕の時代の1965年には日韓基本条約が締結された。また，米国とソ連による分割占領→大韓民国と朝鮮民主主義人民共和国の成立→朝鮮戦争（1950年）→休戦協定（1953年）の順となる。

3 ○ ベトナム民主共和国の中心であったホー＝チ＝ミンが共産党に接近していたため，フランスはこれを認めず，インドシナ戦争となった。フランスとベトナム民主共和国との間にはジュネーブ休戦協定が締結されてフランス軍は撤退したが，その後，アメリカがベトナムに介入し，1965年に北爆を開始，ベトナム戦争となった。

4 × スカルノが中心となってインドネシアの独立を宣言したことは正しいが，これを阻止しようとしたのは宗主国であるオランダである。国連の仲介で1949年にハーグ協定が結ばれ，インドネシアは独立を達成したことは正しい。なお，独立時に制定された憲法の前文には，建国五原則が掲げられているが，これはネルーと周恩来との会談の結果，1954年に発表された平和五原則とは異なる。1954年の平和五原則を受け，1955年からのバンドン会議で平和十原則が発表された。

5 × 戦後，イギリスからの独立を認められたインドで，ヒンドゥー教徒の国民会議派とムスリム連盟の対立が高まったことは正しいが，ムスリム（イスラーム教徒）は第2次世界大戦後にパキスタンとして独立した。カシミールの帰属をめぐる対立は，インドとパキスタンの間にある。

第3章 アジア史

正答 **3**

実践 問題 181 基本レベル

頻出度 地上★★★　国家一般職★★★　東京都★★★　特別区★★★
国税・財務・労基★★★　国家総合職★★★　国家総合職(教養区分)★★★

問 次の記述はそれぞれ，1960年代以降の東南アジアのインドネシア，カンボジ
ア，ベトナム，マレーシア，ミャンマーのいずれかの国の政治・経済情勢に
関するものである。記述と国名を正しく組み合わせているのはどれか。

(地上2021)

1：多民族国家であり，イギリスからの独立後に，人口の多数を占める民族を優遇
する政策をとった。この政策に対する反発から，1960年代に国内の華人の多い
地域が分離，独立した。　　　　　　　　　　　　　　　　　――インドネシア

2：1970年代，内戦のさなかに中国の支持を受けた勢力が実権を握ると，極端な共
産主義政策による強制弾圧や大虐殺が行われた。1990年代に，国連による暫
定統治を経て内戦は終結した。　　　　　　　　　　　　　　――カンボジア

3：1960年代以降，長年にわたり軍事政権が続いた。軍事政権は，民主化運動のリー
ダーを監禁するなど政治的には強権路線をとった。2010年代半ばには，民主化
勢力が選挙で勝利して新政権が発足した。　　　　　　　　　　――ベトナム

4：1960年代，南北二つの政府間の争いにアメリカが介入し戦争が激化した。1970
年代に，社会主義を掲げる政権が戦争に勝利し，南北統一が実現した。

――マレーシア

5：1960年代にクーデターが起こり，その後に登場した大統領が開発独裁を進め，
1980年代には，第一次産業の輸出に依存する経済構造から抜け出した。

――ミャンマー

OUTPUT

実践 問題 **181** の解説

第3章
アジア史

〈東南アジア各国の現代史〉

1 × 人口の多数を占める民族を優遇する政策をとったのはマレーシアである。この政策をブミプトラ政策という。ブミプトラ政策に対し，華人（中国系）住民の多い地域が分離・独立して成立したのがシンガポールである。

2 ○ カンボジアのポル＝ポト政権の説明として妥当である。

3 × 長年にわたり軍事政権が続き，民主化運動のリーダーを監禁するなどしてきたのはミャンマーである。2015年の総選挙でアウン・サン・スー・チー議長率いる国民民主連盟（ＮＬＤ）が大勝し，翌年，新政権が発足。アウン・サン・スー・チー氏は，国家最高顧問，外務大臣および大統領府大臣に就任した。なお，2021年2月1日に軍のクーデタが起こり，アウン・サン・スー・チー氏は拘束された。

4 × 1960年代，南北2つの政府間の争いにアメリカが介入した戦争とはベトナム戦争である。1975年に北部ベトナムが勝利して，1976年に南北統一がなり，ベトナム社会主義共和国が成立した。

5 × 本肢の説明はインドネシアである。インドネシアのスハルト体制やフィリピンのマルコス体制が開発独裁の典型とされている。経済的発展を国民生活よりも優先する経済政策がとられ，これを正当化するために政治的な権利などは著しく抑制され，労働運動などは軍事力によって抑圧された。

【ポイント】

　マレーシアのブミプトラ政策は，地理で学習することですが，地方上級の試験では，こうした科目融合的な出題が多いため，捨て科目をつくらないことが大切です。

正答 **2**

実践 問題 182 ＜ 基本レベル ＞

頻出度	地上★★★	国家一般職★★★	東京都★	特別区★
	国税・財務・労基★★★	国家総合職★★★	国家総合職(教養区分)★★★	

問 1990年代のパレスチナ問題につき，以下ア～オの下線の説明として妥当なものを選べ。 (地上2015)

中東におけるアラブ諸国とイスラエルの対立は，数次にわたる中東戦争を引き起こした。パレスチナでは，イスラエルが戦争によって拡大した占領地を併合する姿勢を見せたため，ァパレスチナ解放機構（PLO）とアラブ人の抵抗が強まった。1993年には，ィパレスチナ自治協定（オスロ合意）が成立し，「中東和平プロセス」が開始された。

しかし，これはパレスチナ人に部分的な自治と引き換えに，ゥインティファーダの放棄を強いるもので，パレスチナでは，ェ分離壁の建設や，ォハマスの活動など，現在なお，和平に向けての課題は多い。

1：ア：パレスチナ解放機構とは，国連により，イスラエル支配下のパレスチナ人の人権状況を平和的に解決するために設立された。

2：イ：パレスチナ自治協定の調停後，パレスチナ暫定政府が設立され，ガザ地区などでパレスチナ人の自治が開始された。

3：ウ：インティファーダとは，イスラエル軍がパレスチナ自治区に対して行う，空爆などの軍事行動のことである。

4：エ：分離壁は，パレスチナ自治区へのイスラエル軍の侵入を防ぐため，パレスチナ自治政府がその境界に設立したが，イスラエル軍によってその大部分が破壊・撤去された。

5：オ：ハマスとは，イスラエル融和を掲げた政党で，イスラエル原理主義とは一線を画している。

直前復習

OUTPUT

実践 問題 **182** の解説

〈1990年代以降のパレスチナ問題〉

1× パレスチナ解放機構は，国連により設立されたものではない。パレスチナ解放機構は，イスラエルに対抗していたゲリラ組織を統合して結成されたもので，1969～2004年まで，長らくアラファト議長が指導者であった。アラファト議長はパレスチナ解放機構を国連に認めさせ，1993年にはパレスチナ暫定自治協定を締結している。

2○ 1993年にパレスチナ暫定自治協定が締結され，イスラエルとパレスチナ解放機構の相互承認がなり，パレスチナ暫定自治政府が成立した。

3× インティファーダとは，イスラエル政府に対するパレスチナ人の抵抗運動で，正規の軍隊ではなく，民衆が投石やデモなどによって対抗するものである。1987年に第3次中東戦争の際にイスラエルが占領を拡大したガザ地区やヨルダン川西岸で広がった。

4× 分離壁は，イスラエルがテロリストがイスラエルに侵入することを防ぐという大儀名分のもと，ヨルダン川西岸地区に建設したもので，イスラエルとパレスチナの境界に建設している。その一部はパレスチナ領土内に食い込み，パレスチナの町や人々の暮らしを分断し，水資源を奪うなど，さまざまな問題を引き起こしているため，2003年に壁建設の中止と撤去を求める国連決議が出され，2004年には国際司法裁判所の勧告が出されたが，イスラエルは依然として壁の建設を進めている。

5× ハマスはパレスチナ解放運動を行うイスラーム原理主義グループの1つである。インティファーダの進展に伴って結成され，1993年のオスロ合意に反対の姿勢をとっている。一方，パレスチナ解放機構の中で，イスラエルとの和平を追求する組織がファタハである。

第3章

アジア史

正答 2

実践 問題 **183** 〈応用レベル〉

頻出度 地上★★　国家一般職★★★　東京都★★　特別区★★
国税・財務・労基★★★　国家総合職★★★　国家総合職(教養区分)★★★

問 20世紀後半以降の中東情勢に関する記述として最も妥当なのはどれか。

(国家総合職2016)

1：イランでは，国王パフレヴィー2世が米国の支持を得て急激な近代化政策を進めたが，これに反対するイラン革命が1979年に発生し，スンナ（スンニ）派のホメイニを最高指導者とするイラン＝イスラーム共和国が成立した。イラン＝イスラーム共和国は，親ソ連・反米国の姿勢を示したため，新冷戦と呼ばれる米ソ間の対立を招いた。

2：イラクのフセイン大統領は，イラン革命の影響が自国に及ぶことを恐れて，国境問題をきっかけに1980年にイランに侵攻し，イラン＝イラク戦争が勃発した。イラクは，反イランの立場に立つ米国等や，革命の波及を恐れるアラブ諸国の支持を得て戦ったが，戦争は長期化し，1988年に停戦となった。

3：イラン＝イラク戦争で経済的に疲弊したイラクは，1990年に豊富な石油資源を求めてアラブ首長国連邦（UAE）に侵攻して同国を併合した。これに対し，国連の安全保障理事会の決議を背景に，同理事会の指揮権の下，米国を中心とする国連軍はイラクを空爆し湾岸戦争が開始された。1991年にイラクは敗北してUAEの独立が回復された。

4：2001年にニューヨーク等で起こった同時多発テロ事件を受けて，米国は，アフガニスタンのターリバーン政権と対立していたアル＝カーイダを事件の実行者として「対テロ戦争」を宣言した。米国は国際社会の支持を得ないまま，単独で同年にアフガニスタン空爆を開始し，アル＝カーイダを壊滅させた。

5：米国は，イラクのフセイン大統領がテロ行為に関わり，世界を脅かす大量破壊兵器を所有しているとして，国連に武力制裁を求めたが，安全保障理事会の常任理事国である中国及びロシアの反対を受けた。このため，2003年に米国は国連決議に基づかず，英国，フランス及びドイツとともにイラク戦争を開始して，フセイン政権を打倒した。

OUTPUT

実践 問題 **183** の解説

〈現代の中東情勢〉

1 × 国王パフレヴィー2世が進めていた急激な近代化政策（白色革命）に対する不満からイラン革命が起こったことは正しいが、この結果成立したのはシーア派のホメイニを最高指導者とする体制である。また、新冷戦とよばれる米ソの対立は、ソ連のアフガニスタン侵攻に始まり、レーガンが「強いアメリカ」の復活を訴えて、ソ連を「悪の帝国」と非難し、大々的な軍備拡張を推進したことによる。イラン＝イスラーム共和国とは関係がない。

2 ○ イラン＝イラク戦争の説明として妥当である。当時、アメリカは反イランの立場からイラクのフセイン政権を支援した。

3 × イラン＝イラク戦争の後、イラクのフセイン大統領が侵攻したのは隣国クウェートである（湾岸戦争）。イラクのクウェート侵攻に対し、国連の安全保障理事会の決議を背景に米国を中心とする多国籍軍が派遣された。国連憲章第7章に基づく正規の国連軍が派遣されたことはこれまでに一度もない。イラクは多国籍軍の反撃攻撃を受けて撤退し、クウェートは独立を回復した。

4 × 2001年にニューヨーク等で起こった同時多発テロを受けて、米国は、アフガニスタンのターリバーン政権の保護下にあるイスラーム急進派の組織アル＝カーイダを事件の実行者として、同盟国の支援のもとにアフガニスタンに軍事行動を起こし、ターリバーン政権を打倒したのである。

5 × 米国は、湾岸戦争以後、経済制裁と外交的圧力によってイラクのフセイン政権を国際的に封じ込めていたが、2001年の同時テロ事件以降、イラクの大量破壊兵器保有の可能性を危険視し、イラクを「悪の枢軸」と名指しした。イラクに対する軍事行動を訴えるアメリカとイギリスに対し、これに反対するフランス、ドイツ、ロシアが国連安全保障理事会内部で対立した。このため、アメリカとイギリスは国連の合意がないまま対イラク攻撃を開始したのである。

第3章

アジア史

正答 **2**

実践 問題 **184** 〈 基本レベル 〉

| 頻出度 | 地上★★★　国家一般職★★★　東京都★★★　特別区★★★
国税・財務・労基★★★　国家総合職★★★　国家総合職(教養区分)★★★ |

問 第二次世界大戦後の中国に関する次の記述のうち，妥当なのはどれか。

(地上2020)

1：1940年代後半に，国民党と共産党の間で内戦が発生した。最終的に両党は和解し，国民党と共産党の共同で中華人民共和国の成立が宣言された。

2：1950年代，朝鮮戦争が発生すると，中国はアメリカとの対立を恐れて中立の立場を採り続け，北朝鮮への軍事支援は行わなかった。

3：1960年代，毛沢東が政権の回復を図って，プロレタリア文化大革命を開始した。これは経済面で見ると改革・開放政策の推進であり，経済・社会の安定をもたらした。

4：1980年代，政治の民主化を求めて天安門広場に集結した学生や市民を，軍隊が武力で弾圧する天安門事件が発生した。

5：1990年代，香港が中国に返還された。返還後，中国は香港における植民地時代のイギリスの政治・経済制度を廃止し，中国本土と同じ制度を適用した。

OUTPUT

実践 問題 **184** の解説

〈第2次世界大戦後の中国〉

1 × 日中戦争の終了とともに，中国国内では国民党と共産党との間に内戦が発生し，1949年に毛沢東率いる共産党が勝利して中華人民共和国を建てると，敗れた国民党は台湾に中華民国（国民政府）を建てた。両者が共同して中華人民共和国を樹立したのではない。

2 × 朝鮮戦争において，アメリカが韓国支援のためにアメリカを主体とする国連軍を派遣すると，中国は北朝鮮を支援して人民義勇軍を派遣した。

3 × 毛沢東が政権の回復を図って開始したプロレタリア文化大革命は，当時，国家主席であった劉少奇らを，中国に資本主義の復活を図る修正主義者であると批判し，中国から一切の資本主義的要素を排除しようとするものであった。開放政策とは，共産主義の計画経済に対し，市場経済の導入を意味するが，中国で開放政策がとられるようになるのは，毛沢東が死去して，プロレタリア文化大革命が終結した1970年代末からである。

4 ○ 鄧小平が開放政策をとって外資の導入や人民公社の解体などを進める中，共産党の一党独裁に対して政治の民主化を求める人々が天安門に集結した。これに対し，中国政府は軍隊を派遣して弾圧し，国際的な批判を浴びた（天安門事件）。

5 × アヘン戦争後の南京条約でイギリスに割譲されていた香港は，1997年に中国に返還されたが，その際に，植民地時代のイギリスの政治・経済制度をそのまま継続することが決められた。1つの中国の中に社会主義と資本主義が並存する一国二制度の採用である。香港は中国の特別行政区となり，高度の自治権を享受する。具体的には，香港には行政権，立法権，独立した司法権と終審裁判権が与えられ，香港政府は現地人によって構成，行政長官は現地で選出，中央政府が任命する。また，現行の社会・経済制度，生活様式を維持することが認められ，これらの方針と政策は50年間変更しないということが，中国とイギリスの共同声明として発表された。

第3章 アジア史

正答 **4**

実践 問題 185 基本レベル

頻出度	地上★★	国家一般職★	東京都★★	特別区★★
	国税・財務・労基★	国家総合職★	国家総合職(教養区分)★★★	

問 19世紀以降の世界の諸地域における民族運動等に関する記述として最も妥当なのはどれか。 (国家総合職教養区分2023)

1：第一次世界大戦中，英国は，植民地であるインドに対して，戦後の自治を約束し戦争への協力を求めたが，戦後も各州に名目的な自治しか与えず，同時に，ローラット法の制定などにより民族運動の弾圧を図った。これに対して，国民会議派の指導者ガンディーは，塩の専売法に反対する「塩の行進」など非暴力・不服従の運動を展開して対抗し，ムスリムが結成した全インド=ムスリム連盟も反英闘争を行った。

2：第一次世界大戦で敗れたオスマン帝国では，ムスタファ=ケマルにより，トルコ民族主義から脱しムスリムの連帯を強化するためのタンジマートと呼ばれる改革が展開された。これにより，社会関係を律する基本となっていたイスラーム法を体系化したオスマン帝国初の憲法が発布されたが，これに反発し世俗化と近代化を目指そうとする青年将校らにより青年トルコ革命が起こり，オスマン帝国に代わるトルコ共和国の建国が宣言された。

3：第一次世界大戦後，朝鮮の京城（現在のソウル）において，「独立万歳」をスローガンに掲げて市民が市中を行進する五・四運動が起こった。朝鮮総督府は，武力弾圧による早期鎮静化を図ったため，この運動が朝鮮全土に広がることはなかったが，これをきっかけに，日本語教育など文化面での民族同化政策を中心とした文化政治から，徹底した武断統治へと支配政策の重点を移した。

4：19世紀末以降，フランスの委任統治領であったパレスチナでは，自分たちの国家の樹立を目指し移住してきたユダヤ人と先住のアラブ人との対立が続いていた。第二次世界大戦後，アラブ人がパレスチナにおけるイスラエルの建国を一方的に宣言して強行すると，ユダヤ人との対立は第1次中東戦争に発展し，ユダヤ人がこれに勝利してイスラエルを占領したため，敗れたアラブ人はパレスチナを追われ，多数の難民が発生した。

5：第二次世界大戦後，アフリカでは，植民地の団結と協力の下，独立を目指すため，アフリカ統一機構（OAU）が結成され，1960年には植民地が次々に独立を果たし，「アフリカの年」と呼ばれた。また，1960年代に，アジア=アフリカ会議が開催されると，アジアでも，冷戦下の東西陣営のいずれにも属さない第三勢力として，独立の気運が高まり，オランダから独立したインドネシアを始め，植民地の独立が相次いだ。

OUTPUT

実践 問題 **185** の解説 ─────────

〈19世紀以降の民族運動〉

1○ 第1次世界大戦後のインドの民族運動の説明として妥当である。

2× 第1次世界大戦後のオスマン帝国において，世俗化と近代化を目指し，トルコ共和国の建国を宣言したのが，ムスタファ＝ケマルである。なお，タンジマートとは19世紀にオスマン帝国で実施された近代化を目指す改革であり，その結果，1876年にオスマン帝国初の憲法が発布された。しかし，この憲法が停止されたため，憲法の復活とスルタンの専制の打倒を目指して起こったのが1908年の青年トルコ革命ある。

1839〜76年	タンジマート（皇帝主導の西欧化改革）
1876年	ミドハト憲法発布
1878年	露土戦争を口実に議会を閉鎖し，憲法も停止
1908年	青年トルコ革命（専制政治に反対し，憲法を復活）
1919年	ムスタファ＝ケマルがスルタン制を廃止し，トルコ共和国を樹立

3× 第1次世界大戦後の朝鮮で起こったのは三・一独立運動であり，五・四運動は中国で「二十一カ条要求」の破棄を求めて起こった民族運動である。また，三・一独立運動を契機に武断政治をある程度ゆるめて「文化政治」と呼ばれる同化政策に転換した。

4× 19世紀末のパレスチナはオスマン帝国領であり，第1次世界大戦でオスマン帝国が敗戦すると，その領土であった西アジア一帯をイギリスとフランスが分割した。その際，パレスチナを委任統治領としたのはイギリスである。また，第2次世界大戦後にイスラエルを建国したのはユダヤ人である。

5× アフリカ統一機構（OAU）が設立されたのは1963年のことであり，植民地の団結と協力のもと，独立を目指したのではなく，アフリカ独立諸国首脳会議で創設され，独立を達成したアフリカ諸国の統一と連帯，独立確保，植民地主義の一掃などが目的とされた。また，アジア・アフリカ（バンドン）会議が開催されたのは1955年のことである。開催されたバンドンは，オランダからすでに1949年に独立を達成していたインドネシアの都市である。具体的な独立年を覚えるというよりも，アジア諸国の独立が第2次世界大戦後に次々と達成されたのに対し，アフリカ諸国の独立が遅れた点から選択肢を切りたい。

正答 1

実践 問題 **186** 〈 基本レベル 〉

頻出度	地上★	国家一般職★	東京都★	特別区★
	国税·財務·労基★	国家総合職★	国家総合職(教養区分)★★★	

問 アフリカに関する記述A～Dのうち，妥当なもののみを挙げているのはどれか。 (国税・財務・労基2015)

A：19世紀において，イギリスがエジプトとケープ植民地を結ぶ縦断政策を進める一方，フランスはアルジェリアを起点に，サハラ砂漠とジブチを結ぶ横断政策を進めるなど，ヨーロッパ諸国の植民地政策により，20世紀初頭にはアフリカはリベリアとエチオピアを除き実質的に植民地化された。

B：第二次世界大戦後，民族運動の高まりによって，ケニアやアルジェリアなどが1950年代に独立し，さらに，ガーナなど27か国が独立した1960年は「アフリカの年」と呼ばれた。その後は，2011年の南スーダンの成立まで新たに独立した国はなかった。

C：1955年，インドネシアのバンドンで，アジアとアフリカの諸国の代表による初めての会議として，アジア＝アフリカ会議が開かれた。また，1963年には，アフリカ諸国の連帯などを目指して，アフリカの独立国によってアフリカ統一機構（OAU）が結成された。

D：南アフリカ共和国では，建国時から人種隔離政策（アパルトヘイト）が維持されてきたが，1990年にマンデラが黒人初の大統領に選ばれた後，この政策は段階的に緩和され，1994年にはアパルトヘイトは完全に撤廃された。

1：A，B
2：A，C
3：A，D
4：B，C
5：B，D

OUTPUT

実践 問題 **186** の解説 ─────────────────────

〈アフリカの歴史〉

A○ そのとおり。イギリスは縦断政策を，フランスは横断政策を進め，アフリカに植民地を拡大していった。また，ドイツやベルギー，ポルトガルなどもアフリカ大陸に植民地を持った。このため，20世紀初頭には，リベリアとエチオピアを除き，実質的に植民地化された。

B✕ 1950年代に独立したのは，モロッコやチュニジア，ガーナである。アルジェリアの独立は，フランスの抵抗にあい，武装闘争の後，1962年に達成された。また，1960年が「アフリカの年」とよばれたことは正しいが，この年に独立した国は27カ国ではなく17カ国である。さらに，ケニアが1963年にイギリスから独立したように，1960年以降も多くの国が独立している。

C○ そのとおり。アジア・アフリカ会議では，平和共存，反植民地主義をうたった平和十原則が採択された。1963年に結成されたアフリカ統一機構（OAU）は，パン＝アフリカニズムを掲げて設立され，植民地主義の根絶や，非同盟路線の堅持，紛争の平和的解決などを目指した。アフリカ統一機構（OAU）は，冷戦後の2002年に発足したアフリカ連合（AU）に基本理念が受け継がれ，発展的に改組された。アフリカ連合（AU）は，紛争の平和的解決に加え，EUをモデルにアフリカ大陸における政治的・経済的統合の促進を目的とする。

D✕ 人種隔離政策（アパルトヘイト）が廃止され，全人種による選挙が行われた結果，マンデラが黒人初の大統領になったのである。南アフリカでは，第２次世界大戦後に白人支配を維持するために，アパルトヘイト（人種隔離政策）がとられていたが，アフリカ民族会議（ANC）の抵抗や，国際連合の経済制裁を受けるなど，国際的な批判を浴びる中，1980年代末に白人のデクラーク政権が見直しを進めた。この結果，1991年に関連諸法をすべて撤廃し，1994年の全人種による選挙の結果，マンデラが黒人初の大統領となった。

以上から，AとCが妥当であるので，肢2が正解となる。

第3章 アジア史

正答 **2**

Q1	秦の始皇帝は，一族・功臣に土地を与える封建制を採用した。
Q2	中国を最初に統一した漢の劉邦は全土に郡県制を採用した。
Q3	前漢の最盛期を現出した武帝は，法家思想を官学とした。
Q4	唐の初期には隋から継承した均田制・府兵制・租庸調制が整備された。
Q5	明の時代には両税法が採用され，節度使が置かれるようになった。
Q6	宋（北宋）は，遼や西夏を滅亡させ，武断政治により中国の統一を図った。
Q7	元は前王朝から科挙などを継承し，漢人も積極的に多数採用した。
Q8	明では最終試験を皇帝自ら課す殿試が導入され，科挙が完成した。
Q9	元の時代には駅伝制の整備が進められ，東西交流が陸路・海路とも盛んになったが，紙幣の乱発によって物価が騰貴し，紅巾の乱が起こった。
Q10	元の時代にはマテオ＝リッチがカトリックの布教に訪れ『坤輿万国全図』を作成した。
Q11	イエズス会の宣教師としてマルコ＝ポーロが明を訪れた。
Q12	明を建国した洪武帝は，鄭和を南海遠征に派遣した。
Q13	清では賦役黄冊や魚鱗図冊が作成された。
Q14	イスラーム教は救世主ムハンマドが創始した宗教で，ユダヤ教やキリスト教の神を否定し，唯一絶対の神アッラーへの信仰を説く。
Q15	アッバース朝が建国されるとシーア派とスンナ派に分裂した。
Q16	スンナ派とシーア派の対立が激しくなると，多数派のスンナ派はコンスタンティノープルを首都とするマムルーク朝を建てた。
Q17	アッバース朝は，タラス河畔の戦いで唐に破れた。
Q18	タラス河畔の戦いでイスラームから唐に製紙法が伝えられた。
Q19	奴隷出身のトルコ系軍人が勢力を伸ばし，アッバース朝を開いた。
Q20	ギリシア正教を奉じるティムール朝がササン朝を滅ぼした。
Q21	ティムール帝国の都サマルカンドは文化・商業の中心として繁栄した。
Q22	オスマン帝国は，ビザンツ帝国の首都コンスタンティノープルを陥落させてビザンツ帝国を滅ぼした。
Q23	オスマン帝国はレパントの海戦でスペインに大勝した。
Q24	オスマン帝国は19世紀にナポレオンに滅ぼされた。
Q25	ムガル帝国はエジプトに成立したイスラーム王朝である。
Q26	ムガル帝国のアクバル帝はヒンドゥー教徒とイスラーム教徒の融和を図ったため，インド＝イスラーム文化が開花した。

Answer

A 1 × 一族・功臣に土地を与える封建制を採用したのは周王朝である。

A 2 × 中国を最初に統一し，郡県制を採用したのは秦の始皇帝である。前漢を建国した劉邦は封建制と郡県制を合わせた郡国制を採用した。

A 3 × 武帝が官学としたのは儒学。法家思想は秦の始皇帝が採用した。

A 4 ○ 唐の初期には均田制・府兵制・租庸調制が整備された。

A 5 × 両税法が採用され，節度使が置かれるようになったのは唐の時代。

A 6 × 宋では武断政治の風潮を廃して文治主義を採用した。また，遼や西夏は宋を脅かした王朝である。

A 7 × 元では中央の要職はモンゴル人が独占し，科挙の実施も少なかった。

A 8 × 殿試が科挙に導入されたのは宋の時代である。

A 9 ○ 13世紀には駅伝制の施行により東西交流が盛んになった。

A 10 × マテオ＝リッチが中国で布教を行ったのは明末清初のこと。

A 11 × マルコ＝ポーロは元のフビライに仕えた。宣教師ではない。

A 12 × 鄭和を南海遠征に派遣したのは明の第3代皇帝永楽帝である。

A 13 × 租税・戸籍台帳である賦役黄冊や，土地台帳である魚鱗図冊が作成されたのは明の時代である。

A 14 × イスラーム教は預言者ムハンマドが創始した宗教で，ユダヤ教やキリスト教の預言者を自らに先立つ預言者として認めている。

A 15 × 第4代カリフが暗殺されてウマイヤ朝が成立すると，第4代カリフのアリーを正統とするシーア派と，多数派のスンナ派に分かれた。

A 16 × マムルーク朝はカイロを都にエジプトに建てられた。

A 17 × タラス河畔の戦いでは唐に勝利している。

A 18 × 製紙法は中国からイスラーム世界に伝播した。

A 19 × 奴隷出身のトルコ系軍人が建てたのはマムルーク朝である。

A 20 × ティムール朝はイスラーム王朝。ササン朝は6世紀にアラブ人との戦いに敗れ滅亡したイラン人の王朝である。

A 21 ○ サマルカンドは古くから東西交易の拠点であった。

A 22 ○ ビザンツ帝国を滅ぼしたオスマン帝国は，コンスタンティノープルをイスタンブルと改称した。

A 23 × レパントの海戦では，オスマン帝国がスペインに敗れている。

A 24 × 19世紀にナポレオンが滅ぼしたのは神聖ローマ帝国である。

A 25 × ムガル帝国はイスラーム教徒がインドを制圧して建国した王朝である。

A 26 ○ ムガル帝国ではインド＝イスラーム文化が形成され，シャー＝ジャハーンが建設したタージマハル廟が残る。

第3章　アジア史

Q27 アヘン戦争は清の敗北に終わり，北京条約によって香港が割譲された。

Q28 アロー戦争後，洪秀全が「扶清滅洋」を唱え太平天国の乱を起こした。

Q29 日清戦争後，義和団は北京を占領したが，曾国藩や李鴻章が率いる郷勇や常勝軍によって鎮圧された。

Q30 第1次世界大戦後の中国では，五・四運動が起こり清朝は滅亡した。

Q31 第1次世界大戦後にインドはイギリスから独立した。

Q32 第2次世界大戦後の中国では毛沢東を中心とした大躍進運動が成功し，著しい経済発展が見られた。

Q33 インドネシアの指導者スカルノは親米政策をとり，アジアにおける反共包囲体制の中心となった。

Q34 1990年代のバルフォア宣言では，イスラエルとパレスチナ解放機構（PLO）が相互承認し，パレスチナ暫定自治政府が発足した。

Q35 石油危機を背景として発生した第4次中東戦争は，イスラエルがイランとイラクを破って石油の安定供給を実現させ，世界経済を回復させた。

Q36 イスラーム教徒が多数を占めるインドと，ヒンドゥー教徒が多数を占めるパキスタンに分かれて独立した。

Q37 日清戦争の敗北後，中国の光緒帝は康有為を中心に近代化を図ろうとしたが，西太后ら保守派のクーデタにより改革は失敗に終わった。

Q38 日清戦争による勝利を契機に，日本は韓国を併合した。

Q39 日露戦争後の朝鮮半島では，三・一運動が起こった。

Q40 アジア・アフリカ会議には，共産主義の中国は参加を拒否された。

Q41 第2次世界大戦後のベトナムは，アメリカからの独立を目指してインドシナ戦争を展開した。

Q42 タイは第2次世界大戦後にイギリスからの独立を果たした。

Q43 オスマン帝国のスレイマン1世は，クリミア戦争でロシアに敗北した。

Q44 第1次世界大戦後のインドでは，ガンディが対英武装闘争を展開した。

Q45 ベトナム戦争の結果，ベトナムには資本主義政権が樹立された。

Q46 インドネシアはスカルノを中心に，イギリスからの独立を達成した。

Q47 インドとアフガニスタンの間には，カシミール地方をめぐる対立がある。

Q48 朝鮮戦争が起こると，ソ連を中心とする国連軍が派遣され，南北朝鮮の間には平和条約が締結された。

A 27	×	アヘン戦争後に締結されたのは南京条約である。
A 28	×	太平天国の乱は，洪秀全がアヘン戦争後に「滅満興漢」をスローガンに起こしたものである。
A 29	×	曾国藩や李鴻章が率いる郷勇や常勝軍によって鎮圧されたのは太平天国の乱である。義和団は8カ国連合軍が派遣されて鎮圧された。
A 30	×	清朝が滅亡したのは1911年の辛亥革命による。
A 31	×	第1次世界大戦後のインドではガンディーがローラット法の制定に対し非暴力・不服従運動を展開した。インドの独立は第2次世界大戦後。
A 32	×	大躍進運動は大失敗に終わり，毛沢東はいったん失脚した。その後，毛沢東は資本主義を排除する文化大革命を推進する。
A 33	×	東西どちらの軍事同盟にも属せず，中立を旨として結集したアジア・アフリカの国々を第3勢力とよぶが，スカルノはその中心である。反共包囲体制の中心ではない。
A 34	×	バルフォア宣言は1917年にイギリスがユダヤ人国家建設を承認したものである。
A 35	×	第4次中東戦争の際に，アラブ側が石油戦略を採用したため，第1次石油危機が発生，日本や欧米諸国は不況に見舞われた。
A 36	×	インドがヒンドゥー教徒で，パキスタンがイスラーム教徒である
A 37	○	康有為は立憲君主体制の樹立を目指す変法運動を進めた。
A 38	×	韓国併合は1910年。日清戦争が契機ではない。
A 39	×	三・一運動が起こったのは第1次世界大戦後のことである。
A 40	×	中国の周恩来は第三勢力の中心であり，中国も参加している。
A 41	×	インドシナ戦争はベトナムがフランスからの独立を求めて戦った。
A 42	×	タイは東南アジアで唯一独立を維持した国である。
A 43	×	クリミア戦争は英仏がオスマン帝国側に立って介入したため，ロシアが敗北。また，スレイマン1世は16世紀のオスマンの最盛期の皇帝。
A 44	×	ガンディは納税拒否などの非暴力・不服従運動を展開した。
A 45	×	ベトナム社会主義共和国が樹立された。
A 46	×	インドネシアはオランダから独立を達成した。
A 47	×	カシミール地方をめぐって対立しているのはインドとパキスタン。
A 48	×	アメリカ主体の国連軍が派遣された（ソ連が安保理を欠席しているので正規の国連軍ではない）。南北朝鮮の間には平和条約は締結されていない。

第3章 アジア史

INDEX

INDEX

INDEX

INDEX

INDEX

INDEX

2025-2026年合格目標
公務員試験 本気で合格！ 過去問解きまくり！
⑤人文科学Ⅰ

2019年11月20日　第1版　第1刷発行
2024年12月10日　第6版　第1刷発行

編著者●株式会社　東京リーガルマインド
　　　　LEC総合研究所　公務員試験部

発行所●株式会社　東京リーガルマインド
　　　　〒164-0001　東京都中野区中野4-11-10
　　　　アーバンネット中野ビル
　　　　LECコールセンター　　📞0570-064-464
　　　　受付時間　平日9：30～19：30/土・日・祝10：00～18：00
　　　　※このナビダイヤルは通話料お客様ご負担となります。
　　　　書店様専用受注センター　　TEL 048-999-7581 / FAX 048-999-7591
　　　　受付時間　平日9：00～17：00/土・日・祝休み
　　　　www.lec-jp.com/

カバーイラスト●ざしきわらし
印刷・製本●情報印刷株式会社

LEC Webサイト ▷▷▷ **www.lec-jp.com/**

🖱 情報盛りだくさん！

 資格を選ぶときも，
講座を選ぶときも，
最新情報でサポートします！

▶ 最新情報
各試験の試験日程や法改正情報，対策講座，模擬試験の最新情報を日々更新しています。

▶ 資料請求
講座案内など無料でお届けいたします。

▶ 受講・受験相談
メールでのご質問を随時受付けております。

▶ よくある質問
LECのシステムから，資格試験についてまで，よくある質問をまとめました。疑問を今すぐ解決したいなら，まずチェック！

▶ 書籍・問題集（LEC書籍部）
LECが出版している書籍・問題集・レジュメをこちらで紹介しています。

🖱 充実の動画コンテンツ！

 ガイダンスや講演会動画，
講義の無料試聴まで
Webで今すぐCheck！

▶ 動画視聴OK
パンフレットやWebサイトを見てもわかりづらいところを動画で説明。いつでもすぐに問題解決！

▶ Web無料試聴
講座の第1回目を動画で無料試聴！気になる講義内容をすぐに確認できます。

LEC全国学校案内

＊講座のお問合せ，受講相談は最寄りのLEC各校へ

LEC本校

■ 北海道・東北

札 幌本校　☎011(210)5002
〒060-0004 北海道札幌市中央区北4条西5-1　アスティ45ビル

仙 台本校　☎022(380)7001
〒980-0022 宮城県仙台市青葉区五橋1-1-10　第二河北ビル

■ 関東

渋谷駅前本校　☎03(3464)5001
〒150-0043 東京都渋谷区道玄坂2-6-17　渋東シネタワー

池 袋本校　☎03(3984)5001
〒171-0022 東京都豊島区南池袋1-25-11　第15野萩ビル

水道橋本校　☎03(3265)5001
〒101-0061 東京都千代田区神田三崎町2-2-15　Daiwa三崎町ビル

新宿エルタワー本校　☎03(5325)6001
〒163-1518 東京都新宿区西新宿1-6-1　新宿エルタワー

早稲田本校　☎03(5155)5501
〒162-0045 東京都新宿区馬場下町62　三朝庵ビル

中 野本校　☎03(5913)6005
〒164-0001 東京都中野区中野4-11-10　アーバンネット中野ビル

立 川本校　☎042(524)5001
〒190-0012 東京都立川市曙町1-14-13　立川MKビル

町 田本校　☎042(709)0581
〒194-0013 東京都町田市原町田4-5-8　MIキューブ町田イースト

横 浜本校　☎045(311)5001
〒220-0004 神奈川県横浜市西区北幸2-4-3　北幸GM21ビル

千 葉本校　☎043(222)5009
〒260-0015 千葉県千葉市中央区富士見2-3-1　塚本大千葉ビル

大 宮本校　☎048(740)5501
〒330-0802 埼玉県さいたま市大宮区宮町1-24　大宮GSビル

■ 東海

名古屋駅前本校　☎052(586)5001
〒450-0002 愛知県名古屋市中村区名駅4-6-23　第三堀内ビル

静 岡本校　☎054(255)5001
〒420-0857 静岡県静岡市葵区御幸町3-21　ペガサート

■ 北陸

富 山本校　☎076(443)5810
〒930-0002 富山県富山市新富町2-4-25　カーニープレイス富山

■ 関西

梅田駅前本校　☎06(6374)5001
〒530-0013 大阪府大阪市北区茶屋町1-27　ABC-MART梅田ビル

難波駅前本校　☎06(6646)6911
〒556-0017 大阪府大阪市浪速区湊町1-4-1
大阪シティエアターミナルビル

京都駅前本校　☎075(353)9531
〒600-8216 京都府京都市下京区東洞院通七条下ル2丁目
東塩小路町680-2　木村食品ビル

四条烏丸本校　☎075(353)2531
〒600-8413　京都府京都市下京区烏丸通仏光寺下ル
大政所町680-1　第八長谷ビル

神 戸本校　☎078(325)0511
〒650-0021 兵庫県神戸市中央区三宮町1-1-2　三宮セントラルビル

■ 中国・四国

岡 山本校　☎086(227)5001
〒700-0901 岡山県岡山市北区本町10-22　本町ビル

広 島本校　☎082(511)7001
〒730-0011 広島県広島市中区基町11-13　合人社広島紙屋町アネクス

山 口本校　☎083(921)8911
〒753-0814 山口県山口市吉敷下東 3-4-7　リアライズⅢ

高 松本校　☎087(851)3411
〒760-0023 香川県高松市寿町2-4-20　高松センタービル

松 山本校　☎089(961)1333
〒790-0003 愛媛県松山市三番町7-13-13　ミツネビルディング

■ 九州・沖縄

福 岡本校　☎092(715)5001
〒810-0001 福岡県福岡市中央区天神4-4-11
天神ショッパーズ福岡

那 覇本校　☎098(867)5001
〒902-0067 沖縄県那覇市安里2-9-10　丸姫産業第2ビル

■ EYE関西

EYE 大阪本校　☎06(7222)3655
〒530-0013　大阪府大阪市北区茶屋町1-27　ABC-MART梅田ビル

EYE 京都本校　☎075(353)2531
〒600-8413　京都府京都市下京区烏丸通仏光寺下ル
大政所町680-1　第八長谷ビル

LEC提携校

＊提携校はLECとは別の経営母体が運営をしております。
＊提携校は実施講座およびサービスにおいてLECと異なる部分がございます。

■ 北海道・東北 ■

八戸中央校 [提携校]　☎0178(47)5011
〒031-0035　青森県八戸市寺横町13　第1朋友ビル
新教育センター内

弘前校 [提携校]　☎0172(55)8831
〒036-8093　青森県弘前市城東中央1-5-2
まなびの森　弘前城東予備校内

秋田校 [提携校]　☎018(863)9341
〒010-0964　秋田県秋田市八橋鯲沼町1-60
株式会社アキタシステムマネジメント内

■ 関東 ■

水戸校 [提携校]　☎029(297)6611
〒310-0912　茨城県水戸市見川2-3079-5

所沢校 [提携校]　☎050(6865)6996
〒359-0037　埼玉県所沢市くすのき台3-18-4　所沢K・Sビル
合同会社LPエデュケーション内

日本橋校 [提携校]　☎03(6661)1188
〒103-0025　東京都中央区日本橋茅場町2-5-6　日本橋大江戸ビル
株式会社大江戸コンサルタント内

■ 北陸 ■

新潟校 [提携校]　☎025(240)7781
〒950-0901　新潟県新潟市中央区弁天3-2-20　弁天501ビル
株式会社大江戸コンサルタント内

金沢校 [提携校]　☎076(237)3925
〒920-8217　石川県金沢市近岡町845-1
株式会社アイ・アイ・ピー金沢内

福井南校 [提携校]　☎0776(35)8230
〒918-8114　福井県福井市羽水2-701
株式会社ヒューマン・デザイン内

■ 中国・四国 ■

松江殿町校 [提携校]　☎0852(31)1661
〒690-0887　島根県松江市殿町517　アルファステイツ殿町
山路イングリッシュスクール内

岩国駅前校 [提携校]　☎0827(23)7424
〒740-0018　山口県岩国市麻里布町1-3-3　岡村ビル　英光学院内

新居浜駅前校 [提携校]　☎0897(32)5356
〒792-0812　愛媛県新居浜市坂井町2-3-8
パルティフジ新居浜駅前店内

■ 九州・沖縄 ■

佐世保駅前校 [提携校]　☎0956(22)8623
〒857-0862　長崎県佐世保市白南風町5-15　智翔館内

日野校 [提携校]　☎0956(48)2239
〒858-0925　長崎県佐世保市椎木町336-1　智翔館日野校内

長崎駅前校 [提携校]　☎095(895)5917
〒850-0057　長崎県長崎市大黒町10-10　KoKoRoビル
minatoコワーキングスペース内

高原校 [提携校]　☎098(989)8009
〒904-2163　沖縄県沖縄市大里2-24-1
有限会社スキップヒューマンワーク内

※上記は2024年11月1日現在のものです。

書籍の訂正情報について

このたびは，弊社発行書籍をご購入いただき，誠にありがとうございます。
万が一誤りの箇所がございましたら，以下の方法にてご確認ください。

1 訂正情報の確認方法

書籍発行後に判明した訂正情報を順次掲載しております。
下記Webサイトよりご確認ください。

www.lec-jp.com/system/correct/

2 ご連絡方法

上記Webサイトに訂正情報の掲載がない場合は，下記Webサイトの
入力フォームよりご連絡ください。

lec.jp/system/soudan/web.html

フォームのご入力にあたりましては，「Web教材・サービスのご利用について」の
最下部の「ご質問内容」に下記事項をご記載ください。

> ・対象書籍名（○○年版，第○版の記載がある書籍は併せてご記載ください）
> ・ご指摘箇所（具体的にページ数と内容の記載をお願いいたします）

ご連絡期限は，次の改訂版の発行日までとさせていただきます。
また，改訂版を発行しない書籍は，販売終了日までとさせていただきます。

※上記「2ご連絡方法」のフォームをご利用になれない場合は，①書籍名，②発行年月日，③ご指摘箇所，を記載の上，郵送
にて下記送付先にご送付ください。確認した上で，内容理解の妨げとなる誤りについては，訂正情報として掲載させてい
ただきます。なお，郵送でご連絡いただいた場合は個別に返信しておりません。

送付先：〒164-0001 東京都中野区中野4-11-10 アーバンネット中野ビル
株式会社東京リーガルマインド 出版部 訂正情報係

> ・誤りの箇所のご連絡以外の書籍の内容に関する質問は受け付けておりません。
> また，書籍の内容に関する解説，受験指導等は一切行っておりませんので，あらかじめ
> ご了承ください。
> ・お電話でのお問合せは受け付けておりません。

講座・資料のお問合せ・お申込み

LECコールセンター 📞 0570-064-464

受付時間：平日9：30〜19：30／土・日・祝10：00〜18：00

※このナビダイヤルの通話料はお客様のご負担となります。
※このナビダイヤルは講座のお申込みや資料のご請求に関するお問合せ専用ですので，書籍の正誤に関
するご質問をいただいた場合，上記「2ご連絡方法」のフォームをご案内させていただきます。